Sortir la maternité du laboratoire

Actes du forum international sur les nouvelles technologies de
la reproduction organisé par le Conseil du statut de la femme
et tenu à Montréal les 29, 30 et 31 octobre 1987,
à l'Université Concordia.

Gouvernement du Québec
**Conseil du statut
de la femme**

Lecture et uniformisation: Francine Gagnon, Johanne Tremblay, Jeannine Codaire, Lucie Desrochers, Ginette Ruel, Micheline Asselin, Renée Pinsonnault, Robert Hardy.

Rédaction des résumés: Thérèse Mailloux, Marie Rinfret, Jocelyne Olivier, Lucie Desrochers

Conception graphique: Louise Bernatchez

Page couverture: Conception assistée par ordinateur, Rapid-grafic / Alain Provost

Photographie: Claire Miville (CSF), Daniel Lessard (ministère des Communications)

Photocomposition: Typo Litho composition inc.

Distribution: Thérèse Dupuis

Dépôt légal 1er trimestre 1988
Bibliothèque nationale du Québec
ISBN 2-550-18239-1

Présentation

Le Conseil du statut de la femme est heureux de publier les Actes du forum international sur les nouvelles technologies de la reproduction qui se déroulait, à son initiative, les 29, 30 et 31 octobre 1987 à l'Université Concordia. Si le thème du forum était alors *La maternité au laboratoire*, il est tout à fait justifié maintenant d'intituler les Actes *Sortir la maternité du laboratoire*: cela s'impose à la relecture des textes et à la réflexion sur ces trois jours d'échanges.

Ce forum fut un bel événement et il nous a valu une avalanche de témoignages vibrants de satisfaction de la part des invité-e-s et des participant-e-s. Autant de stimulants pour les membres et le personnel du Conseil du statut de la femme dont les avis et les recommandations font de plus en plus d'adeptes.

Je voudrais ici remercier le gouvernement du Québec et tout particulièrement la ministre déléguée à la condition féminine, madame Monique Gagnon-Tremblay, de l'appui ferme et sans équivoque qu'elle nous a manifesté dans la préparation et le déroulement de cet important forum.

Ce volume vient répondre à un désir largement partagé par ceux et celles qui étaient avec nous à Montréal. Il permettra aux nombreuses personnes qu'il nous a été pénible de refuser, faute d'espace, de n'avoir pas tout raté.

Puisse-t-il connaître une large diffusion, alimenter la réflexion et être source de sagesse.

Francine C. McKENZIE

Tel forum, tels Actes

La qualité, le dynamisme et l'intérêt des conférencier-e-s et des participant-e-s au forum *La maternité au laboratoire* ont rendu prioritaire et motivante, dès le 31 octobre, la production rapide du volume qui allait devenir le miroir de cet événement.

L'essentiel du contenu du forum y est présenté, de façon intégrale et dans leur langue de communication pour ce qui est des conférences, sous forme de synthèses dans le cas de débats. Ce ne fut pas une mince tâche d'uniformiser techniquement 40 conférences différentes et de bien rendre compte des discussions variées et fort pertinentes qui ont eu lieu.

Il y a de ces idées qui ont couru allègrement d'une feuille à l'autre, d'un micro à l'autre, d'une salle à l'autre pendant ces trois jours. S'il eût été intéressant de les mettre davantage en évidence sous forme de regroupements thématiques, cela aurait mis entre vous et nous un laps de temps trop long, ce que nous ne souhaitions pas. Votre travail de lecture complétera le nôtre.

Si le forum a bénéficié d'un service d'interprétation simultanée, les Actes, quant à eux, contiennent le résumé en français de chaque conférence prononcée en anglais. Cependant, le contraire ne s'applique pas.

Que celles et ceux qui chercheront fébrilement les notes correspondant aux chiffres d'appel dont la plupart des textes sont parsemés ne nous accusent pas d'oubli. Ces notes ne sont pas en bas de page, comme les règles le veulent, mais regroupées en fin de volume sous le nom de chaque conférencier-e et complétées par les bibliographies respectives.

Reste l'ambiance d'un événement comme celui-là qu'une publication ne peut refléter qu'imparfaitement. Celle du forum de cette fin d'automne 1987 a été remarquable, tout autant studieuse qu'agréable, faite de visages et de lieux dont on aime se souvenir ou qu'on aurait aimé voir: les photographies en témoignent à leur façon.

Si les Actes contribuent à prolonger la qualité, le dynamisme, l'intérêt et la diversité de cet événement et des gens qui y ont participé, il n'aura pas été inutile d'en faire une priorité au Conseil du statut de la femme.

Louise Jacob, coordonnatrice du forum
Francine Gagnon, responsable de la publication des Actes

Table des matières

Discours d'ouverture
Thérèse Lavoie-Roux 11

Allocution de bienvenue
Francine C. McKenzie 17

Conférence-débat d'ouverture

• **Conférence de Gena Corea** 24

• **Le poème de la limite**
Jacques Dufresne 33

• **Les procréations artificielles: un défi pour le droit**
Catherine Labrusse-Riou 40

• **Premier bilan d'une rupture annoncée**
Jacques Testart 49

• **Synthèse du débat** 54

La maternité en miettes (Atelier A)

• **Maternité et technologie de la reproduction humaine: une réalité éclatée**
Francine Descarries 60

• **Maternité en miettes et malheurs à la chaîne**
Anne-Marie de Vilaine 68

• **Crumbling Motherhood: Reproductive Technology Creating Women's Procreative Alienation**
Robyn Rowland 76

• **Synthèse du débat** 87

Mère sous surveillance (Atelier B)

• **Les nouvelles technologies de la reproduction: pourquoi et quand?**
Diogène Cloutier 92

• **Conférence d'Isabelle Brabant** 96

• **When Medicalisation Equals Experimentation and Creates Illness: The Impact of the New Reproductive Technologies on Women**
Renate Klein 103

• **Synthèse du débat** 115

Les enfants que je veux si je peux (Atelier C)

- Conférence de Laurence Gavarini 120
- Conférence d'Andrée Chatel 127
- **Des enfants prothèse?**
  Geneviève Delaisi de Parseval 134
- Synthèse du débat 142

De parents inconnus (Atelier D)

- **Artificial Insemination in Sweden**
  Lena Jonsson 148
- **Anonymity and Secrecy in Donor Insemination: In Whose Best Interests?**
  Rona Achilles 156
- **Filiation, parenté, identité: rupture ou continuité?**
  Édith Deleury 164
- Synthèse du débat 170

Utérus recherché (Atelier E)

- Conférence de Bernard Dickens 178
- **Preconception Contracts for the Production of Children — What Are the Proper Legal Responses?**
  Margrit Eichler 187
- **La radicalité des mères porteuses**
  Françoise Laborie 205
- Synthèse du débat 215

Une société sans handicap (Atelier F)

- **La société du futur sans handicap: mythe ou réalité**
  Louis Dallaire 220
- Conférence d'Abby Lippman 229
- **Le diagnostic prénatal et les minorités**
  Yvette Grenier 239
- **Prenatal Screening and Discriminatory Attitudes Towards Disabled People**
  Marsha Saxton 246
- Synthèse du débat 250

Droit du foetus, intégrité physique de la mère (Atelier G)

- **Balancing the Health of the Fetus and the Physical Integrity of the Pregnant Women**
  Edward W. Keyserlingk 258
- **Maternal Integrity and the Construction of Fetal Rights: an Examination of Politics on Fetal Surgery**
  Caroline L. Kaufmann 272
- **Droit du foetus et intégrité physique de la mère**
  Diane Girard 280

● Synthèse du débat 289

La science en question (Atelier H)

● On ne congèle pas les nouvelles comme des embryons
Carole Beaulieu 298

● Male Science and the "technological fix": the case of the New
Reproductive Technologies
Rita Arditti 303

● Quels sont les sujets de pointe en génétique, et pourquoi?
Karen Messing 312

● Politique et éthique dans les institutions médicales: questions posées par le
Conseil du statut de la femme
Claire Ambroselli 315

● Synthèse du débat 323

Allocution prononcée lors du déjeuner-causerie

Monique Gagnon-Tremblay 329

Conférence débat de clôture

● Choisissons de nous prendre en main
Marie Lalancette 336

● The Collective Power of Women in Procreation: A Project for International
Action
Jalna Hanmer 341

● New Reproductive Technologies and Women's Health
Mary Sue Henifin 347

● Pouvoir collectif des femmes et nouvelles technologies de reproduction
Martine Chaponnière 353

● Making International Connections: Surrogacy, the Traffic in Women and
De-Mythologizing Motherhood
Janice G. Raymond 359

● Conférence de Françoise Laborie 365

● Une clôture d'ouvertures...
Louise Vandelac 369

● Synthèse du débat 381

Appendice

● L'éprouvette porteuse
Louky Bersianik 385

● Du désordre dans la filiation
Évelyne Serdjenian 388

Notes et bibliographies 391

Discours d'ouverture

Thérèse Lavoie-Roux, ministre de la Santé et des Services sociaux

C'est avec plaisir que j'ai accepté l'invitation qui m'a été faite par le Conseil du statut de la femme et l'Institut Simone-de-Beauvoir de prendre la parole au début de ce forum international sur les nouvelles technologies de la reproduction. Le thème que vous allez explorer, celui de la maternité au laboratoire, soulève un nombre presque illimité de questions toutes aussi complexes les unes que les autres. Les conséquences possibles de ces technologies et leur utilisation potentielle à des fins autres que celles pour lesquelles elles ont originellement été mises au point me laissent pour le moins songeuse. Les échos des retombées de ces techniques que ce soit du côté de l'entreposage d'embryons humains congelés, des contrats de grossesse ou de l'insémination artificielle post-mortem sont suffisamment complexes pour mériter que l'on prenne du temps pour y réfléchir.

La responsabilité gouvernementale, ainsi que la mission du Ministère dont j'ai la responsabilité, la santé et les services sociaux, nous obligent à avoir un regard global sur les technologies de la reproduction. Pour le Ministère, cela signifie qu'il faut nécessairement les situer dans un contexte plus large que la demande immédiate d'un service individuel, bien que cela ne soit pas un aspect négligeable de la question. Cette mise en contexte nous oblige à tenir compte dans cette réflexion d'un ensemble de pratiques entourant bien sûr la conception et l'infertilité, mais aussi plus largement la sexualité, la naissance, la maternité, la parentalité et la famille. Il importe de tenir compte de cet ensemble de facteurs non seulement pour réfléchir sur le phénomène immédiat des technologies en reproduction, mais aussi pour déterminer l'approche et le degré de priorité que nous devons donner à nos interventions dans ce domaine par rapport à d'autres facettes des activités et des univers complexes compris sous l'étiquette santé et services sociaux.

Je crois qu'il est aussi important d'affirmer et de mettre de l'avant, à l'occasion d'une réflexion sur les nouvelles technologies de la reproduction, certains principes et certaines avenues d'interventions privilégiées qui permettent de tendre une toile de fond sur nos discussions et nos interventions dans ce domaine. Cette réflexion plus large assure ou permet d'espérer une vision cohérente de ces problèmes complexes.

Un des premiers axes de réflexion concerne la famille; plus précisément, ce que cela implique d'être parents de nos jours. Il faut faire en sorte qu'en 1987, avoir des enfants ne soit pas vécu concrètement comme un handicap. L'avènement des techniques de reproduction ne doit pas, par conséquent, nous amener à négliger les enfants qui attendent ou attendront de recevoir un peu d'attention de notre part.

En second lieu, nous nous devons de nous poser des questions sur l'ensemble du processus de la grossesse et de l'accouchement. Le recours à des technologies sophistiquées pratiquées de façon quasi routinière demeure préoccupant. Sur l'ensemble du dossier de la périnatalité, le rapport du groupe de travail qui s'y penche saura nous apporter un éclairage supplémentaire.

Troisièmement, regarder les technologies de la reproduction dans un contexte global, c'est aussi examiner les problèmes pour lesquels on nous les propose. Je veux particulièrement parler ici de l'infertilité et de la stérilité. Une des tâches les plus fondamentales qui nous incombe est de mettre de l'avant des mesures efficaces pour prévenir l'infertilité. Pour ce faire, nous avons au moins deux niveaux d'action, celui de l'infertilité volontaire et celui de l'infertilité involontaire.

L'augmentation du nombre de ligatures de trompe chez les femmes de moins de trente ans est par le fait même une situation que nous devons considérer de façon prioritaire. Cette tendance ainsi que celle visant un recours de plus en plus grand aux techniques de reproduction semblent aller de pair. Déjà, les femmes qui ont eu une ligature des trompes constituent un pourcentage important de la clientèle des cliniques de fertilité. N'y aurait-il pas tout d'abord lieu de s'interroger sur les raisons qui entourent les décisions relatives aux ligatures et favoriser ainsi une plus grande prise de conscience face aux conséquences qu'elles entraînent? Il est raisonnable de souhaiter que les hommes et les femmes de science cherchent rapidement une solution de rechange à la ligature des trompes ainsi que de nouvelles réponses au besoin de contraception, autant chez la femme que chez l'homme. Il faut aussi souhaiter, dans le même ordre d'idées, que la fécondation in vitro ne devienne un incitatif supplémentaire à banaliser plus qu'il ne l'est le recours à la ligature des trompes.

De plus, nous devons nous soucier de l'impact des maladies transmissibles sexuellement sur la fertilité des jeunes. Les données que nous avons à notre disposition nous font comprendre qu'il faut répéter le message de la prévention et qu'il est nécessaire d'informer la population sur les divers moyens qu'elle a à sa disposition. La campagne sur les maladies transmissibles sexuellement et sur le SIDA annoncée le 24 août dernier, vise à améliorer la visibilité et la connaissance de cette problématique afin de prévenir et de mieux combattre cette autre source d'infertilité.

En ce qui concerne l'infertilité existante, il faut aussi prendre certaines positions. L'investissement considérable de la recherche en infertilité du côté de la fécondation in vitro peut-il avoir comme conséquence à moyen terme l'abandon de certaines technologies telle la réimperméabilisation tubaire qui permet à la personne de retrouver ses facultés reproductrices autonomes? Cet abandon éventuel est-il souhaitable? Devons-nous privilégier un type de technologie curative ou palliative? Quelle place doivent occuper les technologies de reproduction dans la panoplie des moyens de lutte contre l'infertilité? Dans la mesure du possible, il faut éviter aux couples et particulièrement aux femmes d'avoir recours à des techniques lourdes. La prévention et la sensibilisation sont dans cette perspective des aspects fondamentaux et hautement prioritaires d'un programme global de lutte contre l'infertilité.

J'aimerais maintenant aborder certains aspects plus spécifiques par rapport à l'état des pratiques relativement au thème de votre forum.

Au Québec, l'insémination artificielle est remboursée par la Régie de l'assurance-maladie depuis 1971. De 159 actes facturés cette année-là, nous sommes passés à près de 7 000 en 1986. Parmi ces inséminations, certaines sont faites grâce au conjoint, d'autres avec le sperme d'un donneur et d'autres encore sont ce que l'on nomme des inséminations de convenance. Certains centres, bien qu'étant déjà remboursés par la Régie, demandent aux couples une somme d'argent pour avoir accès à la technique afin de dédommager leurs donneurs. Partout, l'anonymat de ces derniers semble être de rigueur, ce qui a été remis en question dernièrement dans le contexte du débat sur la recherche des antécédents biologiques et de la question du droit aux origines. En fait, il n'existe au Québec pratiquement aucun encadrement de ces pratiques dont la mise en place peut varier d'un centre à l'autre. Cela nous semble une situation préoccupante. Par ailleurs, le développement au Québec de la fécondation in vitro et le vide juridique qui l'entoure, le nombre important de problèmes soulevés par ces technologies ainsi que les échos que nous en avons de l'extérieur, tant de la très discutable pratique des contrats de grossesses que de la conservation d'embryons pour une période indéterminée, nous semblent aussi préoccupants.

Cette préoccupation s'est traduite ailleurs par la mise sur pied de comités dont le mandat est d'étudier ces nouveaux modes d'intervention et de faire des recommandations aux personnes et aux organismes concernés. Le Comité Warnock en Angleterre, le Comité consultatif national d'éthique pour les sciences de la vie et de la santé en France et plus près de nous la Commission de réforme du droit de l'Ontario sont des manifestations claires de ce souci.

C'est dans ce contexte que mon Ministère annonçait il y a un an et demi la mise sur pied d'un comité de travail dans le domaine des nouvelles technologies de la reproduction. Ce comité a reçu le mandat suivant:

1) examiner les progrès récents et potentiels de la science et de la médecine dans le domaine des nouvelles technologies de la reproduction;

2) faire le bilan des nouvelles technologies de la reproduction dans une perspective de cohérence des soins de santé au Québec;

3) étudier les possibilités d'encadrement et de limitation éventuelle de ces pratiques en évaluant leur impact aux plans de l'éthique, de la santé, des droits, des libertés et des intérêts des êtres humains;

4) faire des recommandations visant à encadrer ces pratiques.

Cette réflexion devra se prolonger en collaboration avec des intervenants et intervenantes qui oeuvrent déjà dans ces dossiers complexes: les praticiens et les praticiennes de ces techniques, les chercheurs et les chercheuses, les groupes et les organismes qui réfléchissent sur ces pratiques. Le dépôt du rapport de ce groupe de travail, sur lequel siège entre autres le Conseil du statut de la femme, est la première étape d'un processus menant à une prise de position du Ministère dans ce domaine. Nous considérions quand nous avons mis en place ce comité, et nous croyons toujours, que l'implantation et le développement de ces technologies doivent faire l'objet d'un examen sérieux et concerté portant notamment sur:

- l'impact effectif et appréhendé de ces techniques tant sur la santé des femmes que sur nos conceptions du couple, de la famille et de l'enfant désiré lui-même;
- les questions d'éthique concernant particulièrement la manipulation, la congélation et le don d'embryons, leur utilisation et leur création spécifique à des fins de recherches;
- l'accessibilité de ces techniques, la clientèle qu'elles visent et leur utilisation à des fins non-médicales, par exemple la sélection du sexe de l'enfant à venir;
- la prévention de l'infertilité, qui peut se faire par des mesures de sensibilisation relativement simples;
- l'ensemble des effets secondaires de ces pratiques tant sur le couple, sur l'enfant que sur notre société;
- la question délicate et controversée de savoir s'il existe, pour une personne issue de ces technologies, un droit de connaître celui ou celle qui aura fourni les gamètes dont elle est en partie issue, versus le droit à la vie privée de ce donneur ou de cette donneuse;
- la commercialisation et l'implantation de cliniques privées dans ce domaine, phénomène qui me semble au minimum discutable;
- la pratique des « mères porteuses » qui est à l'heure actuelle au Québec hors de tout contrôle et dont les conséquences pour toutes les parties en cause nécessitent une prise de position claire de notre part.

Ce travail nous a semblé et nous semble encore préalable à toute intervention ministérielle concernant l'une ou l'autre des facettes de ces techniques. En tant que ministre de la Santé et des Services sociaux, je crois qu'il est raisonnable de prendre un temps de réflexion avant d'intervenir dans ces dossiers. De plus, les retombées de ces technologies dans d'autres pays nous ont rapidement persuadés qu'il serait à tout le moins imprudent de les laisser se développer sous l'unique mode de l'offre et de la demande; ce serait abdiquer devant nos responsabilités face à la population. Le comité devrait me remettre son rapport d'ici la fin de l'année et les échos qui me sont parvenus des discussions et des travaux sont garants de la qualité et de la rigueur des débats qui s'y sont déroulés.

Quoiqu'il arrive dans l'avenir concernant la reproduction humaine, je crois qu'il nous faut en toute priorité garder en tête la simple mais toujours nécessaire notion de respect de l'intégrité des personnes engagées dans le processus, et je pense ici particulièrement à cette femme et à cet homme qui demain seront en demande de service. Nos réflexions sur la technologie doivent avoir comme souci fondamental, comme cadre de référence nécessaire le respect de la personne et de son cheminement. Il faut éviter que les femmes deviennent de « beaux cas », et les enfants des produits de consommation.

Il importe aussi de dégager l'infertilité et la stérilité du contexte de culpabilité auquel elles sont souvent associées. Il semble que ces technologies sont là pour rester. Dans certains cas précis, elles représentent un choix acceptable. Il faut être capable de faire preuve d'ouverture d'esprit à leur égard mais surtout, il faut être capable de les utiliser avec discernement. Il faut à la fois être sensible à la demande des couples infertiles et faire preuve d'une nécessaire prudence à l'égard d'un développement anarchique de ces technologies.

En terminant, laissez-moi vous donner l'assurance que les responsables du dossier des technologies de la reproduction du Ministère suivront avec intérêt les travaux et les délibérations que vous aurez durant les deux prochains jours. Ils y puiseront certainement des informations et des réflexions précieuses pour le cheminement du dossier.

Je m'en voudrais aussi de ne pas souligner l'action du Conseil du statut de la femme dans ce dossier. Son souci permanent du respect de l'intégrité des femmes dans le développement de ces techniques a fait avancer de plusieurs crans la réflexion au Québec et a permis d'alimenter le débat. Ce ne serait en ce domaine que sa seule contribution, et je sais que ce n'est pas le cas, qu'il aurait quand même droit à notre reconnaissance et notre estime. Sur ce, je vous souhaite à toutes et à tous un bon forum.

Allocution de bienvenue

Francine C. McKenzie, présidente du Conseil du statut de la femme

Nous sommes réuni-e-s aujourd'hui, profanes, initié-e-s, concerné-e-s et spécialistes pour consacrer deux jours de réflexion à la maternité au laboratoire. Quels que soient nos mobiles, nos opinions, nos conditions, notre seule présence ici traduit l'inquiétude, indique que l'imprenable forteresse de la science n'est pas en tout point sécuritaire et qu'il n'est pas utopique maintenant de faire brèche à l'idéologie du progrès. Non pas dans le dessein de refuser le progrès, mais plutôt dans celui de s'assurer qu'il en constitue un. Deux jours pendant lesquels nous pouvons interroger la bio-technologie et sa benjamine, la procréatique, qui laissent jouer ensemble la médecine procréative et la médecine prédictive alors qu'un désir faustien anime les joueurs de l'une et de l'autre équipe et qu'ils sont au départ dignes de l'Olympe du seul fait qu'ils oeuvrent à l'incarnation de l'impossible enfant.

Dieu merci, Cérès n'a pas livré tous ses mystères: il n'est donc pas trop tard pour donner la parole aux protagonistes de ce grand jeu, **les femmes** dont on a choisi le corps comme laboratoire et dont le corps pourrait, à la limite, devenir aléatoire dans la reproduction humaine.

S'il est vrai, comme l'écrit Jacques Testart dans *L'Oeuf transparent* que « nous sommes les drogués d'un destin jamais pensé et dont nous faisons mine d'être les maîtres », eh bien ce forum pourrait inaugurer une cure de désintoxication, une pause pour permettre à un certain nombre d'idées reçues, la plupart subventionnées par l'idéologie du progrès, de se déposer après ébullition, afin de mieux voir ce qui est et ce qui devrait être.

Et qui sait, quand tous nos beaux débats se seront volatilisés, peut-être découvrirons-nous, comme en un sublimé, quelques grains de sagesse alignés pour tracer **la limite**, mitoyenne, la fragile frontière entre deux contrées voisines: celle du **désir** et celle du **délire**.

L'époque est à l'éthique et les femmes répondent. Pour sauvegarder **leur** identité, **leur** intégrité, pour sauvegarder l'identité des enfants, pour sauvegarder l'identité de l'espèce.

C'est le sens que le Conseil du statut de la femme (CSF) confère à cet événement qu'il avait prévu devoir se dérouler en 1988.

Cette heureuse anticipation, dont à vrai dire nous n'avons pris conscience que tout récemment, tient à un ensemble de facteurs:

1) l'expansion, dans notre pays et ailleurs, de la reproduction artificielle;

2) les mesures prises ici et là pour contrôler son développement;

3) le choix percutant du biologiste Jacques Testart à qui je veux dire ce matin que le CSF lui doit une grande part de la crédibilité conférée à ses travaux sur les nouvelles technologies de la reproduction (NTR). Avant votre geste, on m'a parfois qualifiée de rêveuse: « Vous n'arriverez pas à brider les chevaux de laboratoire », nous disait-on. Depuis, j'ai souvent eu l'impression que l'on prêtait oreille à nos propos. L'histoire des sciences reconnaîtra comme un progrès c'est-à-dire **une plus value humaine** votre choix fait en amont de la découverte. Et du fond de leur tombe, les Oppenheimer, exclus de ce palmarès, ne contesteraient pas cet hommage;

4) les travaux du comité interministériel mis sur pied par madame Lavoie-Roux, ministre de la Santé et des Services sociaux, achèvent. Ce comité dont nous faisons partie remettra en effet son rapport sur toutes ces questions à la fin de 1987. Nos échanges ici permettront aux décideurs d'entendre différents sons de cloche;

5) enfin, le Conseil que j'ai l'honneur de présider vient de soumettre au Gouvernement ses derniers avis sur la question. Je rappelle que déjà la ministre déléguée à la Condition féminine et celle de la Santé, de même que les ministres de la Justice et des Communications ont déjà pris connaissance de notre proposition de législation sur le droit aux origines. Je salue au passage la prévoyance, la sagesse et le courage de la Suède, dont une représentante est parmi nous aujourd'hui, madame Lena Jonsson, ce pays qui a déjà adopté une législation en ce sens et qui fait à cet égard des adeptes dans les autres pays scandinaves et en Allemagne. Bravo Sverige!

J'en profite pour souligner que, fort étrangement, le débat qui a surgi autour de la procréatique en a quasiment occulté une dimension-clé, celle de **l'identité des enfants artificiellement conçus**. Force nous est de reconnaître qu'en général la documentation existante est assez légère à cet égard. Pourtant, les « d'où je viens », « ai-je été adopté? » sont sur toutes les lèvres des enfants de moins de 10 ans. Tout se passe comme s'il était normal, sous prétexte de préserver la vie privée des donneurs et des parents sociaux, de planifier délibérément la privation pour l'enfant prévu de l'alpha même de ses droits, celui des origines dont l'enjeu n'est rien de moins que l'identité qui fonde la personnalité. En quoi cela vous concerne-t-il m'a-t-on dit? Vous deviez vous contenter de vous occuper des femmes! Et à cela je réponds: est-ce qu'à ce moment-là, les femmes seraient autorisées de ne jamais penser aux enfants? L'on a sans vergogne mélangé le sperme du donneur et celui du père, pour créer le doute, pour flatter le père on a inséminé la femme infertile à deux jours d'intervalle, avec le sperme de trois donneurs différents, brouillant ainsi irrémédiablement les origines de l'enfant. Et alors, me dira-t-on, combien d'enfants sont nés de l'adultère? L'adultère n'est pas systématique, que je sache, alors que le secret de laboratoire l'est.

L'on ne veut pas faire opprobre au père infertile? Mais alors vous mettez en vitrine et en couleur l'infertilité de la mère quand il s'agit de faire la une des journaux avec la FIV. Le triomphalisme scientifique ne craint pas de faire opprobre à l'infertilité féminine. « Vous voulez donc donner priorité à la filiation biologique? Cela ne vas pas sans danger », m'a-t-on dit... Non. Nous reconnaissons l'importance pour notre droit de bien camper le statut des parents adoptifs et des parents sociaux, de bien camper la filiation sociale et de la privilégier, mais nous estimons inacceptable que la technique abuse de l'esprit de la loi en se servant de cette filiation sociale pour **masquer** l'autre, la biologique. Cela d'ailleurs contrecarre notre droit relatif à l'adoption qui reconnaît aux adoptés le droit aux origines, et cela va à l'encontre d'une tradition de plus de 15 ans de dévoilement pour les adoptés grâce aux fameux mouvement des Retrouvailles.

Déjà, toute une cohorte d'enfants nés de l'IAD ou de la FIV a été sacrifiée à cet égard. Nous demandons au gouvernement du Québec de légiférer pour que justice soit faite aux enfants qui seront à l'avenir artificiellement conçus et qui, au mieux, si le Gouvernement légifère en ce sens en 1988, seront majeurs en 2006. Ils devraient alors, s'ils le désirent, avoir accès aux renseignements leur permettant de retrouver leur père ou leur mère biologique et bien sûr sans que cela n'induise d'aucune manière de responsabilité sociale chez ces donneurs non plus que de parentalité juridique. À ceux qui prétendent que la paix des familles en sera troublée, je réponds qu'il ne faut pas être Mauriac non plus qu'Eugène O'Neil pour imaginer la lourdeur d'un climat familial hanté par le secret.

J'ajoute enfin que nos suggestions quant aux mesures à prendre au chapitre des contrats de grossesse sont déjà connues du Gouvernement. Quant à la non-licéité de ces contrats, le Code civil québécois est clair: on ne peut pas ici faire commerce d'êtres humains. Ces contrats sont nuls. Le jugement du Baby M qui fonde la légitimité de l'achat d'enfants pourra toujours faire carrière jurisprudentielle en deçà du 45e parallèle. Avis est par le fait même donné aux agences américaines de « mères porteuses » dont l'intention lucrative consiste à venir recruter ici des utérus pour tirer avantage du système québécois de l'assurance-maladie

Les médias ont fait écho à nos positions sur les causes de l'infertilité et sur l'urgence de sauvegarder chez les jeunes, victimes de MTS, la capacité de se reproduire.

Nous nous réjouissons des mesures prises par la ministre de la Santé pour contrer l'épidémie des MTS et prévenir le SIDA. En réponse à l'une de nos demandes, il est maintenant obligatoire de déclarer le chlamydia répandu chez les jeunes, maladie souvent jumelée à la gonorrhée et dont on connaît les effets sournois sur la fertilité. Quant au SIDA, il semble que l'on ait pratiqué ici des avortements thérapeutiques chez des femmes séro-positives. Et certains praticiens de l'insémination artificielle conviennent qu'il existe, pour les inséminées, une fenêtre de risque d'être infectées par le HIV.

Pour ce qui est de la fécondation in vitro, qui constitue à nos yeux une méthode expérimentale plutôt qu'une technique rodée, nous osons espérer que l'étude entreprise à Québec sur la fiabilité d'un indicateur électronique de fertilité, le Bioself 110[1], qui peut constituer une alternative intéressante aux méthodes contraceptives dures en même temps qu'un moyen de faciliter la conception, incitera les praticiens de la FIV, devenus capables d'identifier le moment précis de l'ovulation, à abandonner l'éprouvante et fort contestable stimulation hormonale des femmes infertiles. Ce faisant, le délicat problème créé par la technique des embryons surnuméraires pourrait être résolu et l'on cesserait de compter sur le transfert de plusieurs embryons pour accroître le taux de réussite encore navrant de cette technique.

Je saisis l'occasion pour dévoiler succinctement nos positions sur le diagnostic prénatal, les ministres concernés en ayant été saisis.

Compte tenu du recours routinier à **l'échographie**, technique dont la valeur diagnostique est limitée et dont on se sert souvent dans le seul but de voir le foetus, d'en identifier le sexe, ou encore pour déterminer la date prévue de l'accouchement, nous demandons que l'utilisation de l'échographie soit limitée aux cas où elle est requise, qu'elle fasse l'objet d'un consentement écrit préalable de la part de la femme enceinte et que ses effets sur les femmes et les enfants soient l'objet de recherche de la part du Ministère et des universités.

En ce qui a trait à **l'amniocentèse**, reconnaissant l'intérêt médical de cette technique utilisée à bon escient, mais conscient des dangers appréciables qu'elle comporte, le Conseil recommande que le MSSS informe les femmes sur les indications, les bénéfices et les dangers de cette technique de diagnostic prénatal, que toute décision d'y recourir fasse l'objet d'un consentement écrit et éclairé de la part de la femme concernée.

Relativement à la **biopsie chorionique** qui ouvre une voie nouvelle à l'eugénisme et qui oblige un certain nombre de femmes enceintes à une décision prématurée alors que des avortements spontanés surviennent parfois plus tard au cours de la grossesse, nous demandons que le recours à cette technique fasse l'objet d'un moratoire aussi longtemps que ses effets ne seront pas connus.

Inquiet de la banalisation de l'eugénisme individuel et du danger d'eugénisme collectif, le Conseil estime que la décision de recourir à un avortement sélectif ne doit pas résulter de pressions provenant de l'entourage ou encore du milieu médical non plus que s'inscrire dans la logique d'une analyse coût-bénéfice d'une personne handicapée. Cette décision doit être issue du libre-choix éclairé de la femme que cela concerne.

Quant à la sélection du foetus en fonction du sexe qui déjà pose un problème grave du point de vue de l'éthique personnelle et collective et qui se pratique sur une échelle relativement importante dans certains pays, plusieurs hypothèses ont été formulées. Le scénario le plus extrême est celui de l'élimination plus ou moins complète de l'un des deux sexes; certains imaginent que les sociétés dominées par des valeurs patriarcales tendront à éliminer les femmes dès que les moyens technologiques de produire des enfants sans elles seront développés, d'autres croient que les femmes pourraient également utiliser la possibilité technique de se reproduire sans les hommes pour créer un monde exclusivement féminin. Ces folles hypothèses ne sont peut-être qu'utopiques; cependant comme le mentionne Harry Ann Warren, dans son livre intitulé *Gendercide*[2], de petites communautés d'hommes ou de femmes pourraient bien choisir de former des familles avec des enfants du même sexe également, ce qui est d'ailleurs proposé par certaines féministes lesbiennes en tant que stratégie de résistance au patriarcat.

Le scénario le plus réaliste est celui qui se dessine en Inde notamment, où le déficit des femmes atteint déjà, selon Madhu Kishwar, 25 millions[3]. Plus près de nous, la première clinique canadienne de sélection du sexe des bébés vient d'ouvrir ses portes à Toronto où, pour 1 600 $, un couple peut, avec une certitude de 70 à 80%, choisir le sexe de son enfant[4]. Toutes les études le confirment: quel que soit le pays considéré, la préférence des couples pour le sexe de leur enfant fait craindre un **déséquilibre démographique en faveur du sexe masculin**.

En conséquence, le CSF recommande:
– **que toute utilisation des techniques connues de sexage en reproduction humaine artificielle soit interdite;**
– **que toute recherche en reproduction humaine ayant pour but ou pour effet de permettre la pré-détermination du sexe des enfants à naître soit suspendue.**

En terminant, je tiens à dire que tout en ne souscrivant pas **au droit à l'enfant** dont le corollaire serait alors l'obligation pour la science, la technique et l'état de produire l'enfant, c'est dans le plus grand respect du **désir d'enfant** que le CSF a mené, depuis 3 ans, ses travaux en matière de procréation artificielle. Et en ayant parfaitement conscience d'agir dans un pays où le taux de natalité est le plus bas au monde après avoir été l'un des plus élevés et dans une société qui n'est pas à l'abri d'un certain courant à la mode, marginal certes, chez les Yuppies, celui des TINKS (Two Incomes No Kids). Mais en même temps dans une société qui aime assez les enfants pour tout mettre en oeuvre afin de sauvegarder la reproduction conviviale, pour inventer des parentalités symboliques ou pour tout simplement tirer sa révérence quand la nature s'obstine à ne pas vouloir.

Accepter de naître et de vivre dans les « limites » bien sûr changeantes de notre condition humaine mais dont le seuil de mutation serait la déshumanisation. Sous la férule de la science et de la technologie, la nature elle-même est devenue une réalité éminemment dynamique et la maternité, faut-il le rappeler, a beaucoup mérité de la médecine.

Les « bipèdes nus » que nous sommes, écrivait Edgar Morin, « des bipèdes nus à la tête enflée », répliquait Marie Gratton-Boucher qui animera la conférence ce matin et à qui j'emprunte, en guise de conclusion, un passage extrait de son article intitulé « de l'apprenti-sorcier à l'apprenti-sage » parce qu'il convient tout à fait à la maternité au laboratoire: « La science et la technique, écrit-elle, nous rendent capables de mille choses dont nous sommes amenés à nous demander si nous avons le **droit** de les faire: c'est la question **éthique**; s'il est **raisonnable** de les **faire**: c'est le **problème philosophique**; s'il est **socialement** acceptable de les faire: c'est le **jugement politique** »[5]. Il faut **dompter** la science; certains dompteurs, rarissimes, il est vrai, sortent de ses rangs. Alors que de partout des femmes entrent dans l'arène scientifique, animées de la conviction, comme le disait un petit message accompagnant des fleurs que je recevais hier soir, que les grandes réalisations de demain naissent d'abord dans le coeur.

Conférence-débat d'ouverture

L a conférence-débat a été l'occasion pour les cinq expert-e-s invité-e-s de se prononcer sur la problématique des nouvelles technologies de la reproduction, de répondre aux questions les plus percutantes que soulèvent leur développement et leur application. Ainsi il a été demandé:

• à **Gena Corea**: Les femmes exercent-elles un plus grand contrôle sur leur vie reproductive avec les NTR et, à la limite, ces dernières les libéreront-elles de la maternité?

• à **Jacques Dufresne**: Quelles sont les forces capables de freiner le développement des nouvelles technologies de la reproduction et d'orienter différemment la recherche scientifique et médicale?

• à **Catherine Labrusse-Riou**: En tenant compte des influences réciproques entre les différents pays, en quelle matière et sous quel aspect faut-il légiférer dans les domaines de la reproduction artificielle, des manipulations génétiques et du diagnostic prénatal?

• à **Jacques Testart**: Des gestes comme le sien suffiront-ils à orienter différemment la recherche en reproduction humaine? Comment justifier la poursuite, malgré une telle prise de position, de ses propres recherches dans le domaine de la fécondation in vitro et de la congélation d'embryons?

Conférence de Gena Corea*

Résumé

Les nouvelles technologies de la reproduction permettront-elles aux femmes d'exercer un plus grand contrôle sur leur vie reproductive? Ce texte répond non de façon très ferme.

La reproduction humaine s'industrialise et on y applique progressivement le concept de la « ligne d'assemblage ». Après la gestion dite efficace des naissances au nom de laquelle on a centralisé les accouchements dans les hôpitaux et multiplié les interventions obstétricales, on connaît maintenant l'industrialisation de la conception avec l'ovulation « sur mesure », la culture d'oeufs en laboratoire, la production d'oeufs à partir d'ovaires prélevés dans l'utérus.

De plus, les scientifiques développent des outils de sélection (prédétermination du sexe, lavage utérin, diagnostic prénatal et d'embryons) qui permettent d'exercer un contrôle grandissant sur la qualité des « produits » génétiques humains et qui rendront possible l'élimination d'embryons insatisfaisants ou défectueux. À moyen ou long terme, ces technologies pourraient acquérir un caractère de nécessité et pourraient être étendues à toutes les femmes en commençant par celles qui ont

---

* Née aux États-Unis, Gena Corea a amorcé sa carrière de journaliste d'enquête en 1968. Journaliste indépendante dès 1973, ses articles ont été publiés dans plusieurs journaux et revues de grande renommée.

Madame Corea a fait de multiples recherches sur les nouvelles technologies de la reproduction et a été, à de nombreuses reprises au fil des ans, invitée à discuter publiquement de la fécondation in vitro et, plus généralement, de l'impact des nouvelles technologies de la reproduction sur les femmes. Sa participation à ces discussions a eu pour conséquence, non seulement d'engager le débat sur un tel sujet, mais de conduire également à la création d'un réseau féministe international de résistance à l'ingénierie génétique et reproductive, réseau mieux connu sous le nom de FINRRAGE. Madame Corea est ainsi devenue, en 1984, une des cinq premières membres à coordonner l'activité de ce réseau.

Active dans le mouvement de santé des femmes, Gena Corea a donné de nombreuses conférences sur la santé des femmes et les nouvelles technologies de la reproduction. Elle a publié *The Mother Machine: Reproductive Technologies From Artificial Insemination To Artificial Womb*. Elle a aussi participé à plus de 200 émissions de télévision et de radio aux États-Unis, en Allemagne, en Suède, en Australie, en Espagne et en Autriche.

des maladies génétiques ou qui travaillent dans un environnement toxique ou dangereux. La production d'enfants sur mesure par l'utilisation de techniques est déjà apparente dans quelques cas de mères porteuses sur lesquelles on pratique en même temps différentes interventions médicales comme l'amniocentèse, le lavage utérin, l'hyperstimulation des ovaires, la FIV.

De façon évidente, cette nouvelle industrie utilise le corps féminin comme une « ressource naturelle » à exploiter et à gérer. Elle instaure une nouvelle logique de la production qui aliène, réduit et déshumanise les femmes en réduisant leur rôle à de simples pièces interchangeables dans la machine de la reproduction humaine.

The question I was asked to address — whether the new reproductive technologies will enable women to exercise greater control over their reproductive lives — is one I can answer in five seconds. But since I have been given twenty minutes to speak, I will spin things out a bit.

I will point out that reproduction is in the process of being industrialized. Men are opening up the Reproductive Supermarket. Among the firms selling reproductive services are those offering sex predetermination technology so that parents can predetermine the sex of their children (Gametrics, Inc.); companies that flush embryos out of some women for transfer into others (Fertility and Genetics Research, Inc.); franchised in vitro fertilization clinics (In Vitro Care, Inc., IVF Australia Pty. Ltd.); and firms offering the sale of so-called surrogate mothers (Surrogate Mothering Ltd. and — my favorite company name in a world where language is so corrupted it bears no relationship to reality, where a company that institutionalizes the slavery of women is called: Reproductive Freedom, International).

Part of the industrialization of reproduction involves applying the assembly-line factory system to procreation. This began with childbirth. Physicians moved the birthing arena from the woman's home to their workplace: the hospital.

By the late 1950s, hundreds of North American women were writing letters to the popular U.S. women's magazine, Ladies' Home Journal describing their uniformly negative experience of factory-like birth in the hospital.

I'll quote just one letter written by a woman from Columbus, Ohio: "Women are herded like sheep through an obstetrical assembly line, are drugged and strapped on tables while their babies are forceps-delivered. Obstetricians today are businessmen who run baby factories." (Schultz, 1957.)[1]

Efficiency is the key concept in the factory birth system. To meet the needs of the factory, women should give birth during business hours, from 9 to 5 Monday through Friday. Some physicians have not just **practiced** "daylight obstetrics" — that is, the artificial induction of labor for their convenience — but openly **defended** it. For example, two British obstetricians wrote in 1975: "If planned induction [of labor] for nonurgent reasons increases, the work load of a busy maternity unit can, possibly, be spread evenly throughout the week. It might even be possible thereby to completely minimize the performance of

Caesarean section at, for example, weekends or holidays, when medical staffing can be a difficult problem.'' (Cited in Corea, 1979).

There is also evidence that Caesarean sections, which have reached a scandalously high rate in the United States, have been scheduled in order to make birth fit the physician's preferred working hours.[2]

Now, not just the **birth**, but the very **conception** of children is being industrialized and more efficient.

This requires control over ovulation.

Left to their own devices, women tend to ovulate at times inconvenient for egg miners. So do mice, incidently. Robert Edwards, co-lab parent of the first test-tube baby, had had this problem early on in his career. He had had to work night shifts because the mice ovulated after hours. This interferred with his social life and irritated him. It occurred to him that the ovaries of mice might ''be persuaded to ripen their eggs during office hours,'' from 9 to 5, with a specially prepared hormonal concoction. He injected mice with the hormones and produced what he termed ''ovulation to order.'' (Edwards and Steptoe, 1980.)

This year, the new industrialists have arranged ''ovulation to order'' for women. In June, it was announced that a new protocol makes it possible to organize IVF programs so that egg capture needs to be performed only rarely on Saturdays and never on Sundays. The announcement was made by Dr. J.R. Zorn and associates at the Baudelocque IVF Center in Paris. With conventional ovarian stimulation, 27% of the eggs captured at the center between September 1983 and November 1986 had to be captured on the weekend. With a new carefree weekend protocol, almost all the women ovulated from Monday through Friday. Only three of 124 women ovulated on a Saturday. None on a Sunday. (OGN, 1987, June 15)

But even this controlled egg capture is relatively inefficient. There are only three hours per month when it is possible to collect human eggs at the optimum time for fertilization, as Robert Winston, director of the Infertility Clinic at Hammersmith Hospital in England has pointed out. Scientists, however, are developing systems to mature the egg in the laboratory (rather than the ovary) so that it is suitable for fertilization. Once they succeed, egg capture will no longer be confined to three hours a month. ''Technodocs'' will be able to mine eggs continuously.

A number of studies are on-going — for example, those by Patrick Steptoe, Louise Brown's ''co-lab father'', and those at Hammersmith Hospital on human embryos and at Cambridge on sheep embryos. The technodocs hope for positive results soon. (VLA, 1987; PROGRESS, 1986)

A researcher at the University College Dublin now harvests immature eggs from the ovaries of cattle carcasses in slaughterhouses and matures the eggs in the laboratory. He has fertilized the eggs in the laboratory and let the embryos grow to the morula stage (Vine, 1987).

In 1983, Dr. Alan DeCherney of the Yale University IVF team had foreseen the research now being done on artificial egg maturation. He wrote then that it might soon be possible to harvest eggs from ovaries which have been removed from women's bodies. It's not beyond the scope of one's imagination, he added, that, "...reproduction will no longer be a sexual function." (DeCherney, 1983)

If ovaries were kept in cultures in the laboratory, industrialists would not need women's bodies just to get eggs and embryos. As one British researcher now perfecting IVF in cattle told New Scientist: "We are looking for a cheap and more reliable source of embryos in cattle. Then breeders wouldn't need to keep animals just to produce embryos." (Vine, 1987.)

A scientist on a Virginia IVF team has predicted that in the far future, it may be possible to cut out a wedge of the human ovary with hundreds of eggs in it: "By maturing the immature eggs one would recover from such a wedge, and then by freezing them, the woman could become pregnant whenever she chose, simply by transferring a fertilized, mature egg into her uterus." (Kramer, 1985.)

Once the egg is matured so that embryos can be made from it, the industrial process requires that quality control be exercised over the embryo.

Researchers are developing screening tools that would allow embryos of an undesired sex or quality to be discarded. Two British medical teams have recently succeeded in identifying the sex and detecting hereditary diseases in newly fertilized embryos.[3]

Genetic tests for human embryos are imminent, scientists reported at the third annual meeting of the European Society of Human Reproduction and Embryology in Cambridge, England in 1987. Breakthroughs in research on animal embryos have convinced many physicians that they can now begin "preimplantation diagnosis of genetic diseases." Studies in England have shown that the embryological techniques to sample human embryos without damaging them now exist. Molecular geneticists also think they have nearly perfected ways of analyzing the DNA from just a few cells. (New Scientists, 1987, July 9.)

In Chicago in 1987, after being introduced at a symposium on first-trimester genetic diagnosis as both the "father" of the first test-tube baby and the "godfather" of preimplantation genetic diagnosis, Robert Edwards told his colleagues: "Techniques of invading the embryo open up a whole new world for us." (Ince, 1987.)

Edwards believes the obvious way to get embryos for diagnosis is to flush them out of the uterus. Dr. John Buster, who, with colleagues, has been developing a procedure for such "intrauterine lavage", has already shifted the focus of his research from infertility treatment to eventual preimplantation diagnosis. He is now collaborating with a geneticist to merge his technique with genetic technology.

"It's the most logical marriage in the world," he told the Medical Tribune.

At the Chicago meeting, Buster and Dr. Marilyn Monk, a British pioneer in embryo evaluation, discussed potential collaborative work. (Ince, 1987)[4]

Back in 1985, a U.S. pioneer in embryo freezing pointed out that with preimplantation genetic diagnosis, frozen embryos could be thawed and then screened. This, he said, may be the ultimate in family planning, allowing women to have embryos frozen and then undergo sterilization. As a number of his colleagues have stated, women, secure in the knowledge that they can produce a healthy child whenever they desire through IVF, can happily have their tubes cut, avoiding years of bothersome contraception. (Corea, 1985)

Most women, then, would be seen as candidates for IVF, not just the infertile. Women would routinely be rendered sterile. Then doctors would manufacture babies using the women's bodies as raw material for the process. The manufactured babies would be better than the ones the women could have produced, because, by exercising quality control over the embryos, only "healthy" babies will allegedly be born.

Indeed, in 1976, two scientists wrote that IVF may become the preferred mode of reproduction in the future. They speculated that tests for evaluating the health of embryos might be developed (just the kinds of tests that now **are** being developed) and wrote: "Therefore, one day, in vitro fertilization and embryo culture could become the preferred mode of reproduction, with transfer to the uterus of only genetically-healthy embryos." (Karp and Donahue, 1976, p. 295). One of the scientists who made this prediction, Dr. Laurence Karp, directs the IVF program at Swedish Hospital Medical Center in Seattle, Washington, USA.

Once the embryo is in the laboratory dish, it can not only be diagnosed, but, in the future, may be manipulated as well — that is, genetically engineered. At the American Fertility Society meeting in 1984, a physician from an IVF program at Yale mentioned potential gene therapies for "our tiniest patient," the embryo.

Quality control over the production of children should actually begin **before** conception. In the last two years, I have been noticing a spate of articles in the newspaper Ob. Gyn News reporting a new practice: Preconception counselling.[5] Some doctors are advising, as one headline put it, that "Preconception counselling is 'as important as prenatal care'." Women, they say, should come to physicians **before** they attempt to become pregnant so that everything can be planned efficiently. Physicians will advise the women to start taking their temperature regularly before conception "as an aid to establishing reliable dates for the pregnancy." (OGN. 1987, April 15)

Infertile women have long experienced medicalized, doctor-controlled sex. Now the medicalization of sex should extend to all women.

Part of preconception planning involves taking a history of the would-be parents occupational exposures and genetic backgrounds.

Now suppose a woman is found to have worked in a factory where hazardous chemicals were used. Will she be advised that her eggs have probably been damaged by the chemicals and that, to ensure the health of her child, she should use a donor egg and reproduce by in vitro fertilization?

An interview I conducted in 1980 with Dr. Cecil Jacobson, chief of the Reproductive Genetics Unit of Fairfax Hospital in the U.S., leads me to believe that yes, someday soon, she will be so advised. Dr. Jacobson told me that IVF, when used with donor eggs, could help women who do not produce good eggs, possibly because their eggs were damaged by exposure to toxins in the workplace. This is a large group of women and will expand as our knowledge of the effects of workplace toxins on eggs grows, Jacobson believes.

Dr. Jacobson believes that the ''very large group of people'' who produce poor eggs or have genetic diseases will use the eggs of other women and will not mind doing so.

''The process of pregnancy is much more important to a woman than is the origin of the sperm and egg,'' he said.

With the spread of preconception counselling women may come to feel it is irresponsible to create children at home without medical supervision, just as many now feel it is irresponsible to bear children at home. They will feel guilty if they are not taking their temperatures every day and turning in their temperature charts to their physicians. They may feel guilty if they use their own inadequate eggs to reproduce, rather than accepting the superior eggs offered by the physician from the ovaries he keeps in his laboratory.

(In the future, the doctor will be an actual **member** of the family. This prediction by sociologist Maria Mies of the Fachhochschule in Cologne, Germany seems increasingly reasonable to me. Having a fine time at the family picnic will be: Genetic Donor Mommy, Gestational Birth Mommy, Genetic Daddy, social Daddy, Doctor, Child, and — to help everyone in the family relate to each other — Genetic Social Worker.[6])

The new reproductive technologies (such as amniocentesis, in vitro fertilization, sex predetermination, embryo flushing) can be used in conjunction with each other for the most efficient production of children to desired specifications. This can clearly be seen in the surrogate industry. For example, let's look at some of the recent cases involving so-called ''surrogate'' mothers:

1) Patty Foster. Surrogacy combined with sex predetermination. Foster's sperm donor ordered that his sperm be split, separating out male-engendering and female-engendering sperm, and that Foster be inseminated only with the male sperm. He wanted — not just any child — but a son.

2) Mary Beth Whitehead. Surrogacy combined with amniocentesis. Although Whitehead was under 30 and not in need of any prenatal diagnosis, she was required to submit to amniocentesis, essentially for quality control over the product she was producing. She bitterly resented this and did resist it, unsuccessfully. (The contract called for her to abort if the test found the product not up to snuff, the only part of the contract Judge Harvey Sorkow did not uphold.)

3) Alejandra Munoz. Surrogacy combined with embryo flushing. Munoz, a 21-year-old Mexican woman with a second grade education and no knowledge of the English language, was brought across the U.S. border illegally to produce a child for a man in California. She was told that she would be artificially inseminated and that, after three weeks, the embryo would be flushed out of her and transferred into the womb of the man's wife. She was familiar with the concept, knowing that that procedure was used on cows on farms near her home

in Mexico. (Several weeks into her pregnancy, she was told the procedure couldn't be done and she'd have to carry the child to term. According to Munoz and her cousin, she was kept in the couple's home and, for most of the pregnancy, not allowed to leave the house even for walks because the wife planned to present the baby as her own. When visiting her husband's family, she wore maternity clothes over a small pillow. Munoz, who had planned to be in the country for only a few weeks for what she thought would be a minor procedure, ended up undergoing major surgery — a Casearean section. She was offered $1,500 — well below the exploitive $10,000 fee generally offered white Anglo women.)

4) Laurie Yates. Surrogacy combined with super-ovulation, a procedure used and increasingly being developed in in vitro fertilization programs. She apparently didn't get pregnant fast enough, whether for the doctor or the customer is not clear. She was not an efficient enough manufacturing plant. (When I asked Laurie if she has had any say concerning whether or not she would be superovulated, she replied: "He [the doctor] **told** me, 'We're going to give you...' He didn't **ask** me.")

5) "Jane Doe." Surrogacy with superovulation. Between the ages of 14 and 25, Jane Doe had had nine pregnancies, five of which ended in miscarriage. According to Doe, when the physician who screened her for the surrogate company heard she had had nine pregnancies, he was not alarmed. Instead, he said, "Good, you're really fertile." Since she was breastfeeding an infant at the time she agreed to be inseminated, she was not ovulating. Instead of waiting for her to begin ovulating again naturally, the physician superovulated her with fertility drugs (Sharpe, 1986.)

6) Shannon Boff. Surrogacy with in vitro fertilization. An egg was extracted from an infertile woman, fertilized in the lab with the sperm of the woman's husband and then transferred into the womb of Shannon Boff. She gestated the child, delivered it and then turned it over to the couple. (The reason the infertile wife had no uterus was that after becoming pregnant in an in vitro fertilization program in England, she had lost the baby during pregnancy and had to have a hysterectomy.)

7) Pat Anthony. Surrogacy with in vitro fertilization. Mrs. Anthony, a 48 year-old South African woman, was implanted with four eggs removed from her daughter and fertilized in vitro with the sperm of her son-in-law. On October 1, 1987, she gave birth to triplets by Cesarean section. Anthony's daughter, who already has one child, had reportedly had her uterus removed as a consequence of an obstetrical emergency. (During the pregnancy, the son-in-law, a refrigeration engineer, said: "I couldn't be more delighted that my mother-in-law will give birth to my children." An IVF clinic director commented: "From an IVF point of view, I guess it's all over. It's really an obstetric problem now, and from that point of view I imagine a 48-year-old with triplets would be no picnic.") (The Australian, 1987, June 4: McIntosh, 1987.)

Harvey Berman, the lawyer who took on the defense of Alejandra Munoz, decided at some point during his involvement in the case that it would be a good idea for him to start his **own** surrogacy business. I interviewed him on April 24th, 1987. His plans call for using surrogacy with IVF, sex predetermination, embryo freezing, embryo flushing, and eventually, cloning. Of his future clients, he said: "People that want to be certain what they're getting and are willing to go against the quote 'laws of nature' unquote and get a product in advance that they have chosen — I don't see anything per se wrong with that."

So these technologies are being used, and will increasingly be used, in conjunction with each other.

Let me state some of the public policy questions we need to be dealing with here: Is reproductive slavery appropriate for women? Should we create a class of paid breeders, calling the women, as Dr. Lee Salk did in his testimony at the Baby M. trial, "surrogate uteruses" or, as Harvey Sorkow did in his Baby M judgement, "alternative reproduction vehicles", or, as the American Fertility Society did in its recent ethics report, "therapeutic modalities"?

Can we tell the women to bring their children to interviews with potential clients so the client can see what kind of product he is buying? Is it o.k. to have catalogs with pictures of women available for breeding and vital statistics on their previous reproductive performance as John Stehura's surrogate outfit has in California?

Can we line women up and superovulate them, shoot them up with powerful hormones so their ovaries (now turned into egg factories) produce more efficiently? Then can we lay them down on tables and inseminate them with split, male-engendering sperm, and later, during pregnancy, get them up on the table again and poke a needle in their bellies to do the quality control tests on the fetus?

During delivery, should the sperm donor be at the woman's head and the infertile wife at the woman's open legs, as described recently by a sperm-donor client in Newsweek, a description that parralleled that of so-called "handmaids" giving birth in Margaret Atwood's dystopic novel, *The Handmaid's Tale*?

If the woman refuses to give up the child, can we send five cops to her house to get the baby while the sperm donor waits outside in the car? Can we put the woman in handcuffs as those five cops did to Mary Beth Whitehead? Can we throw her into a patrol car while her neighbors look on and her 11-year-old daughter stands screaming and begging the sperm donor and his wife to stop what is being done to her mother? (That is what Tuesday Whitehead did.) Is that o.k.? Is there any problem with treating a woman like that?

(The surrogate industry has existed only eleven years. And it has taken no more than those eleven years for this image to cease to shock the U.S. public: the mother of a newborn being handcuffed by five cops and thrown into a patrol car because she refuses to give up her baby to the man who paid for it.)

We need to ask how women are experiencing the industrialization of conception. Do they like assembly-line IVF? Mostly nobody asks but we do have bits of evidence nonetheless. Women letting out that they find it dehumanizing. One woman in a Canadian IVF program, as reported in Dilemmas, the magazine prepared for this forum, said: "It's never the same [doctor]. In my case, C measured my uterus, Y extracted the follicles and the next one may have been Q or Z, I don't know which."

Another commented: "...The way I see it, it's more like veterinary medicine than anything else..." (Conseil du statut de la femme, 1987)

A woman in an Australian IVF program observed: "It's embarrassing. You leave your pride on the hospital door when you walk in and pick it up when you leave. You feel like a piece of meat in a meat works" (Burton, 1985).

A woman from an IVF program in Frankfurt, Germany recounted that every day after the ultrasound exam, all the women were gathered together in one room. The head of the IVF program sat in the middle. He discussed each woman's cycle and would say to one woman, for example, "You ovulated yesterday so we can't harvest your eggs. Come back in two months." Everything was handled publically. The women had no privacy.

The woman recalled: "So we sat there and then he said to me: 'Number 27'. I looked dumbstruck. Then he quickly said my name. But I mean, he had numbers there and he mixed us up with his numbers. We all looked at each other and thought: What's going on here? Everyone was agitated. I don't care what he calls me in his papers but he shouldn't address me as a number. Then he said to me, 'You'll probably be on tomorrow [for an egg harvesting]'." (Winkler, 1987)

Let me come back now to the question I was asked to address here: Whether the new reproductive technologies will enable women to exercise greater control over our reproduction.

I will restate the question: When women are fully reduced to reproductive meat, will we be in control of our lives? When we are nothing more than the raw materials used in a new industrial process, will we be free? When women are inter-cheangeable parts in the birth machinery, will we be liberated?

Now I can give my five second answer: No.

Le poème de la limite
Jacques Dufresne*

Voici d'abord une anecdote qui situera bien mon propos. Les hormones de croissance sont actuellement utilisées pour traiter les nains. Jusqu'à tout récemment, il fallait les prélever à même des hypophyses de cadavres. Ce n'était pas commode et il y avait risque d'infection. La compagnie Genentech en a fait la synthèse au début des années 1980 et elles sont maintenant disponibles sur le marché sous une forme inoffensive. Résultat: les joueurs de « basketball » en consomment pour agrandir leur taille afin de se rapprocher du panier. Un adolescent, à qui cette histoire fut racontée, laissa tomber ce jugement: « Ne serait-il pas plus simple de baisser le panier? » Je propose que cet adolescent fasse partie de la commission interministérielle qui doit bientôt faire des recommandations sur les NTR.

Dans le sujet qu'on m'a réservé, la place centrale est occupée par le mot force. Je dois analyser les forces qui pourraient freiner les NTR. C'est toutefois une réflexion sur les rapports entre les idées, la force et la poésie que je vous propose d'abord, ce détour m'étant apparu nécessaire.

Ne confondons pas les forces avec les idées. Une force est ce qui peut accomplir un certain travail. Les discours ou les livres ne sont pas en eux-mêmes des forces. Leur efficacité dépend de la façon dont ils sont accueillis. Tandis que lorsque j'actionne un levier, il en résulte un travail qui dépend uniquement des lois de la mécanique.

---

* Québécois d'origine, Jacques Dufresne a obtenu en 1965, après un baccalauréat ès arts de l'Université de Montréal et une licence ès lettres de l'Université Laval, son doctorat de philosophie de l'Université de Dijon.

Professeur de philosophie au Collège St-Ignace et directeur du Département de philosophie et du Secteur arts et lettres au Cégep Ahuntsic de 1965 à 1972, Jacques Dufresne se consacre alors à la revue Critère qu'il fonde et dirige. Il organise, durant les années 70, différents colloques et donne des conférences; sa collaboration à des journaux et revues variés se prolongera au fil des ans. Chercheur associé à l'Institut québécois de recherche sur la culture à partir de 1980, il a créé en 1982, « L'Agora », une entreprise privée de recherche et de communication.

Jacques Dufresne est également l'auteur de nombreux articles et de livres portant sur des sujets aussi diversifiés que la reproduction humaine, l'eugénisme, les médecines alternatives et le droit.

Une idée peut toutefois devenir rapidement une force si elle est prise en charge par la propagande ou la publicité. Cela suppose qu'elle soit conforme aux intérêts de l'appareil étatique ou des pouvoirs financiers. Dans le débat sur les NTR, c'est la thèse opposée à celle que je défends qui jouit de cet avantage.

À un moment de l'histoire où la planète est divisée entre une zone de propagande, les pays de l'Est, et une zone de publicité, le monde capitaliste, y a-t-il d'autres moyens de transformer les pensées en forces? Une grande idée peut-elle encore suivre la trajectoire organique: mûrir dans quelques êtres qui, par leur rayonnement, leur exemple et leurs discours la communiqueront à d'autres qui, à leur tour, étendront encore son influence, à la faveur, si nécessaire, du snobisme et de la pression sociale?

Si nous nous sommes réunis dans cette salle pour tenter de donner un sens à une technique emballée, c'est parce que nous croyons encore en cette vie communicative des idées. J'y crois pour ma part de tout mon être, mais avec une méfiance tout aussi radicale à l'égard des illusions qui accompagnent généralement les croyances de ce genre.

Pour mûrir dans les êtres et rayonner à travers eux et leurs institutions, les idées ont besoin des ressources du rêve, comme elles ont besoin des techniques de conditionnement pour modeler les mêmes êtres de l'extérieur à travers la propagande ou la publicité. Symboles et métaphores d'un côté, messages intenses et répétés de l'autre.

Les plus grands textes de l'humanité sont écrits en paraboles. C'est par la magie de la métaphore que la pensée atteint, de vibration en vibration, les couches profondes de l'être où sa maturation pourra commencer.

Or sur ce point également c'est la thèse opposée à celle que je défends qui jouit de tous les avantages au point de départ. Je vise un double but: faire apparaître la nécessité d'une limite en matière de NTR et préciser les points où cette limite devrait être introduite. Or le grand rêve dans lequel nous baignons est caractérisé par la fièvre de l'illimité.

Tout commence par la musique qui, ayant perdu la mesure profonde, se laisse emporter par les décibels, désormais renforcés par des images violentes. Chaque fois qu'une fusée quitte le sol, nous rêvons d'autre part d'espaces infiniment grands et lorsqu'on nous parle des progrès de la physique, c'est pour nous précipiter dans ce qui apparaît maintenant comme l'infiniment petit par rapport à cet atome qui, hier encore, semblait marquer la limite de la petitesse. On sait aussi que le livre des records est plus vendu actuellement que le livre des paraboles, la Bible. Or le culte du record est la forme la plus manifeste de la fièvre de l'illimité.

Voilà donc le rêve qui englobe nos pensées. À ce lyrisme, séduisant et envahissant, il nous faut substituer un poème de la limite.

Un tel poème est en train de se constituer, discrètement, autour de l'écologie. Au rêve de la conquête, cette dernière substitue peu à peu celui de l'équilibre. Si le taux d'acidité dépasse un certain seuil, les truites meurent dans les lacs et de nouveaux déséquilibres s'ensuivent en cascades; alors qu'il n'y a rien de plus émouvant, quand on y regarde de près, que ces fragiles équilibres par lesquels se fait le partage d'un territoire entre différentes espèces animales. La beauté des paysages et des oeuvres d'art qui les imitent nous donne accès aux mêmes équilibres dans un autre dimension. De plus en plus de gens sont sensibles à ces réalités.

Chaque fois que le souci de l'équilibre l'emporte, c'est qu'une limite a été imposée à un désir humain. Si, par exemple, chaque Occidental réduisait sa consommation de viande, l'énergie et les ressources finiraient par être mieux réparties sur la planète et par la suite les arbres seraient préservés dans les pays pauvres et désertiques.

Le plus souvent toutefois on n'aime pas la limite pour elle-même, on s'y résigne, on l'accepte à regret parce qu'elle est le seul moyen d'atteindre une certaine fin. Ce n'est pas dans l'enthousiasme que les Occidentaux ont décidé de ne pas généraliser l'exploitation du Concorde, mais parce que la hausse du prix du pétrole avait changé les règles du jeu.

Il faut rendre la limite aimable, en faire une source d'inspiration, un objet d'attachement. D'où, encore une fois, l'importance d'un grand poème, qui prendrait tantôt la forme d'une musique destinée à harmoniser les désirs plutôt que de stimuler les pulsions; qui mettrait en évidence le lien entre l'idée de forme, et donc de beauté et l'idée de limite; qui montrerait ce qu'il y a d'émouvant dans l'amour de la vie et le respect de ses fragiles équilibres.

Je disais que ce poème commence à prendre forme autour de l'écologie. Il est aussi au coeur de la grande culture occidentale et de la plupart des traditions orientales.

La mer, contenue dans des rythmes, eux-mêmes déterminés par les mouvements périodiques de la lune, est le parfait symbole de la limite, et aussi de la pensée telle que les Grecs nous l'ont révélée.

On retrouve le souffle mesuré de la mer dans l'alexandrin et dans ces longs poèmes épiques qui se déroulent comme les vagues.

La mer, la mer toujours recommencée
Ô récompense après une pensée
Qu'un long regard sur le calme des dieux!

La quintessence de cette poésie de la limite a été exprimée par Marc-Aurèle, l'empereur sage qui enseignait qu'on ne peut trouver la paix et même le plaisir que dans la subordination du désir à la pensée qui le borne.

Tout est fruit pour moi de ce que m'apporte tes saisons, ô nature!

Cette pensée convient particulièrement à notre sujet. Transformer en fruit tout ce qu'apporte la saison, ne pas vouloir les fruits hors saison! Cette sagesse n'invite guère à se reproduire coûte que coûte, à faire de son désir d'un enfant, ou d'un progrès scientifique parmi d'autres, un absolu qu'il faudrait poursuivre en dépit de tous les déséquilibres qui pourraient en résulter.

Grâce au nouveau climat intellectuel qui s'ébauche, climat prolongé par des actes courageux comme celui que Jacque Testart a posé l'an dernier, la pensée qu'il faut une limite dans les techniques de reproduction humaine s'est répandue d'une façon imprévisible au cours des derniers mois. Elle est maintenant concentrée en quelques points qui sont autant de forces dirigées contre un certain pouvoir médical.

Quelles sont ces forces? Ce sont d'abord des mouvements nouveaux, écologistes ou féministes, tous plus ou moins contestataires, dont l'idée centrale et commune est que la science est un pouvoir, qu'il faut analyser comme tel, et non une entreprise vouée sans réserve et sans mélange au bonheur des êtres humains.

Au Québec, dans le débat sur les NTR, cette thèse a été brillamment défendue, au premier chef, par madame Louise Vandelac.

Les forces contestataires en question ont depuis un an un allié puissant, quoique gênant pour certains: l'Église catholique.

Notons à ce propos que le débat sur les NTR aura été marqué par un fait singulier qui n'a pas été assez souligné. Quand l'Église s'est prononcée sur les méthodes de contrôle des naissances ou sur l'avortement, non seulement elle n'avait pas été devancée par les groupes contestataires, mais encore elle provoquait une réaction violente et systématique de leur part. Or, dans le débat sur les NTR, les forces contestaires ont devancé l'Église par des positions souvent plus radicales que les siennes.

Quand l'Église a dévoilé sa position, il s'est d'ailleurs produit un curieux phénomène. De nombreux journalistes se sont empressés d'enfourcher les chevaux de la guerre précédente. Encore une fois, disaient-ils, l'Église s'immisce dans l'intimité des couples et s'oppose du même coup au progrès de la science et des libertés.

Ces journalistes qui, cela va de soi dans leur métier, aiment bien plaire à ce qu'ils estiment être l'avant-garde, ont cependant vite été forcés d'admettre que tout n'était pas aussi simple qu'à l'époque des croisades contre le véto papal sur la pilule ou l'avortement. La section de l'avant-garde intellectuelle qui avait devancé l'Église n'a pas revisé ses positions sous prétexte qu'elle avait maintenant un allié gênant. L'Église catholique était en réalité devenue l'allié objectif des groupes contestataires. Bien d'autres Églises et groupements religieux de tous genres ont d'ailleurs fait le même choix que l'institution romaine.

Mais revenons à cette dernière. Sur le plan spirituel, comme sur le plan matériel, le pouvoir dangereux pour la liberté de pensée, l'institution qui peut encore jeter l'anathème, prononcer l'excommunication, ce n'est pas l'Église, c'est la Science. Les rôles se sont inversés depuis Galilée. Les Galilée désormais ce sont les savants responsables qui, comme Jacques Testart en biologie ou Fritjof Capra en physique, ont perdu toute illusion sur l'innocence de la science et se demandent avec angoisse si c'est à un progrès technique incontrôlé qu'il appartient de déterminer les finalités de l'aventure humaine.

Les cardinaux de la science, réunis en conclave, ont vite excommunié Jacques Testart. Et ils prononcent régulièrement l'anathème contre ceux qui osent soumettre les dogmes officiels à la critique. *Comment, vous êtes contre le progrès de la science!* Ces mots, prononcés avec le mépris de circonstance, sont la formule rituelle du Grand Inquisiteur de cette fin de millénaire.

La science! Cela m'amène à évoquer une troisième force, moins importante pour l'instant que les deux précédentes, mais dont le rôle pourrait devenir déterminant: l'Université.

J'ai évoqué précédemment une grande tradition culturelle qui part des Grecs et qui est centrée sur l'idée de limite. Cette tradition est aussi caractérisée par la conviction que la raison humaine peut accéder à l'universel, à la vérité, mais à certaines conditions, dont la purification personnelle, la catharsis, et le respect de certaines règles logiques. Forts de cette conviction, les Grecs ont osé juger leurs dieux, leurs savants et leurs poètes, en un mot leur culture.

Pendant longtemps, les universités ont été en Occident les héritières de cette tradition, ce qui supposait qu'elles accordent une place centrale à la philosophie; tantôt, comme à l'époque de la scolastique, la philosophie se sclérosait dans la défense d'une vérité privée de sa sève; cela appelait une réaction, qui venait toujours d'ailleurs; mais tantôt aussi, ce fut le cas à l'époque de saint Thomas dans la chrétienté et de Kant en Allemagne, la philosophie jouait son rôle de façon exemplaire.

Pendant tout ce temps, l'humanité échappait tant bien que mal au relativisme; par-delà les cultures, il y avait une nature ou un principe transcendant sur lesquels le jugement pouvait s'appuyer.

Il y a longtemps déjà que les universités ne sont plus unifiées par la philosophie, qu'elles sont au contraire divisées en une multitude de sciences, physiques et humaines. C'est pourquoi on les appelle parfois multiversité. Les aspects positifs de cet état de chose sont connus. Les aspects négatifs le sont moins malheureusement.

Le mot vérité a perdu son sens et son prestige hors des diverses sciences et des méthodes qui les définissent. À l'extérieur de ces zones protégées, toutes les opinions s'équivalent: une secte en vaut une autre, une conception de l'art en vaut une autre. À chacun sa vérité!

Pendant ce temps, du côté des sciences humaines, on découvrait les cultures avec d'autant plus d'enthousiasme qu'on les sentait plus menacées. On en vint à penser qu'elles s'équivalent toutes, qu'on doit par la suite les juger à leur cohérence interne plutôt qu'à l'aune d'une nature transcendante.

Il en est résulté un mélange étrange. D'une part un ethnocentrisme qui sert d'alibi aux pratiques culturelles les plus oppressives et les moins authentiques et, d'autre part, un relativisme qui autorise tout ce qui ne porte pas directement atteinte à la liberté de l'autre. C'est la morale du pourquoi pas. *Je pourrais très bien faire des divisions d'embryons dans mon sous-sol. Pourquoi pas?*

Non seulement l'Université n'est, dans ces conditions, d'aucun secours dans les débats sur les valeurs, mais elle sert de caution aux faits qui, comme chacun sait, tiennent lieu de valeurs, dans un contexte où la pensée a renoncé à l'universel, c'est-à-dire à elle-même. Chaque nouvel exploit en matière de reproduction aura ainsi le statut d'un fait, que les médias rapporteront religieusement, lui apportant ainsi une légitimation que les critiques subséquentes parviendront difficilement à entamer.

Des changements s'annoncent toutefois dans l'Université comme dans l'ensemble de l'institution scolaire. Le retour aux textes fondamentaux, à la grande tradition, permet d'espérer que le relativisme ne sera pas l'ultime conquête de l'intelligence humaine. Des livres récents comme celui d'Allan Bloom[1] et celui d'Alain Finkielkraut[2] constituent des plaidoyers convaincants en faveur de l'universel. Les Grecs ont osé jugé leurs dieux, oserons-nous juger notre science?

La réhabilitation du jugement de valeur, surtout dans des questions complexes comme celles qui nous sont devenues familières en bioéthique, ne se fera toutefois pas sans mutations douloureuses, notamment parce qu'elle suppose le rétablissement de l'autorité. On parviendra peut-être par la seule persuasion à convaincre les citoyens et les gouvernements de la nécessité d'une limite dans tel ou tel domaine, mais qui décidera, et selon quel critère, de placer la limite à tel endroit précis? Avant ou après le transfert d'embryon? Les principes généraux ne suffiront pas dans ces situations concrètes; le discernement jouera un rôle primordial. Les solutions varieront d'un pays à l'autre, comme l'indiquent les divers rapports déjà publiés. Or que vaut le discernement si celui qui l'exerce n'a pas l'autorité requise pour le faire accepter ou pour l'imposer, le cas échéant.

La pire illusion en cette matière est celle qui consiste à miser exclusivement sur les tribunaux pour trancher les questions litigieuses. Les tribunaux sont débordés à tous égards. Nous sommes en pleine inflation judiciaire. Pour conserver leur autorité, ou pour la retrouver quand ils l'ont perdue, ils auraient eux-mêmes besoin de pouvoir s'appuyer d'un côté sur des moeurs plus solides et de l'autre sur une morale plus élevée et plus cohérente.

Il se pourrait aussi que de nouvelles autorités morales surgissent de l'état de nécessité dans lequel nous nous trouvons. Le rôle joué au Québec par le Conseil du statut de la femme dans le débt sur les NTR est à cet égard extrêmement instructif. C'est cet organisme consultatif qui, au Québec, assure le leadership dans cette sphère de l'éthique. Ce fait mérite d'être souligné: ce n'est pas l'Église, ce ne sont pas les théologiens, encore moins les philosophes, ce ne sont pas non plus les parlements, c'est le Conseil du statut de la femme qui a donné le ton au débat en le situant d'emblée à un très haut niveau. C'est le Conseil qui a pris l'initiative des premières recherches, qui a publié les premières études complètes, qui a fait connaître les travaux complétés ailleurs dans le monde.

Si, en tant qu'essayiste solitaire, j'ai pu m'engager très tôt dans le débat, je le dois directement ou indirectement au Conseil du statut de la femme. Ma réflexion a commencé à l'occasion d'un colloque organisé par un comité d'éthique du Conseil de la recherche médicale du Canada. Je suis parti livrer mon témoignage avec le sentiment d'entreprendre pour l'honneur une bataille perdue d'avance. Il y avait là une éminente juriste associé au Conseil du statut de la femme, Mme Edith Deleury. J'ai été à ce point frappé par son exposé, où elle déplorait le fait que le droit ne pouvait plus prendre appui sur la philosophie, que j'ai décidé de faire un livre sur le sujet. Ce sont par la suite les publications du Conseil du statut de la femme et les déclarations de sa présidente, madame Francine Mckenzie, qui m'ont donné le courage de persévérer.

Le récit que je viens de faire reflète assez bien ce qui s'est passé dans l'ensemble de la société québécoise. Pour la première fois peut-être dans notre histoire, l'autorité morale et intellectuelle aura, dans une question majeure, appartenu à un groupe de femmes, celui auquel nous devons cette rencontre.

Les procréations artificielles:
un défi pour le droit
Catherine Labrusse-Riou*

Mon intervention dans ce forum est celle d'une juriste principalement, d'une juriste européenne précisément et d'une femme subsidiairement. Elle se situe délibérément au plan de la théorie du droit afin de mettre en évidence quelques uns des aspects de la crise du droit que révèlent ou provoquent les pouvoirs technico-scientifiques de production médicalisée, sinon encore industrialisée, de l'homme.

Les nouvelles techniques reproductives qui, des animaux domestiques, sont aujourd'hui étendues à l'homme, mettent en question, au nom des désirs et des pouvoirs des hommes, l'alliance des sexes, le temps dans la genèse de la vie, les structures juridiques et anthropologiques de la paternité et de la maternité et, par là même, ébranlent la notion de sujet dans ses relations élémentaires constitutives de l'identité. À partir mais au-delà du droit positif, en tenant compte des multiples dimensions du phénomène, en pratique comme en théorie, il faut s'interroger sur le rôle et la fonction du droit comme instrument d'institution de la vie, du sujet ou de la personne, et d'ordonnance de l'ordre généalogique face aux réalités ou aux faits, c'est-à-dire au désordre ou au chaos.

Les choix qu'il faut effectuer, qu'il s'agisse pour le droit d'intervenir ou de s'abstenir, présupposent de la part des juristes une philosophie du droit, une

---

* Professeure de droit, Catherine Labrusse-Riou a enseigné, depuis 1970, le droit civil, le droit international privé et le droit commercial; elle enseigne maintenant le droit privé à l'Université de Paris-Sud (XI). Possédant une licence en droit de l'Université d'Aix-Marseille, madame Labrusse-Riou a fait ses études supérieures à l'Université de Paris et a obtenu, de cette même Université, son doctorat d'État en 1963. Membre d'associations telles que l'Association française de philosophie du droit et l'Association famille et droit, madame Labrusse-Riou est aussi membre du Comité national d'éthique pour les sciences de la vie et de la santé.

Sa participation à ce comité l'amène, par-delà sa contribution aux différents groupes de travail, à jouer un rôle actif dans la préparation d'avis portant sur des sujets aussi variés que « les essais et expérimentations de traitements sur l'homme », « la procréation artificielle et la maternité par substitution » et « les recherches et interventions à des fins médicales ou scientifiques sur des embryons in vitro ». Son intérêt pour la bioéthique l'amène également à donner des conférences en France et à l'étranger. Elle est l'auteure de plusieurs articles sur le droit et sur l'éthique.

perspective idéologique sur le rapport de l'homme à la nature, sur le rapport de l'homme à la technologie, sur l'étendue du droit de disposer de son corps et de celui d'autrui, sur le rapport du droit et de la morale. Ils supposent également, et sans paradoxe, une conscience de l'autonomie du droit, de ses exigences propres comme de ses limites comme instrument de régulation sociale. Avant d'agir localement encore faut-il pouvoir penser les problèmes globalement.

Cette attitude est d'autant plus difficile à tenir que le juriste doit en outre éviter les pièges de l'idéalisme ou du réalisme purs, du dogmatisme ou du relativisme culturel ou moral, et, loin de tout absolutisme, il doit savoir allier la fermeté et la souplesse, la simple clarté de la règle de droit et la gestion de la complexité.

Notre droit positif et même nos philosophies du droit sont mal préparés à affronter le défi que lancent les sciences et les techniques du vivant à ceux dont le rôle est d'énoncer et de mettre en oeuvre des normes; car les indicatifs de la science, y compris des sciences humaines, ne suffiront jamais à fonder des prescriptions normatives malgré la complaisance que l'on témoigne encore envers les diverses formes de scientisme.

Les pouvoirs de production scientifique de l'homme et leur auto-développement de fait, vaguement référé à une éthique molle, subjective et le plus souvent complice, renforcent la crise du droit en tant que principe de jugement selon un jeu de concepts, de catégories et de qualifications qui, en perdant leurs frontières ou leur autorité, privent le droit de la possibilité de s'imposer aux technostructures ou aux pouvoirs individuels devenus sans limites efficientes et l'obligent soit à suivre, soit à s'éclipser. Or si le droit est ouvert à tous les faits et à toutes les vérités, c'est pour les régler et non pour les subir. C'est pourquoi, il convient de prendre l'exacte mesure de la réalité pour mieux la saisir et l'orienter. Dans cette analyse, la juriste que je suis paraîtra lucidement pessimiste, car il semble plus nécessaire et moins hasardeux de parier sur le mal, pour tenter d'y échapper, que sur le bien, impossible à définir globalement. L'examen des réalités ne m'autorise pas à considérer, de façon générale, les technologies reproductives comme un véritable progrès. Rien ne permet de dire avec certitude que le bilan de leurs mérites et de leurs méfaits est nettement positif. Mon propos sera donc d'évoquer en premier lieu les risques réels de déstructuration de l'ordre juridique en ce qu'il institue la transmission de la vie; puis, en second lieu d'examiner comment le droit peut agir sur la réalité, sinon pour lui donner un sens, du moins pour lui conférer des formes que je considère comme vitales.

Les risques de déstructuration de l'ordre généalogique

Lorsqu'ils ne cèdent pas et imposent un bénéfice d'inventaire à la légitimation ou à la licéité des procréations artificielles, les juristes sont souvent accusés de ne pas prévoir les solutions d'adaptation du système juridique et du droit de la filiation aux nouvelles méthodes de procréation que l'aide médicale aux inféconds ne suffit pas à justifier sous toutes leurs formes. Cette accusation feint d'ignorer que le droit n'est pas seulement un outil technique d'ingénierie sociale à la solde d'une évolution des moeurs ou des pratiques auxquelles il devrait inéluctablement se plier pour satisfaire tous les intérêts ou désirs particuliers. Le droit, par essence, est d'abord instance de jugement sur les faits, et l'ordre juridique devrait être une construction raisonnée du réel à partir des valeurs et d'utilités dont il faut réduire et ordonner les contradictions ou les antagonismes.

1) Si l'on cherche à échapper à la contagion scientiste de l'adaptation sans jugement, il faut commencer par réinstituer le droit lui-même au sein du mouvement technologique, pour protéger la société, les représentations de la vie et de la personne, et surtout les enfants qui naissent et naîtront de ces techniques, des risques de déraison et de dépersonnalisation liés au refus, observé en pratique, du principe de la limite. L'ordre généalogique, élément essentiel à la définition des identités et à la reconnaissance des sujets dans leurs relations mutuelles, paraît en danger. Ce risque résulte moins de la contrariété entre certaines règles du droit de la filiation et les pratiques de procréation artificielle, que de la mise en cause du droit comme principe normatif extérieur aux individus et, comme tel, nécessaire à la vie humaine donc sociale.

P. Legendre a montré que la vie ne peut pas ne pas être « instituée » sous peine de n'être que la production de « chair humaine » et non la naissance d'un sujet. Instituer la vie passe par la préservation d'une part d'indisponibilité et de non-appropriation, c'est-à-dire par des limites efficientes, tant dans l'ordre du réel que dans l'ordre symbolique au pouvoir de l'homme, s'auto-instituant maître absolu de l'Univers. Il n'y a pas de système de filiation qui puisse être laissé à la toute puissance des désirs individuels; il n'y a pas de système de filiation sans interdits. Si ceux-ci reculent au nom de la liberté ou de la justice, cela ne signifie pas pour autant que la transmission de la vie, délibérément programmée, puisse sans dommage échapper à des contraintes.

Le droit des personnes est un instrument vital, au nom de la justice et au moyen de structures à évolution lente, de séparation des pouvoirs et de réduction des désirs de puissance, d'indifférenciation ou d'exclusion, instrument sans lequel le sujet ne peut pas « être ». À laisser se développer des procréations artificielles ne s'auto-limitant pas d'elles mêmes, nous allons vers la production d'enfants-objets, objet de marché et d'industrie, d'enfants sans identité reconnaissable, d'enfants déterminés génétiquement parce que bientôt déterminables; nous allons vers la réduction des géniteurs et génitrices à des machines qui, comme dans la production industrielle, seront vite soumis aux lois du rendement utilitariste, sous couvert de la liberté de disposer de soi-même et d'autrui. Le principe même de la vie, en se transformant en produit, devient objet d'appropriation privée, et du droit des personnes nous entrons dans le droit des biens, oubliant que les catégories juridiques ont circonscrit les objets de propriété individuelle dont sont exclus les biens communs tels que le soleil, la vie, et même la science comme création de l'esprit.

Comment se fait-il que des médecins si vigilants dans l'appréciation des risques physiologiques ou biologiques, soient si peu conscients des risques psychosociaux liés à l'émiettement des éléments de la parenté, à la rupture du temps linéaire de la vie (congélation prolongée des gamètes et des embryons) et à la perte des références symboliques qui rappellent que tout pouvoir et tout désir ne sont pas a priori de droit?

2) **Deux exemples** qui concernent la maternité dont l'éclatement est à mes yeux plus grave pour les libertés que la division de la paternité, illustrent ces propos: le premier atteste la transgression du droit des personnes par le droit des biens et la perversion des droits de l'homme comme instrument de protection du sujet contre les pouvoirs; le second révèle comment l'ordre généalogique et ses interdits fondamentaux, constitutifs de l'identité du sujet, peuvent être mis à néant par la logique du désir sans frein, par l'idée thérapeutique sans limite et par l'angélisme de la bienfaisance ou de la générosité.

Le phénomène de la substitution de mère, dont la base contractuelle et marchande vient d'être validée par un juge américain dans l'affaire Withehead, est un des signes de cet abus de pouvoir. Il inaugure l'idée d'une production d'enfants pour l'adoption au mépris d'une institution faite pour l'enfant selon son intérêt propre après qu'aient été préservés les droits de ses parents auxquels il ne peut être arraché sans causes définies par la loi; il enclenche une sélection arbitraire et aliénante de femmes mercenaires dont la volonté n'est qu'un alibi de leur réduction à l'état de machine; il aboutit enfin, là où le conflit révèle l'insupportable aliénation de la mère, à ce qu'un juge substitue à la règle de droit, générale et impersonnelle, donc égale pour tous, ses préjugés éducatifs pour décider à qui l'enfant appartiendra, où à s'en remettre à des experts pour juger des liens de filiation au gré des espèces. L'interdit du droit français protège mieux la liberté que l'anarchie des libertés mises, en cas de conflit, sous contrôle psychosocial, sans normes générales et objectives. Selon certains, l'enfant appartiendrait à ceux qui ont fait le projet de son existence, fut-ce en monnayant le corps des autres femmes débitrices de cet objet. Mais les juristes ont appris et doivent rappeler que les conditions que l'on appelle « potestatives », celles qui parce qu'elles subordonnent l'obligation contractée au bon vouloir d'une partie au contrat, sont l'expression de la puissance sans réciprocité, sont des conditions nulles et de nul effet. Or il n'y va pas seulement des relations des parties à un contrat portant sur des biens ou des services; avec la procréation, nous sommes dans une autre catégorie juridique, celle des personnes, car il s'agit du statut et de l'identité d'un autre, l'enfant, innocent et sans pouvoir, dont on disposerait alors comme d'un bien. Or face au pouvoir, les droits de l'homme ce sont toujours les droits de l'Autre. Et c'est bien parce que les droits de la femme et de la mère et les droits de l'enfant, l'un et l'autre « sujets » et non objets, sont d'invention récente donc vulnérables, qu'il faut les préserver de leur possible anéantissement.

À cet égard, la notion civile d'indisponibilité de l'état des personnes rend compte techniquement de la notion politique de droit de l'homme. Les limites au pouvoir sur la personne qui s'imposent en conséquence à autrui s'imposent aussi à l'individu sur lui-même car son autonomie, sauf à renoncer au concept de personne et de sujet, ne saurait aller jusqu'à lui permettre de nier en lui-même le principe d'humanité dont il est porteur, qu'il le veuille ou non, et l'existence du sujet qu'il est.

Il n'y a plus lieu d'en débattre, et si le fait est en pratique accompli, l'honneur est de lui opposer le postulat de la raison comme de la justice: on n'arrache pas un enfant à sa mère, en vertu d'un contrat privé. La filiation est indisponible et la volonté, là où elle est efficiente, a d'abord valeur d'engagement donc de devoir envers l'enfant; il faut réhabiliter cette signification profonde des liens généalogiques, pour éviter qu'il ne se dissolvent dans le fait biologique pur et déshumanisé, ou dans la liberté contractuelle sans limite. Il ne suffit pas de compter sur l'amour de l'enfant pour lui permettre de construire son identité. Encore faut-il lui assigner une place dans l'ordre généalogique donc une identité impérative en ce qu'elle ne doit pas dépendre exclusivement de la variation ou du chaos des sentiments, quels qu'ils soient.

Cet ordre est lui-même transgressé dans le **second exemple**, celui de cette femme qui, en Afrique du Sud, accepta de porter les enfants génétiques de sa fille et de son gendre. Voici la crise d'indifférenciation en germe pour cet enfant à deux mères dont l'une est sa grand-mère. Remontée de l'ordre généalogique dans le temps, inceste technique entre gendre et belle-mère, le désordre est accru par cela même que tout se passe en famille, et que tout se sait ou se aura. À ce point de transgression, il ne faut pas attendre du droit la solution des conflits qui vont naître de ces maternités en participation comme cela se voit déjà dans les relations des soeurs enfantant l'une pour l'autre, ni le dénouement des crises d'identité de l'enfant, alors que l'on sait depuis longtemps que l'on ne peut être à la fois et en même temps le fils et le petit-fils, le fils et le neveu d'une même femme, ou d'un même homme.

Et si le fait existe — l'inceste est prohibé parce qu'il existe — il est, pour cela, frappé d'interdit, et délibérément masqué par le droit.

L'engrenage du désir, fut-il thérapeutique, nous mène ici à la folie et l'éviction du droit et de ses interdits nous ramènerait à la horde primitive. Ce qui frappe, dans ces exemples, ce n'est pas la transgression elle-même qui est de tous les temps; c'est que, parée de l'idée de progrès, la transgression n'est plus assumée, avec la responsabilité qui en résulte, par les individus; ceux-ci cherchent à transposer leur transgression sur la société en lui demandant de la légitimer. Or si ce n'est pas le droit qui énonce des interdits protecteurs du sujet, ils seront fabriqués par des pouvoirs anonymes ou privés sans la garantie de la règle de droit. Ces exemples sont graves non seulement parce qu'ils réduisent la femme et l'enfant à des produits mais surtout en ce qu'ils divisent la vérité naturelle de la maternité contre elle-même, ce qui est « un signe symbolique de la ruine » (G. Cornu). La mère, celle qui porte l'enfant et le conduit à la naissance, doit rester une; seule l'adoption, après un abandon qui doit toujours être considéré comme un malheur ou dû à des détresses que l'on ne peut pas prévenir mais qu'il ne faut pas programmer, peut et doit permettre, après la naissance, de substituer une mère à une autre, défaillante par l'effet de circonstances indépendantes de la volonté des demandeurs d'enfants.

3) On pourrait multiplier les exemples où la médecine procréative et même la recherche médicale érodent la notion de sujet, altèrent les frontières entre l'homme et l'animal, entre l'homme et la femme (la différenciation doit être distinguée de la discrimination), entre l'humain et la chose ou la matière, dissèquent et divisent les vérités complexes de la personne, et créent de l'indifférencié là où doit s'affirmer la différence, génèrent des sujets éclatés là où l'individu doit trouver son unité, et des pouvoirs sans limite là où le principe démocratique assigne des limites à tout pouvoir.

La limite, il s'agit pour le droit ou la morale de l'inventer et de la fonder, par des concepts et des valeurs. Comme le fleuve a besoin de rives pour s'écouler et nous épargner les marécages, de même l'action humaine doit s'assigner des limites pour s'épargner les délires de l'errance et permettre l'accomplissement du désir sans ravages excessifs. Ces limites ne résident que pour une part dans les consciences singulières et les morales particulières. Car il y a aussi des limites à la liberté de conscience lorsque sont en jeu des valeurs fondamentales constitutives de l'ordre public. C'est pourquoi le droit ne peut indéfiniment se taire et laisser faire. Il lui faut trouver entre la soumission-résignation et le rejet global, entre la légitimation de toutes les pratiques et le déni de la réalité, la mesure et l'équilibre entre ces deux formes de la démission. Car l'absence de justice résultera ici comme ailleurs du silence du droit.

Construire un droit de la procréation médicalisée

Si la nature biologique n'est pas normative et n'implique pas a priori un respect sacré, la nature humaine porte en elle le principe d'une normativité, réductrice de la tentation de toute puissance voire de la barbarie toujours présente chez les humains; l'humanité, en ce sens, consiste en cet art magnifique et fragile d'inventer patiemment les moyens et les raisons de sortir de la violence, et de la loi du plus fort; le droit est un de ces moyens, à la condition qu'il ne soit pas l'esclave du maître technologique mais le serviteur des hommes et de la justice, dans un monde technologique à civiliser.

1) Face à l'autodéveloppement de ce dernier et à sa démesure possible et déjà réelle, **il faut préserver et inventer un ordre juridique raisonné**. Préserver d'abord ce qui doit demeurer inaliénable et indisponible dans le droit des personnes, qui ne sont ni des choses, objets de marché, ni un capital humain à la libre disposition des États, des politiques, des scientifiques, ou des marchands. Préserver les structures anthropologiques essentielles de notre système de parenté fondées sur l'alliance de l'homme et de la femme, sur la bilinéarité paternelle et maternelle, et sur la différenciation sans discrimination de la paternité et de la maternité quant aux critères déterminant la filiation. Si les règles peuvent

changer, les catégories et les structures juridiques sont plus résistantes; ce sont elles qui peuvent garantir la cohérence d'un droit, aujourd'hui éclaté entre de multiples disciplines, dont il faut repenser la complexité sans abandonner le noyau dur des catégories; ce sont elles qui prémunissent le droit contre sa dilution dans les faits biologiques, sociaux, ou affectifs, dont on voit tant de signes inquiétants; ce sont elles qui fixent les limites des droits et des pouvoirs individuels et qui permettent en conséquence une maîtrise, sociale et culturelle, de la réalité chaotique, contradictoire et conflictuelle.

Le respect des structures anthropologiques de la parenté nécessite que la procréation ne soit pas délibérément dissociée du couple de l'homme et de la femme, ni de la vie de l'un et de l'autre et que la maternité demeure fondée sur la gestation, non seulement parce que cela est visible et biologique mais surtout parce qu'il y va de la signification même de l'incarnation et des droits de la femme à n'être pas réduite à un objet de pouvoir si habile à fabriquer les vices du consentement donc l'aliénation.

Les modalités de mise en oeuvre de ce respect sont nombreuses: nullité des contrats, refus d'organiser les filiations, sanctions civiles, pénales et disciplinaires envers les acteurs, spécialement les intermédiaires, médecins ou autres; il suffit de vouloir les appliquer, en usant aussi des moyens modérateurs du droit pour laisser place à l'équité ou à la compassion. Qu'il en résulte des sacrifices et des souffrances, certes! Mais le droit n'est pas une pommade. Il ne peut que tenter de prévenir et de sanctionner le mal après avoir signifié par des règles et des jugements son existence constante. Le maintien, fut-il symbolique, des formes et des structures du droit des personnes sans lesquelles les droits de l'homme ne sont que verbe creux, implique et le rejet d'un relativisme culturel absolu et le refus d'un alignement systématique du droit sur les faits.

Cette attitude que certains jugeront exagérement normative et passée de mode, me paraît cependant justifiée d'abord par la prudence: nous ne savons pas ce que nous faisons pour les générations futures avec ces techniques procréatives; ensuite par la croyance qu'en période de mutations techniques et de concurrence sauvage qui terrassent les individus dans leurs convictions ou leurs repères, le rôle du droit n'est pas de s'aligner sur les préceptes d'un progrès incertain, mais plutôt de préserver les racines (culturelles et morales) sans lesquelles aucune plante ne peut affronter les tempêtes ou les chocs de la vie. Il ne s'agit pas d'un repli frileux sur un conservatisme moralisant, mais du souci d'assumer le changement sans perdre la raison et de mener une existence sensée et respectable au milieu des paradoxes de la vie sociale.

2) Préserver n'exclut pas d'innover dès lors que sont instruits en raison et effectués les choix ou la fixation des seuils de l'acceptable et de l'inacceptable. Toutes les procréations artificielles, malgré leurs risques et leurs difficultés, ne peuvent et ne doivent être rejetées. Les dons de sperme ou d'ovocytes pour raison médicale de stérilité véritable, au bénéfice d'un couple hétérosexuel stable, s'ils exigent de la prudence, de la vigilance et une organisation juridique précise, n'appellent pas un interdit de principe. Il est clair que cette organisation juridique,

qui peut varier d'un État à l'autre, suppose des choix délicats dont le plus important est celui de l'anonymat ou non des donneurs de gamètes. Personnellement, je crois que cet anonymat est préférable à la possibilité ouverte en Suède de connaître l'identité des donneurs, même si cette solution va à l'encontre du désir possible de l'enfant. Certains préconisent la levée de l'anonymat par une sorte de politique du pire espérant que la règle enrayera une pratique de procréation qu'ils réprouvent. Si tel est l'objectif, mieux vaut interdire le don de gamètes. Comme cet interdit me paraît irréaliste, trois raisons dictent mon choix en faveur d'une permission limitée, sous condition d'anonymat. D'une part le donneur n'a pas (ou ne doit pas avoir?) d'intention de parentalité a priori, ce qui permet de résister à l'enfoncement de la parenté dans la seule réalité biologique; d'autre part, il sera difficile sinon impossible, pour la plupart des gens, de vivre la dissociation de la filiation juridique et sociale et de la filiation biologique ou génétique; si bien qu'il peut en résulter des troubles ou des désordres, des formes inédites de polygamie ou de polyandrie, que le droit est, pour l'heure, incapable de réduire ou d'organiser. Sous l'angélisme de l'entraide se cachent de probables et insolubles conflits. Enfin et surtout, les effets de systèmes d'un droit à la connaissance des origines seront dévastateurs du droit de la filiation: toutes les fictions, les fins de non recevoir aux actions relatives à la filiation, seront invalidées; si bien qu'au nom d'un théorique droit de savoir, nous verrons s'effondrer le secret des alcôves pour y débusquer l'amant de la mère ou nous assisterons à la mise à l'encan de l'identité des individus au nom de la vérité que la génétique établit par ses diagnostics froids et impérissables. Nous verrons alors des législateurs exiger un certificat de conformité à la vérité biologique lors de la déclaration de la naissance à l'état civil, comme cela se fait déjà, dans certains pays, pour contrôler l'immigration familiale. Le droit de la filiation ne sera plus que le constat du fait et les structures de la famille dépendront, pour le plus grand préjudice des libertés, du pouvoir des experts.

Si l'on redoute les effets pervers de l'anonymat, il ne reste lus qu'à cantonner au maximum les pratiques autorisées en agissant par la dissuasion de ce qui est, de fait, une transgression de la mission sociale de la médecine. Celle-ci n'est pas investie d'un pouvoir de produire l'homme et d'en déterminer les qualités, mais de soigner ou de prévenir des pathologies. Il s'agit alors d'une question de déontologie ou de politique de santé publique.

Innover signifie aussi l'invention d'une catégorie juridique pour régir le vivant humain et les produits du corps détachés de la personne. À une époque où le principe même de la vie, par le génie génétique et les procédés de propriété industrielle, fait l'objet d'une appropriation privée et monopolistique, il est urgent que le droit forge des concepts neufs pour régir le commerce de la vie. Mais c'est là une question trop vaste pour être ici traitée.

3) Ainsi le droit restauré dans sa fonction propre d'ordre et de justice s'honorera d'une recherche plus nécessaire que celle qui consisterait à se laisser aller au relativisme moral, à la concurrence sauvage ou aux illusions de l'hédonisme technologique; ce sont ces tendances de nos sociétés envahies par le

marché, l'utilitarisme et le subjectivisme, qui discréditent l'État de droit, dissolvent les lieux sociaux, laissent les sujets dans l'irrespect de leur « être », ou les livrent à des affrontements binaires. De quelle perte de sens paierons-nous la suprême loi de l'efficience et du pouvoir sans fin?

Nous avons heureusement aujourd'hui quelques lueurs d'espoir grâce à des philosophes qui redécouvrent que la culture et la vie sociale ne peuvent faire l'économie de l'affirmation publique d'une hiérarchie de valeurs fondamentales; grâce aussi à des hommes de science qui restituent à la science sa vraie grandeur, en tant qu'instance de vérité relative et non de commandement.

Si le scepticisme ou la désespérance nous habitent aussi face à l'accélération de techniques paralysant le temps lent de la réflexion, nécessaire à l'art du droit, il est permis de penser qu'en effectuant des choix et des arbitrages, la loi ou la jurisprudence contribueront à contenir les déroutes ou les délires et à cristalliser le « consensus » qui n'émerge pas spontanément du débat.

Les défis que nous lancent les technologies procréatrices et la maîtrise scientifique de la vie humaine ne débouchent pas nécessairement sur le divorce de la science — la vraie science — et du droit. De même que la loterie génétique est une condition de la survie des espèces dans leur diversité et du patrimoine vital, de même le respect des cultures et du principe universalisable d'un ordre normatif moral et juridique toujours supérieur aux droits positifs, est une garantie de survie du patrimoine culturel, contrepoids de la barbarie des hommes ou de la nature. Ces défis nous invitent, juristes et scientifiques, à sceller une alliance dont chacun sait qu'à l'image idéale du couple humain, elle n'est ni fusion absorbant l'autre, ni subordination obligée de l'un à l'autre; que les philosophes et les moralistes mais aussi les artistes ou les théologiens nous aident à cette reconnaissance de l'autre d'où naîtra peut-être cet enfant imprévisible qui donne sens à nos efforts et qui assigne à nos pouvoirs et à nos prétentions leurs fins: finalité mais aussi finitude.

Premier bilan d'une rupture annoncée
Jacques Testart*

Il y a quelques mois, au cours de la discussion qui suivait un de mes exposés pour « grand public », un adolescent m'a reproché de n'avoir pas démissionné de mon emploi de chercheur. La jeunesse est d'une cruauté ou d'une logique extrême... Outre que je n'ai aucune prétention au martyre, je doute que ma désertion eut été plus efficace que cette façon de rupture que je vais brièvement rappeler. J'ai proclamé mon refus de participer à toute recherche dont la finalité serait de contrôler l'identité génétique de l'oeuf humain dès la fécondation. En effet, on pourrait réaliser l'analyse chromosomique ou génétique des oeufs âgés de deux jours seulement afin de ne transplanter dans l'utérus que ceux qui correspondent au souhait parental (sexe) ou aux normes convenues (« normalité »). La fécondation in vitro permettant seule une analyse aussi précoce, elle pourrait être réalisée exclusivement dans ce but. En complément, les couples accèdant à la FIVETE pour cause d'infertilité pourraient voir garanti non plus leur désir d'enfant mais leur désir de tel enfant. D'où la tentation prévisible d'un recours grandissant à l'artifice médical malgré ce que cela suppose d'aliénation et avec l'enjeu de considérer l'enfant comme un objet.

Certains événements qui ont suivi la publication de mon livre (*L'oeuf transparent*, Flammarion, 1986) ont confirmé l'actualité d'une telle recherche.

Ainsi, à l'automne 1986, une table ronde regroupant 27 médecins et embryologistes britanniques proposait le recours à la FIVETE pour réaliser un contrôle génétique précoce des oeufs produits par des couples « à risque » (*Hu-*

---

* Jacques Testart a une formation d'agronome. Il se spécialise en 1964 dans l'étude de la reproduction des mammifères domestiques et est l'un des pionniers de la transplantation d'embryons d'une vache à une autre. Puis il change d'orientation et, depuis dix ans, mène des recherches sur la procréation humaine. Ces recherches l'ont amené à faire naître le premier « bébé-éprouvette » français, Amandine, en 1982 et à développer la méthode la plus efficace pour conserver l'oeuf humain congelé. Il est aujourd'hui directeur de recherche à l'Institut national de la santé et de la recherche médicale (INSERM) et responsable du laboratoire de fécondation in vitro de l'Hôpital Antoine Béclère à Clamart où plus de 250 bébés ont été conçus par fécondation externe.

Il a publié *De l'éprouvette au bébé spectacle*, *L'oeuf transparent* et est l'auteur d'un roman paru à l'automne 1987 *Simon l'embaumeur*. Dans ces différents ouvrages, Jacques Testart s'interroge sur les fondements de sa propre activité et plus généralement sur la fonction de la recherche et la nature des « progrès » qui en résultent.

man Reproduction 2, 267-270, 1987). En juin 1987, des chercheurs d'Edinburgh faisaient connaître leurs premiers succès dans la détection du sexe d'embryons humains âgés seulement de 2 à 5 jours (Lancet, 13 juin 1987).

Évidemment ma prise de position sur ce sujet précis n'était que l'illustration d'une attitude critique sur le thème plus général des rapports entre la recherche scientifique et la société. Puisque de nouveaux besoins sont induits par l'existence même des techniques compétentes pour les résoudre, j'ai aussi proposé que le contrôle social sur la recherche s'effectue en amont et non plus en aval de la découverte. On m'a justement fait valoir la gravité d'une telle proposition: si elle était suivie d'effet, elle constituerait un frein indiscutable à l'activité de recherche scientifique, voire un arrêt total de toute recherche expérimentale.

Pour ma part, j'ai voulu mettre en accord mes activités de chercheur avec les responsabilités qui en sont inséparables.

Le résultat est que je suis désemparé, et à plusieurs titres. Je suis désemparé dans le dialogue avec la plupart de mes collègues car nos discours se superposent sans se rencontrer et leur discours seulement est irréfutable sur les bases de notre bagage scientifique commun. Là où je parle de dérive, de perversion, de déni du sens, ils répondent efficacité, pourcentages et progrès technologiques. Parmi ceux qui me critiquent, il y a bien sûr des chercheurs scientifiques qui acceptent mal qu'un des leurs en appelle au contrôle extérieur, transformant ainsi leur statut de sorcier en statut de suspect; surtout ils craignent qu'on en vienne à limiter l'exercice expérimental de leur imagination et donc la liberté de leur production scientifique. Il y a aussi ces médecins cliniciens qui, au seuil des laboratoires, guettent la nouveauté prestigieuse qu'ils pourront proposer à leurs patients. Mon expérience m'a appris qu'il y a toujours un épicier à l'affût dans le dos du chercheur quand la recherche est susceptible d'application immédiate. Ainsi, aux temps pionniers de la transplantation d'embryons chez la vache, j'ai vu les maquignons s'emparer des mères-porteuses bovines. Puis à l'heure de la FIVETE, j'ai vu les cliniciens de la stérilité proposer la méthode à presque n'importe qui. Des amis physiciens m'ont raconté que leur épicier s'appelle le militaire… Me voilà donc renégat.

À ce sujet, il faut aborder le problème de la démocratie dont on prétend qu'elle garantit l'espèce contre les débordements dangereux de la technique. Certes la démocratie est nécessaire mais est-elle suffisante? On sait bien que la peine de mort existerait encore en France si la décision de la supprimer avait fait l'objet d'un référendum. Pour ce qui est de l'usage social des technologies, la démocratie est un garde-fou plus faible encore. Car, à éduquer les citoyens dans l'adoration de la science, on prend le risque de jouer la machine contre l'humain. La compétition économique fait que nos enfants ont quelque chance de ne pas devenir chômeurs seulement s'ils orientent leurs études dans les filières scientifiques et on sélectionne les futurs médecins sur leur aptitude aux mathématiques. Les succès de laboratoire sont médiatisés comme étant des apports considérables à la culture et une des grandes réalisations françaises récentes est le Musée des Sciences et Techniques de la Villette, énorme phallus du progrès planté devant des hommes qui rêvent de devenir Dieu. Quand une idéologie se répand avec une telle violence qu'elle évoque le totalitarisme, suffit-il du droit de vote pour que les valeurs humaines soient garanties? Pour l'instant la conscience du monde développé a pris le nom d'éthique et est mise en comités, un peu comme les sardines en boîtes. Le temps des comités d'éthique est contemporain d'une grande détresse de la pensée et c'est ce qui les rend indispensables. Acculés par la technique triomphante, les comités d'éthique doivent définir en urgence les principes qui fondent l'humanité: qu'est-ce que l'humain parmi les bêtes? Quel statut et quel respect mérite son oeuf? Comment persiste la qualité humaine dans la durée de l'hibernation ou dans la mort apparente? Le temps des comités d'éthique est un moment nécessaire parce que le monde est désemparé devant les promesses et la violence de ses propres actes. On peut souhaiter que meurent au plus tôt les comités d'éthique, ces structures de crise, mandatées pour gérer l'urgence, pour combler le vide de la pensée, pour réinventer la culture. Pourtant, même si l'espèce parvenait à s'approprier la sagesse, on ne pourrait pas se suffire d'un code d'éthique figé comme l'est le code de la route, avec une police bonhomme permettant de faire respecter ce code. C'est que le développement technologique proposera sans cesse l'imprévisible, lequel devra être mis en harmonie, à chaque moment, avec la conscience humaine.

Je suis aussi désemparé malgré la large approbation exprimée par le grand public car, pour la plupart, ces hommes et ces femmes qui me félicitent espèrent naïvement, pour eux et leurs enfants, la vie meilleure que promet l'idéologie scientiste. Renégat chez les miens, me voilà exorciste du plus grand nombre.

Je suis encore désemparé pour avoir perdu beaucoup de mon enthousiasme à jouer à la recherche. Car, à ne vouloir explorer que des chemins sans danger, me voilà condamné à ratisser les sentiers battus; surtout les règles du jeu que je tente d'inventer viennent épuiser l'essence ludique qui me faisait aimer ce métier.

Ainsi, j'ai refusé de participer au nouveau challenge de la FIVETE, lequel astreindra l'oeuf humain au contrôle génétique; j'ai aussi soumis tous mes projets de recherche à l'avis du Comité national d'éthique, et il m'est donc arrivé d'abandonner tel projet, auquel j'étais personnellement favorable, mais que le Comité n'approuvait pas, car la règle est simple: si le chercheur ne prétend plus être à la fois juge et partie, il ne peut que s'en remettre scrupuleusement à l'avis extérieur.

Enfin, dans le cadre même des travaux que je poursuis chez l'animal, je dois bien me méfier de ceux qui auraient un impact éventuel pour l'espèce humaine car on sait que la médecine de la reproduction s'empare une à une des technologies mises au point chez l'animal. Ainsi, j'ai cassé presque tous mes jouets.

Enfin, je suis désemparé par mon impuissance à proposer un nouveau mode de vivre la science. On voit bien l'utopie de l'entreprise: d'une part, les humains ne rêvent l'avenir que par le progrès scientifique; d'autre part, la recherche est un formidable enjeu de compétition entre les nations; enfin, il n'existe pas de recherche innocente a priori. On me demande si des gestes comme le mien suffiront à orienter différemment la recherche en reproduction humaine.

Je conviens que mes prises de position ont eu des répercussions inattendues, mais je fais confiance à notre société pour tolérer puis digérer cette déviance, comme elle l'a fait pour le mouvement écologiste. Tout se passe comme si on ne pouvait que crier ou organiser des colloques, sans que ces manifestations aient quelque chance de modifier notablement un devenir irrémédiable.

L'honneur des pays de vieille culture serait de réintroduire la philosophie dans la cité, même au risque d'un moindre développement technologique; car à quoi serviraient des performances techniques si nul n'est plus capable de donner un sens à sa propre histoire?

Pour terminer, je ne voudrais pas fuir une question qui m'a été posée ici et qui concerne le rôle du mouvement féministe en matière de procréatique. Il apparaît difficile de définir un mouvement féministe unanime, et chacun sait que le mouvement est divisé en clans comme il est arrivé chez les trotskistes ou les psychanalystes. Pour ma part, je crois reconnaître deux familles de pensée sous l'étiquette du féminisme. Il y a ces femmes qui revendiquent les rôles aujourd'hui détenus par les hommes, qui se déguisent en hommes comme des négresses blondes, et il y a celles qui définissent une originalité du féminin à l'intérieur de l'espèce humaine. Bien que je comprenne comment le poids de l'histoire a influencé les premières, je crois que seules les secondes ont quelque chose à apporter à l'humanité. Un chanteur populaire, Renaud, a exprimé naïvement ce qui fait la différence entre une femme et le premier ministre britanique.

Pour ma part, j'ai observé que certaines femmes, prétendument féministes, soutiennent sans réserve la pulsion de posséder complètement la nature qui me paraît être un symptôme grave de l'identité masculine. Je devine que le féminisme n'est pas seulement un mouvement légitime pour les droits des femmes, mais aussi une conception de l'humanité différente de celle qu'ont imposée les hommes. Au risque de passer pour opportuniste je place ma propre démarche de ce côté, malgré certaines pesanteurs mâles que j'admets volontiers car nul n'est parfait et chacun doit faire avec sa propre histoire. Comment définir cette conception de l'humanité? On reconnaîtra que certains mots évoquent le règne du masculin, ainsi « domination », « compétition » ou « pouvoir ». La plupart des mots en usage dans mon métier évoquent aussi le masculin: « rigueur », « rationnalisme », « taux de succès », « efficacité » et même les mots « science », « technique » ou « vérité » sont de cette essence virile et hostile à la nuance. Je crois que la vérité scientifique n'est qu'une parmi les vérités possibles, les autres naissent de la chair et de la culture, du grain de la peau et des émotions.

Je crois que ces vérités là sont le meilleur de l'humain et je constate qu'elles sont portées surtout par des femmes.

Pour en revenir au rôle des féministes en matière de procréatique, il est lié à la fois à cette conception générale de l'humanité et à cette évidence que le passage de la procréation à la procréatique recouvre une prise de pouvoir le plus souvent masculine sur une fonction éminemment féminine. Je dis que cette prise de pouvoir est le plus souvent masculine car elle est parfois exercée par des femmes et qu'en dernière analyse, l'important n'est pas le sexe du technicien mais ce qui motive son action.

Vous voudrez bien m'accorder que chaque technicien, médecin ou biologiste n'est pas nécessairement responsable, ou même conscient, des perversités de l'évolution médicale au XXᵉ siècle.

De nombreuses féministes ont développé une forte argumentation pour démontrer la volonté masculine d'exproprier la femme de ses fonctions naturelles dans la procréation. Il est vraisemblable que l'homme est intervenu dans ce sanctuaire féminin avec une certaine jubilation, mais je voudrais ici poser une question, à l'occasion d'une situation inventée et évidemment impossible: imaginons que l'histoire de l'humanité ne fut pas celle de la domination masculine, que notre siècle soit arrivé sans qu'il n'existe aucun passif entre les sexes. Comment aurait-on pu prétendre vaincre la stérilité autrement que par les méthodes actuellement utilisées, telle que la FIVETE?

Même si les desseins de l'homme sont confortés quand l'artifice médical permet de réduire le rôle énorme de la femme dans la maternité, il n'y a aucune raison de postuler qu'un pouvoir scientifique exclusivement féminin aurait inventé d'autres parades que celles-là à la stérilité. J'ajouterai que je suis affligé de voir certaines militantes féministes applaudir à la pratique des mères de substitution ou à la perspective de l'utérus artificiel.

En vérité, ce n'est pas le sexe qui invente la technique; on a aussi montré que ce n'est pas toujours la demande puisque l'offre du remède précède parfois la démarche des patients potentiels. Il faut bien convenir que la procréatique appartient seulement à ce vaste projet de maîtrise de la nature et de l'espèce humaine. Ce projet est viril mais il n'a pas de sexe. Il tend à instrumentaliser la vie humaine, et pour alimenter sa centrale créative, la recherche scientifique, il insuffle sans cesse de nouveaux besoins dans la société. C'est par rapport à l'idéologie qui nourrit cette violence que les hommes comme les femmes doivent se déterminer. « Entre le monde et nous, la rupture est bien établie. Nous ne parlons pas pour nous faire comprendre, mais seulement, à l'intérieur de nous-mêmes avec des socs d'angoisse, avec le tranchant d'une obstination acharnée nous retournons, nous dénivelons la pensée ». (Antonin Artaud, La révolution surréaliste, N° 3, 1925).

Synthèse du débat

Éric Laplante, agent de recherche, Conseil du statut de la femme

La discussion qui a suivi les conférences d'ouverture a surtout permis au public d'obtenir des précisions sur les différentes perspectives présentées par les conférenciers et les conférencières.

Invité à préciser la relation entre le mouvement écologique et les NTR, Jacques Dufresne établit une distinction entre ce qu'il appelle une « filière étroite » et un « front large »; la première de ces notions désigne une perspective linéaire faisant des NTR une forme indépendante de démesure, alors que la seconde représente une vision plus large nous forçant à penser le problème des NTR simultanément avec les problèmes posés à la matière en général.

NTR et droit

Interrogée sur une éventuelle réforme du droit en fonction de la propriété, Catherine Labrusse-Riou précise le fonctionnement du droit à partir de certaines catégories légales qui définissent le cadre à l'intérieur duquel certaines règles peuvent s'appliquer. Les NTR soulèvent, entre autres choses, le problème du statut juridique du corps humain. Les rapports de la personne à son corps ont jusqu'à présent été conçus comme des rapports d'identification; la personne était son corps et celui-ci n'était donc pas extérieur à elle comme pouvait l'être la propriété. Une plus grande autonomie de l'individu et des pratiques médicales nouvelles exigent une catégorie juridique adaptée à une conception moderne du corps humain. Une approche nouvelle redéfinissant les catégories légales pourrait seule faire face à ces problèmes modernes que représentent les atteintes au corps humain. Une telle catégorie s'appuie nécessairement sur les traditions légales antérieures et doit permettre de protéger à la fois ce qui est disponible et malléable dans un corps humain devenu monnayable et l'intégrité physique des personnes contre les éventuelles servitudes de la technique. Cette approche aurait pour objectif d'assurer au corps humain une protection semblable à celle offerte aux biens matériels.

De telles catégories et règles juridiques semblent toutefois uniquement appropriées à un contexte national. Répondant à une question sur l'internationalisation de ces règles juridiques, Catherine Labrusse-Riou est peu encline à penser que de telles règles, tout en assurant l'uniformité nécessaire pour que le droit soit applicable, puissent respecter la diversité des cultures. Il semble qu'un contexte d'internationalisation du droit ne soit guère en mesure de garantir aux diverses cultures une protection contre un réductionnisme que la communauté scientifique, en raison de son poids politique, ne peut qu'imposer.

La levée de l'anonymat: un bouleversement difficile à gérer

Cette conférencière est également amenée à préciser sa propre position sur l'anonymat exigé dans certaines techniques de reproduction et à expliquer pourquoi elle pense que la levée de l'anonymat est, d'un point de vue légal, discutable. Comme elle le précise, le droit confirme l'existence de la famille nucléaire; les liens biologiques sont en effet perçus comme représentant le fondement de la parenté. La levée de l'anonymat va, sans aucun doute, bouleverser cet état de choses. Un tel bouleversement sera évidemment difficile à gérer pour les structures légales et culturelles de nos sociétés. Il reste également à savoir si les individus sont prêts à vivre cet éclatement, cette dissociation de la famille nucléaire que provoquerait la levée de l'anonymat. Catherine Labrusse-Riou craint aussi qu'une telle démarche n'enfonce encore plus le système de filiation dans un principe de vérité biologique et fasse du génétique le fondement de la parenté.

Amenée à préciser la différence entre la procréation et l'adoption, Catherine Labrusse-Riou explique que ces deux phénomènes posent pour le droit des problèmes fort distincts. Alors que l'adoption implique l'existence d'un enfant déjà vivant, la procéatique pousse le juriste à enfreindre l'intimité des alcôves et à devenir voyeur.

Anne-Marie de Vilaine précise, de son côté, l'existence d'une jurisprudence en ce qui concerne le phénomène de la levée de l'anonymat. Comme elle le mentionne, les programmes de germanisation et de contrôle démographique du Troisième Reich se sont évertués à faire l'anonymat sur l'identité de milliers d'enfants pendant la guerre.

Commentant les termes « force » et « limite » utilisés dans la libellé des thèmes de cette conférence, une participante invite à réfléchir sur l'énergie vitale qui se dégage de la maternité et sur la logique productiviste qui dicte le développement de la technologie dans le domaine de la reproduction. Pour remettre en question cette logique, cette même participante préconise qu'on ne perde pas de vue l'importance de la reproduction dans les rapports entre les hommes et les femmes.

Regard critique sur un certain type de recherche

Posant un regard critique sur la manière dont les femmes et leurs corps sont utilisés lors de pratiques telles que la fécondation in vitro, Robyn Rowland questionne Jacques Testart sur la nature de ses recherches sur des animaux et sur sa conviction personnelle que celles-ci ne seront pas, éventuellement, appliquées aux femmes. Conscient de la nuance « appliquées », Jacques Testart confirme sa participation à des recherches de base, c'est-à-dire à des recherches chargées d'ouvrir la voie dans un domaine particulier et n'aboutissant pas directement à des produits finis. Il affirme ainsi travailler essentiellement sur des animaux afin de mieux comprendre le système reproducteur féminin et plus particulièrement la « folliculogénèse », les mécanismes propres à l'évolution des follicules contenant les ovocytes. Ses études visent donc à mieux connaître les mammifères et, indirectement, les femmes; ses tests sur l'impact d'hormones sur les ovocytes ont pour objectif d'améliorer la FIV, mais aussi d'en connaître les effets sur les ovaires des animaux et, indirectement, sur les ovaires de la femme. Ses études visent également à une meilleure compréhension des taux de succès inhérents à la pratique de la FIV. Jacques Testart avoue toutefois sa perplexité face à ce dernier type de recherche au sens où il valide, dès qu'il est entrepris, la pratique de la FIV elle-même.

Afin de connaître les dangers que représente une certaine forme de recherche, Jacques Testart s'interroge matin et soir sur les conséquences éventuelles que celle-ci peut avoir et délègue à d'autres le soin de décider moralement s'il convient de poursuivre les travaux. Il prétend également, lors de sa pratique de la FIV, n'avoir ni ovocytes ni embryons surnuméraires; il affirme aussi ne pas faire de recherches directes sur l'embryon ou l'ovocyte humains. Ses études sont plutôt de nature indirecte au sens où elles portent sur l'interaction entre l'embryon et son environnement et non sur l'embryon lui-même.

Le pouvoir des femmes

Gena Corea, commentant les propos de certains membres de l'Association québécoise pour la fertilité, souligne la responsabilité de chaque femme envers l'ensemble des femmes comme classe sociale. Elle précise également le rythme effréné de progression des NTR et les dommages sans cesse croissants qu'elles causent aux femmes, prenant pour exemple la clientèle de plus en plus large à laquelle s'adresse la FIV. Répondant à une question sur les activités féministes ayant cours aux États-Unis en réaction au développement des NTR, Gena Corea précise l'existence d'une association cherchant à faire la lumière sur le phénomène social et légal des « mères porteuses ». Une telle organisation, en collaboration avec le FINRRAGE, a pour objectif d'éveiller la population aux différents aspects de ces pratiques. Jacques Testart, pour sa part, indique qu'il est trop tard, une fois ces pratiques sur le marché, pour les interdire et qu'il faut, pour vraiment exercer un contrôle, prendre ces décisions en amont du savoir.

De l'avis de Jacques Testart, les femmes et les groupes de femmes ont évidemment un droit légitime de s'exprimer et de se prononcer sur des pratiques telles que la fécondation in vitro. Il semble toutefois que la responsabilité de trouver des solutions aux problèmes auxquels notre société fait face dans le domaine des technologies de la reproduction ne relève pas d'un sexe plus que de l'autre. Selon le chercheur français, il ne s'agit pas de changer les hommes en femmes ou de remplacer ceux-ci par celles-là, mais bien plutôt de changer le monde.

Cette perspective ne fait cependant pas l'unanimité. Il est vraisemblable d'affirmer, comme l'ont d'ailleurs fait certaines participantes, que les femmes placées dans des situations de pouvoir semblables à celles des hommes auraient créé des technologies thérapeutiques et curatives de préférence à des méthodes palliatives. Comme le soutient Renate Klein, la fécondation in vitro représente une violence faite aux femmes en tant qu'individus et un danger pour les femmes comme classe sociale; il apparaît ainsi peu probable que les femmes, dans un contexte de relations de pouvoir différent, aient supporté la création et le développement de telles technologies.

Atelier A:

La maternité en miettes

*C*omment le morcellement de la fonction maternelle affectera-t-il l'identité des femmes ainsi que leurs rapports aux enfants? Ne sommes-nous pas, justement, en train de perdre cette identité? Les NTR ne remettent-elles pas en question la femme mère comme sujet pour en faire un objet de la science?

Personnes-ressources: **Francine Descarries**
Anne-Marie de Vilaine
Robyn Rowland

Maternité et technologie de la reproduction humaine: une réalité éclatée
Francine Descarries*

Grâce à un accès plus généralisé à la contraception, les années 60 auront été témoin de l'émergence d'une sexualité « sans risque de procréation ». À cause du développement des technologies de la reproduction humaine, les années 90, pour leur part, s'annoncent, non seulement comme le dit la psychologue française Alice Holleaux (Colloque de Vaucreson, 1985), celles d'une « procréation **sans risque de sexualité** », mais encore, celles d'une procréation **sans risque de maternité**.

Dans la conjoncture actuelle des débats et des enjeux socio-scientifiques, il semble, en effet, que maternité et nouvelles technologies de la reproduction soient deux réalités qui évoquent des pratiques, des valeurs, des priorités suffisamment différentes pour que nous soyons justifiée de nous demander si l'une n'exclurait par l'autre: les NTRH concrétisant, d'une part, de façon spectaculaire tant l'emprise de la technologie et de la science que le maintien du pouvoir mâle dans nos vies de femmes et de mères (Arditti et al, 1984, Corea et al., 1985; De Vilaine et al., 1986; Gavarini; 1986, Vandelac 1986) et, d'autre part, un univers de sens, d'intérêts, de défis qui a peu ou rien à voir avec la maternité, avec nos maternités, notre espace, nos gestes, nos sentiments, nos contraintes ou nos refus maternels.

organisatrices du colloque soulignaient bien l'importance d'inscrire notre réflexion sur les NTRH dans le contexte plus large des rapports de sexes et de la maternité. Le concept de maternité désignant ici, à la fois, la reproduction biologique et le « maternage », soit l'état et les fonctions associées non seulement à la procréation, mais aussi à la prise en charge physique et affective des enfants.

* Francine Descarries est actuellement professeure de sociologie à l'Université du Québec à Montréal. Elle a orienté ses premières recherches vers le champ de l'analyse des facteurs sociaux du développement et de l'organisation scientifique au Québec. Auteure de nombreux articles et de diverses publications dans le domaine, elle a aussi été membre de la Commission de la recherche universitaire du Conseil des universités de 1979 à 1983.

Elle participe actuellement à un projet conjoint de recherche avec Christine Corbeil du Département de travail social de l'UQAM sur « Femmes, féminisme et maternité » où elle analyse notamment l'évolution du rapport des femmes à la maternité en relation avec la transformation des rapports sociaux dans la société contemporaine.

En nous proposant de réfléchir aux effets éventuels du morcellement de la fonction maternelle sur l'identité des femmes et les rapports aux enfants, les organisatrices nous incitaient également à nous interroger sur les effets pervers possibles d'une programmation de la fabrication d'enfants pensée **sans nous et en dehors de nous**. Et cela, alors même que l'analyse, la théorisation sur la maternité dans toutes ses dimensions, dans sa globalité — désir d'enfant, engendrement, rapport à la mère, amour, travail d'entretien, appropriation, culture maternelle, pour ne mentionner que celles-là — commence à peine à nous appartenir et donne toujours lieu, au sein du mouvement des femmes, à des interprétations diversifiées, plurielles, voire même contradictoires.

De plus, pour ma part, je ne veux, ni ne juge théoriquement fondé d'oublier que les femmes, pour s'affirmer comme sujet de l'histoire, ont aussi, au cours des dernières décennies, revendiqué une identité propre, en dehors de toute expérience ou référence maternelle; cette quête d'identité a mené les plus radicales d'entre nous à se dissocier, à refuser l'institution maternelle.

Certes, dans les diverses contestations de l'institution maternelle formulées au cours des dernières décennies, il n'y avait pas nécessairement renoncement, déni de la fonction maternelle et de l'enfant. Au contraire. Du moins, ce que laisse présager le relatif consensus qui semble vouloir se dégager par rapport à la programmation technologique de la maternité, c'est que les principales problématiques développées au sein du mouvement des femmes constituent surtout une dénonciation, un rejet de la définition, de la conception socio-patriarcale, économiste et techniciste de la procréation et du maternage.

Aujourd'hui d'ailleurs, le sentiment d'urgence face à l'envahissement des nouvelles technologies de la reproduction humaine et face aux problèmes inhérents à leur implantation — éclatement de la maternité, programmation et contrôles exogènes, nivellement avec la paternité, commercialisation — forcent plusieurs femmes à réviser, à nuancer certains des présupposés idéologiques et théoriques qui ont été au fondement même de leur réflexion et de leur pratique féministes.

Comprendre cette mutation de la pensée et du discours du mouvement des femmes au sujet de la maternité m'apparaît fondamental pour organiser nos débats et notre réponse. Je consacrerai donc les prochaines minutes à revoir avec vous ce que les femmes ont dit sur la maternité et pourquoi elles l'ont dit. À cet effet, j'évoquerai, fort brièvement il va sans dire, l'apport théorique des courants de pensée du mouvement contemporain des femmes qui ont accordé une part importante ou centrale à la question de la maternité. Évidemment, cette présentation devra être ici très limitée, très restreinte, d'autant que le discours des femmes sur la maternité est probablement, à l'heure actuelle, un des discours les plus riches, les plus diversifiés et les plus éclatés qui soit.

Un tel exercice, en dépit des apparences, ne nous éloigne nullement du thème de notre atelier. Au contraire, la compréhension de la nature et de l'évolution du discours des femmes sur la maternité et la saisie des interrogations qui s'en dégagent est, à mon avis, un prérequis obligé de l'analyse des effets culturels et socio-politiques provoqués par l'invasion, dans le territoire de la maternité, de la science et de ses techniques.

D'une part, le discours contemporain des femmes sur la maternité émane de leur volonté de contrôler et d'assumer leurs fonctions reproductives et leur identité de femme. D'autre part, il représente à la fois une contrainte et une incitation à l'égard desquelles les femmes expérimentent la quotidienneté de leur rapport à la maternité. Enfin, il est une composante centrale du militantisme féminin et il fournit l'éclairage théorique et stratégique à partir duquel les femmes pensent et organisent leurs questionnements, leurs prises de position et leurs interventions, notamment par rapport aux NTRH.

Jusqu'à la récente prise de parole des femmes, l'ensemble des discours religieux, politique, philosophique et scientifique sur la maternité avaient surtout eu pour finalité, on le sait, de cantonner les femmes dans leur rôle de mère-épouse-ménagère-compagne et de les culpabiliser au moindre échec ou écart de conduite. En reléguant l'expérience de la maternité dans l'ordre de la nature et dans la sphère du privé, les mâles penseurs avaient surtout cherché à légitimer l'existence d'une différenciation sexuelle qui leur assurait un contrôle économique, politique, idéologique exclusif tout en ignorant, comme l'écrit Anne-Marie De Vilaine (1986: 10), « le temps maternel et les besoins de l'enfant ». Non seulement ils se garantissaient ainsi un droit d'appropriation des femmes et des enfants, mais encore, ajoute Mary O'Brien (1981), ils tentaient de pallier à l'incertitude de leur paternité biologique.

De ce point de vue, les débats, la planification et l'introduction des NTRH apparaissent comme un simple prolongement de cette logique. On comprendra, en effet, tel que l'observe cette fois Robyn Rowland (1985), que le contexte actuel du développement des NTRH encourage surtout la production d'un bébé-objet-de-consommation-perfectible et vise l'élimination progressive des femmes — tant au niveau des mentalités que du champ idéologique, de l'imaginaire collectif et même des pratiques — du processus de procréation au profit du désir-fantasme techno-masculin de contrôler la nature et les fonctions de procréation.

Féminisme et maternité: un discours éclaté[1]

De la recherche d'une nouvelle identité..
à la revendication de l'identité maternelle;
du refus d'enfant...
à la difficulté de problématiser le désir d'enfant;
du rejet de la maternité esclavage...
à la revendication de la jouissance maternelle;
de la maternité mystifiée... à la maternité morcellée;
de la mère-nature... à la mère-machine;
de la déesse-mère... à la mère de location
... que d'interrogations, que d'identités, que d'expériences se distribuent, coexistent, s'affrontent sur ce continuum du vécu maternel et du discours des femmes à son sujet.

Ainsi, de question presque accessoire, dans le cadre de l'analyse égalitariste, à la négation dans les formes les plus « agressives » du féminisme radical, la maternité se hissera effectivement, au cours des années 80, au rang de thème central du néo-féminisme (Trebilcot et al. 1983; Greer, 1984; De Vilaine et al., 1986). C'est ce que nous allons voir maintenant.

À partir du moment où Betty Friedan (1963) expose le syndrome de la ménagère, les féministes égalitaristes chercheront à faire la preuve qu'elles ne sont pas seulement des mères. Héritières de la tradition libérale, elles mettront de côté, pour y arriver, la majorité des aspects de leur vécu maternel pour revendiquer l'implantation de mesures sociales aptes à leur garantir une plus grande marge de manoeuvre dans l'univers masculin: avortement sur demande, congé de maternité, garderie, implication des pères, etc. Orientées vers l'action, elles revendiquent donc l'égalité de droit et de fait pour toutes les femmes et identifient les rôles socialement imposés dans la division sexuelle du travail, et non pas la maternité, comme première source de conflit entre les sexes.

Leur référent étant le masculin, elles préconisent la transformation des processus de socialisation et d'éducation des filles. Leur stratégie pourrait se résumer dans le mot d'ordre suivant: « fais un homme de toi, ma fille ». Cette stratégie sera responsable de la mise au monde du modèle de la super-femmes capable de tout concilier: famille-mari-carrière-vie-affective-cuisine-activités sociales-postes de leadership-conditionnement physique-enfants.

Les nombreuses difficultés éprouvées par les femmes face aux exigences d'un tel programme: épuisement, tiraillements, culpabilité, gestion du temps… inciteront les féministes égalitaristes à remettre en cause, au cours des années 80, leur tentative d'adaptation aux structures. Désillusionnée face aux promesses de libération par le biais du travail salarié et la contraception chimique, Betty Friedan (1983: 39), pour l'une, proposera au mouvement des femmes d'abandonner la problématique de la polarisation des sexes « pour accéder à un second souffle » qui permettrait « de dire oui à la vie », à l'amour et aux enfants.

Dans une volonté de concilier travail domestique, responsabilités maternelles et statut professionnel, d'autres féministes égalitaires assimilent de plus en plus la maternité à la paternité, père et mère se ressemblant et partageant les mêmes obligations envers leur progéniture. Ce sont elles qui revendiquent avec détermination la « part du père » (Delaisi de Parseval, 1981; Held, 1983), sa participation au processus de maturation de l'enfant et son implication dès la conception.

Cette aspiration à l'égalité des hommes et des femmes devant la parentalité trouve actuellement toute sa signification dans la conjoncture actuelle des revendications des « nouveaux » pères et de l'éclatement de la maternité[2].

C'est dans la foulée ou en réaction à la réflexion de la gauche, mais aussi en réaction aux discours androcentristes des sciences sociales et de la psychanalyse, que le courant féministe radical amorcera son analyse à la fin des années 60… Ce courant puise chez Simone de Beauvoir (1949) et Shulamith Firestone (1970), la conviction que seule une libération la plus complète possible des fonctions reproductrices et des contraintes du maternage pourra permettre l'abolition de la différenciation sexuelle comme mode d'organisation des rapports sociaux.

D'emblée, les féministes radicales dénoncent la mystique de l'amour maternel et de la complémentarité. À l'encontre des égalitaristes, elles refusent systématiquement de souscrire aux valeurs hiérarchiques d'un système patriarcal où la maternité n'est légitimée que dans le cadre privé du mariage. Elles refusent aussi d'assumer un rôle-clé dans la reproduction de l'espèce au détriment de leur identité. Le discours féministe radical se comprend, en quelque sorte, à la lumière de cette phrase de Jessie Bernard (1975): « Des femmes osent dire pour la première fois que même si elles aiment leurs enfants, elles détestent la maternité. »

Progressivement au cours des années 70, ce discours radical se scindera en différentes tendances, notamment sur cette question de la place à accorder au vécu maternel dans l'ensemble de la problématique des rapports de sexes.

Ainsi, pour les radicales matérialistes (Benston, 1969; Delphy, 1970, 1975; Guillaumin, 1978; Mathieu, 1985) l'oppression des femmes se situe spécifiquement dans l'appropriation du corps et du travail des femmes. La seule prise de position cohérente avec leur problématique devient un refus militant de l'expérience maternelle, tant et aussi longtemps que maternité et famille seront définies par des normes héréto-sexistes et patriarcales.

Aussi, comme leur intervention vise essentiellement l'abolition de l'ordre patriarcal, le discours des féministes radicales matérialistes en est un de dénonciation, de critiques virulentes des effets pervers de la différence, de l'hétérosexualité et de l'amour. Il laisse peu de place à l'élaboration d'une problématique positive des dimensions privées de la vie des femmes[3].

Les radicales matérialistes s'étant auto-censurées sur la question de la maternité — du fait même qu'elles refusent de problématiser la différence — c'est donc au sein d'une autre tendance du féminisme radical que s'élaborera une théorie de l'oppression centrée sur l'identité maternelle. Au sein de cette tendance, que nous avons dénommée tendance de la « spécificité » et que les Américaines désignent par « women centered analysis » (Eisenstein, 1983), l'appropriation de la classe des femmes est liée à leur enfermement dans la sphère domestique (Dinnerstein, 1977; Chodorow, 1978).

Ces radicales « de la spécificité » refusent la fausse dichotomie privé/public. Elles partagent la conviction que la source de l'oppression des femmes n'est pas tant dans leur fonction de génitrice (Atkinson: 1974), mais bien la capacité du système patriarcal d'isoler les femmes dans cette fonction existentielle « d'accompagnement matériel et affectif des enfants au sein de la famille » (Plaza, 1980: 74).

À l'instar d'une Adrienne Rich (1976), elles font la preuve que l'institutionnalisation de la maternité dépossède les femmes de leur propre expérience au profit de l'État et du père et les rend, par conséquent, étrangères à leur corps et à leur histoire. Dénonçant la disparition de la femme au profit de la mère, elles incitent alors les femmes à se prendre en charge et à ne plus accepter d'être définies par leurs seuls rapports aux hommes et aux enfants.

C'est dans le créneau de leur analyse que prendront forme les premières réflexions sur les nouvelles technologies de la reproduction comme outil de pouvoir aux mains des hommes et que sera amorcé le questionnement relatif à la « différence », à l'éthique et à l'identité féminines qui occupera éventuellement une grande partie de l'espace discursif des années 80.

Enfin, dans le sillage des Ti-Grace Atkinson (1970) et Charlotte Bunch (1974), la contribution des féministes radicales lesbiennes à la réflexion sur la maternité sera de promouvoir une démarche qui vise à favoriser, voire à recréer, un courant naturel de loyauté et de sororité entre les mères et les filles pour exorciser la nature oppressive de la maternité-institution et des relations mères-filles (Arcana, 1979).

Bref, le courant féministe radical contribuera à démystifier la vision idéaliste de la maternité où tout n'est qu'amour infini, disponibilité, altruisme et don de soi pour faire place à une vision plus fidèle et matérialiste de l'expérience des femmes où amour et haine, euphorie et dépression, tendresse et indifférence, douceur et violence alternent et se côtoient constamment. Toutefois, dans la mesure où le discours dominant du courant radical en sera un de dénonciation et de refus de l'institution maternelle, il ne rejoindra pas la grande majorité des femmes, pas plus qu'il ne premettra de formuler une théorie de leur vécu maternel.

Aussi, au moment où les faibles acquis des femmes en matière de maternité sont menacés par un recentrement de la société au profit de l'individu, de la famille et des valeurs traditionnelles, de même que par la programmation technologique de la procréation, des femmes sentiront de plus en plus la nécessité d'établir un pont entre la perspective radicale et une parole de femme capable de problématiser l'expérience maternelle dans une certaine harmonie avec le vécu individuel et collectif des femmes.

Conscientes de s'être marginalisées, auto-censurées et vraisemblablement limitées dans l'expression de leur identité féminine et leur vécu de mère, plusieurs d'entre elles choisiront même de dire, d'analyser et de rendre visible la rencontre entre le féminin et le maternel (Gavarini, 1986).

Progressivement, cette réflexion des femmes sur le féminin, le rapport mère-fille, l'amour maternel, l'enfantement, le pouvoir des mères, la jouissance occupera presque tout l'espace discursif d'un nouveau courant de pensée que nous avons désigné sous le vocable de féminisme de la « fémelléité », en nous inspirant d'un néologisme proposé par Faure-Oppenheimer pour désigner « l'ensemble des caractéristiques propres aux femmes » (Hurtig, 1982).

Si les égalitaristes et les radicales matérialistes voulaient abolir toute différence entre les sexes au profit d'une uniformisation des fonctions et des rôles, les néo-féministes « de la fémelléité », pour leur part, souhaitent proposer une théorie de la différence, de la féminitude et du féminin. Proches des milieux de la philosophie, de la psychanalyse et des lettres, les penseures de ce courant mettent l'accent sur la maternité et le potentiel procréateur des femmes. Elles déplorent le mutisme des théories psychanalytiques traditionnelles au sujet du territoire du féminin et leur acharnement à culpabiliser les mères.

Refusant de se laisser piéger encore une fois en fonction d'un référent ou d'un univers masculin les Hélène Cixous, Annie Leclerc, Madeleine Gagnon (1977), Luce Irigaray (1979), Anne-Marie De Vilaine (1982) et Julia Kristeva (1983), pour ne nommer que celles-là, explorent, chacune à leur manière, différentes hypothèses relatives à la spécificité d'une culture, d'une éthique, d'un territoire découlant de l'expérience symbolique ou concrète de la maternité.

Dès lors, maternité et conscience reproductive ne sont plus sources naturelles d'aliénation. Au contraire, elles sont des valeurs, des territoires premiers à protéger contre l'étendue du pouvoir patriarcal et l'assujettissement aux valeurs marchandes. La maternité se voit en quelque sorte réhabilitée, voire quelquefois glorifiée, comme destin biologique et social des femmes. Comme les interrogations, les réflexions sont le plus souvent circonscrites aux dimensions corporelles, symboliques et métaphysiques des phénomènes, la quête d'identité s'exprime principalement dans le domaine des idées et de l'Être. En ce sens, elle est davantage affirmation personnelle et réalisation de soi que libération collective de la classe des femmes.

S'agit-il alors d'une vision nouvelle ou d'une « resacralisation » de la femme-nature? S'agit-il d'une réaction de défense face au spectre du nouveau contrôle extérieur sophistiqué qui est en voie de s'imposer sur le corps des femmes ou face à l'émergence d'une conception symétrique de la sexualité et de la parentalité dans la procréation que ce contrôle permet d'envisager? La réflexion reste à poursuivre.

Pourtant, quelle que soit notre réponse à ces questions, ce qui devient clair suite à la démarche des féministes de la « fémelléitude », c'est que, dans la conjoncture socio-politique actuelle, les femmes, même les plus radicales, partagent une certaine conviction (ou pour le moins intuition) à l'effet que si elles s'éloignent trop du territoire de la maternité, elles y perdront vraisemblablement leur identité spécifique et une certaine forme de pouvoir.

Ainsi, il reste à mettre à jour et à expliquer, sans idéalisation, distorsion ou sur-négation excessives les contradictions soulevées par le refus ou la glorification de la maternité, à problématiser le « désir-exigence » d'enfant, à cerner l'étendue des expériences psychiques et sociales sous-tendues par les notions de complémentarité, de parentalité, d'altérité, d'androgynie, de maternité biologique, de mère porteuse... et d'homme enceint.

Ceci est la condition nécessaire à l'élaboration d'une théorie cohérente et réaliste de la maternité dans laquelle toutes les femmes, mères et non-mères, pourront se reconnaître et élaborer leurs réponses et leurs options concernant le développement et l'application des NTRH.

Par contre, il faudra être vigilantes pour que ni la fascination devant les défis relevés par la science en matière de fécondation in vitro, ni les inquiétudes croissantes face aux éventuelles retombées des NTRH ne nous entraînent à problématiser la maternité du seul point de vue de la fécondation et de la gestation au détriment d'une conception plus globale de celle-ci ou sans prendre en considération les enfants et leurs droits et les femmes dans leur quête d'identité.

Maternité en miettes et malheurs en chaîne
Anne-Marie de Vilaine*

« Ce n'est pas la mère qui engendre ce qu'on appelle son enfant ; elle n'est que la nourrice du germe versé dans son sein; celui qui engendre, c'est le père. La femme, comme un dépositaire étranger reçoit le germe et s'il plaît aux dieux, elle le conserve »,

proclamait Eschyle, par la voix d'Apollon, dans *Les Euménides* en 458 avant Jésus-Christ. Dans sa trilogie de *L'Orestie*, le poète mettait alors en scène l'agonie du « matriarcat » et le triomphe des droits souverains du père, de l'homme sur ceux de la mère et de la femme. Aujourd'hui, cette négation symbolique et volontariste du pouvoir des femmes de générer la vie qui fonde la suprématie masculine est devenue réalité. Ce sont les hommes de science qui engendrent, les femmes sont de plus en plus considérées et utilisées comme des « incubateurs humains de rechange »[1] et Dieu étant mort, ce sont les grands prêtres de la fécondation in vitro que l'on implore, lorsqu'on craint de perdre le fruit de leur science...

Chef d'un des services de fécondation in vitro les plus en pointe de Paris, le docteur Jean Cohen, gynécologue-accoucheur, témoigne ainsi de cette nouvelle puissance:

« Transmettre la vie... cet acte que nous faisons sans réfléchir, qui nous était imposé, nous allons le faire maintenant avec notre propre volonté... en quelque sorte nous devenons Dieu... notre puissance devient identique à celle de celui qui a donné la vie »[2]...

Tout ceci m'amène à formuler autrement une des questions posées ici. Au lieu de: « Les NTR ne remettent-elles pas en question la femme-mère comme

---

* Écrivaine, journaliste, critique littéraire et co-directrice de la collection « Mille et une femmes » à Mercure de France, Anne-Marie de Vilaine a publié quatre romans dont *La mère intérieure*, récit/méditation sur les dimensions cachées du lien mère-fille.

Dans le débat sur les nouvelles techniques de reproduction, elle a étudié entre autres les conséquences de l'éclatement de la maternité sur l'identité des femmes, le lien mère-enfant et le processus d'« humanisation » de l'individu. Elle a rédigé des textes et articles sur ces sujets, notamment pour Le Monde, et pour un ouvrage collectif intitulé, *Maternité en mouvement*, qu'elle a co-dirigé avec Laurence Gavarini et Michèle Le Coadic aux Presses universitaires de Grenoble et aux Éditions Saint-Martin de Montréal en 1986.

sujet pour en faire un objet de la science? », je dirais plutôt: « L'objet de la science — et du pouvoir politico-scientifique — n'a-t-il pas toujours été de maîtriser la femme-mère en l'empêchant de se constituer comme sujet de son savoir et de son expérience maternelle, et les NTR, ne sont-elles pas l'aboutissement ultime de ce projet? ».

Des Déesses-mères aux nouveaux maîtres de la procréation, en passant par l'extermination des sorcières et autres guérisseuses et l'éviction des sages-femmes, il y a là une logique qu'il ne faut pas oublier. C'est sur un matricide symbolique que notre civilisation s'est construite. L'ordre patrilinéaire, en barrant la transmission de mères en filles, a progressivement détruit la mémoire des femmes, des mères et les a empêchées de capitaliser les connaissances accumulées à travers les générations sur la génèse de l'être humain.

Engels a qualifié de « défaite historique du sexe féminin » le passage des sociétés matrilinéaires au Patriarcat, qui eut lieu lorsque l'homme comprit le rôle actif qu'il jouait dans la génération. Aujourd'hui, je crois que nous sommes en train d'assister à la défaite historique définitive du sexe féminin qui va disparaître en tant que tel. Et comme la différenciation sexuelle est le principe de base de la vie, peut-être est-ce le genre humain qui est aujourd'hui menacé.

Je ne tiens pas particulièrement à être pessimiste mais il me semblait nécessaire d'aborder ainsi la problématique de la « maternité en miettes ». En effet, il est important de rappeler maintenant que si l'on peut bouleverser avec une telle inconséquence et une telle légèreté la relation mère-enfant, ce « premier lien humanisant » comme l'a appelé Françoise Dolto — et toute la sphère de la parentalité — c'est bien parce qu'aucune analyse théorique du processus reproductif et aucune philosophie de la maternité et de la naissance, élaborées par les femmes, n'ont été intégrées à une culture à la fois phallocentrique, patrilinéaire et patriarcale.

Pourtant cette philosphie, ce « corpus » théorique qui symboliserait le féminin-maternel d'une façon positive et permettrait à l'être humain de se situer par rapport à l'origine, à l'espèce, au corps, à l'enfance, à la nature, à l'autre, des femmes ont commencé à le constituer depuis un certain déjà.

En France, citons entre autres Annie Leclerc, Hélène Cixous, Luce Irigaray et Monique Schneider. Philosophe et psychanalyste, ces deux dernières ont fait apparaître notamment la façon dont le féminin-maternel était défini « en creux », comme le négatif du masculin ou comme sa copie imparfaite, dans l'oeuvre de Freud et de certains philosophes. Leurs analyses extrêmement riches permettent à la fois de conceptualiser la double identité femme-mère et de comprendre pourquoi elle est à ce point menacée aujourd'hui.

Ainsi Monique Schneider fait remarquer que si Freud considère le passage de la mère au père comme réalisant « un grand progrès de civilisation », c'est parce que **la coupure du cordon ombilical** lui paraît être fondatrice de l'ordre culturel. « Tout se passe comme si le statut consistait, pour l'ensemble de la nature, à se purger de toute trace maternelle, pour instaurer un ordre surgissant *ex nihilo*, ordre s'enracinant dans un projet volontariste »[3].

Luce Irigaray, quant à elle, souligne combien « il est nécessaire que nous découvrions et affirmions que nous sommes toujours mères dès lors que nous sommes femmes. Nous mettons au monde autre chose que des enfants: de l'amour, du désir, du langage, de l'art, du social, du politique, du religieux, etc. Mais cette création nous a été interdite depuis des siècles et il faut que nous nous réapproprions cette dimension maternelle qui nous appartient en tant que femmes. La question d'avoir ou de ne pas avoir des enfants devrait toujours se poser sur fond d'un autre engendrement, d'une création d'images et de symboles, pour ne pas devenir traumatisante ou pathologique. Les femmes et leurs enfants s'en trouveraient infiniment mieux »[4]...

Il faut reconnaître néanmoins que ce sont les chercheuses anglo-saxonnes qui ont contribué le plus largement à développer une réflexion féministe sur la maternité. Citons plus particulièrement Mary Daly, Dorothy Smith, Nancy Chodorow, Adrienne Rich et la philosophe Mary O'Brien. J'emprunterai à cette dernière le concept de « conscience reproductive »[5] qui me semble particulièrement éclairant pour la problématique de « la maternité en miettes ». Selon Mary O'Brien, il existe une « conscience reproductive » totalement différente chez les hommes et chez les femmes qui explique leur antagonisme, le développement de la suprématie mâle et l'oppression des femmes qui en est la conséquence. En effet, alors que les femmes ont conscience de l'unité entre le virtuel et l'actualisé, de la continuité temporelle et génétique, de leur intégration à l'espèce et à la nature et de leur pouvoir procréateur dont les menstruations et les grossesses sont les manifestations visibles, les hommes se sentent niés en tant que parents par « l'aliénation de leur semence ». Aliénation qui se traduit par un sentiment complexe d'incertitude, de séparation, de discontinuité temporelle, de dissociation par rapport à la continuité génétique d'une part, et par la découverte de la liberté de choisir ou pas de reconnaître l'enfant et de n'être pas astreint au travail reproductif d'autre part. Il me semble particulièrement intéressant de vérifier ici à quel point **les NTR, en morcelant la fonction maternelle, sont en train de calquer l'imaginaire et le vécu féminin de la maternité sur la façon dont les hommes vivent la paternité**. L'incertitude, la séparation, la discontinuité temporelle, la dissociation par rapport à la continuité génétique, et éventuellement aussi la liberté de n'être pas astreintes au travail reproductif: tous ces sentiments, les mères adoptantes, les mères de substitution, les mères ovulaires ou utérines peuvent désormais les éprouver à des degrés divers. Quant aux donneuses d'ovules ou d'embryons anonymes, elles vivront parfois d'une façon douloureuse « l'aliénation de leur semence », si elle sont en traitement pour la FIVETE et n'ont pas encore d'enfants.

Tout se passe comme si le malaise de l'être masculin qui vit la paternité sur le mode de la rivalité et de la frustration lorsqu'il est incapable de faire le deuil de son désir d'enfanter et se sent marginalisé biologiquement par rapport à la reproduction, s'inscrivait dans le corps et le psychisme des femmes, par le biais des NTR.

Mais il faut bien constater aussi avec quel empressement les femmes col-laborent à la destruction d'un des fondements de leur identité, comme elles lèguent facilement leur corps à la science et délèguent aux hommes de science le pouvoir de « faire » des enfants à leur place!

Il est vrai que la désinformation sur l'efficacité et les risques des NTR — qui sait, par exemple, qu'il y a deux fois plus d'enfants mongoliens chez les bébés-éprouvettes français?[6] — le culte du progrès, le respect du pouvoir médical, la mise en vedette des « miraculées des NTR », la recherche du scoop qui ont sévi dans la presse, ont créé ce qu'on peut appeler la « procréation médiatique-ment assistée »[7], selon l'expression du sociologue J. Marcus-Steff. Les gyné-cologues que j'ai interviewé-e-s sont unanimes: les médias ont joué un rôle déterminant et néfaste dans le développement des nouvelles pratiques et des nouvelles techniques de reproduction, en faisant à nouveau flamber le désir de maternité chez des femmes qui en avaient le deuil depuis des années. Il était fréquent, paraît-il, surtout au début, de voir arriver en consultation de stérilité des femmes qui avaient des coupures de presse à la main, persuadées que la médecine allait pouvoir réaliser des miracles... Pour être capables de résister à l'idéologie dominante propagée par les mass média, il aurait fallu que les femmes aient intériorisé une image positive de la mère et de la maternité et qu'elles aient pris conscience de la dimension humaniste et universelle de la maternité et de sa signification sur le plan social, culturel, et politique. Je pense, par exemple au rôle symbolique de mémoire vivante, au rôle politique anti-totalitaire joué par les mères et les grand-mères de la Place de Mai en Argentine, par les mères juives des enfants d'Izieu déportés et gazés sur l'ordre de Barbie, qui ont permis de retrouver et de juger ce grand ciminel nazi, etc. Par ces actions politiques, mais aussi humaines, les mères proclament à quel point **chaque être humain est unique, irremplaçable**; elles re-sacralisent et lui redonnent un sens que le mot « homme » a perdu...

Tout se passe comme si le « corpus » maternel, élaboré par quelques théori-ciennes de la maternité était trop jeune, trop récent, pas encore assez développé tandis que le corps maternel est trop vieux, abîmé, mutilé par la dénégation, la dépréciation constante dont il a fait l'objet depuis des siècles... Alors les femmes, prises dans le mirage de la modernité, pensent rénover leur corps en s'incorporant la technique et laissant le langage médical les exiler encore davantage de ce corps de plus en plus incompréhensible pour elles, et de plus en plus transparent pour les bio-technocrates...

Comme le dit Dominique Grange qui avait décrit dans un livre son expérience de la fécondation in vitro: « J'ai rencontré des FIV (des femmes en traitement pour FIV) tellement médicalisées qu'elles n'avaient même plus de mots pour exprimer leur désir d'avoir un enfant. On ne trouvait plus dans leur vocabulaire que des chiffres, des statistiques, des courbes thermiques ou des graphiques. Elles racontaient leurs échographies, leurs cœlioscopies, vivaient au rythme des cycles de la FIV, corps stimulés, ouverts et refermés, réimplantés mais vides au bout du compte. L'objet de la quête s'était égaré au gré des seringues et des éprouvettes »[8].

... « corps vide au bout du compte », cette expression est terrible car elle traduit non seulement le sentiment que doivent éprouver les femmes infertiles lorsque les traitements très lourds de la FIV ont échoué, mais une représentation de plus en plus fréquente du corps maternel, autrefois symbole de vie et de fécondité et désormais vide de sens et nié même lorsqu'il contient et donne la vie.

À la naissance des triplés portés par Pat Anthony, 48 ans, mère porteuse sud-africaine des embryons de sa fille et de son gendre, le docteur Bernstein, l'un des quatorze chirurgiens qui l'assistèrent pendant l'accouchement par césarienne, n'a-t-il pas déclaré: « Quand chaque bébé est né, j'ai tenu à le prendre dans mes bras. Je voulais toucher ces petits êtres humains qui étaient nés dans une éprouvette »!

Cela fait quatre ans que je parcicipe à des colloques, des débats, des discussions sur les NTR et que je lis la littérature abondante qui s'écrit sur ce sujet et je suis frappée de voir à quel point le monde qui se profile à travers le langage, les représentations symboliques, les récits de vie et les expériences vécues des protagonistes de la « Révolution Procréatique » est travaillé par la pulsion de mort et la question conflictuelle des origines, dans une dialectique mortifère où **tout se passe comme si l'origine du malheur était le malheur de l'origine: être né d'une femme**... Ainsi, à ce malheur initial, à ce « péché originel », se substituent ou s'ajoutent en réaction en chaîne, des malheurs d'un nouveau type sensés être des réparations et qui deviendront peut-être des repentirs ou des bavures[9]...

Jusqu'ici les êtres humains n'avaient que deux certitudes: celle d'avoir une mère et d'être mortels. Bientôt, ils n'en auront plus qu'une. Ils continueront à mourir mais ne sauront jamais plus comment et de qui ils sont nés. Depuis que la mère n'est plus une, ni certaine, mais dissociée, éclatée, morcelée, le roman des origines devient un mauvais feuilleton. La mère n'est plus celle qui engendre ou pro-crée, mais le malheur fait des petits si l'on en juge par les scénarios qui président actuellement à la naissance des enfants à tout prix.

« Tout ce qu'on fait, c'est transférer la souffrance d'une femme à une autre, d'une femme qui souffre de sa stérilité à une femme qui est obligée d'abandonner son enfant », comme l'a dit très justement Elisabeth Kane, mère porteuse américaine à l'occasion du procès de Baby M.

Je ne m'étendrai pas trop sur ce cas que d'autres ont suivi de plus près que moi mais il illustre de façon exemplaire cette espèce de causalité mortifère qui aboutit, grâce au procès de la science et au droit à l'enfant à tout prix, à la création d'un nouvel être humain. Ainsi on peut dire que la Fée Carabosse s'est penchée sur le berceau de Baby M, arrachée de force à sa famille et à sa mère qui l'a conçue, portée, allaitée, par son géniteur, fils unique de survivants de l'holocauste, désireux de perpétuer sa descendance malgré l'incapacité de sa femme à avoir des enfants... Brutalités policières, menottes, détective, procès, calomnies, dépression, fantasme suicidaire, rien ne manque à ce roman noir qui est bien souvent celui des origines des enfants de l'ère de la procréatique. Roman noir qui répète, plus souvent qu'il ne répare, le traumatisme passé de la femme stérile ou de la mère de substitution, ces mères à tout prix ou à grands frais...

En psychanalyse, l'idée de « formation substitutive » à propos de laquelle Freud a employé le terme de « surrogate »[10] (qui signifie succédané en allemand), désigne un symptôme comme les actes manqués, qui apporte une satisfaction de remplacement à un désir inconscient qui a subi une censure ou un interdit.

Or n'est-ce pas précisément cette satisfaction de remplacement qui permettrait de revivre, sur un mode satisfaisant, un événement malheureux du passé, que recherchent les mères de substitution qui veulent donner un enfant à un couple stérile? Le besoin d'argent n'est jamais seul en cause et le désir de porter un enfant pour une autre masque souvent chez ces femmes un état dépressif et un désir inconscient de réparer un traumatisme lié à la naissance (IVG, fausses couches, mort-nés) concernant leur propre mère ou elles-mêmes et le désir d'être adopté par le couple stérile[11]. Ces données provenant d'une enquête faite en France, recoupent celles du psychiatre américain Phillip Parker qui estime qu'outre les avantages financiers, les mères de substitution ont des motivations liées à des événements de leur vie passée ayant trait à la naissance: environ un tiers d'entre-elles ont avorté ou abandonné un enfant pour adoption et 20% des « surrogates » interrogées par une psychanaliste californienne sont des enfants adoptées...

La plupart du temps, la déception est grande, le couple rompt les relations avec la mère d'emprunt dont le sentiment de dépression est accru ou qui se trouve dans l'impossibilité de se séparer de l'enfant.

Tel fut le cas en France, par exemple, de Joëlle, divorcée, qui élève seule sa fille handicapée de dix ans et le petit garçon qu'elle avait porté pour un couple stérile et finalement décidé de garder. Joëlle a expliqué qu'elle avait pris cette décision lorsque la mère adoptive, avec qui elle avait sympathisé, lui avait déclaré, peu de temps avant l'accouchement, que si l'enfant naissait handicapé, elle le confierait à un centre spécialisé... De sa propre histoire, Joëlle ne dit qu'une seule chose: « Je suis orpheline de père et de mère, je suis orpheline de parents vivants »[12].

On pourrait multiplier les exemples montrant que la maternité de substitution est bien souvent une maternité de réparation pour la mère biologique. Le projet d'enfant est ainsi placé sous le signe de la plus grande incertitude. Réparera-t-il ou répètera-t-il le malheur dans lequel il puise son origine? Bien souvent incapable elle-même de comprendre l'obscur objet de son désir, la mère de substitution ne porte-t-elle pas au bénéfice du doute plutôt qu'au bénéfice d'une autre, l'enfant qu'elle acceptera ou non de lui abandonner, la plupart du temps dans le secret?

On retrouve chez les donneuses d'ovocytes un certain nombre de traits communs avec les mères de remplacement. Elles aussi sont motivées par un désir de réparation de la receveuse stérile, de leur propre mère et d'elles-mêmes et le désir d'occuper une place privilégiée dans la vie de l'enfant, en tant que marraine par exemple. Par ailleurs, ayant conscience que leur capital ovocytaire est limité en temps et en quantité, elles considèrent leurs ovocytes comme un organe précieux et désirent les donner à une femme précise, une amie proche ou une soeur, **mais à aucune autre**, ce qui montre la différence avec les dons de sperme ou de sang, flux continu qui se reproduit jusqu'à la fin de la vie. Enfin, dans la presque totalité des cas, les femmes ont fait l'expérience elles-mêmes d'un ancien embryon menacé par le DES (diethylstilbestrol, une fausse couche spontanée, etc.)[13].

Quelles seront les répercussions de cette pratique sur la mère et sur l'enfant? Quels bouleversements induira cette « bipartition de l'image maternelle »[14] absolument nouvelle dans notre culture où la mère certaine, unique et indivisible est un repère fondamental pour l'identité de l'être humain?

Il n'est pas facile de répondre à ces questions, mais on peut déjà faire quelques constatations.

Comme pour tous les enfants conçus grâce aux NTR et à la participation d'un tiers, se pose d'abord la question de l'anonymat et du secret concernant les origines. **On sait** que la plupart des adolescents qui consultent en psychothérapie ont des problèmes de filiation. **On sait** par ailleurs que les donneuses d'ovocytes considèrent leur don comme précieux et le destinent à une femme particulière et à nulle autre et désirent rester en relation avec l'enfant, à la différence des donneurs de sperme, et sont donc contre l'anonymat et le secret.

Alors que font les médecins en charge des services de FIVETE dans les grands hôpitaux? Et bien, ils s'arrangent pour que les dons d'ovocytes soient anonymes[15] et pour que soit effacée à jamais toute trace de l'identité de la donneuse! Le secret peut ainsi être gardé par les couples demandeurs, incapables d'assumer la manoeuvre et plus tard de trouver les mots pour le dire à l'enfant... En outre, ils calquent la pratique du don d'ovocytes sur celle du don de sperme dans les CECOS (Centre d'Étude et de Conservation du Sperme), malgré la différence mise en évidence par les femmes elles-mêmes, des représentations que chaque sexe se fait de ses propres gamètes. Enfin, dans le cas où les donneuses d'ovocytes sont recrutées parmi les patientes stériles en traitement pour FIV, le fait qu'elles n'aient pas d'enfants elles-mêmes n'est pas pris en compte (contrairement aux donneurs de sperme qui doivent tous être pères de famille)[16]. Autrement dit, des femmes considérées comme définitivement stériles après échec de la FIVETE auront à vivre non seulement la souffrance de la stérilité et de l'absence d'enfant, mais celle, fantasmée, d'abandon ou de perte d'enfants. Elles pourront, en effet, s'imaginer que d'autres femmes portent et donnent naissance à des enfants qui sont génétiquement les leurs, qui leur resteront à jamais étrangers et seront perdus pour elles, pour toujours!

Ces enfants risquent de ne jamais se remettre d'un clivage entre la « bonne mère » perdue à tout jamais à cause de l'anonymat et la « mauvaise mère » qu'ils ont, s'ils sont amenés à découvrir le secret de leur conception ou s'il leur est révélé.

Pourtant comme le disait Françoise Dolto au colloque « Génétique, Procréation et Droit »: « Les cas ne sont pas rares d'hommes qui recherchent leur mère inconnue par simple désir de « faire quelque chose pour elle », même si leur enfance a été marquée par l'abandon. »… Elle écrit aussi: « … pour chaque être humain, sa relation à sa mère, source de sa propre existence, semble plonger ses racines dans ce qu'à défaut d'un autre mot on appelle le « sacré »… Aucune mère ne peut être dite bonne ou mauvaise. Elle est la mère, donc c'est elle en qui cet être humain s'est enraciné valablement, puisqu'il n'est pas mort et qu'il a survécu à cette soi-disant mauvaise mère »…[17]

Il existe donc chez l'être humain un besoin fondamental, qui est aussi une nécessité éthique, de reconnaissance de la dette maternelle, de cette dette de vie contractée à l'égard de sa propre mère lorsqu'on naît. Or, c'est précisément la non-reconnaissance de cette dette qui barre la transmission de la vie et provoque la stérilité chez beaucoup de femmes, puisque l'enfant, et surtout le premier-né, est une des façons pour elle de régler leur dette à l'égard de leur propre mère… Cette infertilité, cette difficulté à s'inscrire dans la lignée maternelle, augmenterait beaucoup de nos jours. Rien d'étonnant à cela. La culture, la société patriarcale stérilisent les femmes en les obligeant à vivre le travail et la maternité sur un mode antagoniste, à s'identifier au père et à « tuer la mère » en elles si elles veulent être compétitives et réussir professionnellement.

Comme le disait si bien une femme dans Les Temps Modernes en 1974:

> « … J'avais du côté de l'enfant comme une bouche, une blessure, une oreille béante, que lui, n'avait pas… Je vivais dans deux mondes antagonistes, celui du travail et celui de l'enfant, le père, lui, vivait dans deux (ou trois) mondes parallèles… J'avais vécu jusqu'à trente ans, en assumant que c'est à mon père que je ressemblais. J'avais raison, le jeu social suivant la loi du père, si je voulais jouer un rôle c'est au père qu'il fallait ressembler. J'étais bien loin du fameux complexe de castration, c'est de ma mère humiliée en moi que je m'étais amputée, je n'étais pas née castrée… J'en vins à me demander si j'avais été seule à vouloir tuer la mère en moi, si ce n'était pas la caractéristique principale de l'Occident prométhéen, œdipien, judéo-chrétien, marxiste-freudien. Ils la meurtrissaient tous la mère originelle… »[18]

Rajeuni par la science, le vieil ordre patriarcal, édifié sur l'oubli du don et de l'origine maternels triomphe enfin et en quelque sorte, boucle la boucle. Brouillant les pistes qui permettraient de retrouver la mère, désormais dispersée et morcelée, il efface l'image de la bonne mère engloutie dans l'anonymat. Restent des femmes instrumentalisées, formes transitoires de la « mère machine », des femmes exploitées et spoliées, les mères porteuses de notre immoralité, des femmes volontaristes, commanditaires au nom du père ou des femmes dressées les unes contre les autres qui échangent leurs malheurs plutôt que des enfants.

L'origine, la naissance, les commencements sont désormais placés sous le signe de la maîtrise et de l'artifice technique, comme si l'ambivalence de la mère donneuse de vie et de mort, devait disparaître au profit de la seule mère impuissante ou mortifère, inlassablement mise en scène dans ces histoires de stérilité et les traitements pervers auxquels elle donne lieu.

Crumbling Motherhood: Reproductive Technology Creating Women's Procreative Alienation
Robyn Rowland*

Résumé

La femme-mère est en train d'être transformée en un objet aux mains d'une science contrôlée par des hommes et elle devient un laboratoire vivant à des fins d'expérimentation médicale. Cela illustre le contrôle masculin grandissant sur la grossesse, la naissance et maintenant, sur la conception elle-même. Les NTR nourrissent le désir de contrôle de l'homme, usurpant le pouvoir des femmes qui deviennent aliénées dans leur corps et leur maternité. Le résultat ultime pourrait être l'ectogénèse (matrice artificielle).

En effet, le processus des technologies de la reproduction éloigne les femmes de leur corps, de leur propre pouvoir de procréation et de la naissance. C'est cette « chosification » inscrite dans le langage, le mor-

---

* Avec une formation académique en psychologie sociale, Robyn Rowland occupe maintenant le poste de maître de conférences et coordonnatrice de Women's Studies à l'Université Deakin de Victoria.

Elle effectue une première recherche reliée aux nouvelles technologies de la reproduction en 1982, sur les conséquences sociales et psychologiques de l'insémination artificielle avec donneur. Depuis, elle a développé une expertise sur presque tous les aspects des nouvelles technologies et les a analysés d'un point de vue féministe. Elle a publié des livres et de nombreux articles sur un large éventail de sujets, depuis les mères porteuses aux questions du choix et du contrôle de la fécondité et des femmes par les nouvelles méthodes de procréatique. Mme Rowland a également été invitée à titre de témoin, de consultante ou de membre de plusieurs comités ou commissions d'état en Australie créés en vue de la formulation d'avis sur les implications éthiques et légales des nouvelles technologies. Elle a notamment participé aux travaux du célèbre Asche Committee on Reproductive Technology qui devait conseiller le Conseil du droit de la famille du gouvernement australien.

Robyn Rowland est également une membre fondatrice du réseau FINRRAGE et a organisé elle-même plusieurs conférences nationales et internationales sur les nouvelles technologies de la reproduction.

cellement des femmes en utérus, trompes de Fallope et « environnement utérin », qui donne bonne conscience à la médecine mâle qui nous découpe en morceaux. Cela est particulièrement évident dans le cas des mères porteuses, où les couples peuvent « acheter les services d'un utérus » ou utiliser une femme comme une « valise ou un incubateur ». Alors, la femme qui porte réellement l'enfant, est appelée « mère d'emprunt », et même, « mère illégitime », perdant son statut fragile alors que les technodocs deviennent, eux, « les pères ».

En plus d'être ignorées, « chosifiées », traitées comme des animaux de laboratoire, on administre aux femmes des drogues dangereuses, et elles sortent souvent des cliniques de fertilité **sans enfant!**

La coercition en chirurgie fœtale pourrait violer les droits des femmes dans leur intégrité physique et dans leur autonomie. La personnalisation du fœtus va conduire à un pouvoir social accru sur les femmes, particulièrement sur le marché du travail où les droits des femmes concernant l'emploi et les droits du fœtus sont diamétralement opposés. Si en matière de reproduction, les hommes sont convaincus qu'ils font mieux les choses, ils seront tentés d'obtenir le contrôle du « problème » de deux façons. La première serait que les hommes où les transexuels deviennent mères. Déjà, en Australie, plusieurs transexuels ont clamé dans les médias leur désir de se faire inséminer avec leur propre sperme, une fois le changement de sexe opéré! La deuxième possibilité est le développement du fœtus hors de l'utérus, l'ectogénèse. Les avantages? L'enfant est dans un milieu sûr, contrôlé; les généticiens peuvent le programmer selon des critères de supériorité, déterminer son sexe; les femmes sont « soulagées » de la naissance et même stérilisées; et l'homme peut enfin prouver, **hors de tout doute**, qu'il est le père de l'enfant!

Les femmes doivent résister contre cette usurpation de la conception, de la préconception, de la grossesse et de la naissance, et contre la personnalisation du fœtus, tout cela constituant une aliénation pour toutes les femmes.

"All human life on the planet is born of woman. The one unifying, incontrovertable experience shared by all women and men is that months-long period we spent unfolding inside a woman's body... most of us first know both love and disappointment, power and tenderness, in the person of a woman... we carry the imprint of this experience of life, even into our dying".[1] (Adrienne Rich, *Of Woman Born*).

The woman-mother is being transformed into an object of male controlled science; a living laboratory for the purposes of medical experimentation. This is part of an ongoing process both of using women as experimental subjects and of increased masculine control over birth, pregnancy and now conception itself. New reproductive technologies feed men's desire to control procreation, usurping women's power. In this process women are becoming alienated from their bodies and motherhood, losing choice, and control of themselves as mothers. Development toward ectogenesis (the artificial womb) and ''male'' mothers are representation of this process.

Motherhood and control

Most societies are pro-natalist: they hold having children is good, and defines the mature person. It is "the existence of structural and ideological pressures resulting in socially prescribed parenthood as a pre-condition for all adult roles".[2] But men who control the institutions of society such as the government, decide when, where, how many and with whom women may have these children.

Motherhood is said to be the true fulfilment of feminity. For many women internationally, it brings little power in **real** terms, but is often the only power-base from which they can negotiate the terms of their existence. Women learn to like themselves in a motherhood role because it allows them experiences of love and power, not easily found in other situations. The ideology of romantic love dictates that it is a woman's greatest desire to present her husband with his offspring.

Mandatory motherhood is reinforced through the negative attitudes shown towards childless, and particularly childfree people. If women choose not to have children they are labelled unlikeable, selfish and uncaring child-haters.[3] These kinds of ideological presures on women to "choose" motherhood, create a strong need within women. This ideology and this need are reinforced by economic structures, such as the nuclear family.

Adrienne Rich has analysed the institution of motherhood which has been distorted under patriarchy, distinguishing it from the experience it might be if women controlled it. She writes of the "alienated labour" of childbirth.

> "The experience of lying half awake in a barred crib, in a labour room with other women moaning in a drugged condition where "no-one comes", except to do a pelvic examination, or give an injection, is a classic experience of alienated childbirth. The loneliness, the sense of abandonment, of being imprisoned, powerless, and depersonalised is the chief collective memory of women who have given birth in American hospitals."[4]

The patriarcal definition of motherhood is one of unpaid and unrecognised labour, self-sacrifice, isolation and domestic and physical servicing. Yet women continue to resist it, mothering under the most difficult conditions, in a state of powerlessness. As Sarah Ruddick writes:

> "Throughout history, most women have mothered in conditions of military and social violence and often of extreme poverty. They have been governed by men, and increasingly by managers and experts of both sexes, whose policies mothers neither shape nor control."[5]

The strength of the ideology of motherhood is reflected in the constant pursuit of it by women in the face of mounting evidence that men are increasing their "rights" while relinguishing responsibility for their children.[6] It is seen in the queues of women awaiting IVF, an assaultative process which they themselves describe as humiliating and emotionally draining, and which is known to be unsuccessful.

Statistics indicate that the "success" rate is around 8 percent. For every hundred women on a program, about 92 will never take home a baby. Only 61 percent of pregnancies on the program result in live births; there is 20 percent spontaneous abortion rate; 27 percent of babies are born prematurely; there is a 40 percent multiple pregnancy rate; and a 46 percent caesarean delivery rate. Caeserean delivery carries a two to five times higher risk of maternal death.[7] This figure alone indicates the objectification of women on IVF programs as doctors increasingly deliver children in their own fashion rather than allowing a vaginal birth. The mortality rate for babies is twice that of the normal population.[8]

The ideology of motherhood determines that women should produce offsprinf for a **particular** man. Previous pregnancies are reported in almost half the women on the programs, some of which have resulted in live births. But these women now need to satisfy the desires of a second man for his own biological offspring. In Australia, six percent of couples are there due to sterilization.

Men have worked to control the experience of motherhood for women psysically, through, for example, medicine and science, and institutionnally, by tying it to heterosexuality and the family.[9] Western family structures reinforce this control by ensuring women's economic dependence due to child-bearing and her enslavement in the unpaid domestic sphere, servicing the physical, emotional and sexual needs of men.

But it is to science that we turn our attention today. Medical science has been used by men to develop control over women as mothers. Men have envied women's procreative power. Azizah Al'hibri argues that historically it has been documented that men envy the ability of women to reproduce and the complexity of women's organs and capacities with respect to child-bearing.[10] Psychoanalysists have developed the theory of womb-envy to account for this. Some of Freud's case studies document fantasies on the part of men and boys for possession of women's organs and functions. Many cultures have symbolic representations of this envy. For example, Athena sprang from the head of Zeus after he had swallowed her mother. She was a goddess known to be harsh towards women.

Not only are there symbolic appropriations of women's procreative power by men, but science has constantly created theories to disempower women. In the seventeenth and eighteenth centuries sperm was claimed to have carried minuscule versions of man, and woman was merely the vessel that housed the seed. The gradual consumption by male medicine of midwifery and the introduction of the harsher elements of birth, such as forceps or "hands of iron", have evidenced man's attempts to stop himself from becoming dispensible within the procreative process. It is exemplified in the way IVF researchers are called "fathers" of the children born. And in Perth, Dr. Peter Yovich, who was involved in setting up a commercial enterprise was described thus: "He produced **his** first pregnancy in 1986".[11]

Mary O'Brien in her *Politics of Reproduction* discusses the differing experience of reproductive consciousness for women and men. Women's continuity in the process is assured: they know they conceive, labour and give birth. But men, once they deliver the seed are unnecessary. They experience alienation. In a desire to end this alienation men have established structures of control and ownership, such as the family or relevent legislation. [12]

Men are the dominant social group. It is characteristic of those in power to resent, and try to break, any exclusivity on the part of groups they dominate. Women's friendships and bonding, and lesbian relationships which exclude male sexuality, are seen as threatening male power. Men attempt to break these bonds. So women's procreative ability is seen as excluding men, who then desire that from which they are excluded. The relationships of power, dominance and subordinance are being played out through reproductive technology.

The key word here is control and this is part of the scientific ethic. Science and medicine are concerned with pushing the boundaries; with the control, domination and exploitation of nature, instead of cooperation with it. One example of this is a control element in IVF itself. Women are stopped from ovulating by being thrown into premature menopause, then they are super-ovulated "under control" to produce many eggs at the "appropriate" time (Monday to Friday preferably). Science is concerned with a narrow laboratory tunnel vision. It refuses to be socially accountable, its members pushing ahead in competition for international kudos and financial profit. [13]

Men are overcoming their alienation from procreation through the new reproductive technologies. In the process they are changing fundamentally the identity of women as mothers. That alienation began with the harvesting of eggs from women's bodies on IVF programs.

There is also a greater push for genetic screening of embryos. This would involve the flushing of embryos from a woman's body to check it for imperfections, and then the reimplantation of the "approved" embryo. It would be done on IVF programs for what doctors reporting to the Senate Hearings in Australia called "at risk" groups, a definition which continually expands. [14]

One doctor wrote that embryo flushing and transfer such as this would replace amniocentesis for checking embryo abnormality. He was suggesting that with the development of "new gene altering techniques" doctors could remove an embryo from a woman, check it and return it if approved. Lawrence Sucsy of Fertility and Genetics Incorporated, a for-profit company in Chicago declared that embryo transfers will become "commonplace" in spite of the moral and legal objections because "the power of motherhood will overcome the flack."[15] As the push for greater genetic screening of embryos becomes widespread, women's alienation will increase. These women like those on IVF programs, will no longer know with certainty that the embryo implanted in their body **came** from their body.

The process of reproductive technology is distancing women from our bodies, from our own procreative processes, and from birth. It is segmentalising women into wombs, eggs, fallopian tubes, and "uterine environments", leading to an easy conscience on the part of male medicine when it cuts us into our respective bits.[16]

The construction of women's alienation

Thie alienation and objectification of women begins with the language itself; the language of disemberment. Women are discussed as body parts — "uterine environments" which need to be "harvested" — dissected like animals. And the animal analogy recurs. Professor Carl Wood and Dr. Alan Trounson, leaders of the Monash IVF team in Australia have written: "The human female is capable of having substantial **litters** under certain circumstances."[17]

The language surrounding fetal surgery also ignores the mother as if she is merely a window through which the scientist can experience sonographic voyeurism. The glee with which this is done emerges in Michael Harrison's paper on the fetus as patient. He writes:

> "The fetus could not be taken seriously as long as **he** remained a medical recluse in an opaque womb; and it was not until the last half of this century that the prying eye of the ultrasonogram rendered the once opaque womb transparent, stripping the veil of mystery from the dark inner sanctum, and letting the light of scientific observation fall on the shy and secretive fetus."

The fetus is "he" and the most important thing about **him** is that "he seldom even complains".[18]

But it is surrogacy in which language has most successfully divorced women from their children and acknowledgment of their labour. Couples can "buy the services of a woman's womb"[19] or use a woman as a "suitcase really, an incubator".[20] It is reproductive technology which has encouraged the development of surrogacy because it has represented woman as womb and capsule space. It has made the social context more conductive to using women as incubators (as in surrogate embryo transfer)[21] or as breeding machines (as in surrogacy).[22] Twomey writes of a reproductive technology and surrogate agency in the United States: "Harriet Blankfield's company has five babies on the **assembly line** and a further twelve women on **insemination standby**".[23]

And finally, the word surrogacy is a misnomer. The woman is in fact the birth mother. She is called a surrogate, or in one case an "illegitimate mother"[24] so that she can easily be torn from her child. **So mothers lose their fragile status as such, while technodocs become "fathers".**

Women on IVF programs **themselves** speak of their objectification, one of them noting that "you feel like a piece of meat in a meatworks".[25] A woman interviewed by Dr. Renate Klein writes: "I felt like a baby machine, no one was interested in me as a person, I was just a chook with growing eggs inside — and if they didn't grow properly then it was my own fault".[26] This relationship reflects the traditional doctor-patient power dynamics which women constantly agitate against. The women speak of the lack of dignity of the process, the lack of information given to them, the lack of concern from the medicos involved, and the fact that doctors ignore their experiences with the various drugs given to them.

In a study by Burton women reported the inability of doctors to talk to them about their experience of the failure of the technology, which was blamed on the women: "I would really have like to have gone back and taken to [my gyneacologist] after it didn't work, but as [the IVF scientist] says 'you're history, we're onto the next one, we haven't time for you now, we want to get on with it''. This same IVF scientist also commented: "One way the teams cope with failure is to avoid follow-up contact with **failed** patients.''.[27]

Many of the women were anxious about being about being used as guinea pigs. As one said: "I sometimes get concerned about what's going to happen to us in ten to fifteen years time. Our generation were guinea pigs for the Dalkon Shield, and now we are guinea pigs for a new form of modern technology.''[28] This concern is justified. Women are used as living laboratories by medical scientists. A recent medical textbook overtly claims IVF as a great testing ground for new drugs because women form a controlled testing population.[29]

One example of this is the use of hormonal drugs to induce super-ovulation. Doctors need to implant three to four embryos so they super-ovulate women to produce more eggs than the normal one per cycle, usually five or six but at times up to eleven.[30] The most commonly used drugs are clomiphene citrate (Clomid) and a gonadotrophin, Perganol. Dangers include maternal risk through hyper-stimulation of the ovaries, thrombosis, and polycystic ovaries.[31] There is a higher rate of multiple births using these drugs. It has an unexpected low pregnancy rate and a higher incidence of ectopic pregnancies.[32] Henriet et al comment that "superovulation is not a simple multiplication of a normal ovulation".[33]

Long term clinical trials are not being conducted on these drugs. Doctors repeatedly advice that there are no side-effects but many women have reported them. One woman said she felt "depressed, spaced out, lethargic and over emotional" on Clomid, but her gyneacologist said that this was an unusual response. After six months, she had chronic diarrohea, nausea, headaches and depression. She had to have an ovarian cyst removed.[34]

A Dutch women wrote that Clomid had negative mental and physical effects. After a year on the drug she said: "I couldn't see sharply anymore. I saw lights and colours and I felt kind of strange/funny inside my head. I also suffered from a pain in my belly which dragged on and on. Emotionally, I wasn't stable anymore".[35]

Women speak of the refusal of doctors to **hear** them when they speak of these symptoms. They are invisible and voiceless, just as women are who suffer from Depo Provera, IUD's, and the pill. As one woman said:

"The professor tells us that according to the labels and his books they don't have side effects. Once someone comes out and is brave enough to say you get side effects, other women say so too. I think that's what he's worried about, that side-effects are catching''.[36]

A study in the American Journal of Obstetrics and Gyneacology found that Clomid has a chemical structure almost identical to that of DES (a synthetic hormone, Diethylstilbnoestrol) a drug used from the 1940s to 1971 for pregnant women prone to miscarriage.[37] Some of these women were told the drug was a vitamin tablet.[38] But there was a time-bomb effect and the daughters of these mothers are now suffering cancer of the vagina and cervix at a rate higher than that of the female population of their own age. There is a higher than normal rate of intertility in daughters and sons. For the daughters there is an increased incidence of spontaneous absortions, premature deliveries, and ectopic gestations.[39] And IVF is now offered as the solution to DES daughters for the medical mismanagement practiced on their mothers.[40] The mothers are now, twenty to forty years later, suffering forty to fifty percent more breast cancer than other women their age.[41]

Superovulation is also showing possible carcinogenic effects. In the Journal of In Vitro Fertilisation and Embryo Transfer, a case report on a twenty-five year old woman indicated rapidly developing cancer which covered uterus, bladded, both ovaries and appendix after such treatment. The authors conclude that these hormones ''can act as promoters in the process of carcinogenesis''.[42] Incessant ovulation may increase the risk of cancer by not allowing the ovaries a non-ovulatory rest period or by creating rapid cell growth which might generalise. Three such cases have been reported in the medical literature.[43] Like side-effects — how many go unreported?

Commenting on the ''explosive cocktail'' given to women, French doctor Ann Cabau bemoans the extension of the use of these drugs to many other groups of women, including those who have irregular menstrual cycles, successive abortions or **husbands** with defective sperm.[44]

And the dangers of these drugs will be generalised to women in the normal population if embryo experimentation is approved. Scientists cannot get enough eggs for embryos from IVF women, who were reluctant to give their approval[45] so they are hoping to induce healthy, fertile women who are being sterilised to donate.[46]

The pain of infertility is primarily caused by the loss of control of woman feels. Ironically, women enter IVF in an attempt to regain that control.[47] But control is not theirs. They are ignored, treated as experimental animals, given dangerous drugs, dismembered into fallopian tubes or wombs, and most end up childless.

The invisibility of women and her objectification is represented in fetal surgery. In this new development the fetus is being treated as a ''patient'', with ''rights'' which may override those of the mother. Women are represented as merely the ''capsule'' or ''container'' for the fetus. This attitude has led, for example, to eighteen cases of enforced caesarean section in the United States of America.[48] In the instances women have been forced to undergo surgery because a judge and a doctor judged the woman ill-equipped to make decisions. They decided that the fetus as a "patient" had rights over and above the woman. One resisting woman was described as "uncooperative and biligerent".[49] One woman had refused the caesarean on religious grounds but gave birth before the order could be executed. In at least two of the three cases compared in one study, the medical diagnosis was incorrect based on a faulty prenatal screening.[50]

At a panel discussion on ethical dilemmas in obstetrics at a seminar at the Maricova Medical Centre in Phoenix, doctors debated the treatment of a pregnant woman against her wishes.[51] They suggested that a woman could be incarcerated if she smoked during a pregnancy or be prevented from physical activity if it might lead to am premature delivery. In a paper in 1985 doctors Chervenak and McCullough have argued the right of the physician to cœrce the mother into accepting the doctor's orders. They write that "there is no clearly convincing moral argument that the woman's life is more important than that of the fetus".[52]

In these discussions the woman is deemed to have prior rights up to twenty-eight weeks during which most abortions are carried out, but the last trimester is a battleground. A situation of conflict is being created by medicine between the mother and the fetus. Cases of "fetal abuse" against mothers are the beginning of the law's collusion with medicine in this area.[53]

Fetal medicine extends the control of women by medicine. Surgery on the fetus while still inside a woman or outside her but still connected by the placenta, is a new area of threat. This surgery has a high failure rate as indicated by statistics from the International Fetal Surgery Registry.[54] The problem of how to deal with a difficult and resisting mother has been raised. Cœrcion in fetal surgery would violate women's rights to bodily integrity and autonomy.

The personalisation of the fetus will lead to increasing social controls on women, particularly in the workplace. It has already led to sterilisations of women who wanted to work in certain "hazardous" places. At Willow Island, U.S.A. a plant of the American Cyanamid Company gave all women in eight of the plants ten departments the "choice" of losing their jobs or being sterilized. Five agreed to be sterilised. Ironically the department concerned closed a year later, so the women were jobless and sterile.[56]

> "The need to minimise exposure of the embryo and the fetus is paramount. It becomes the controlling factor in the occupational exposure of fertile women... For conceptual purposes the chosen dose limit (of radiation) essentially functions to **treat the unborn child as a member of the public involuntarily brought into controlled areas**".[57]

These kinds of exclusionary protections for women ignore reproductive hazards for women in traditional jobs, for example in hospital work. They ignore the fact of harmful agents being transmitted to the fetus through sperm. But most importantly, they treat **all** fertile women as potentially pregnant and therefore potentially vulnerable: this ties women's destiny as childbearers into employment rights and makes the rights of women for employment and the rights of the fetus diametrically opposed. So the medical profession, in alliance with corporations, begins to assert a protective relationship to the fetus.

The ultimate solution

If men as a social group are seeking to control pregnancy and conception, and if they are convinced that they do it in a much more effective and efficient fashion than women do, there are two possibilities which they might pursue in gaining ultimate control of the "problem". The first possibility is that of men or transsexuals as "mothers". The possibility has been seen in two precedents.

In May 1979, a New Zealand woman, Margaret Martin, gave birth to a baby girl having undergone a hysterectomy eight months earlier. The fertilised egg had lodged in her abdomen on her bowel, where it received enough nutrients to grow to term without the aid of a uterus. In about one thousand cases a fertilised egg has worked its way into the abdominal cavity of a woman which can expand to accomodate the fetus. Approximately 9 percent of these women have actually given birth to healthy babies. The mother runs an enormous risk during this process and can often die from a massive hæmorrhage. Secondly, Dr. Roy Hertz has had success with transplanting eggs of a female baboon into the abdominal cavity of a male baboon, though he did not bring the fetus to term.[58] It appears that a fetus may be able to attach itself to any site which is rich in blood and nutrients.

The possibility of implanting a fertilised egg in the male abdominal cavity has been discussed. It would involve the administration of hormones to the "male mother" to "mimick that of a pregnant woman",[59] and delivering the baby through a laparotomy. It has also been suggested that a woman could conceive a fertilised egg which would be flushed out of her womb and implanted in the man. In the last two years in Australia at least six popular magazines and newspapers have carried stories of a transsexuals' "rights" to have children on IVF programs. By July 1984 a group of at least six male-to-female transsexuals had requested admittance to the IVF program at the Queen Victoria Medical Centre.[60] There were suggestions that they could have their sperm frozen before the conversion operation and use a donor egg with their own sperm. They would then be both mother and father to the child. As Dr. Shettles, who has done pioneering work on IVF, comments: "I don't think it's going to take as long as it did with the in vitro program. I think anyone who really wanted to get on with it now could achieve success".[61]

Published interviews with transsexuals who want to be involved in these kinds of programs are constantly reappearing, indicating the beginning of the phase of softening up the public to the idea before attempting it.[62] What they want is to be fulfilled in the stereotypic view of femininity. As one article said, "Phillip McKernan wants to give birth to prove something to himself — that he has finally made it as a **woman**".[63] In a 1986 article, transsexual Estelle Croot said: "I am a woman. And like any woman I want to feel complete. I want to be fulfilled and for me that means having a baby. I can't believe that the majority of Australians don't want me to have a baby''.[64] Professor William Walters, at that time a member of both the Monash IVF team and Director of the Transsexual Clinic in Melbourne, said it is a ''natural corollary that they should want to have children''.[65]

Janice Raymond has argued convincingly that transsexualism represents the final colonisation of women.[66] Through a male-to-constructed-female sex change, men are able to possess women's bodies, women's creative energies and women's capacities. These are the most feminine women. Woman made by man to be as feminine as man deems fit. And through this process the man-made woman becomes both mother and father to a child — the patriarchal dream/myth becomes reality.

The second possible control route for medicine is the development and growth of the fetus outside the womb — ectogenesis. At Standford University in the United States, scientists developed an artificial womb or fetal incubator. Oxygen and nutrients were pumped into it, and young human fetuses that were products of spontaneous abortion have been kept alive for up to forty eight hours.[67]

From the birth end of the continuum of pregnancy, younger and younger premature babies are now kept alive in increasingly sophisticated artificial environments, possible from twenty-four weeks into the pregnancy. If we consider the process from the other end, that is, from the point where an embryo is created in vitro, it is possible to keep them alive at least until the thirteenth or fourteenth day. Researchers need only find and artificial environment that would bridge the gap of fourteen days to twenty four weeks. The real problem is perfecting the artificial placenta, but work proceeds in this area. When this succeeds, an egg could be fertilised and brought to term within an artificial or ''glass'' womb.

Development of the artificial womb has been promoted as having the following advantages; fetal medicine would be improved; the child could be immunised while still inside the ''womb''; the environment would be **safer** than a woman's womb; geneticists could program in some **superior** tray on which society would agree; **sex preselection** would be simple; women would be spared the discomfort of childbirth; women could be permanently sterilised; and finally, **a man would be able to probe beyond a doubt that he is the father of the child.**[69] Children may then be created who are neither borne by, nor born of, woman.

Women must resist this rapidly developing encroachment into conception, preconception, pregnancy and birth, and the personalising of the fetus. They must realise that the technologies discussed in this forum do not just affect women of such programs, but have an impact on all women and on all societies. We should bear in mind that conception and birth has up until this time been a uniquely female experience, owned by women. It is a special experience, sometimes negative, sometimes positive, but one which women would choose to maintain. In their desire to end their own procreative alienation, men are creating that alienation for women. Women must resist.

Synthèse du débat

Lise Dunnigan, agente de recherche, ministère de la Santé et des Services sociaux.

Les échanges qui se sont déroulés dans cet atelier ont fait surgir de nombreux questionnements rattachés aux thèmes des autres ateliers, ce qui pourrait témoigner d'une volonté des participantes de résister à l'émiettement non seulement de la maternité, mais également des problématiques à travers lesquelles nous y réfléchissions.

Ainsi, les participantes ont exploré les liens des différents ordres qui existent entre les éléments suivants: les technologies de reproduction humaine, l'avortement et le libre-choix dans la poursuite d'une grossesse, le contrôle des naissances, la surmédicalisation et la déshumanisation de l'expérience maternelle dans l'accouchement, les comportements de dépendance et de « consommation » face aux interventions médicales, la valorisation des modèles masculins à l'égard de la reproduction, du corps, de la sexualité, du monde du travail, etc., et enfin la conception de la maternité fondée soit sur la dimension biologique, soit sur la dimension affective et la prise en charge des enfants.

Ces réflexions ont surgi la plupart du temps d'expériences quotidiennes de militantisme, d'interventions auprès des femmes ou de démarches personnelles au plan de la contraception, de la sexualité, du désir d'enfant; cette qualité particulière d'authenticité a aussi permis l'expression de points de vue divergents, ce qui n'a pas eu pour effet de nier ou d'invalider d'autres points de vue, mais de les prolonger et de leur ajouter des dimensions nouvelles.

Comme il est impossible de rapporter en détail la discussion sur chacun des sous-thèmes mentionnés plus haut, seules sont rapportées ici les observations que l'assistance a semblé appuyer.

Voir la maternité dans ses autres dimensions

À plusieurs reprises, les participantes et les conférencières ont mis l'accent sur le caractère réducteur des discours dominants à propos de la maternité et de la reproduction humaine. Que ce soit en rapport avec la pratique de la contraception ou de l'avortement, avec la définition culturelle et médicale de la grossesse et de l'accouchement, ou même avec la place de la maternité dans l'identité féminine, elles ont souligné que les dimensions biologiques ne doivent pas être dissociées des autres composantes humaines de l'expérience des femmes, à savoir les dimensions subjective, émotive, symbolique, sociale et spirituelle. Ainsi, on ne peut comparer le processus de décision auquel est confrontée une femme à l'égard de l'embryon qu'elle porte en elle, qui fait partie d'elle-même et qui engage sa vie entière, avec le choix à faire relativement aux expérimentations ou à la manipulation d'embryons cultivés ou conservés en dehors du corps des femmes. Ces embryons étant techniquement extraits de leur intégration à l'ensemble d'une personne deviennent objectivés et réduits à l'état de matériel biologique pour la recherche; c'est à partir de ce moment que la reproduction humaine se déshumanise. De la même façon, la contraception quasi obligatoire et surtout la contraception chimique ont inscrit la sexualité féminine à l'intérieur de modèles de comportement masculins dans lesquels les femmes ont oublié leur corps, caché leur différence et appris à vouloir contrôler non seulement leur fertilité, mais aussi et surtout à maîtriser les manifestations multiples des cycles de leur vie reproductive.

Aller au-delà de l'aspect physiologique

En ce qui concerne les femmes inscrites dans un processus médical de recherche de grossesse, quelques participantes ont souligné l'isolement, le manque de support et de considération que ces femmes ressentent, comme si encore une fois ce qui se passe en elles n'était vu que comme un processus physiologique, médical, sans résonnance humaine.

On a relevé l'attitude des gynécologues qui se sentent eux-mêmes impuissants s'ils **n'agissent pas**, s'ils ne règlent pas à **leur** rythme tout le processus, excluant ainsi par exemple la période d'attente et d'observation qui précède une intervention ou la réduisant de façon inconsidérée; à ce sujet, des gynécologues-psychosomaticiennes recommandent toujours deux années d'observation. Les médecins ont aussi tendance à négliger la recherche et la compréhension des facteurs non physiologiques qui entrent en jeu dans l'expérience d'infertilité.

Le lien biologique à la fois exalté et évacué

Le droit des enfants à connaître leurs origines biologiques est également soutenu en raison de la fonction psychologique et symbolique de ce lien d'origine, lequel n'est pas non plus réductible à un processus biologique. Le sens de la continuité humaine, (et même, pour certaines, la nécessité d'une double origine, masculine et féminine), doit être préservé comme élément fondamental de la reproduction humaine; alors que ce lien est à la fois exalté jusqu'à l'excès par des pratiques comme la FIV par exemple, il est par ailleurs complètement évacué par d'autres pratiques comme les dons de gamètes et d'embryons. Ces pratiques, avec leur potentiel d'abus de pouvoir et d'exploitation du corps des femmes, sont vues comme une menace suffisamment grave à long terme pour que soit reléguée au second plan la revendication de certains droits ou désirs individuels qui découleraient du principe d'autonomie reproductive (qu'il s'agisse du droit d'accès aux techniques, ou du droit d'offrir contre paiement des services reproductifs comme les contrats de grossesse).

Orientation de l'action féministe

En termes d'orientation à donner à l'action féministe, l'idée a été émise de prendre appui d'abord sur l'affirmation de nos expériences réelles de la maternité, aussi bien au plan de la grossesse et de l'accouchement qu'à celui des liens créés à plus long terme avec nos enfants biologiques, voire avec nos enfants non biologiques, ceux que nous prenons en charge physiquement et affectivement. Le militantisme qui a déjà pris forme autour de l'humanisation de l'accouchement est un lieu de résistance à l'approche, à la vision, à la logique de l'emprise technologique sur notre expérience. C'est là que réside notre force, c'est notre terrain premier. Mais il faut aussi que les femmes agissent sur le terrain de la science, des choix sociaux et politiques, des législations, et qu'elles y prennent leur pouvoir.

La maternité biologique a été imposée aux femmes comme unique fondement de leur identité. Aujourd'hui, elle est en voie de désuétude au profit de modes de procréation techniquement et symboliquement masculins. Il y a aussi une spécificité à défendre sans qu'il faille pour cela confiner les femmes à un quelconque destin biologique, ni sacraliser à nouveau cette seule forme de lien et d'amour à l'égard des enfants. La maternité se définit comme une relation et non pas comme un état.

Une solidarité essentielle

Il y eut aussi dans cet atelier une prise de conscience de l'importance des liens entre les femmes, et notamment entre femmes engagées dans la résistance aux NTR et femmes en situation d'infertilité. Diverses interventions ont souligné la nécessité d'apporter une meilleure écoute à leur expérience de désir et de souffrance afin de comprendre véritablement leur démarche, laquelle n'est pas toujours radicalement différente ou étrangère à celle des chercheuses ou des militantes féministes.

Le partage d'angoisses et de désirs communs peut donner lieu à des alliances riches plutôt qu'à de nouvelles divisions entre femmes; il peut faire naître des alternatives originales, des lieux de résistance et des formes de support intéressantes.

Il y a une place aussi pour un questionnement créateur au sujet des conjoints des femmes en traitement, de leur présence ou de leur non-engagement, de leur silence sur leur propre désir d'enfant (et leur propre infertilité selon les cas), sur leur persistance à rechercher une descendance biologique, persistance à laquelle leurs conjointes n'adhèreraient pas avec autant d'intensité dans bien des cas.

Notre vision et notre action politique, que ce soit à l'égard des NTR, à l'égard de la santé ou de la situation globale des femmes, doit demeurer en équilibre avec notre capacité d'écoute et d'accompagnement.

« Se reconnaître comme femmes, c'est déjà un pouvoir; quand je dis que je **suis**, physiquement, émotivement et spirituellement, j'affirme ma vraie puissance » (propos d'une participante).

Atelier B:

Mère sous surveillance

*A*vec les NTR, assistons-nous à une médicalisation poussée à l'extrême de la maternité? Comment en est-on arrivé là malgré les revendications des féministes contre la médicalisation et pour une autonomie plus grande face à la grossesse et à l'accouchement? Comment peut-on faire confiance aux praticiens de la fécondation in vitro alors que le taux de réussite est si bas et que les risques sont si élevés? Quels sont les intérêts du monde scientifique et médical à étendre leur emprise sur la reproduction humaine?

Personnes-ressources: **Diogène Cloutier**
Isabelle Brabant
Renate Duelli Klein

Les nouvelles technologies de la reproduction: pourquoi et quand?
Diogène Cloutier*

La société moderne nous a habitués à une foule de paradoxes ou de contradictions. Nous voyons au Québec croître une population du 3e âge de plus en plus importante et nous souffrons au point de vue économique et social de ce débalancement démographique. Pourtant la contraception est utilisée couramment, favorisée par nos gouvernements et le recours à l'avortement est même accepté sans trop de débats.

D'autre part, au niveau individuel, de plus en plus de couples éprouvent des difficultés croissantes à satisfaire leur profond désir de procréation. Les causes de l'infertilité sont de plus en plus nombreuses, souvent conséquences de nos modes de vie, de nos changements sociologiques et même de nos prises de décision à courte vue.

Nous vivons trop souvent, comme professionnels œuvrant en clinique de fertilité, cette situation qui fait l'objet d'un autre atelier: « Les enfants que je veux, quand je veux, et à n'importe quel prix », avec son cortège de déceptions et de frustrations.

Notre monde scientifique nous a habitués à combler rapidement toutes les attentes; il est facile de transposer au secteur de la fertilité ces mêmes concepts.

Nous assistons alors à une dissociation complète entre les grands principes exprimés publiquement par les représentants de groupes de pression et le quo-

* Docteur en médecine de l'Université Laval depuis 1965, M. Cloutier s'est spécialisé par la suite en obstétrique-gynécologie. Il pratique au Centre hospitalier de l'Université Laval où il a occupé pendant presque dix ans le poste de chef du département de gynéco-fertilité.

Il s'est intéressé assez tôt aux techniques de contraception et il a notamment publié depuis 1973, avec le docteur Jacques Rioux du CHUL, plusieurs articles sur la stérilisation tubaire par laparascopie et sur son utilisation dans l'investigation de l'infertilité. En plus de ses fonctions de gynécologue au sein de la clinique de fertilité-reproduction du CHUL, il est également professeur au Département d'obstétrique-gynécologie de l'Université Laval de Québec.

La clinique de fertilité du CHUL est actuellement le plus important centre du Québec en matière de fécondation extra-corporelle. C'est aussi le premier de la province à avoir obtenu des grossesses par cette méthode autant chez l'être humain que chez certaines espèces animales.

tidien d'un couple qui recherche de l'aide pour solutionner son problème individuel d'infertilité.

Les féministes peuvent bien revendiquer l'autonomie face à la grossesse et combattre la médicalisation de celle-ci, lorsqu'un couple réalise qu'il ne peut seul obtenir la grossesse qu'il recherche, il est normal qu'il se tourne vers quelqu'un qui ne sait peut-être pas tout sur la fertilité mais qui en connaît suffisamment pour l'aider.

Devant les difficultés rencontrées en adoption, devant les MTS et leurs conséquences, devant l'instabilité des couples qui se font et se défont parfois au rythme des saisons, devant des stérilisations chirurgicales hâtives et même irréfléchies, que peut faire l'équipe d'une clinique de fertilité sinon répondre à des demandes qui devront mettre en œuvre ces nouvelles technologies de la reproduction qui, plus souvent qu'autrement, visent à réparer les pots cassés et à tenter de faire des miracles.

J'exclus d'emblée de ce secteur l'investigation d'infertilité de base facilement accessible et également les traitements simples qui en découlent, soit: les traitements hormonaux de l'anovulation, la correction de déficiences au niveau du mucus cervical, l'amélioration de la rencontre ovule-spermatozoïde, et finalement certaines chirurgies de l'infertilité pour endométriose, adhérences, fibromes et kystes ovariens.

La fertilisation in vitro (bébé éprouvette) et la fertilisation in vivo (GIFT — transfert de gamètes intra-tubaire) sont au nombre des nouvelles technologies de la reproduction qui frappent le plus l'imagination et inondent la presse qui, sans retenue, leur accorde une place sans aucune mesure avec leur importance sociale et démographique.

Il est évident que personne ne peut rester indifférent devant des succès qui frôlent parfois le miracle chez des couples voués autrement à une stérilité définitive. Par contre personne non plus ne peut rester indifférent devant le témoignage pathétique de couples désabusés, amers, qui ont vécu une longue suite d'échecs et qui n'ont jamais accepté de dire une fois pour toute « assez, c'est assez » et ce, parce que jamais au cours de ces tentatives répétées, on ne leur a fait valoir l'envers de la médaille, l'échec possible et l'acceptation sereine d'une vie sans enfants.

Les taux de succès de la fertilisation in vitro et in vivo sont peu élevés il est vrai, mais il en était de même au début des greffes rénales et cardiaques. Il y a amélioration constante des statistiques et des techniques. À cet égard, la société doit faire confiance aux cliniques qui respectent les règles suivantes.

Les cliniques sérieuses doivent d'abord exercer une sélection minutieuse des candidates à ces techniques.

Il faudra évidemment exclure celles qui peuvent bénéficier de techniques plus simples ou qui sont trop pressées car souvent, en fertilité, le temps est le meilleur des traitements.

Il faudra exclure également celles dont les possibilités de succès sont trop faibles à cause de l'âge ou de pathologies multiples.

Il faudra éviter de soumettre une femme à des techniques complexes si le conjoint est probablement stérile et les chances de succès quasi nulles. Cependant, mieux vaut une GIFT qu'une insémination par donneur si les chances de succès sont valables.

La sélection n'est pas tout. Il faut aussi que les candidates soient informées des véritables taux de succès de la clinique consultée.

Il ne faut pas qu'on leur serve les statistiques toutes faites/sélectionnées parmi des séries choisies de cliniques choisies.

Il faut également tenter de dégager des taux de succès potentiels tenant compte des particularités de chaque candidate.

D'autre part, l'amélioration constante des techniques rend celles-ci moins dangereuses (si elles l'ont déjà été). La stimulation hormonale entraîne certains ennuis telles la nervosité, l'insomnie, la rétention d'eau, mais tout disparaît à la fin du traitement.

Les échographies abdominales répétées nécessitent un remplissage vésical désagréable, mais la technique vaginale rendra cette nécessité caduque.

La laparoscopie pour ponction folliculaire se compare à celles qui sont faites dans le cadre d'une investigation simple de l'infertilité ou encore pour réaliser une stérilisation chirurgicale. Il s'agit d'une chirurgie sérieuse mais rarement compliquée.

Je crois personnellement qu'il faut en tout temps cependant se rappeler ce principe médical de base qui nécessite de faire l'équation risques versus bénéfices et de l'évaluer correctement avec chaque candidate. Que chacune prenne une décision éclairée et réfléchie m'apparaît comme fondamental.

Mon expérience me porte à croire que les risques sur le plan psychologique sont de beaucoup supérieurs aux risques physiques. Ces risques découlent en général d'attentes irréalistes, d'un manque d'accompagnement sécurisant, d'un manque d'informations de la part du personnel de la clinique, d'un manque de rationnel dans le choix des priorités en face des coûts importants de ces techniques et enfin de l'obsession de certaines à répéter des essais, trop souvent et trop longtemps. Tout ceci peut conduire évidemment à des effondrements psychologiques pitoyables.

De toute nécessité, toute clinique sérieuse doit recourir pour chaque cas à une évaluation psycho-sociale et à son suivi. Toute clinique sérieuse également doit limiter le nombre de tentatives pour chaque candidate et encore une fois exclure celles qui ont des chances quasi nulles de succès malheureusement.

Par ailleurs, je crois que les cliniques de fertilité qui utilisent ces nouvelles technologies de la reproduction doivent se donner des règles d'éthique strictes qui permettent le respect d'une lignée de filiation compatible avec l'acceptabilité sociale du moment. Les cliniques de fertilité ne doivent pas offrir la congélation d'embryons, le don d'ovule et d'embryon si la société, par ses penseurs, éthiciens et législateurs, croit que ces techniques ne sont pas acceptables, même si elles sont techniquement possibles. Nous comptons également sur les recommandations du comité provincial, qui étudie présentement ces questions. Personnellement, j'espère qu'il nous sera permis de congeler les embryons surnuméraires, plutôt que de devoir recueillir un nombre limité d'ovules pour fécondation, évitant ainsi la destruction d'embryons, ce que je ne peux accepter, mais réduisant par le fait même notre taux de réussite.

Je crois que le Québec et le Canada sont privilégiés d'avoir de ces excellentes cliniques de fertilité qui mettent toute leur énergie et leurs ressources à rendre service à des couples désespérés avec des problèmes complexes de fertilité, tentant constamment d'améliorer et leurs techniques et leurs résultats.

Que le monde scientifique et médical exerce ainsi une certaine emprise sur certains secteurs de la reproduction humaine n'a rien de répréhensible à mon avis.

Nous sommes des plus heureux qu'encore aujourd'hui la grande majorité des couples puisse réaliser leur rêve de paternité et de maternité sans notre aide, dans le secret de leur alcôve. Mais, pour ceux et celles qui ne peuvent obtenir de résultats de cette façon, nous devons effectuer une intervention la plus humaine et la plus discrète possible.

Nous devons cependant avouer, qu'aujourd'hui comme de tout temps, des humains, scientifiques ou autres, ont abusé de la confiance de personnes en détresse à des fins mercantiles et égoïstes.

C'est malheureux, mais cette situation existe aussi au niveau de groupes qui se proposent de soulager la détresse des couples infertiles.

Ce doit être le rôle d'organismes, comme le Conseil du statut de la femme de faire les recherches qui s'imposent pour identifier les cliniques de fertilité qui répondent à des normes de qualité et de les faire connaître. C'est leur rôle également, par des colloques comme celui-ci, de créer dans la population des attentes réalistes.

Il est temps par ailleurs que de tels organismes cessent d'associer automatiquement tout développement scientifique à une médicalisation mercantile, ou à une déshumanisation inutile d'activités humaines les plus fondamentales.

Conférence d'Isabelle Brabant*

C'est à partir de mon expérience de sage-femme que je vais vous parler aujourd'hui. Je ne suis pas une spécialiste des NTR, et comme vous, j'imagine, j'apprends beaucoup dans ce colloque, et pas seulement des choses gaies je dois dire !

Cette expérience de sage-femme m'a permis de m'approcher de la naissance, d'être témoin des forces et pouvoirs en jeu au moment de la grossesse, de l'accouchement et de l'arrivée d'un enfant... et aussi d'être témoin, depuis dix ans, de l'évolution des pratiques obstétricales. Il n'est pas difficile de voir comment le développement des NTR s'inscrit en parfaite continuité avec l'« obstétrique moderne » et je m'inquiète beaucoup de la tendance de ces interventions.

Quand on observe la pratique obstétricale actuelle, on est frappé, au premier abord, par la multiplication et la banalisation des interventions. Chaque intervention qui semble débuter modestement, « raisonnablement » au Québec n'est qu'à quelques mois ou années de se généraliser complètement. Prenez l'exemple de l'échographie, cette utilisation des ultrasons pour obtenir une image du fœtus au travers du ventre de sa mère. L'échographie a été développée, au départ, pour investiguer des situations vraiment problématiques. D'exceptionnelle il y a dix ans, elle est maintenant courante, alors qu'on n'a jamais prouvé l'utilité de son usage routinier, et qu'on n'a pas encore mesuré adéquatement les effets et les conséquences de cette technique sur les mères et les bébés. Ce passage fulgurant d'un usage exceptionnel à un usage commun, et d'un usage commun

---

* Isabelle Brabant est sage-femme à Montréal depuis 1979. Vu l'absence d'une formation institutionnelle reconnue au Québec, sa formation est faite d'un étroit mélange d'études personnelles rigoureuses, de pratique partagée et d'ateliers spécialisés. Elle a participé à la création de plusieurs groupes dans le mouvement d'humanisation des naissances au Québec, comme Naissance-Renaissance (1980), le Groupe de travail pour la reconnaissance des sages-femmes (1982), l'Alliance québécoise des sages-femmes praticiennes (1986), dont elle a aussi été coordonnatrice. Elle collabore depuis deux ans à la revue L'Une à l'autre, spécialisée en périnatalité, et a donné des ateliers, conférences et entrevues un peu partout au Québec, pour faire avancer la cause des femmes et des sages-femmes.

Son intérêt pour les nouvelles technologies reproductives découle tout naturellement de son engagement auprès des femmes dans leur maternité, puisque être sage-femme en 1987 implique nécessairement un accompagnement professionnel et humain des femmes et des familles touchées par ces interventions et une recherche du sens profond de ces technologies et de leurs implications.

à un usage obligatoire a de quoi inquiéter. À Montréal, les femmes qui refusent de passer une échographie pendant leur grossesse ont de la difficulté à trouver un médecin qui accepte de faire leur suivi prénatal. Et c'est fort compréhensible: les médecins sont dans une situation telle que s'ils ne font pas d'échographie, ils sont sujets à des pressions ou même des poursuites pour ne pas en avoir fait, puisque ça fait partie de la norme obstétricale. Tout le monde est donc dans l'obligation de faire ou de recevoir des échographies. Où est le choix? Comment, dans ce contexte, se protéger des effets de techniques potentiellement dangereuses et encore expérimentales?

C'est vrai aussi pour l'amniocentèse: les femmes de trente ans me disent aujourd'hui: « Penses-tu que je devrais passer l'amnio? » Mais 30 ans, c'est le bel âge! Où est le problème? Les femmes de 30 ans s'inquiètent, et demain ce sera le tour des femmes de 28 puis de 22 ans qui s'inquièteront de la qualité de leurs ovules, de leurs bébés. Je peux facilement imaginer dans un proche futur, un temps où toutes les femmes se sentiront obligées de passer l'amniocentèse pour s'assurer qu'elles ne produiront pas un bébé handicapé alors qu'il existait des moyens d'éviter ça.

La médecine ne se développe pas selon une trajectoire scientifique, « Scientifique » avec un grand S. Ce qui se fait comme pratique médicale en 1987 est principalement justifié non pas par la science, mais par ce qui se faisait l'année dernière, et ce qui se faisait l'année dernière est justifié par ce qui se faisait l'année précédente. Les pratiques évoluent donc comme ça, un peu « au p'tit bonheur la chance », sans qu'il y ait d'évaluation rigoureuse de leur efficacité, de leurs effets, et sans non plus qu'on ait un recul historique et sociologique pour comprendre la portée de ces gestes médicaux sur l'ensemble de la société.

Si la médecine n'a pas ce regard critique envers ses propres pratiques, c'est à nous de le porter, nous le public, nous les femmes, dans le contexte précis de leur application, et dans la perspective plus large de leur impact social. C'est à nous aussi de participer aux décisions qui influencent les tendances prises par la médecine.

La question que je me pose, quand je regarde le développement de toutes ces techniques, est la suivante: quand on choisit une image échographique plutôt que ce qu'une mère sent ou ne sent pas de son bébé, qu'est-ce qu'on choisit? Qu'est-ce qu'on perd? Quand on choisit l'amiocentèse, qu'est-ce qu'on choisit? Qu'est-ce qu'on perd? Quand on choisit la fertilisation in vitro, qu'est-ce qu'on choisit exactement, et qu'est-ce qu'on perd? Et quand on répond à ce genre de questionnement par un haussement d'épaules en disant: écoutez, on ne peut tout de même pas commencer à se casser la tête avec ces idées-là..., on répond exactement à la question: on répond que ce qui n'est pas visible sur un écran n'est pas important, que ce qui n'est pas contrôlable dans un laboratoire est négligeable. Et c'est une réponse lourde de conséquences pour l'humanité dans son entier.

C'est un grand défaut du regard médical, que d'être automatiquement prioritaire et exclusif. À partir du moment, et c'est déjà fait, où on considère l'accouchement comme un acte médical, toute vision autre de la naissance n'a de place que dans les livres de poésie…! Le regard médical s'est imposé comme étant le seul, et toute femme qui essaie de faire valoir un point de vue différent, qu'il soit intime, spirituel ou de quelqu'autre source, verra son point de vue considéré comme mineur, facilement ridiculisé, relégué au rang de caprice à satisfaire ou alors polarisé: « Si vous aimez mieux que votre bébé en meure » ou « si vous aimez mieux que votre bébé soit handicapé »… comme s'il fallait choisir l'un ou l'autre, comme s'il n'y avait qu'une façon d'envisager la situation! Le regard médical ne supporte pas de s'insérer à sa place, en complémentarité, parmi un ensemble de façons d'aborder un événement.

La médicalisation de tout ce qui touche la naissance, la reproduction, la vie, la mort, a des conséquences à moyen et à long terme pour la société, et des conséquences à court, moyen et long terme pour les femmes qui la vivent. Il y a bien peu d'intérêt dans le domaine médical pour les effets psycho-sociaux à long terme, ceux qui affectent notre santé mentale comme société. Les seuls effets considérés (et encore!) sont les manifestations physiques importantes et immédiates. Et on attend des femmes à ce qu'elles soient raisonnables et qu'elles endurent les « désagréments », étant donné l'importance des objectifs poursuivis. Comme on pouvait s'y attendre, la plupart des femmes sont « raisonnables » et endurent, mais les effets ne sont jamais scrutés, analysés, étudiés et on n'en pèse jamais l'importance en regard des vrais résultats obtenus.

Ce processus de médicalisation se fait d'autant plus pernicieusement qu'il se fait à l'insu bien souvent des femmes impliquées et des gens en général. On ne sait plus que la façon dont on parle de l'accouchement aujourd'hui découle de la façon de le voir en tant qu'acte médical. On pense que c'est ça un accouchement. Des sages-femmes de retour d'Haïti, où elles ont travaillé quelques mois, témoignaient récemment que les femmes y passent tout leur travail ainsi que la naissance couchées sur le dos sur la table d'accouchement étroite et inconfortable. Ça leur est impensable de se placer autrement à quelque moment du travail. Aucune d'elles n'est consciente que cette position leur a été imposée par les missionnaires blancs: elles ont oublié. Et les suggestions des sages-femmes de se permettre plus de mouvements, se sont heurtées d'abord à de la méfiance et de l'incrédulité.

Une intervention médicale ne vient jamais seule. Voilà un autre des problèmes amenés par leur généralisation. Elles sont jumelées, combinées, sans compter que les effets de certaines d'entre elles vont exiger d'autres traitements et interventions pour y remédier. Par exemple, la moitié des bébés conçus en éprouvette naissent par césarienne. Comme déjà le taux de césarienne est autour de 20% au Canada et au Québec, est-ce que l'accouchement « par voie basse » comme ça s'appelle dans le jargon médical, sera un jour chose du passé, un processus artisanal à ranger avec le macramé? Est-ce qu'on verra le jour où les femmes penseront qu'avoir un enfant passe obligatoirement par un laboratoire? Est-ce que nos petits-enfants s'endormiront au son des histoires de grand-maman qui leur racontera comment « dans le temps » on faisait les bébés? Ce n'est presque pas de la science-fiction malheureusement. De la même façon, j'ai peur d'avoir un jour à raconter à mes petits-enfants qu'au temps jadis on se promenait dans les forêts, que les feuilles étaient vertes, et que, d'ailleurs, les arbres avaient des feuilles!

Les NTR nous apportent de fausses promesses. De fausses promesses de perfection comme dans le cas du diagnostic prénatal. L'amniocentèse, par exemple ne dépiste qu'un très petit nombre d'anomalies génétiques sur les quelques milliers possibles. En aucun cas, l'amniocentèse ne peut garantir l'arrivée d'un enfant normal. Imaginez la douleur et la déception, le sentiment de trahison d'une femme qui a un enfant handicapé après avoir traversé toutes ces interventions. Imaginez le genre d'intolérance aux handicaps qui se développera dans une société où les NTR permettent de croire à l'élimination de certains d'entre eux. Ne va-t-on pas regarder un enfant handicapé comme le produit d'une négligence... et sa mère comme responsable? « Comment se fait-il qu'elle n'ait pas passé les tests? » De fausses promesses de résultats aussi quand il s'agit de fertilisation in vitro... ou autre, parce qu'il y en a d'autres. En admettant que le taux de succès d'aujourd'hui (8%) s'améliore, je ne vois pas le jour où il atteindra même 90%!

Pour les cas encore exceptionnels où les grossesses artificielles réussissent, elles font désormais partie d'une catégorie plutôt récente: les grossesses précieuses, ces grossesses obtenues à partir d'interventions extra-ordinaires. Les grossesses normales obtenues de façon artisanale, dans un lit, seront plus que jamais considérées comme banales et inintéressantes par la médecine assoiffée de contrôle, de problèmes à régler, de frontières à reculer. Ce phénomène est déjà présent aujourd'hui: la seule façon d'obtenir des soins, de la présence, de l'attention pendant la grossesse et l'accouchement, est d'avoir des problèmes! Les femmes qui ont des grossesses normales ont 5 minutes d'attention par mois de la part de leur médecin, ce qui est loin, on s'en doute, de combler leur besoin de contact, d'échange, d'information et de soins. La solitude et parfois même la détresse finissent par trouver une voie d'expression dans le développement de problèmes physiques et ce phénomène est en partie responsable, bien involontairement il va de soi, de l'augmentation de complications obstétricales. Et si la seule façon d'obtenir un accompagnement humain et professionnel adéquat est de passer par des programmes NTR, ira-t-on en chercher là?

Pendant ce temps, l'angoisse et la douleur des femmes vécues à travers ça sont considérées comme un effet secondaire non-désirable mais mineur. L'angoisse de celles qui choisissent de ne pas utiliser le diagnostic prénatal face à la pression sociale incroyable, déjà. L'inquiétude des femmes qui subissent les interventions de diagnostic prénatal, l'angoisse quand on attend « le » résultat. Comment une femme vit-elle sa relation avec son bébé entre l'amniocentèse à 16 semaines et le moment où elle reçoit le verdict, à 20 semaines? Est-ce qu'on peut s'attarder à ce bébé qui commence à bouger pendant cette période? S'en émouvoir, l'aimer, alors qu'on ne sait pas encore si on va pouvoir le garder?

Comment s'occupe-t-on des mères qu'on « délivre » d'un enfant handicapé en cours de grossesse? Qui se soucie de leur douleur, du deuil qu'elles doivent vivre, celui de l'enfant réel qu'elles portent, et celui de l'enfant parfait qu'elles croyaient porter? Quel est l'effet de l'angoisse sur les femmes, sur la relation entre une femme et son enfant, sur son partenaire, sur les enfants eux-mêmes? Qui s'en préoccupe? Qui est là quand un enfant handicapé passe entre les mailles du filet et arrive dans les bras d'une femme et d'un homme? Qui les accompagne? Quelle énergie mettons-nous, comme société pour supporter les gens qui doivent confronter cette réalité? En se focalisant sur l'individuel et le spectaculaire, comme on le fait dans la fertilisation in vitro, on fait un choix beaucoup plus significatif qu'on ne le pense. La façon dont on choisit « d'aider les femmes » en révèle beaucoup. Et les femmes collaborent à cette façon de voir les choses, dans la mesure où elles se prêtent à l'expérience, parce qu'on ne leur offre rien d'autre! On ne craint pas, d'ailleurs, de les y inciter en utilisant la peur très normale d'avoir un enfant différent, a-normal, pour « guider » les femmes vers le diagnostic prénatal. On ne craint pas de miser sur de faux espoirs pour les amener à utiliser des techniques artificielles de fécondation.

Je crois sincèrement que la plupart des praticiens et des chercheurs impliqués dans les NTR sont de bonne foi, et inconscients des implications dont nous discutons aujourd'hui. Peu de gens, en effet, ont l'habitude, et en médecine encore moins, de s'arrêter pour réfléchir au sens profond de leurs gestes. L'expérience des femmes dans leur maternité est morcelée: dans son déroulement même, et dans le fait que les expériences de celles qui subissent les conséquences d'un stérilet, de celles qui sont en recherche de fertilité, de celles qui subissent les interventions de diagnostic prénatal sont rarement unifiées pour en découvrir un sens plus large. De la même manière, l'expérience des gens qui travaillent dans les NTR est aussi morcelée: le chercheur qui travaille sur l'ovaire, s'assoit rarement avec celui qui se spécialise dans le clonage d'embryons animaux et le praticien en contact avec les femmes infertiles (et plus rarement encore avec les femmes elles-mêmes!) pour échanger sur le sens social et humain de leur intervention.

L'intention avouée des praticiens de NTR, soit d'aider les femmes et familles infertiles, est sans doute sincère. Mais, avec le recul, les chemins choisis indiquent très clairement le véritable but de cette quête de la science: le contrôle du processus de création. Non seulement le contrôle, mais la transformation de ce processus de création, un processus obscur, incertain, hors de notre portée, en un processus de fabrication parfaitement contrôlable. Par qui et comment le processus de fabrication d'êtres humains sera-t-il contrôlé, voilà désormais les questions à se poser. Ça fait longtemps déjà que la science et la médecine essaient de « dompter la mort ». Ça fait partie de la même quête vaine, parsemée de petites fausses victoires, qui voudrait nous faire croire qu'en travaillant un peu plus, en cherchant encore un peu, on va y arriver! Alors qu'on pourrait choisir de favoriser la vie, par l'éducation, la promotion de la santé, l'amélioration générale des conditions d'existence!

Bien sûr, d'autres intérêts sont aussi en jeu: des intérêts de noms à faire, de réputations, de carrières. On a toujours avantage à être l'artisan d'une première, le héros de cette percée continuelle dans le mystère de la vie. Les premiers pas de l'homme sur la lune étaient bien du même ordre. Mais des intérêts bien plus puissants règlent déjà le développement et l'application des NTR: la systématisation de ces technologies, donc, leur commercialisation, et leur industrialisation. Les compagnies qui fabriquent de l'outillage et fournissent la technologie pour permettre ces interventions ont de très grands intérêts dans leur développement et leur propagation. La rentabilité de ces industries est incompatible avec le fait d'aider les femmes et les hommes à vivre avec leur expérience quotidienne d'infertilité, ou leur inquiétude éternelle et normale de mettre au monde un enfant qui ne soit pas parfait. L'intérêt de ces industries est de faire plus de profit, comme toute industrie, et donc, d'élargir leur clientèle-cible, d'agrandir leur marché, de créer de nouveaux produits, de nouveaux services, d'utiliser les besoins des gens, de les gonfler si nécessaire, et même d'en créer. En somme, une stratégie de marketing classique, comme ailleurs dans le commerce. Pourquoi les industries en jeu dans les NTR feraient-elles exception à ces règles?

Les médecins eux-mêmes sont victimes de la commercialisation: les praticiens n'ont pas nécessairement le temps de lire la littérature médicale publiée dans les revues scientifiques. L'information nouvelle à laquelle ils sont le plus exposés est la publicité que leur envoient les grandes compagnies pharmaceutiques et les manufacturiers de fournitures médicales. Ces publicités utilisent habilement des arguments médicaux, minutieusement choisis, il va sans dire, pour vendre leurs produits. Les médecins deviennent finalement des revendeurs! À leur insu tout probablement et au détriment des femmes, évidemment!

La maternité est une force, un pouvoir extraordinaire, mais c'est aussi notre talon d'Achille! C'est notre endroit sensible et vulnérable, maintenant plus que jamais, à l'heure où la technologie (et ses grands prêtres) prétend se l'approprier. Quand on regarde la façon dont la maternité est vécue, la façon dont elle est ou n'est pas supportée, quand on regarde le taux croissant d'infertilité, on se rend compte que les femmes ont mal à leur utérus, que les femmes ont mal à leurs amours, à leurs enfants, à leur reproduction, et je me demande quel remède nous voulons apporter à ce malaise profond. Le monde est malade: il a mal à nos ventres! L'énergie qu'on devrait dépenser pour changer les conditions qui ont permis une telle dégradation des conditions de maternité et de vie, cette énergie prend une fausse direction, on est en train de la laisser dévier vers des solutions lourdes, curatives, conçues pour l'exception: on « règle » les problèmes à la pièce, en se focalisant sur l'individuel et le spectaculaire. On semble raccommoder la reproduction chez une femme, et encore, quand ça marche, mais il faut recommencer pour toutes les autres: le problème demeure entier.

J'aimerais suggérer un point de vue écologique par rapport à tout ça: qu'on mesure la portée des gestes qu'on pose en égard à l'ensemble. Qu'on change les conditions de vie dans le monde pour qu'elles nourissent les femmes, pour qu'elles nourissent et protègent les mères et les bébés. Pour qu'on se permette, quand on en aura un peu fait taire le cliquetis des instruments, d'entendre le cri de douleur des femmes et des couples infertiles, qu'on assume ce cri, qu'on y réponde, qu'on opère de véritables changements, pour ne pas se retrouver bientôt « stériles de mère en fille »! J'ai envie de voir le monde changer pour que la fertilité revienne, que la santé revienne, pour qu'il y ait de la place pour les enfants différents, et de la place pour les enfants tout court. Qu'il y ait de la place pour le féminin, de la place pour l'humain.

When Medicalisation Equals Experimentation and Creates Illness: The Impact of the New Reproductive Technologies on Women
Renate Klein*

Résumé

Il ne suffit plus de dénoncer la médicalisation progressive du processus de reproduction, car on en est maintenant à l'étape de l'expérimentation sur le corps des femmes. Par l'intermédiaire des techniques de fécondation in vitro, le monde scientifique et médical exerce en effet une nouvelle forme de violence envers les femmes et, loin de remédier à leur problème d'infertilité, provoque chez elles des dommages graves à leur santé physique et mentale.

Ce texte analyse d'abord par des exemples de cas, en quoi les « succès »tant célébrés des technologues se révèlent, pour les femmes concernées, désastreux sur le plan de leur intégrité tout en étant le plus souvent inutiles puisque les taux de succès de la FIV dans le monde n'ont jamais dépassé le seuil de 10%. La stimulation hormonale excessive, les traitements hormonaux comme celui du Chlomid aux effets en-

* Madame Renate Duelli Klein est une neurobiologiste suisse détenant une maîtrise de l'Université de Zurich. Elle s'est donné une deuxième formation en études féministes à l'Université de Californie et a complété un doctorat à l'Université de Londres sur la théorie et la pratique des études féministes dans différents pays. À partir de septembre 1986, elle a entrepris une recherche post-doctorale à Melbourne en Australie sur les expériences de femmes ayant abandonné un programme de fécondation in vitro et plus généralement, sur l'impact des nouvelles technologies de la reproduction sur les femmes.

Sa formation scientifique et ses recherches en études féministes l'ont amenée tout naturellement à s'intéresser activement à la question de la reproduction et des manipulations génétiques d'un point de vue féministe. En 1984, elle collabore avec Rita Arditti et Shelley Minden, à l'édition d'une première anthologie féministe sur les techniques de paraconception intitulée: *Test-tube Women: What Future for Motherhood?*. En plus des nombreux articles publiés et des conférences qu'elle a prononcées sur le sujet. Mme Duelli Klein est co-éditrice de la série ATHÈNE, une collection internationale d'ouvrages féministes publiée par Pergamon Press. Une des membres fondatrices du FINRRAGE, Mme Renate Duelli Klein en est également la coordonnatrice internationale depuis 1985.

core méconnus, le prélèvement de follicules, génèrent des risques importants pour la santé des femmes et la succession de tentatives et d'échecs crée des tensions émotives très éprouvantes pour aboutir, dans la majorité des cas, au choc psychologique final de la faillite du processus.

Plusieurs forces sociologiques en jeu contraignent les femmes à se soumettre à ces projets expérimentaux: les stéréotypes sexuels, des considérations de nature démographique et économique créent un contexte de pression qui élimine une réelle liberté de choix et qui les amène à obéir aux dictats du monde médical et à entrer dans le cercle vicieux des technologies.

Sous couvert d'une illusoire liberté de choix, la contrainte exercée sur les femmes sert ultimement les intérêts des producteurs de biotechnologies qui ont besoin d'oeufs humains obtenus par la FIV pour mener à bien leurs expériences dans le domaine du génie génétique. De plus, les efforts et les investissements financiers consentis dans le domaine des techniques d'évaluation des embryons font craindre qu'on veuille élargir le marché potentiel et soumettre de plus en plus de femmes enceintes à ces tests en les rendant moralement responsables des « imperfections » éventuelles de leur enfant.

Or, cette technologie de pré-implantation, en plus d'être fondée sur une idéologie eugéniste, intervient dans un contexte d'ignorance absolue des effets secondaires qu'elle peut provoquer sur le corps humain. Pour juguler cette menace qui plane sur l'avenir de toutes les femmes, il n'y a qu'un seul remède efficace: stopper toute technologie reliée à la FIV et à l'expérimentation sur l'embryon.

The topic of this workshop is the further medicalisation of women's reproduction. But I would like to change these words at the very beginning of my presentation: instead of talking about "medicalisation" I prefer to use the term **experimentation**. For it is my contention that not only are women increasingly "medicalised" in every aspect of our reproductive lives from attempts to conceive to giving birth, but that these interventions amount to **experimentation**.

Secondly, I believe that this medical experimentation on women's bodies is a new form of **violence** against women, and, instead of curing a problem, often creates one: psychological and physiological illness. Procedures associated with the new reproductive technologies — which supposedly are the artificially assist the production of a child — amount to a violation of a woman's bodily integrity, of her physical health and mental sanity, and, in fact, quite fundamentally of her dignity as a human being. Moreover, for example, instead of satisfying the "clients" on test-tube baby programmes by giving them their desired child, because of the programmes' low success rates, 85 to 90 out of 100 women leave the in vitro fertilization (IVF) clinic without child. Indeed, many of them are deeply disturbed about being "failures" once more: this time even with the help of technology. In addition to this turmoil they may have to pay a high price: short and long-term physical damage done to their bodies from the hormones administered whilst undergoing the IVF procedure (about which I will elaborate later).

Thirdly, I want to argue that whilst the promoters of increased medical intervention in the process of human procreation speak of "choice", "free will" and "voluntary consent" of the patients[1] who, as they maintain, are perfectly "free" to refuse participation in their human experimentation laboratories, I believe that increasingly it is not "choice" but rather **coercion** which makes women worldwide queue, for example, on IVF programmes, or ask for more prenatal tests.

As time is limited I will begin by looking at some examples to illustrate my point that the new reproductive technologies amount the experimentation on women's bodies and that I perceive them as a violation of women's bodily and mental dignity. Furthermore, they do not work for the women but rather, as a participant in a survey which I conducted in Melbourne in early 1987 among women who left IVF programmes without a child, put it: "The only ones it works for are the scientists and doctors — not us!"[2] Next, I shall briefly discuss the choice vs. coercion argument and conclude with a look at what the future holds for **all** women — not just for those with a fertility problem — which is rapid new developments on pre-implementation diagnosis and the maturation of immature eggs in vitro.

Experimentation that Amounts to Violence

Since the birth of the first test-tube baby in 1978 the international clique of "technodocs" — a term used to describe both IVF scientists and doctors — have reported the following "firsts": from Australia, in 1983 the birth of an IVF child from a donated egg, and in 1984 a birth from a frozen embryo as well as the first IVF quadruplets. 1983 also saw the U.S. "first": an IVF birth via "lavage" meaning that the body of a woman was employed as a temporary surrogate by artificially inseminating her and flushing out the embryo before it implanted itself in her womb and inserting it into the uterus of the sperm donor's wife. (Bustillo et al, 1984). In September 1985, we were told about the first pre-sexed IVF baby: a boy born in an IVF clinic in New Orleans, and in 1986 news reached us about the first birth — twins — from frozen **egg** cells in Adelaide, South Australia. Finally, in 1987, we heard about the "frozen sister": a test-tube sister born to an English IVF child who in 1985 had been "harvested" from the same egg-crop — an Australian IVF practitioner's term — as the first child, then was frozen and thawed/implanted in her mother's womb 18 months later,[3] as well as the first woman in the world to give birth to her own grand children: a 47 year old South African woman who had her daughter's fertilized eggs implanted which resulted in triplets born by a Caesarean section.[4]

If these "successes" are not enough: we now also have a pool of human eggs to choose from at the Cleveland Clinic in Ohio, U.S.A.,[5] and a host of new IVF techniques: GIFT — putting the fertilized egg back at the end of the fallopian tubes — or a recent "success" from London: a pregnancy achieved through the replacement of a donated frozen embryo in the fallopian tube.[6] And we have Michele, the child born seven weeks after her mother was declared dead from a brain tumor but kept alive on a life-support until the birth.[7]

All these events are hailed as "successes" by those who seem to perceive women as birth machines whose parts can be combined at will and whose mental state whilst being used as temporary breeders or anxiously waiting to find out whether the embryos inserted in their wombs would "take" are of no importance what so ever. In contrast to those who see them as successes I see them as dehumanizing experimentation on women's bodies and minds, perhaps depicted most vividly in a new method called Intravaginal Culture and Embryo Transfer and described as providing "a simple, fast, and inexpensive approach to the fertilization and culture of human ovocytes": After fertilization of extracted ovocytes, the embryos are put in a hermetically sealed tube and "placed in the mother's vagina, held in place by a diaphragm, for an incubation period of 44-50 hours". As Dr. Ranoux of the University Clinic in Paris said of his new technique (which by the way earned him a prize)[8]:

> "Intravaginal culture simplifies the laboratory manipulations needed for in vitro fertilization, since no incubator or carbon dioxide is needed."

"No incubator is needed..."!? — or should one say that, as the technodocs see it, the new technology helps a woman to assume her proper role? As Ireland's leaving IVF specialist, Roby Harrison, puts it: "the best incubator is the one God provided."[9] I can hardly envisage a more reductionist picture of a woman than a body whose vagina incubates her own future child in a test-tube.

And woman is indeed a good incubator — one that talks voluntarily into a lab, presents her veins for endless blood samples — (as many as 200, as some women in my study report) — who swallows fertility drugs as told, bears hormone injections and does not dare to complain about "side effects" such as:

> "... hot flushes and abdominal discomfort or bloating, blurred vision, nausea nervous tension, depression, fatigue, dizziness and lightheartedness, insomnia, headaches, back problems, and breast soreness."[10]

An incubator that submits herself to an ever increasing battery of new methods such as untested and potentially dangerous "hormone cocktails" as a French gynecologist (Cabau 1986: 2-4; see also Laborie, 1988) calls them: mixtures of different hormones to, on the one hand, stimulate the growth of a multitude of egg follicles, but on the other eliminate woman's own bodily functions — that is make her menopausal — in order to then start them afresh with fertility hormones. And "it works", reports a doctor excitedly, "the women even get hot flushes".[11]

None of this is without danger. The Journal of In Vitro Fertilization and Embryo Transfer reports the case of a 25 year old woman who had undergone hyperstimulation of an IVF programme in Bristol, U.K., which led to rapidly developing cancer covering both ovaries, appendix, uterus and bladder. Superovulation seems thus to promote cancerous cell growth (Carter and Joyce, 1987: 126-128). Yet another time-bomb may be ticking in Chlomid — one of the most frequently prescribed follicle stimulating hormones on both IVF programmes and "conventional" infertility treatments. It bears a very close structural similarity to DES (Diethylstilbestrol), a drug which was prescribed to women prone to miscarriage from the 1940s to the 1970s and which resulted in 3-5 million daughters and sons with fertility problems and, in the case of the daughters, with increased incidence of cancer of the womb and the cervix as well as increased rates of breast cancers for the mothers.[12]

Not only have the women to submit themselves to experimentation with regard to follicle and egg cell growth but also to new egg recovery methods. One such method hailed as "real progress" which is said to be painless **and** entailing the additional benefit of letting women participate in the egg recovery is described by an Austrian medical student who participated in a course of IVF as follows:[13]

> "Lying on the gynecologist's chair, legs apart, an object for the spectators, the woman was shaking with shame and fear... Dr. X, sitting between her legs, introduces the vaginal scanner. Free-handed he punctures the follicles by each time thrusting the needle into the woman, analogous to the desire to penetrate. All the students present stare at her genitals. After harvesting 5 follicles the woman wants to stop the torture because it hurt so much. "But", Dr. X says soothingly, "there are still such beautiful follicles", and against her will follicle six and seven are punctured as well. Each time, with each thrusting of the needle she shakes with pain but Dr. X insists on continuing even to the point where only a black follicle which looks like a bubble remains. It turns out to be a cyst. And all of this is considered routine despite the fact that while puncturing a follicle Dr. X injured the iliac vein. Such life-threatening injuries are diminished and cast aside with jokes: when he has finished, the doctor suggests the patient has breakfast with her husband and go shopping."

I think these examples ambly demonstrate that IVF is far from being an "established practice" as IVF practitioners internationally like to call it, selling it to the public as something which is here to stay, but continues to be violent experimentation on women's bodies. We need to remind ourselves that the IVF success rates worldwide remain between 5 and 10% only and that they do **not** go up. Furthermore, it appears that experimenting with various hormone cocktails and other new methods I have no time to describe here (they involve "short-circuiting" the pituitary which may have yet unknown detrimental effects on other metabolic processes[14]) does not lead to more pregnancies and, most importantly, to more births. What it appears to be leading to is more eggs — and hence more embryos — which is what is of direct use to the technodoc.

In other words thousands of women throughout the world are experimental guinea pigs whose bodies and souls are violated in the process of being "egg farms" (Murphy, 1984): of providing scientists with a constant flow of eggs. And, to repeat myself, in the end the women don't even take a baby home. Many of them are angry at IVF practitioners and their failure to treat them as human beings, and who instead treated them as defect machines to be poked and tampered around with until they produce. If they don't deliver their goods, however, they are thrown off the programme and refused further help. Their space is needed for a new experimental object. As one woman in my study put it:

> "I felt like a baby machine; no one was interested in me as a person. I was just a chook with growing eggs inside — and if they didn't grow properly then it was my own fault."

Another said:

> "No one ever talked to us about our experiences in the programme. I mean the psychological side of it. Doctors don't place a great deal of importance on you. For them you are just X, just another number and if you have "failed", another statistic."

Many women who do "fail" — sometimes after 8 or more attempts spanning a time of 5 or more years in which their lives are suspended and they have been up and down on an emotional roller coaster again and again — at the end have become ill in the very real sense of the word: my research has revealed cases where the administered drugs led to irreversible neurological damage and even to infertility caused by contracting an infection during egg recovery via the vagina. And we may soon see more and more women with chronic illnesses from the hormones. From my study it is evident that the majority of the 90 to 95% women for whom IVF was unsuccessful had the most abysmal time in adjusting finally to life without children when it was all over. As one woman explained to me:

> "When I was told after the third attempt that my eggs weren't good enough and that I should give up I was shocked and utterly devastated. I remained deeply depressed for more than a year and I was suicidal a lot of the time. I felt such an abysmal failure, a barren woman unable to give my husband a child and my parents their grandchildren. I had even failed technology."

She speaks for many others who after years of having been coached into becoming *Mother Machines* (Corea 1985a) are then confronted with the shock that there is no other way than to embark on the grieving process in order to finally accept that there will be no biological child (or no more biological children.)[15] I contend that precisely **because** of the IVF programme, for many this process will be much harder than had they begun it some years ago. The years of being experimented upon on body and soul leave marks on their sense of self and identity. Being dropped as a "bad statistic" without any support offered to cope with the shock and often having become economically dependent on the husband because of IVF's high cost is great harm done to women whose only mistake it was to believe that the reproductive technologies would provide them with a baby. It is the exploitation of a desire without true choice. This comment leads to the next section: the choice vs. coercion argument.

Choice vs. Coercion: Women as Victims and Colluders

"But women want it...!" or "No one forces a woman to go on an IVF programme..." are two of the most frequent responses thrown back at critics of the new reproductive technologies. Implicit in this statement is a total lack of understanding of the many societal forces that coerce women into having children. This is especially true in the pronatalist industrial West so as to overcome the imminent "Birth Dearth" announced by a recent U.S. publication (Wattenberg, 1987).[16] Economic considerations which demand that women step outside the jobmarket (or are employed only in part-time positions as a cheap and flexible "reserve" labour force) also play a role. Equally important, however, are continuing sex-role stereotypes — often internalised by women themselves — that a proper woman is only a woman with child. There is still a tremendous stigma attached to a fertility problem and almost all women in my study said they felt embarrassed and "guilty" about not being able to produce a child.[17] Because IVF is sold by its promoters as a feasible procedure and the risks involved are not mentioned, many women now feel that they have no choice but to try their luck. "I feel I had to do it ", "it seemed our last chance", "I wanted to have done absolutely everything possible" are among the most frequently voiced statements in my study. Even by women who don't really believe that IVF will work. As one participant remembers:

> "I never really believed it would work. But I felt I had to do it so that I then could say "I've done absolutely everything"."

Once on the programme they have lost their autonomy. From the doctor's point of view they have come to them because they want a child "at any price". Women who question certain procedures are not liked. As one woman told me:

> "When I came with my list of questions Dr. X patted me on my head and said: 'now don't you worry your little head off... we know what's best for you, so if you co-operate and stop worrying you'll have a good chance.' Later, however, he stopped being so "nice" and once, when I complained about his assistant being too late for egg pick-up — which meant that I had missed my chance that month — he commented sharply that 'doctors' wives always cause trouble' and 'you want a child, don't you? — if you do then give up your job, stop being a problem and co-operate'. So I felt I had to shut up or risk delay on the programme."

In my view these are not real but rather "constructed choices"[18] with little space left to say "no" to the procedures — or parts of them. How many women will say no when they are asked for spare eggs or embryos for research for fear they might have to pay for this refusal with worse treatment? To talk about asking them for "informed consent" when they are in such a vulnerable position is a farce.[19] It is also unlikely that many, when finally on the programme (the waiting lists can be as long as two years), will have the courage to say "stop".[20]

Most of the participants in my study are women determined to comply with whatever they are told to make the operation "child" successful. They may resent the patronizing treatment they receive, they may even worry about damage done to their bodies and they readily admit that they are under enormous mental and physical stress, for instance to make the programme's demands fit in with their work, but they believe they must go on. In addition to their husbands they now feel that they can't let the doctors down. [21]

It is thus my contention that the combination of exterior pressure forcing people with a fertility problem to undergo IVF and interior problems of abiding by the rules of the experts in white, [22] on top of the very real pain that the unfulfilled desire for a child can cause, leaves women very little choice of foregoing IVF, or, as I will shortly elaborate, the rapidly expanding range of other technical interventions such as pre-implantation and pre-natal diagnosis. In addition to these self-perpetuating dynamics I want to conclude this section with two further examples which in my view clearly indicate that "choice" with regard to the use of the new technologies isn't real choice but, rather, that it amounts to coercion. And no, this is not science fiction, this in 1987. After talking to me with great anger about how abysmally badly she had felt when treated by Professor X ("he is a real pig", "he is absolutely star-struck with himself", "he isn't interested in people, only in science"), how deeply she resented being dismissed from the programme because of the presence of sperm antibodies and being told that there was no hope for her and her husband; they were and would always be infertile, she then proceeded to tell me that only four weeks after leaving the programme she became pregnant (without any drugs) ans is now the happy mother of an 8 months old baby. After my excited congratulations she then, with a monotonous voice, proceeded to say "I suppose, however, that one day I will have to go back". "I don't understand", I replied. "Go back? What do you mean?" "Well", she continued:

> You see it's these frozen embryos. I've got frozen embryos from all three attempts. Now, I don't want them to be flushed down the sink, I don't want to give them for research and I don't want to give them to another woman (I couldn't bear the thought that my child was running around without me knowing it). So what other option is there than go back. I know it sounds sick. Here I am feeling so angry about the programme, being totally sick of it, even having my own child... and yet, you know... you just plug on, on and on... Also, I must admit I feel quite maternal towards my embryos in the fridge — I used to tell my friends and they used to laugh — and I'm actually worried: I don't think we had a bill for storage fees... I'd be really p... off if something had happened to them..."

This is where I believe that the extent of coercion implicit in IVF reaches a new dimension. [23] A further conversation with another woman who remembered her feelings when the embryo transfer had failed made me name IVF for the first time a **sadist**[24] practice, devised to simultaneously keep women hooked to it and set them up for failure. These are her words:

"I cried and cried when I heard that the embryo transfer hadn't worked. Ever since they had allowed John and me to have a look at our embryos in the glass dish through the microscope I had really believed it. Yes, we **could** have our own children, there they were... mind you I don't actually think of them as a baby but these cells have the potential to become a baby... our own baby... for the first time that abstract hope "child" becomes real... and then all you get is this phone call: 'Sorry, Mrs. H. see you next time...' and you ache and ache but then sign on again because it seems you were **so** close, close as never before in your life... so you **had** to give it another try..."

It is precisely the embryo transfer which does not work in the majority of cases. And it is precisely the question of **why** the embryos do not implant themselves in the womb about which the IVF scientists remain most in the dark. But people on IVF programmes are not told this. Instead, and especially so when they were able to see their embryos through the microscope, they are made to believe that for the first time ever they were close to reaching their desired child. I believe that it is this very **real** sensation which has been described to me by many women in one way or another, plus que total absence of any acknowledgement of the depth of the loss, and hence grief experienced, which fills many women with such despair that they see no other option than to sign on for another attempt, traumatic though it may be. Again I do not believe that the word "choice" can be used in such a context. But for those who disagree and also think that women on IVF programmes are a small and special group only[25] and that theirs are individual problems only, I shall conclude my presentation with some more thoughts on "choice" with regard to the use of reproductive technologies in the lives of the next generation of women.[26]

Experimentation and Coercion that will Affect All Women

Experimentation and coercion meet — and will increasingly do so — in the development of pre-natal diagnosis and the newly created field of pre-implementation diagnosis. And what is pre-implantation diagnosis?

Fifty U.S. biotechnological firms are at present engaged in a competitive rat race to develop so-called DNA probes which are able to recognise specific marker genes in chromosomes.[27] These chromosome parts in turn point to defect or missing genes[28]. In this way, it is claimed that it will be possible to diagnose 3 000 genetically caused diseases by removing one cell from a 4 to 8 cell embryo, a procedure which is called "embryonic biopsy". There is an unspoken fundamentally biological determinist and eugenicist ideology in these attempts to equal anything deviating from the "norm" (which norm?, made up by whom?) with a defect gene. Today only 3% of all birth "defects" are caused by genetic disorders but the public is made to believe that proven genetic disorders are much more frequent. The substantial financial investment in the development of tests for pre-implantation diagnosis makes it quite obvious that a market will have to be created: **all** pregnant women who will be made to feel so insecure about their "imperfect" bodies — and morally responsible if something **is** wrong with their child (which includes not being eligible for pregnancy benefits) that this will become a new coercion for pregnant women to submit themselves — (and their flushed out embryos!) — to more and more tests for which someone will have to pay.

It is thus wrong to believe that what happens today in the field of reproductive technologies and specifically, IVF, will remain confined to infertile people. In the same way that amniocentesis, chorionic villi biopsy and especially ultrasound[29] have become "information — age rites of passage for pregnant women" (Ince, 1987: 79) — it is reasonable to believe that pre-implantation diagnosis will soon be recommended to more and more women. But the only way to develop more pre-implantation tests is via embryos obtained through IVF. It is here that the **compulsory** link between IVF and embryo research becomes evident: a link that so few people want to acknowledged, or even see. Yet the second report of the British Voluntary Licensing Authority (VCA), April 1987, states it quite clearly (p. 6):

> "There are important research projects both to improve the present success rate for IVF and to develop techniques such as the freezing of eggs and pre-embryos that may be used with safety. Recently some projects have started that are related to the diagnosis of defects in the pre-embryo. The aim is to avoid replacing pre-embryos with chromosonal or other abnormalities in the uterus; a vital concern for couples who are at risk of giving birth to children with severe inherited genetic disorders."

And where do the embryos come from? They come from women who have been superovulated to produce eggs. (See Experimentation that Amounts to Violence, this presentation and Rowland, 1987 c). Until these tests are developed, having a constant supply of women's bodies remains thus imperative.

Once developed supposedly for "couples at risk" — in the same way that amniocenteseis has become almost compulsory for many women (see Farrant, 1985: 96-122)[30] — pre-implantation diagnosis could become mandatory. Women's "choice" would thereby be even further diminished: the choice to say "no" to these technologies and take on the risk of bearing a child with some birth defect may no longer exist. And again the question needs to be asked "who decides?" and, in line with what I am trying to show throughout this presentation, what kind of experimental procedures are one more sold to the public as "established medical practise"?

"The Next Stage: Gene Therapy" is the headline of a 1987 article which quotes a U.S. scientist, Robert Desnick from Mount Sinaï Medical Research Center, as saying:

> "Ultimately, genetic cures would mean 'correcting all sperm and eggs as well, so you could never pass it on'."

And the same article continues to assert that:

"By the mid-1990s, geneticists should be able to screen the general population for harmful genes and test — at birth — a person's likelihood of developing certain types of cancer, high blood pressure and heart disease."

Such statements not only reveal deeply ingrained eugenicist ideas, they are also misleading. For we need to be very clear about how specific gene therapy using the recombinant DNA technique is: whilst it may be possible to substitute a specific gene, it is not possible to know (or even to test for) the effects the exchanged gene will have on other parts of the body. This is where the real danger of this technology lies: in a way similar to using hormones in IVF technology and disrupting peoples' genes without knowing any of the "side effects". In addition, the idea of gene therapy reveals a biologically determinist belief: surfacing once more is the old belief that "biology is destiny" — this time it is our genes which are wrong and should be changed. "Serious" research news that genetic markers for manic depression have been found[31] are deeply alarming but pre-implantation diagnosis has already become a familiar area of research as recently documented in the statement of the West German Research Foundation (DFG) with specifically recommends further research on pre-implantation diagnosis (Deutsche Forschungsgemeinschaft, 1987) and in many research communications presented at international congresses, (for example Verlinsky et al., 1986: 186).

More than ever, I believe, women are "living laboratories" (Rowland, 1984: 364) in the hands of the triumvirate scientists, doctors and pharmaceutical companies. Male infertility is high on the research agenda internationally[32]: from France we hear that as many as 16% of the women on IVF programmes are fertile and undergo the whole procedure because of their husband's fertility problems (Laborie, 1988).

Women on IVF programmes die — the most recent death occurred in Perth, Australia.[33] Women on IVF programmes get seriously sick, and women on IVF programmes do in fact not take a baby home. Yet technodocs and biotechnology firms alike place increasing emphasis on the importance of developing genetic screening and genetic therapy as if these procedures could be performed without IVF, put differently, without invasive sadist experimentation on and violation of women. Indeed, with AIDS and the after effects of Chernobyl, freezing egg cells at an early age may soon be suggested as a safeguard for women in general (Tappeser, 1986: 132). Statements such as "I think in five years, gene cloning is going to be done in high school laboratories", made by the president of Calgene, a genetic engineering company in California (Pollack, 1987), are deeply disconcerting. But the "Final Solution to the Woman Question" (Rowland, 1984: 356) may be developed among others by Patrick Steptoe, one of the "fathers" of the first test-tube baby in his private clinic Bourn Hall in England: entitled "Maturation of Immature Ovocytes in Vitro".[34] Steptoe is following cattle breeders such as Ian Gordon at the University College of Dublin, Ireland. Gordon according to Vines (1987: 53):

> "... harvests immature eggs from the ovaries of cattle carcasses in slaughter-houses and matures the eggs in the laboratory. He has fertilised the eggs and matured them in the laboratory to the morula stage, when the embryo is a solid mass of cells."

One of Gordon's collegues, Christopher Polge of Animal Biotechnology Cambridge, U.K., explains the aim (Vines, 1987: 53):

> "We are looking for a cheap and more reliable source of embryos in cattle...
> **Then breeders wouldn't need to keep animals just to produce embryos.**"
> (Emphasis mine)

Once the development of immature egg cells in vitro is possible any slice from any woman's ovary — young or old, fertile or infertile — will do. Women could still be used as cheap labour, especially those of the "wrong" colour from the "wrong" class and the "wrong" culture (see Klein, 1985) and women would still have to carry the embryos to term, unless, of course the artificial uterus, as again developed in cattle breeding,[35] were to be perfected soon.

The only way to stop women from becoming even more exploitable through their further reduction to producers of specific spare parts is to stop **all** IVF technology including embryo experimentation. There are many grounds on which this can be demanded: IVF is ill-making and dehumanising experimentation on women's bodies,[36] sadist coercion and the necessary prerequisite for fulfilling the increasing demand for eggs and embryos for genetic engineering purposes. There is a direct connection between coercing **some** women into IVF and coercing **all** women into pre-implantation diagnosis. The price to pay for a few babies when the future of all women to keep the last remains of their reproductive autonomy is at stake, is too high. International resistance is needed, urgently.[37]

Synthèse du débat

Louise Fortin, agente de recherche en organisation communautaire, Conseil du statut de la femme

Dans une atmosphère fort animée et malgré le grand intérêt des participantes, les réflexions, les échanges et les questionnements n'ont pas mené à des consensus fermes. Comment penser concilier des pouvoirs si grands (ceux de la médecine et de la science) à des désirs d'enfants si profonds et oublier, du même coup, les intérêts en présence et les enjeux collectifs. Un beau et grand défi pour l'atelier « Mère sous surveillance ».

Parlons chiffres, pouvoir et sensationnalisme

Les résultats chiffrés des NTR étonnent bon nombre de participantes: tantôt parce qu'ils ne concordent pas, tantôt parce qu'ils sont confus ou évasifs. Si certains résultats ont pu être avancés ailleurs, le docteur Diogène Cloutier du Centre hospitalier de l'Université Laval (CHUL), qui n'a pas livré de résultats chiffrés dans son exposé, admet qu'il puisse y avoir quelque confusion: cependant, les résultats ne cessent de s'améliorer et le CHUL se maintient dans la moyenne avec seize bébés et six grossesses en cours sur environ 400 tentatives. Dans un tel contexte on déplore de part et d'autre le sensationnalisme qui entoure les cas « réussis », ce qui laisse largement croire que c'est facile, accessible et presque garanti. Un quasi-consensus se dégage donc sur le besoin d'une information large et réaliste.

À cette motivation de médecins de vouloir aider des femmes et des couples en détresse d'enfants, de leur fournir le support technique et scientifique pour mener à bien leur projet, plusieurs participantes, dont une intervenante en soins prénatals, interrogent le pouvoir médical et scientifique. Multiplier et généraliser les interventions sur la maternité, soit pour contrôler l'infertilité, soit pour amoindrir les facteurs de risques, est-ce toujours souhaitable? Établir un parallèle entre ces techniques avec celles qui entourent les greffes semble tout à fait malvenu, à cette intervenante d'un centre de santé: il y a danger de mort dans l'un et pas dans l'autre (NTR). Au-delà du fait que ce soit la crainte des poursuites qui, d'après le docteur Cloutier, justifie un grand nombre d'interventions préventives, il y a aussi, affirme une participante sociologue, l'aspect mercantile que toute une industrie de la recherche et de la science, à l'affût de nouveaux produits, de nouvelles techniques et de nouveaux débouchés, peut incarner. Et c'est le champ expérimental animal qui précède celui de la recherche en reproduction humaine, guidé par le profit, de surcroît, soutenu par le gouvernement, qui est souvent à l'origine des applications pratiques reliées aux NTR.

Ce panorama dressé par des participantes n'est pas sans en inquiéter d'autres qui se sentent jugées dans leur choix et leur motivation. Enfin, une autre dimension du pouvoir abordée dans cet atelier concerne les valeurs et l'idéologie véhiculées parfois par la médecine où les NTR s'inscrivent dans un contexte de « débalancement démographique, de questionnements autour de l'avortement, de stérilisation hâtives et même irréfléchies. » Plusieurs participantes ont réagi à ce qui est apparu comme une critique sociale et à l'utilisation de la médecine comme moyen de redressement. Cela renforce, chez certaines, la conviction qu'il faut demeurer vigilantes et actives dans ces débats.

Un si grand désir d'enfants pour les uns et les unes, mais à quel prix pour les autres?

Aborder le désir d'enfants, c'est aborder le frein à sa réalisation que sont, entre autres, les causes de l'infertilité. À cet égard, le court délai d'un an de non-conception avant d'être accepté en clinique de fertilité est remis en question. Mais s'appuyant sur la pratique du CHUL, le docteur Cloutier indique qu'il y a peu de cas de moins de cinq ans d'infertilité, et il avoue que le « temps est souvent le meilleur des traitements. » Les effets lourds des MTS-DES et du stérilet notamment sont relevés aussi par les participantes qui dénoncent la courte vue de la médecine. On a identifié comme autre frein les coûts financiers exigés des femmes et des couples et qui limitent l'accessibilité. Pour d'autres, dont cette participante de Vancouver, c'est le profil social auquel femmes et couples doivent se conformer qui constitue une contrainte: être marié, n'avoir jamais eu de traitements psychiatriques et avoir les moyens. Le prix à payer se mesure aussi à ses effets physiques et psychologiques. À cet égard, l'atelier appuie ou interpelle davantage madame Klein qui, dans sa présentation, a relaté les effets négatifs de ces traitements sur une quarantaine de femmes. Deux points de vue se dégagent des échanges. D'une part, des participantes sensibles aux effets physiques mais surtout psychologiques déplorent que tant de femmes aient à vivre le deuil d'un si grand espoir d'enfant.

D'autre part, des participantes qui suivent ou qui ont suivi un traitement pour infertilité, qui témoignent du peu de séquelles vécues, réitèrent qu'elles sont toujours libres de poursuivre ou d'arrêter les traitements et que par ailleurs, le support des conjoints, de même que le support institutionnel, sont généralement disponibles. D'après les exposés et le film de l'ONF, *La cigogne technologique*, présenté lors du forum, il apparaît néanmoins, à la majorité des femmes de l'atelier que les services de support et d'accompagnement tels qu'étayés par Isabelle Brabant dans sa présentation sont souvent déficients. Et là où ils existent, ce ne devrait pas être pour étirer la patience des femmes et des couples mais pour aussi susciter un questionnement autour de ce besoin d'enfants et supporter la recherche de projets de vie alternatifs.

Incidences des NTR sur notre devenir collectif: plutôt gris!

L'ensemble de ces questionnements amène l'assistance à exprimer des inquiétudes concernant le devenir de la maternité et de la reproduction humaine. C'est en termes de droits individuels versus droits collectifs que le problème est posé. L'une soutient que les expériences positives n'enlèvent rien aux risques collectifs, alors que chez une autre, l'inquiétude vient de l'ampleur; quant à Isabelle Brabant, elle croit que les considérations individuelles, mêmes heureuses, méritent d'être regardées si des incidences collectives, même lointaines, sont en jeu.

Dans ce sombre palmarès des inquiétudes, on se demande si la rareté d'enfants ne va pas rendre précieuse ces recherches et ces interventions, si les interventions sur le fœtus ne vont pas développer un droit du fœtus et y opposer éventuellement ceux de la mère. On rappelle à cet égard la jurisprudence américaine qui a récemment forcé une femme à accoucher contre son gré.

Enfin, dans cette foulée, l'utilisation actuelle de ces interventions en divers pays, où d'autres balises, d'autres valeurs guident les choix, ne peut se faire sans engendrer des retombées plus larges ailleurs. À titre d'exemple, le sexage, pratiqué en Inde notamment, inquiète plusieurs participantes. Il est plus facile d'être anarchique dans certains pays, moins préoccupés d'éthique là où les écarts sociaux sont importants, note cette participante membre de FINRRAGE. Dans de tels contextes d'infertilité, de surpopulation, les perspectives de développement sont sans limite et ce sont des femmes démunies qui en feront les frais. C'est pour cela que FINRRAGE souhaite se pencher sur ces questions lors de ses prochaines conférences.

Si l'ampleur des questionnements semble créer chez certaines participantes plus de confusion que de certitude, chez d'autres, l'importance des effets des NTR rappelle que les règles d'aujourd'hui ne sont pas celles de demain. Donc, si ce qui se fait ici semble raisonnable, ce qui se passe ailleurs doit nous interpeller, rappelle cette participante journaliste.

Actions et perspectives pour un avenir plus rose

Support...
• Soutenir davantage les femmes et les couples non seulement dans leur recherche de fertilité, mais aussi dans leur désir d'enfant.
Prévention de l'infertilité...
• Investir dans des recherches sur les causes de l'infertilité, et ce de façon urgente.
Information...

- Informer largement les femmes et le public en général sur les risques, sur les taux de succès réels, sur les exigences qui entourent le traitement de l'infertilité. Action des groupes de femmes...
- Sensibiliser largement les femmes.
- Demeurer vigilantes à l'égard du développement des NTR et des recommandations qui émergeront du comité du ministère de la Santé et des Services sociaux sur les NTR.
- Réclamer que les groupes de femmes soient représentés à de tels comités.
- Créer des lieux de rencontre et d'échange où les associations sur la fertilité pourront exprimer leur point de vue.

Enfin, si l'atelier s'est par moment agité autour d'affirmations et de positions avancées par le docteur Cloutier ou des membres de groupes sur la fertilité surtout, une telle rencontre confirme à tout le moins le grand besoin de se donner des lieux et des moments pour débattre de ces grandes questions.

Atelier C:

Les enfants que je veux, si je peux

*L*e droit à l'enfant existe-t-il? Le désir d'enfant ne devient-il pas, à un certain moment, un acharnement injustifié? Sommes-nous en train de médicaliser le désir d'enfant et de répondre médicalement à des problèmes sociaux? Pourquoi l'infertilité n'est-elle plus tolérée?

Personnes-ressources: **Laurence Gavarini**
Andrée Chatel
Geneviève Delaisi de Parseval

Conférence de
Laurence Gavarini*

Ce n'est sûrement pas un hasard si ce sont les sociétés occidentales, fortement tenaillées par la question de leur pérennité depuis plusieurs décennies, qui ont produit des techniques de fécondation et d'intensification de la reproduction biologique humaine. Tandis que simultanément, ces mêmes sociétés soutiennent, voire entretiennent sous d'autres cieux des politiques démographiques scientifiques et médicales de stérilisation et de répression de la procréation, ou encore, des politiques de sexage aboutissant dans certains pays à un véritable génocide.

Ce n'est sûrement pas un hasard non plus si la carte des NTR dans le monde coïncide en grande partie avec la carte de la production animale intensive et de l'élevage industriel. L'infrastructure et les politiques scientifiques et technologiques de la zootechnie et du secteur agro-alimentaire ont largement « profité » à la procréation artificielle humaine: les technologies et les chercheurs ont été transférés d'un secteur à l'autre. Prises d'emblée en tenaille entre le discours et les politiques natalistes d'une part, et les pratiques et le modèle productiviste de la reproduction animale d'autre part, les NTR humaines n'en sont pas totalement démarquées, même si l'empreinte du médical leur a donné une coloration particulière.

Le désir d'enfant, intime, individuel ou conjugal, resitué ici rapidement dans la géo-politique, paraît soudain bien dérisoire. Il n'organise certes pas le développement intensif du secteur des NTR. Mais l'on a su constituer ce désir en une véritable demande sociale, les médecins se chargeant de mener campagne au nom de la souffrance humaine qu'est la stérilité, pour faire avaliser socialement les recherches et les pratiques bio-médicales les plus osées. La question du désir d'enfant ne me semble pas pouvoir être abordée dans le présent forum telle

---

* Sociologue de formation et professeur à l'Université de Paris VIII, Laurence Gavarini a analysé depuis plusieurs années la question des nouvelles technologies de la reproduction et de leur impact sur la maternité. Elle a, par exemple, co-dirigé avec Anne-Marie de Vilaine et M. Le Coadic, la production de *Maternité en mouvement*, une collection d'articles publiée conjointement aux Presses Universitaires de Grenoble et aux Éditions Saint-Martin de Montréal.

Depuis deux ans, elle centre sa recherche sur la construction sociale de la stérilité, des effets de sens et de système induits principalement pour les femmes par les nouvelles techniques de procréation. Elle travaille en outre sur une recherche pour le ministère français de l'Environnement où elle étudie les nouvelles logiques de gestion du vivant telles que le développent à l'heure actuelle, les scientifiques de la reproduction.

quelle, c'est-à-dire du point de vue de la seule subjectivité des sujets procréateurs candidats à la parentalité et demandeurs de NTR. Déjà pourrait-on objecter, comme l'a fait récemment le psychanalyste français Michel Tort[1], qu'est-ce que cette demande, d'où origine-t-elle, n'est-elle pas induite et fabriquée par l'offre et la pression publicitaire qu'occasionnent ces spectaculaires techniques d'enfantement? Michel Tort parle « d'offre de demande », pour montrer le processus dynamique qui peut se jouer à l'origine de la demande d'enfant et l'organiser.

Nous évoquerons ici brièvement la fonction et les dimensions sociales de cette question du désir d'enfant telles qu'elles sont à l'œuvre avec les NTR: comment est-elle invoquée dans l'actuel débat social et bio-éthique sur les NTR, comment ceux qui la rabattent sur ce débat, les médecins, y répondent. Nous indiquerons finalement quelques éléments de réflexion montrant que le désir d'enfant, le désir d'être parent, le désir de reproduction n'échappent pas au social et au culturel, quand bien même les actuels discours tenus à son propos laisseraient penser qu'il est « irrésistible », sous entendu qu'il serait d'une violence de nature instinctive, quasi animale, au point qu'on ne saurait précisément lui résister.

Un désir suspect...

L'attention particulière portée au désir d'enfant des couples et des individu-e-s stériles ou ayant des difficultés procréatives, fait penser qu'ils sont une quasi-curiosité sur le plan clinique, qu'ils présenteraient peut-être une forme particulière de désir d'enfant... et du particulier au pathologique il semble n'y avoir qu'un pas. C'est d'ailleurs là un des principaux rôles actuellement dévolus aux « psy » (psychologues et psychothérapeutes consultants) intervenant dans les équipes de procréation artificielle: sonder, sans qu'il soit dit qu'ils aient un rôle de sélection, ce désir de reproduction chez ceux qui sont en mal d'enfantement. Pour autant que cette mission soit intéressante sur le plan de l'exploration clinique et scientifique, il me paraît, sur le plan déontologique, fortement délicat, pour ne pas dire contestable, qu'un spécialiste, quand bien même le fut-il du désir, s'autorise à intervenir sur un mode normatif dans pareille affaire, fournissant au médical ses services pour la gestion des cas et dossiers. J'ajoute qu'il est insoutenable sur le plan éthique de voir progressivement s'établir une hiérarchisation, une discrimination très manichéenne entre les désirs d'enfant (ceux qui seraient bons, et ceux qui seraient suspects), reposant sur une discrimination des individu-e-s en fonction de leurs capacités et puissance reproductives: d'un côté les fertiles aux désirs d'enfant inquestionnables, de l'autre, les stériles qui manifesteraient une ambivalence plus profonde quant à l'enfantement.

Une telle hiérarchisation ne tient certes pas à la discipline psychanalytique, mais bien à la place qu'occupent les psychologues et psychanalystes auprès ou en appendice des équipes bio-médicales. Elle tient donc à la fonction ambiguë que l'on veut faire jouer à ces « sondeurs » du désir dans une opération elle-même non dénuée d'ambiguïté: la fabrication, la production d'un enfant dans le cadre d'une institution hospitalière et scientifique. Et c'est bien là une situation complexe: la vieille institution médicale qui repose sur des pratiques thérapeutiques, des habitudes institutionnelles de pouvoir, des règles de fonctionnement extrêmement codées, des mœurs sélectives, une partition rigide des rôles entre les patients et les médecins, cette institution se trouve face à une demande de soins d'un genre nouveau, puisque là il ne s'agit plus de guérir mais de faire un enfant. Cette demande, l'institution semble tentée de la faire passer par ses fourches caudines, la traiter comme à son habitude. Ainsi fait-elle du désir d'enfant comme elle le ferait de la demande thérapeutique: elle l'ordonne, la classe, la juge, l'étiquette pour établir son diagnostic, puis poser les indications d'un traitement et enfin, agir chirurgicalement ou médicalement.

Pour ce faire, la médecine s'est associée les compétences des sciences humaines, mais en leur assignant une place de consultant, avec un pouvoir purement consultatif d'ailleurs, et une visée gestionnaire. Sans avoir aucun pouvoir dans l'institution médicale, sur les pratiques et dans les choix, les psychologues et psychanalystes attachés aux équipes bio-médicales serviront de caution vis-à-vis de l'extérieur, tant sur le plan des orientations thérapeutiques, que sur le plan scientifique. À l'intérieur, ils servent à garantir les décisions cliniques, par exemple celle de donner du sperme ou un ovocyte, voire un embryon à un couple stérile; ils servent donc, dans une certaine mesure, à ordonner la circulation des matériaux biologiques à partir de leur science du désir d'enfant des patient-e-s. Curieusement, le désir d'enfant qui est tant questionné par les cliniciens, analysé désormais par tout un pan de la gynécologie obstétricale qui s'est orientée vers la psychosomatique[2], ce désir lorsqu'il est rapporté dans les débats sur les NTR, par les médecins principalement, devient inquestionnable, intouchable, presque tabou. À tel point qu'on en a presque oublié qu'il n'habite pas forcément toutes les personnes, oublié également que le non-désir d'enfant a pu être une revendication des femmes ces dernières années, oublié que l'identité du sujet n'est pas réductible au fait d'être mère ou père. Le raz-de-marée du discours sur l'irrésistible désir de procréation et son statut d'intouchable paraissent révéler que ce désir est devenu une sorte de **droit**, droit à l'enfant dans un premier temps, et qui est en passe actuellement d'être supplanté par un droit à un **enfant conforme**, standard, normalisé. Le couple médecin-malade dont Foucault a montré comment il a structuré l'espace de la clinique dans l'asile, ce couple semble fonctionner de manière exemplaire avec les NTR: médecins et patients se sont mutuellement confortés dans leurs désirs de reproduction et de perpétuation... L'irrésistible désir d'enfant des uns légitimant le développement illimité des autres. Au droit à l'enfant correspond, pour les médecins et les scientifiques avec qui ils collaborent, un droit d'agir et d'intervention quasi totale. Ce fut, jusqu'à récemment, une tendance qui s'est largement exprimée en France avec les déclarations de l'ancien ministre de la justice Robert Badinter[3] devant la conférence européenne des droits de l'homme, ou dans la bouche du doyen Carbonnier qui conclut, en janvier 1985, un grand colloque officiel, *Génétique, Procréation et droit* en disant que la science ne devrait trouver d'autre limite à son déploiement que celle de l'éthique de finalité: en clair, lorsqu'un projet d'enfant par exemple se manifeste, quelles qu'en soient les composantes, la médecine et la science sont autorisées à déployer tout leur art, y compris celui de l'expérimentation, en résumé: la fin justifie les moyens. Cette idéologie néo-libérale et scientiste n'est évidemment pas sans contenir de risques de dérives, notamment celui d'un certain productivisme du vivant.

De la gynécologie à la « médecine du désir »

En France, où la psychanalyse est une référence quasi obligée, on paraît jongler aisément avec ses concepts et sa démarche. Parfois, on construit comme symptôme l'échec des patients dans l'utilisation de la technologie bio-médicale (c'est le cas par exemple des « échecs » de la contraception): il ne peut y avoir là que des raisons « psy », exit le soma, exit l'explication médicale, exit aussi une éventuelle résistance consciente que certaines femmes peuvent opposer à la contraception chimique par exemple. À l'autre extrême, on se contente d'autres fois du discours explicite et conscient des patient-e-s sur leurs souffrances; il s'agira de traiter classiquement, de répondre par tous les moyens thérapeutiques à la demande d'enfant exprimée, sans prendre en compte d'éventuelles dimensions inconscientes de l'infertilité. La psychologisation dans certains cas, la réponse technologique lourde à la demande explicite, dans d'autres cas; bref le médical oscille dans sa façon d'appréhender la question de la non-maîtrise totale de la fertilité par les patient-e-s, et par les femmes en particulier. Ces dernières sont en effet particulièrement scrutées dans leurs ambivalences, les médecins possèdent désormais toute une palette d'appréciations normatives de leurs comportements contraceptifs et reproductifs. Tout se passe comme si à chaque fois qu'au fond le savoir médical est mis en échec, il fallait bien trouver un autre registre d'explication, la panoplie psychanalytique pouvant jouer ce rôle. C'est là un tic de la médecine particulièrement répandu dans le secteur de la médecine de la reproduction: il lui faut intervenir, parfois en forçant un symptôme, au sens où le corps peut être aussi le lieu d'expression d'une conflictualité psychique. L'exemple actuellement le plus frappant à ce propos étant le recours aux inducteurs d'ovulation et aux agonistes, notamment, qui effacent toute production endogène du corps, et lui fait produire à son insu des ovules; il y a là de la zootechnie et du productivisme corporel. D'autres fois, la médecine se drappera dans le discours de la psychosomatique pour expliquer l'impossible procréation d'un couple, mais elle sortira de toute façon indemne en tant qu'institution de soins. Par exemple, il n'est pas question de mettre le moindrement en cause d'éventuels effets iatrogènes des diverses techniques bio-médicales actuellement proposées sur le marché. Le concept de « désir d'enfant », extrait du contexte clinique et théorique de la psychanalyse n'est pas, pour ces diverses raisons, dénué d'ambiguïté. Son usage médical, notamment dans le cadre de ce qui est appelé la « procréation médicalement assistée », fait l'objet d'approximation, de confusion, voire même de manipulation. Quant à ses usages sociaux, depuis l'invention et l'extension des techniques prometteuses d'enfant que sont les NTR, mais déjà depuis la généralisation des techniques bio-médicales contraceptives, ils ont tendance à évoluer significativement. Le désir d'enfant tel qu'il se parle actuellement renvoie à un projet rationnel, à un besoin, une envie, un programme, à une volonté de produire, de faire, de mettre en œuvre. Bref, à de l'objectif nettement plus qu'à du subjectif. Au fond, dirais-je, les conceptions les plus cartésiennes et mécanistes qui prévalent en médecine de la reproduction ont tendance à infléchir nos conceptions et représentations de l'enfantement. On est en quelque sorte en train de passer de la reproduction humaine à la production consciente d'enfants, la rationalité scientifique et technique semblant nettement mener le jeu, imposant parfois d'impossibles gestions aux individus et aux couples qui y sont confrontés. C'est le cas à mon sens des embryons surnuméraires obtenus par la fécondation in vitro et congelés sur lesquels les patients ont à statuer rationnellement, les imaginer comme leurs enfants potentiels tout en en faisant le deuil par avance...

Les ambiguïtés relatives aux usages du « désir d'enfant » ne s'arrêtent pas là: la création d'une nouvelle « spécialité » médicale, la « médecine du désir » ainsi baptisée par René Frydman, gynéco-obstétricien pionnier de la FIV en France, révèle bien une volonté d'institutionnaliser l'extension de fait du champ d'intervention et de compétence de la médecine de la reproduction. Tout porte à croire, si l'on suit les disciples de cette médecine nouveau « look », qu'elle va désormais soigner l'âme (c'est-à-dire la psyché des patient-e-s) tout autant que le corps et ses pathologies organiques et physiologiques. Ce projet de traitement de l'invisible, de la chose qui se dérobe au savoir et à la technique médicale classique, ce projet n'est certes pas totalement nouveau en médecine. Il renoue curieusement avec les considérations que développèrent, il y a plus d'un siècle, les médecins tentant d'appréhender la folie. En effet, en prenant dans les mailles de son exercice tout ce qui est actuellement hors de la portée de l'explication médicale et scientifique pure, cette médecine du désir tente de quadriller et d'enfermer, à sa façon, ses patientes et patients dans du pathologique. Elle produit ainsi de nouveaux besoins sanitaires et de nouvelles demandes thérapeutiques. Avec la médecine du désir, autrement nommée la périconceptologie, le médecin devient une figure importante et obligée dans la vie des femmes « modernes », objets de ses soins et sollicitudes: en position de complice et de conseil parce que sa spécialité, le corps reproducteur, se redouble maintenant d'une autre, la connaissance et la maîtrise de la psyché et des méandres du désir d'enfant.

D'ailleurs, comme beaucoup l'ont remarqué, cette nouvelle médecine ne soigne pas, ne traite pas le mal auquel elle est censée remédier. Elle tente de s'immiscer au cœur du symptôme pour le détourner ou plus exactement pour y trouver une solution prothétique. C'est le cas de la fécondation in vitro qui réalise en laboratoire l'impossible rencontre des gamètes, c'est le cas de l'insémination artificielle qui substitue un geste médical à une gestuelle sexuelle et qui, avec l'IAD, fait jouer à l'institution médicale un rôle d'intermédiaire, de médiateur, de tiers entre des individu-e-s fertiles et des individu-e-s stériles. Mais, et c'est là un paradoxe non des moindres, au bout de compte, les plus chanceuses et les plus chanceux qui auront enfanter à l'aide de ces techniques et du difficile parcours du combattant qu'elles impliquent, resteront malgré tout stériles. Le vécu que peuvent exprimer certains patient-e-s à ce propos rejoint d'ailleurs l'écart existant au plan terminologique entre les notions de fertilité et de fécondité. Disons schématiquement que par fertilité nous entendons une capacité biologique et corporelle à enfanter, et à l'inverse, par stérilité une incapacité à le faire. Tandis que la fécondité et l'infécondité sont des instruments de mesure démographique d'un état de fait (avoir donné naissance à un enfant vivant). Dans le sens commun, comme dans le sens scientifique et technique, une notion de pouvoir, de puissance, d'autonomie, de maîtrise paraît attachée aux représentations de la fertilité. L'artificialisation de la procréation, sans compter lorsqu'elle se renforce d'un apport de gamètes étranger au couple, le fait de faire un enfant avec le médecin[4], dans une institution avec ses règles aseptiques, et au moyen de techniques aseptisantes, semble donc, en dépit d'un éventuel enfantement, faire perdurer le sentiment de fertilité. Un sentiment qui n'est d'ailleurs pas exclusivement individuel. Je veux dire par là que malgré le gigantesque déploiement bio-médical et technologique en matière de reproduction humaine, un sentiment, une angoisse de la stérilité tend à s'enkyster de plus en plus.

Production sociale de l'infertilité[5]

Il est un lieu commun de dire que les nouvelles techniques de procréation constituent un traitement de la stérilité. Mais personne ne paraît se préoccuper de la définition de la stérilité, de ses limites et frontières, de la génération sauvage de nouvelles notions comme l'infertilité, la sous-fertilité, la sub-fertilité, l'hypofertilité, la stérilité secondaire, et, fin du fin, les difficultés reproductives...

Parallèlement, il devient de plus en plus banal de dire que la stérilité connaît des guérisons mystérieuses, voire quelque peu magiques. Les médecins, et parmi eux les plus impliqués dans les bio-technologies reproductives, comme Frydman, se montrent intrigués par les enfantements « surprises » qui interviennent indépendamment de l'exercice de leur art. Frydman les appelle les « pochettes surprises » de la FIV[6], lorsqu'elles interviennent par exemple après une inscription sur une liste d'attente en vue d'une FIV ou après avoir subi un premier échec en fécondation artificielle. Par ailleurs, les études épidémiologiques et démographiques françaises les plus sophistiquées (Schwartz, Léridon) concluent que le meilleur remède à l'infertilité pourrait bien être... le temps. C'est-à-dire le fait de savoir patienter, de prendre le temps de se trouver fertile et fécond après l'usage d'un contraceptif notamment. Ainsi, ces études montrent que si une population relativement importante (18% des femmes en âge de procréer) dit, lors d'une enquête rétrospective, avoir éprouvé des « difficultés » en vue d'une procréation, celles-ci se sont atténuées de façon significative dans les deux années subséquentes, pour ne concerner, après 4 années, plus que 4 à 5% de cette même population. Pourtant, malgré la sagesse de ce type de démonstration épidémiologique et démographique, malgré également les forts taux d'échecs de techniques comme la fécondation in vitro ou comme l'insémination artificielle, les demandes, à ce qu'en disent les équipes bio-médicales, continuent d'affluer sur un mode exponentiel. Précisons toutefois que grâce à la congélation et à une meilleure maîtrise des protocoles de stimulation hormonale, ces techniques finissent par progresser. Mais les résultats restent médiocres, le taux moyen de succès de la FIVETE en France en 1986 était de 7% et le taux de fécondation par cycle IAD de 10%[7].

S'il est des guérisons « spontanées » et nombreuses, intervenant à l'occasion d'une procréation artificielle, si le temps a les vertus curatives parce que la fertilité requiert un délai qu'il faut accepter pour concevoir, si par ailleurs les techniques de procréation artificielle restent faiblement efficaces, on est tenté de s'interroger sur l'élargissement constant des indications des techniques médicales lourdes comme l'est la FIV. Initialement réservée à des stérilités bien repérées (les stérilités féminines tubaires) que la fécondation en éprouvette permettait de contrecarrer, elle n'est pratiquée aujourd'hui pour cette même raison que dans 60% des cas; 16% des tentatives ont pour indication des stérilités masculines et 24% ont « d'autres indications », au rang desquelles se trouvent les stérilités idyopathiques ou inexpliquées.

Au glissement progressif des indications médicales d'une technique comme la FIV correspond lè glissement de nos acceptations de la stérilité. Un glissement qui devient tel actuellement que l'on peut légitimement se demander si ces techniques de reproduction médicalisée ne produisent pas plus de demandes de traitement qu'elles ne sont en mesure de traiter de cas et de sortes d'infertilité.

Nous avançons ici cette hypothèse en apparence paradoxale selon laquelle ces techniques de fertilisation in vitro et in vivo, de « capacitation » comme disent les médecins en parlant de l'activation des matériaux biologiques, qui tentent d'enrayer, de juguler ou de canaliser une pathologie humaine médicalement repérée, produisent à leur tour de l'infertilité. Bien que l'on ne puisse en effet affirmer que la stérilité *stricto sensu* irait croissant, je constate qu'un sentiment d'infertilité est diffus dans les sociétés occidentales, et peut-être même est-il accru, plus aigu parmi celles qui ont adopté largement les bio-technologies de procréation. Une nouvelle symptomatologie est en effet apparue, quasi invisible, que l'on peut repérer au fait que la frontière entre les notions de stérilité et de fertilité paraît indécise, si ce n'est poreuse et mobile, tant du point de vue médical que social.

Conférence d'Andrée Chatel*

La réflexion que je veux partager avec vous s'appuie sur l'écoute de centaines d'individus et de couples rencontrés à l'occasion de leurs démarches pour trouver remède à leur mal d'enfant. Nous allons donc interroger ici principalement le désir d'enfant désemparé ou entravé dans sa réalisation, mais en nous souvenant que les réponses esquissées peuvent s'appliquer à tout désir de procréation. Nous devons aussi garder en mémoire qu'une plus grande compréhension de l'expérience individuelle permet de mieux saisir l'ensemble d'une situation sociale et de ses nombreuses implications éthiques et politiques, et qu'il importe de ne pas perdre de vue aucune des deux dimensions.

Rappelons d'abord que plusieurs parties sont en cause dans ces problématiques du désir insatisfait d'enfant et de l'accès aux nouvelles techniques de reproduction. Pour le couple ou l'individu en quête d'un enfant, il s'agit d'un drame qui réveille conflits, confusion et désarroi. Face à la perte ou la menace de perte de son pouvoir procréateur, il n'arrive souvent plus à distinguer ce qui cause davantage sa souffrance: est-ce l'absence même de l'enfant souhaité ou les sentiments d'échec, de perte et d'insécurité qui l'envahissent? Comment lui apparaissent alors les solutions offertes par la technologie? À quoi est-il prêt pour pouvoir réaliser ce nouvel espoir qui se dessine devant lui? Pour le médecin qui reçoit la demande, il peut s'agir d'une volonté de soulager cette souffrance mais souvent aussi du désir de relever un défi; d'un rôle également que la seule

---

* Diplômée en psychologie de l'Université de Montréal, Andrée Chatel a développé un intérêt pour la problématique du désir d'enfant lors d'un premier travail clinique. Elle a en effet œuvré pendant 3 ans à l'Hôpital Sainte-Justine de Montréal, auprès d'enfants et de familles.

Par la suite, à titre de professeure à l'UQAM, elle s'intéresse, dans le cadre de ses activités de recherche, à la question des motivations sous-jacentes au désir d'enfant. Cela l'amène à initier, au département d'obstétrique-gynécologie de l'Hôpital Saint-Luc, un service de consultations psychosociale et psychosexuelle. Elle y est consultante depuis plus de 13 ans et elle répond à des besoins d'évaluation, de counseling et de thérapie provenant, entre autres, de la clinique de fertilité.

Praticienne confrontée quotidiennement à des couples aux prises avec des problèmes reliés à l'infertilité, elle a présenté lors de divers congrès et de réunions scientifiques, des conférences et exposés sur les sujets de la fertilité, de la sexualité et de la ménopause. Elle a participé notamment à la rédaction d'un livre publié aux Presses de l'Université Laval, intitulé *L'insémination artificielle thérapeutique*, dans lequel elle a écrit le chapitre sur les aspects psychologiques de cette technique. Depuis plusieurs années, madame Chatel est aussi chargée de cours à la Faculté de médecine de l'Université de Montréal.

formation médicale ne l'a habituellement pas préparé à jouer dans toute l'ampleur de sa dimension psychosociale et éthique. Quant à l'enfant à naître, il semble avoir eu peu droit de parole et ses représentants se sentent parfois passablement démunis pour défendre efficacement ses intérêts. Les critères sur lesquels s'appuyer pour ce faire demeurent en effet mouvants, relatifs et mal définis. De plus, ses droits entrent parfois en conflit avec d'autres droits qui exigent aussi de n'être point lésés.

La société dont font partie ces personnes, de même que bien d'autres que la brièveté de cet exposé nous force à garder dans l'ombre, se doit d'assumer la responsabilité des développements actuels. Cette société, c'est également nous tous et toutes, qui cherchons à intensifier notre questionnement sur le désir d'enfant et sur les nouvelles solutions offertes par la biotechnologie; à en comprendre les implications, en regardant au-delà et en deçà de chaque requête explicite.

C'est dans cette optique et en fonction de trois importantes questions reliées au désir d'enfant et aux nouvelles technologies de la reproduction (NTR) que j'ai choisi d'orienter la présente réflexion:

1) la question des motivations qui sous-tendent le désir d'enfant et le difficile passage de l'enfant imaginaire à l'enfant réel;
2) l'influence de la relation « demandeur-médecin » sur l'évolution du désir et de la demande;
3) la question du « droit **à** l'enfant » et du « droit **de** l'enfant ».

Désir d'enfant et passage de l'enfant du désir à l'enfant réel

Tout désir d'enfant s'inscrit dans l'histoire personnelle de chaque individu, dans son histoire familiale et conjugale et dans un contexte social et culturel particulier. Il faut d'abord considérer que, de façon générale, un enfant existe dans la tête de son père et de sa mère bien avant qu'il ne soit conçu ou né. **Quel que soi son mode de conception**, un grand nombre de raisons, à divers degrés de conscience ou d'inconscience, peuvent motiver le désir d'avoir cet enfant. Réparer sa propre enfance ou assouvir des besoins infantiles insatisfaits, confirmer une certaine image de la virilité ou de la féminité, canaliser un besoin ou une capacité d'aimer, vivre une grossesse, « être comme tout le monde », conjurer la mort, trouver la fusion, la plénitude, retenir ou satisfaire un conjoint, vouloir une sorte d'« assurance » contre la solitude ou un « bâton de vieillesse », avoir un enfant d'un sexe ou de l'autre, éviter un deuil ou, dans le cas d'une infertilité non souhaitée, panser la blessure narcissique et camoufler la stérilité, autant de raisons, autant de significations souvent inconscientes dont l'enfant sera le dépositaire involontaire.

Ce n'est pas parce que l'enfant est d'abord imaginé à travers l'histoire personnelle de chacun qu'il ne pourra jamais être aimé et accepté pour lui-même, pour ce qu'il est vraiment. Cependant, la confrontation des désirs de réparation et des pulsions fantasmatiques aux réalités de l'enfant et de son éducation est une tâche exigeante qui comporte toujours certains élément d'échecs avec lesquels chacun doit apprendre à vivre. Ce n'est pas non plus parce qu'un enfant est conçu en dehors des NTR qu'il est davantage à l'abri des obstacles à son libre développement. Une difficulté spécifique reliée aux NTR réside toutefois dans la tentation de s'agripper le plus rapidement possible à la « solution » offerte par la science, dans un effort pour neutraliser les sentiments d'échec et de perte de pouvoir. Or, ce deuil du projet initial d'enfant, qui ravive habituellement d'autres deuils antérieurs de première importance, doit être complété pour pouvoir réussir le passage de l'enfant du fantasme à l'enfant du réel.

Les NTR peuvent cependant avoir un autre effet, souhaitable cette fois, celui de forcer la réflexion sur ces aspects du désir d'enfant qui sont souvent occultés dans les conceptions dites sans problème. Geneviève Delaisi de Parseval a qualifié les enfants nés de l'intolérance à la stérilité « d'enfants-prothèse ou d'enfants-greffe » (Autrement, sept. 1985). Dans le mesure où beaucoup d'enfants naissent pour apaiser des blessures de tout ordre, on peut aussi dire que bien des enfants conçus sans recours médical sont de véritables béquilles psychologiques pour leurs parents. Une question majeure, quand on interroge le désir d'enfant, concerne donc les conditions nécessaires pour permettre au besoin absolu d'avoir un enfant d'évoluer vers un choix conscient et responsable de parentalité. Pour toute naissance en effet, ce qui importe véritablement, ce n'est pas que l'enfant soit conçu de telle ou telle façon mais qu'il le soit principalement pour des raisons et dans un contexte qui ne diminuent pas ses chances de grandir librement. Comment envisager alors le contexte médical dans lequel se place la recherche d'une solution à l'infertilité non souhaitée? Contexte souvent présenté comme un facteur de stress et de risque supplémentaire non seulement pour la personne qui désire l'enfant mais aussi pour l'enfant qui naîtra possiblement de ce désir. Certaines réponses résident dans l'analyse d'un aspect important de cet appel à une puissance extérieure: la relation du demandeur-médecin.

Influence de la relation « demandeur-médecin » sur l'évolution du désir et de la demande

Précisons d'abord que le mouvement vers la médicalisation du désir ne peut se développer de façon unilatérale et que chaque partie à l'intérieur de la relation « demandeur-médecin » possède son pouvoir et sa responsabilité. Il importe toutefois de prendre conscience que la frustration et la difficulté à tolérer le délai de conception ou à vivre l'incapacité de concevoir exacerbe souvent le désir et en décuple l'intensité. Le recours médical apparaît alors fréquemment comme la seule issue possible. Quand survient la maladie et la souffrance, la personne peut en effet régresser à un stade où existe l'illusion d'une puissance médicale quasi illimitée. Aussi illusoire par ailleurs s'avérera l'attitude du médecin qui, par besoin d'aider ou d'agir, propose une solution médicale avant même que le deuil de la fertilité ne soit amorcé dans bien des cas.

Dans l'interaction qui se développe entre la personne qui consulte et son médecin, se multiplient les enjeux de dépendance, de rejet, d'impuissance et de toute puissance, de vie et de mort qui ne se comprennent que si on ne se laisse pas aveugler par un seul éclairage de la demande et des solutions de rechange. L'anxiété reliée non seulement au sentiment de perte de la maîtrise d'une partie de sa vie mais aussi à une relation patiente-médecin, souvent très chargée émotivement, — de nature transférentielle et contre-transférentielle dans bien des cas — campe certains dans une position qui fait obstacle au dénouement de l'ambivalence présente dans tout désir d'enfant. Face aux significations diverses, et parfois difficilement conciliables, de la naissance d'un enfant, on doit en effet s'attendre au développement d'une certaine ambivalence, dont l'expression sera cependant variable selon les cas. Ainsi, des couples qui oscillent entre conception et contraception, avancent parfois qu'ils souhaiteraient presque ne pas avoir le choix, ce dernier étant ressenti comme trop déchirant. Par ailleurs, ceux qui n'ont plus ce contrôle parce qu'atteints dans leur capacité procréatrice se révoltent contre la perte de leur pouvoir initial de choisir mais se révèlent aussi généralement très désarmés devant de nouveaux choix pour lesquels ils n'ont pas été préparés. Choix qui répondent à certains aspects de leur désir mais en contrarient d'autres.

L'ambivalence devient problématique quand elle demeure inconsciente, quand, paralysante, elle coince l'individu entre ses choix ou que, s'exprimant de façon obscure et indirecte, elle n'est ni comprise ni reconnue. Combien de fois par exemple, le désir d'abandonner tests ou thérapie, « l'envie de tout lâcher » lancé en cours de bilan ou de traitement à la clinique de fertilité, est-il entendu par le médecin comme un simple besoin d'encouragement alors qu'il signifie celui de remettre en question le projet d'enfant, ou une inquiétude face aux moyens envisagés pour y répondre? Combien de fois la déception face à l'échec de la tentative médicale cantonne-t-elle le couple dans un acharnement à réussir à tout prix? Combien de médecins vivent si difficilement l'échec de leur tentative d'aide ou du défi qu'ils se sont fixé, qu'ils partagent et alimentent même l'acharnement du couple? « On aura tout essayé » entend-on de part et d'autre.

Or, là où une perte et une certaine impuissance ne sont pas tolérées, là où client comme médecin escamotent certaines dimensions du désir d'enfant, l'anxiété croît et l'ambivalence ne peut se dénouer, s'imposant souvent en échec de conception. Les réactions psychosomatiques en cours de bilan ou de traitement d'infertilité en témoignent couramment.

On apprend aussi beaucoup sur cette ambivalence en écoutant les femmes référées pour consultation psychologique par des médecins qui cherchent à calmer la souffrance des incertitudes, des échecs répétés ou de la perte d'espoir exprimée. Les femmes que j'ai rencontrées parlent beaucoup dans un premier temps de leur peine, de leurs sentiments de révolte, de rejet, d'insécurité, de n'avoir pas été écoutées ou de s'êtres senties comme des cobayes. Elles s'ouvrent ensuite à d'autres dimensions de leur désir d'enfant, exprimant des émotions et des désirs qui libèrent l'autre pôle de l'ambivalence. Celui qui non seulement fait entrevoir à nouveau une vie sans enfant comme possible, mais permet même de réaliser souvent que le désir d'enfant n'est plus ressenti aussi intensément ou que, toujours présent et fort, il n'éveille plus le même sentiment d'urgence, le même besoin impératif.

Dans toutes les situations que je viens d'esquisser, la capacité de reconnaître que la solution médicale n'est pas adaptée à toute souffrance, les attitudes respectives des médecins et des individus demandeurs, de même que la qualité de leur interaction ont influencé l'évolution du désir et de la demande. Il est donc essentiel que les deux parties soient informées et conscientes des enjeux en cause et apprennent à échanger avec le plus d'ouverture possible. Il importe en outre que l'entretien psychologique, qui peut parfois être proposé à la personne en manque d'enfant, ne soit pas perçu comme un contrôle ou une solution de dernier recours mais comme un moyen offert à celui ou celle qui souffre de son infertilité de faire le point sur sa propre expérience. **Expérience** dont elle est seule maître et juge.

Droit à l'enfant et droit de l'enfant

À quel moment la personne infertile n'est-elle pas seule maître et juge de la **situation** d'infertilité? Y a-t-il un droit à l'enfant? Comment se situer entre, d'une part, la demande explicite, la souffrance constatée, le désir d'aider et d'autre part, la réalité cachée, les conséquences entrevues? Comment poser le droit **à** l'enfant sans considérer aussi le droit **de** l'enfant?

Les situations jugées extrêmes ou exceptionnelles nous aident souvent à mieux voir les enjeux que pose toute demande d'enfant. Ces situations éclairent le côté inquiétant de l'incapacité à tolérer une infertilité et démontrent aussi que la seule volonté de soulager la souffrance du désir insatisfait, aussi authentique soit-elle, s'avère insuffisante et à courte vue. Dans chaque demande d'enfant, en effet, il y a détresse humaine. Celle-ci ne peut être mesurée objectivement et vaut autant que d'autres d'être apaisée. Et pourtant, non seulement dans certaines situations, l'application d'une technique reproductive n'est pas une solution adéquate, du moins à ce moment-là, mais dans d'autres cas elle peut générer d'énormes problèmes.

J'aimerais apporter ici quelques exemples qui illustrent la nécessité d'approfondir notre réflexion sur ce sujet. Considérons d'abord les demandes de plus en plus nombreuses de femmes qui réclament avec insistance de retrouver leur fertilité perdue par stérilisation volontaire. Chez la majorité de celles que j'ai rencontrées, le désir d'enfant surgissait principalement du rapport à l'autre. Il s'agissait en effet habituellement de femmes qui avaient déjà eu plusieurs enfants et qui, faisant couple avec un nouveau partenaire, voulaient répondre au désir de ce dernier ou comptaient secrètement sur l'enfant pour resserrer le lien qui les unissait. Toutes ces femmes criaient leur souffrance et réclamaient un droit jugé inaliénable, le droit de regard sur leur propre corps. Dans nombre de ces situations pourtant, les enfants déjà nés avaient été placés dans des foyers nourriciers ou étaient élevés dans des conditions pour le moins inquiétantes. Et que dire des demandes d'interventions médicales faites par des femmes qui réclament une ligature puis une réanastomose tubaire et ensuite un avortement thérapeutique au moment d'une grossesse survenue alors que leur désir d'enfant était resté confus et ambivalent. Leur désarroi est grand et mérite d'être aidé mais l'utilisation du savoir scientifique et technique n'apparaît sûrement pas comme la meilleure solution pour surmonter un problème qui dépasse largement la sphère médicale.

Mentionnons enfin les requêtes faites par des individus ou des couples vivant diverses situations de « marginalité » qui soulèvent plusieurs questions. Je pense ici aux demandes faites par des femmes vivant seules et refusant tout autre moyen que le pouvoir médical pour répondre à leur besoin d'enfant, à celles venant de certains couples d'homosexuelles ou de couples dont le conjoint est un transexuel en voie de changement de sexe. Ou encore à des individus très hypothéqués sur les plans intellectuel, physique, psychologique ou social. Sur quels critères allons-nous nous baser pour juger ce qui, dans toute demande d'intervention médicale, doit prévaloir pour son acceptation? Comment faire face au risque de discrimination qui accompagne l'établissement de tels critères? De quels instruments fiables disposons-nous pour évaluer ces critères si nous arrivons à un consensus sur ceux-ci dans une société aussi pluraliste que la nôtre, et à travers des vérités souvent très relatives? Le pouvoir « être père » ou « être mère » ne doit-il pas dépasser la simple capacité biologique et tenir compte du contexte psycho-social dans lequel l'enfant sera élevé? Et si la société accepte de contribuer à la naissance d'enfants dans des conditions à « haut risque » psycho-social, ne doit-elle pas en assumer aussi la responsabilité subséquente? Ne devient-il pas urgent de remettre en question certaines notions de la parentalité?

Les attitudes qui ont marqué la question de l'adoption dans un grand nombre de pays occidentaux illustrent bien l'importance de repenser les notions de maternité et de paternité dans notre société. Le fait de donner son enfant en adoption a toujours été associé, dans la culture québécoise entre autres, à une forme quelconque de condamnation, et marqué du sceau de l'abandon. Or, on ne peut jamais isoler les réactions émotives individuelles du contexte social dans lequel elles s'inscrivent. On peut ainsi se demander comment, dans une société où tout don d'enfant possède cette connotation très négative, on peut ne pas enfermer les femmes qui l'ont choisi dans la culpabilité et dans un deuil à jamais inachevé. Alors que ce geste a parfois été posé par amour pour l'enfant et avec un sens des responsabilités qui aurait mérité d'être valorisé.

Rappelons-nous qu'au Québec seulement, des milliers d'enfants sont sans véritables parents parce que ballotés entre des parents de transition et des mères qui ne peuvent renoncer à leur « droit à l'enfant ». Des milliers d'enfants sont aussi battus par leurs parents naturels ou élevés dans des conditions déplorables. **Vouloir** un enfant ne veut pas nécessairement dire **pouvoir** l'aimer. Trop d'exemples nous le prouvent quotidiennement. Être parent peut en effet naître du désir de le devenir mais doit dépasser ce désir pour devenir un engagement conscient. Le droit **à** l'enfant et le droit **de** l'enfant devrait toujours par conséquent être considérés de façon indissociable. Or, tant qu'on continuera à privilégier le lien biologique, la transmission de « **son** » bagage génétique, la possession de « **son** » enfant, il naîtra des enfants qui n'auront pas été désirés pour eux-mêmes. De parents qui n'auront pas choisi ou n'auront pas pu en assumer vraiment l'éducation.

Conclusion

Un enjeu majeur des NTR réside dans le fait de pouvoir estimer non seulement les gains et les pertes reliés à leur développement futur mais aussi de faire face aux problèmes très actuels que soulèvent les nouvelles possibilités de procréation.

La remise en question des notions de maternité et de paternité provoquée par les NTR concerne tout désir d'enfant et exige un effort considérable de l'ensemble de la société. Aucun contrôle rigide ne réussira ce changement de mentalité. Il importe dans un premier temps d'intensifier et d'améliorer l'information sur les multiples aspects reliés aux techniques de reproduction et de tout mettre en œuvre pour développer les moyens de prévention et l'infertilité non désirée, mais également de s'accorder le temps nécessaire à toute transformation en profondeur des attitudes et des modes de pensée et de multiplier les façons d'y arriver. Ce forum est un exemple encourageant du travail collectif de réflexion qui s'accentue de plus en plus.

Il est aussi essentiel, quand le désir d'enfant est exprimé dans un contexte médical, que la responsabilité des choix à faire ne soit pas laissée aux seuls médecins. Les aspects éthiques, juridiques, psychologiques et sociaux doivent également être représentés. Il faut de plus pouvoir offrir aux couples concernés par l'expérience de l'infertilité un lieu où ils peuvent en parler et se faire entendre. Des moyens enfin de mieux vivre la difficulté ou l'incapacité à concevoir et de faire le choix le plus pertinent possible selon chaque situation, ce qui peut signifier la poursuite d'un projet de grossesse mais aussi le renoncement à l'enfant ou le choix d'autres façons de vivre la maternité ou la paternité.

En conclusion, il s'agit, pour chacun et chacune d'entre nous, d'élever notre niveau de conscience face à la vie et d'élargir l'accès à un choix responsable de parentalité.

Les enfants que je veux, oui, mais des enfants qui, heureux dans **notre** désir, pourront aussi l'être dans **leur** réalité.

Des enfants prothèse?
Geneviève Delaisi de Parseval*

Remplacer au lieu de réparer, de guérir: c'est ce que fait la médecine des prothèses. Médecine du remplacement d'organes par prothèse ou par transplantation, au lieu de médecine curative, réparatrice; c'est d'après Pierre Galleti, le paradoxe qui caractérise la médecine de notre époque, elle qui connaît depuis 30 ans, dit-il, une explosion créatrice (pro-créatrice) dans le domaine des organes artificiels: rein, cœur, poumons artificiels, prothèses vasculaires, stimulateurs cardiaques, prothèses osseuses, cristallins artificiels, sans compter les nombreuses sortes d'implants dans le domaine de la chirurgie plastique et esthétique[1]. Nous proposons d'ajouter à cette liste la notion de prothèse en matière de procréation artificielle.[2]

Ces types de procréations, dites « assistées », nous paraissent constituer d'authentiques prothèses: elles ont en effet pour but de corriger le handicap physique et psychologique de la stérilité masculine ou féminine, c'est-à-dire de réhabiliter une fonction (la fonction procréatrice), perdue pour cause de maladie ou pour cause inconnue. Les médias, on le sait, exploitent (au double sens du terme) très largement les espoirs et les angoisses des individus que nous sommes, autour des thèmes de l'intégrité corporelle, de la vie à créer, de la mort à repousser.

On en trouve l'écho dans le domaine des procréations assistées, de ces enfants conçus à tout prix. Ces prothèses fascinent au sens où elles font miroiter l'image d'un corps reconstitué dans son intégrité, indemne de tout manque: dans le cas de l'IAD par exemple, la prothèse fournie par la paillette de sperme de

* Geneviève Delaisi de Parseval a fait des études de psychologie, de sociologie et d'anthropologie à Paris-Sorbonne, puis à Bekerley où elle a été titulaire d'une bourse Fullbright. Elle acquiert ensuite une formation psychanalytique et exerce la psychanalyse à Paris depuis 1979.

Spécialiste des questions relatives à la procréation artificielle et au devenir-parent, elle a publié de nombreux ouvrages et articles dont L'enfant à tout prix, aux Éditions du Seuil en 1983 et La Part du Père en 1981. Elle a aussi dirigé des ouvrages parmi lesquels Les Sexes de l'Homme en 1986 et Objectif Bébé en 1987.

Outre ses contributions nombreuses à des conférences et colloques internationaux, Geneviève Delaisi de Parseval a également été chercheuse associée au Centre d'Études Bio-éthiques de l'Université Catholique de Louvain et elle revient d'une mission effectuée au printemps à Melbourne en Australie pour le Comité national d'Éthique Français.

donneur offre l'image du corps masculin restauré, de la « spermatogenèse réparée ». Ce fantasme réparateur de la médecine n'est en fait pas si moderne; d'après H.J. Stiker, dès le XIVᵉ siècle une notion nouvelle apparaît en médecine: restaurer l'intégrité fonctionnelle des invalides. Il y a là une relecture maximaliste du projet thérapeutique de la médecine traditionnelle qui débouche sur la mise en place d'un véritable pouvoir médical et d'une ambition quasi totalitaire de ce pouvoir.

> « On voit se répandre partout dans la campagne des médecins indemnisés par l'administration royale. C'est l'indice du grand rêve formé par le corps médical, de soigner et, ce faisant, de devenir le recteur d'une norme sociale définie à travers les normes de la vie et de la santé ».[3]

Non seulement guérir les malades, mais surtout être le garant d'un corps social en bonne santé, telle apparaît la préoccupation des médecins modernes. Et dans le cas qui nous occupe ici: garantir la santé, c'est aussi assurer la fertilité. Comme si, pour être un individu normal et en bonne santé, il fallait pouvoir procréer.

Ceci amène à s'interroger sur la définition sociale du terme « stérilité ». Dans notre société contemporaine, tout se passe comme si la stérilité était considérée comme une « grave maladie », maladie qui, si elle est incurable médicalement, est censée entraîner un handicap insupportable, handicap que la médecine se doit donc, tout « naturellement », d'essayer de guérir. Il est opportun cependant de noter que la stérilité, si on peut la considérer — d'un certain point de vue — comme une maladie, n'est en tout cas pas une maladie mortelle, ni même invalidante. C'est donc sur la notion de **handicap** qu'il nous faut réfléchir, handicap social et psychologique auquel la médecine procréative offre une réparation, une prothèse sociale.

En outre, il convient de rappeler un truisme: à savoir que si un individu humain ne souhaite jamais avoir un enfant, il ne saura jamais qu'il est stérile, même s'il l'est effectivement. Il s'agit donc là d'une bien bizarre « maladie ». Quant à sa réparation, est-ce qu'il s'agit vraiment de réparer le handicap psychologique ou social posé par la stérilité d'un homme ou d'une femme, (à condition d'ailleurs que tel individu vive sa stérilité comme un handicap, ce qui n'est pas évident), ou ne sagit-il pas plutôt de **réparer la blessure narcissique de la médecine elle-même** qui ne peut guérir cette « maladie »? Peut-être y a-t-il là matière à réfléchir sur l'extraordinaire engouement pour les médecines procréatives qui, il faut bien le voir, sont confrontées à un véritable échec sur le plan thérapeutique: aucun médicament, aucune opération chirurgicale ne peut véritablement guérir un homme azoosperme ou oligosperme; aucune opération ne peut restaurer certaines trompes de fallope définitivement obstruées ou remédier à certaines malformations utérines. D'où, l'efflorescence de ces techniques de remplacement qui n'ont souvent aucun rapport véritable avec l'art de guérir: il est clair que le fait d'inséminer du sperme d'un homme anonyme à la place du sperme du conjoint stérile n'a rien d'un acte thérapeutique; de même le recours à une mère porteuse, même si cela passe par la technique FIV, n'a pas de finalité médicale au départ. Il s'agit, dans les deux cas, de **prothèses**. D'où l'appellation de « prothèse procréative » que nous proposons, en lieu et place de ce que l'on nomme, abusivement à notre avis, « nouvelles thérapies de l'infécondité ». Il ne s'agit nullement de thérapies mais bien de techniques de convenance, et non de thérapeutiques proprement dites de la stérilité. Ce sont tout simplement des remèdes de substitution à la déficience de la capacité normale de l'espèce à se reproduire.

Attardons-nous un instant sur l'exemple de la stérilité masculine et de la « prothèse-IAD ». Que signifie, dans cette optique, l'IAD? Il s'agit, rappelons-le, de l'insémination artificielle d'une femme dont le compagnon est stérile, insémination avec le sperme d'un homme qu'on appelle, par convention, un « donneur ». Mais il n'y a pas que l'insémination qui soit artificielle dans ce système: le sperme du donneur a été émis **aussi** de façon artificielle; nous voulons dire que ce don de sperme repose sur une série de paradoxes dont le plus apparent est que cet homme a donné du sperme pour la procréation, mais **ni** pour la sienne, **ni** pour la procréation de quelqu'un qu'il connaît. Il ne sait d'ailleurs même pas si son sperme aura servi à une seule fécondation. Ce sperme a été donné pour une femme inconnue, mais sans femme présente. Quant à l'utilisation de ce sperme, elle est en quelque sorte artificielle puisqu'il s'agit d'obtenir une procréation sans sexualité, en utilisant le simulacre du geste de l'insémination, rite dérisoire qui permettrait de croire que le compagnon de la femme inséminée est le géniteur. Encore un paradoxe de ce système: dès lors qu'un couple fait ce choix, et dès les premières inséminations, **la stérilité de l'homme est colmatée**. C'est en effet sa compagne qui devient la patiente, elle qui devient soignée, elle dont on surveille l'ovulation, etc. C'est cette même femme qui, pour peu que les premières inséminations échouent, devient **passible elle-même de stérilité**. Il y a donc un transfert quasi immédiat de la stérilité masculine à une potentielle stérilité féminine, ce qui conforte l'idée que l'IAD fonctionne bien comme une prothèse.[4] Mais comme toutes les prothèses, elle a une fonction ambivalente. Continuons le scénario esquissé: on peut constater que, dès lors que la femme inséminée devient enceinte, **son compagnon redevient, lui, stérile**: la grossesse est en effet une signature que la femme est fertile et que, dans ce contexte, c'est lui qui est bel et bien stérile. Même si socialement, les apparences sont sauves, même si sa stérilité peut désormais rester secrète, la grossesse de sa compagne lui rappelle son propre handicap.

Notre longue fréquentation des couples IAD nous a sensibilisée à la question de la prothèse dans ce cas particulier: c'est ainsi que l'on entend les hommes stériles employer souvent des métaphores à propos de l'IAD; certains la comparent à des plaques qu'on visse dans les bras et dans les jambes à la suite d'une mauvaise cassure, d'autres parlent de leur sperme comme d'un liquide insuffisant, disant parfois qu'ils sont comme des hommes qui, pour des raisons inconnues, n'auraient pas de salive… L'IAD se situe très clairement dans le registre de la médecine de remplacement et personne n'est vraiment dupe de cette métaphore, néanmoins banale, de la « paillette-médicament », comme si cette fameuse paillette contenait un remède à une spermatogenèse déficiente.

La « dose »[5] de sperme, comme on l'appelle dans ces milieux, fonctionne peut-être comme un médicament dans l'imaginaire de certains couples ou de certains médecins, mais dans la réalité, il est clair qu'il s'agit d'un simulacre de médicament puisque c'est tout simplement le sperme d'un autre homme. Et pourtant la société, dans ses instances d'assistance (en l'occurence, en France, la Sécurité Sociale) « traite » les paillettes de sperme **comme des médicaments** puisqu'elle les rembourse au couple demandeur.[6]

Ceci montre clairement à quel point la « blessure-stérilité » est considérée, par notre société, comme « invalidante »: le remboursement total de la prothèse IAD la met à l'égal d'autres prothèses considérées comme vitales, tels les stimulateurs cardiaques ou les prothèses de hanches, mais la distingue, en revanche, radicalement des prothèses dites « de confort », peu remboursées, elles, telles les lentilles cornéennes ou les prothèses dentaires.

Prenant appui sur cet exemple de l'insémination artificielle, il est intéressant d'élaborer davantage la relation entre la notion de prothèse et la notion de procréation assistée. Je me réfère ici à la définition de la prothèse de l'**Encyclopédie** de **Diderot** et **d'Alembert**: « Chirurgie, artifice, manque et fonction, tels sont les quatre pôles autour desquels va se construire une certaine image du corps ».[7] Telles sont aussi les articulations qui rendent compte des fonctionnements prothétiques des procréations assistées. Ainsi, l'application d'un artifice vise à remplacer des parties manquantes: « ... il n'y a prothèse que dans la conscience d'un manque dont il n'apparaît pas souhaitable, pour une autre, de faire le deuil ».[8] Cette présence active des manques est trop claire dans le cas de l'insémination artificielle pour qu'on y insiste: manque du côté de la spermatogénèse. Il y a un deuil à faire (avec ou sans prothèse d'ailleurs): deuil de la fonction procréative de l'homme, deuil d'un enfant désiré par un couple dans lequel l'homme est stérile. Deuil que le couple IAD ne peut faire autrement qu'en recourant au palliatif du sperme d'un autre. Il y aurait pourtant, face à la souffrance due à la stérilité masculine, d'autres façons de faire le deuil de la fonction génésique masculine: on connaît bien la solution de l'adoption que, de tous temps, nombre de couples ont choisi; il existe aussi une façon de faire le deuil, non seulement de cette fonction, mais **aussi le deuil de l'enfant**; il y a enfin des couples qui font le **deuil d'un enfant conçu ensemble**, ceux qui changent de partenaires pour la procréation (soit la femme prend un amant, soit le couple se sépare). Mais, on l'a dit, la **prothèse remplace**: dans le cas évoqué, elle remplace un sperme par un autre. Elle exerce, en second lieu, une fonction qui n'est pas nécessairement physiologique: dans les cas qui nous occupent, il s'agit en effet d'une restauration qu'on pourrait qualifier de **médico-sociale**. La prothèse, toujours selon l'analyse de l'**Encyclopédie**, répond à une double exigence: imiter la nature d'une part, (rien n'est plus ressemblant à une paillette de sperme qu'une autre paillette de sperme...), fonctionner comme dans la nature de l'autre (la fonction de **génitor** est recouverte par celle de **pater**). L'**Ency-**

clopédie indique très clairement que dans certains cas, la prothèse n'est qu'un moyen curatif et n'aide à aucune fonction physiologique. C'est un objet d'esthétique sociale. Référence est faite à l'exemple de l'œil artificiel, exemple particulièrement pertinent pour « éclairer » le cas de l'IAD : de même que si l'œil artificiel est bien fabriqué personne ne s'aperçoit que celui qui le porte est privé d'un de ses yeux, de même nul ne peut s'apercevoir que le compagnon d'une femme enceinte par IAD est stérile (à moins que, dans un cas comme dans l'autre, il ne le dise). De même que l'œil artificiel n'a pas la fonction de voir, mais de **cacher un manque**, de même la paillette de sperme ne donne pas accès à la fonction de procréation, mais permet symétriquement de cacher un manque biologique ou psycho-sexuel. La chirurgie prothétique consiste à reconstituer, tout au moins dans le fantasme, l'entièreté du corps sain, quant à son **apparence**. Et, avec l'apparence, est sauvé également l'amour-propre. Cependant, (c'est clair !), l'œil artificiel n'économise pas à l'œil la fonction de voir. Et malgré la prothèse, l'homme reste borgne. Pas plus que la jambe de bois ne remplace le désir de courir ! Et pas plus la paillette de sperme (ou même que la greffe qui en résulte : l'enfant)[9], n'économise le deuil que l'homme et le couple a à faire d'un désir d'enfant, « produit imaginaire », de ce couple. Peut-on d'ailleurs remplacer un désir à l'aide d'une prothèse ?

Mais le travail du deuil est souvent pénible et la tentation est grande d'en faire l'économie, de rêver à une prothèse qui serait restauration **et** physiologique **et** sociale : **la réalité en plus de l'imaginaire**. On retrouve ce même fantasme idéal dans la « prothèse IAD » : on peut faire l'hypothèse que l'embryon conçu par insémination artificielle (avec le spermatozoïde d'un donneur et l'ovule de la mère) pourrait devenir, transitant par la femme-mère, une sorte de greffe du désir du couple d'avoir un enfant.

Quant au cas de la FIVETE[10], sur lequel je ne peux, ici, insister, il représente très exactement cet idéal de restauration **et** physiologique **et** sociale : l'embryon replacé dans l'utérus maternel (dans le cas « classique » de FIVETE, il est le produit de l'ovule de la mère fécondé par le spermatozoïde du père) fonctionne véritablement comme s'il était une auto-greffe du désir d'enfant des deux parents. C'est en somme une prothèse totalement réussie. Dans le cas où la FIV se combine avec l'IAD, ou dans les cas où il y a un don d'ovule venant d'une autre femme, ovule fécondé avec le spermatozoïde du mari de la femme stérile, il ne s'agit, comme dans l'IAD, que de restauration partielle.

À ce point de notre argumentation, il nous paraît utile d'utiliser un autre critère, pour cerner la fonction de prothèse dans ses techniques d'aide à la procréation, un outil d'analyse plus efficace que celui qui distinguait nature et artifice. Il semble en effet que le rapport prothèse/greffe tend à abolir la distinction naturel/artificiel. Le cas le plus probant de cette interaction nous semble être le « trajet » de la paillette de sperme du donneur qui devient une greffe dans le corps de la femme. C'est ainsi qu'il gomme l'artifice. De l'IAD on passe à la grossesse. Notons au passage — et cette remarque n'est pas neutre — que, pour les biologistes, l'implantation de l'embryon est la seule hétérogreffe réussie qui existe puisqu'en effet la moitié du génome de l'embryon est différent de celui de sa mère.[11] L'auteur de cette constatation pense qu'il y a deux raisons à cela: une baisse des réactions immunitaires de la mère et, sans doute, une substance qui protégerait l'embryon contre les réactions de cette dernière. En tout état de cause l'embryon, quelle que soit son origine, n'est alors plus une prothèse mais bel et bien **une greffe** dans l'utérus maternel. Si bien que pour comprendre ce que nous avons appelé les prothèses procréatives, il convient d'abandonner la distinction nature/artifice **pour en venir à la distinction** prothèse/greffe.

Mais il faut bien voir que cette question amène la prise en compte d'un nouvel élément que l'on pourrait appeler « le tiers procréateur » (donneur de sperme, donneuse d'ovules, couple donneur d'embryon ou mère porteuse), ce qui introduit la question de la **reproduction en collaboration**. Nous voudrions rester ici au niveau théorique, sans entrer dans la problématique psychologique de chacun des partenaires. La discussion tourne autour de la notion d'**ajout** qui, elle, est tout à fait antinomique à celle de prothèse. L'on a dit que la prothèse était par définition une pratique de remplacement: l'IAD ou la FIV (avec tiers) ressemblent à l'œil artificiel; tandis que l'ajout ressemblerait davantage, pour reprendre le même exemple, à des lunettes. À la différence de l'œil artificiel qui a, on l'a vu, une fonctionnalité physiologique nulle (comme l'IAD), les lunettes, elles, rétablissent une fonctionnalité défectueuse au niveau de la vision. Remarquons que la notion d'ajout prend tout son sens dans les cas de FIVETE, d'IAD et dans celui des mères porteuses. Mais elle prend son sens **seulement si la société**, à commencer par la médecine et les couples concernés, **accepte de penser autrement cette reproduction en collaboration**. Nous l'avons écrit ailleurs[12]:

> « Une des caractéristiques de la culture occidentale industrielle semble marquée par la revendication de l'exclusivité et l'obsession de la clôture; alors que les cultures traditionnelles sont caractérisées, elles, par leur souplesse, leur faculté de cumuler, plutôt que d'exclure ».

Dans l'adoption par exemple, le geste de la femme qui abandonne son enfant, même si c'est pour le donner à un autre couple privé d'enfant, est connoté de façon négative. Comme si, dans notre société tout transfert d'enfant (car dans l'adoption comme dans la FIVETE, c'est bien de cela qu'il s'agit) ne pouvait avoir lieu que sous le signe de l'abandon ou de la **substitution**, jamais du **cumul**. Et pourtant la notion d'ajout, de **parenté additionnelle**, selon l'expression de E. Goody, est non seulement possible, mais aussi parfaitement réaliste. Pourquoi, par exemple, ne pas conférer au donneur du sperme (indépendamment de la question de l'anonymat) un statut de **paternité additionnelle**? Pourquoi ne pas donner à la femme donneuse d'ovule, dans le cas de la FIVETE ou dans celui de la mère porteuse, le statut de **mère additive** (qu'elle soit ovulaire ou gestante)? Seul, à notre avis, cet éclairage peut aider à ce que soit véritablement restaurée, et non pas seulement colmatée de façon fruste, la fonction procréative d'un couple. Toutes les sociétés connues ont toujours eu « à faire avec » ce problème de stérilité, et toutes les sociétés ont organisé une forme de péréquation des enfants, de circulation des enfants. Or, les ethnologues spécialistes des questions de famille et de parenté ont montré que la circulation des enfants se traduit par de **multiples figures de délégation de parenté**. Il y a toujours eu des donneurs et des preneurs d'enfants. Les données actuelles de la reproduction humaine montrent qu'il existe également des donneurs et des preneurs de sperme et d'ovules. Mais en tout état de cause, il n'y a **jamais d'enfants plus vrais que d'autres**.

Les prothèses procréatives, si elles ne remplissent qu'une fonction opératoire, ne produiront que des « enfants de remplacement ». **Enfants de remplacement, enfants-prothèse**, ou encore, selon les cas « enfants-bâtons-devieillesse », enfants-réparation de la stérilité du père ou de la mère, enfantcolmatage d'un couple, enfant « anti-mort », tous ces enfants nous semblent partir sous de mauvais auspices car ce sont des enfants thérapeutiques pour les parents. Les béquilles sont sans doute faites pour être jetées après usage... En termes métapsychologiques, on peut penser que si ces techniques de remplacement sont là pour empêcher un travail de deuil de la fertilité qui, à cause d'elles, ne pourra pas s'effectuer, si elles résultent d'un contre-investissement massif à la blessure de la stérilité, autrement dit si elles fonctionnent comme des formations réactionnelles, leur résultat ressemblera, en bonne logique prothétique, à un cautère sur une jambe de bois... Si, en revanche, l'homme, la femme, le couple, a pu faire ce travail de deuil, a pu surmonter la blessure narcissique, la blessure dans le registre de la maîtrise de la toute puissance, si un travail mental a pu s'effectuer, l'enfant grâce à ces techniques aura des chances d'être le résultat d'un travail de sublimation, d'être un enfant « comme les autres », peut-être même « mieux pensé » que les autres! Mais, nous l'avons vu, la plupart des techniques de procréation assistées[13] ne pourront être considérées comme des **greffes** (et non seulement des prothèses) que si le moment d'interaction dialectique via la mère, le père et via le tiers procréateur a pu s'effectuer. À ce moment là seulement, si ces fonctions de parenté additionnelle ont pu être nommées, entrer dans le champ de la dette, du don, de la circulation des enfants, alors seulement il ne s'agira plus de prothèses mécaniques, opératoires seulement, mais d'**authentiques prothèses sociales**. Ce ne seront plus des prothèses qui masquent un manque, mais des prothèses d'ajout, de cumul, apportant quelque chose **en plus** à l'enfant, au lieu de le « conforter » dans une situation d'amputation, de manque.

Après tout, les individus stériles remplissent une fonction sociale, peut-être essentielle, dans la société actuelle; ils permettent aux « riches » (riches en sperme, les donneurs; riches en ovocytes, les donneuses; riches en « temps utérin », les mères porteuses), aux biens portants, aux individus généreux, d'enclencher un système de circulation des enfants en pratiquant le don, le prêt, engageant ainsi une logique d'échange par les différentes contre-prestations, les différents contre-dons (bénéfices secondaires ou indemnités en argent, nous ne voulons pas ouvrir ici de discussion sur ce point). Aussi bien les individus stériles que les individus donneurs de vecteurs de parentalité permettent de réintroduire ce grand jeu du don et du contre-don dans un domaine — celui de la procréation assistée — où, jusqu'à présent, règnent pauvreté imaginative et mécanismes obsessionnels d'évitement qui reposent sur une logique quelque peu perverse de l'exclusion.

Prêts, dons, greffes, ajouts, parentés additionnelles, nous semblent les termes adéquats pour bien penser les prothèses procréatives.

Synthèse du débat

Reine Grenier, agente de recherche, Conseil du statut de la femme.

Les participantes à cet atelier ont orienté leurs réflexions principalement sur les raisons qui motivent le désir d'enfant. Les trois personnes ressources avaient également mis l'accent sur les motifs de ce désir, lequel, avant l'arrivée des nouvelles technologies de la reproduction, ne suscitait pas autant de controverses et était, somme toute, considéré comme normal, intime, individuel et conjugal. Toutefois, repensé dans le nouveau contexte créé par les NTR, ce désir d'enfant deviendrait-il plus contestable, s'apparenterait-il plutôt à une demande sociale? Cette demande originerait d'une offre créée « artificiellement » par la science et la médecine lesquelles, sous prétexte de vouloir soulager la « souffrance » des individus infertiles, ne voudraient que promouvoir leurs recherches et expériences.

Les raisons du désir d'enfant: une réflexion nécessaire

L'arrivée des NTR, associée à l'insistance que l'on met sur leurs vertus salvatrices, force la réflexion sur les différents aspects du désir d'enfant. Les participantes ont insisté sur la nécessité de s'interroger sur le désir d'enfant, le désir de devenir parent, le désir de procréation, le désir de transmettre la vie qui, selon certaines, n'échapperait pas à la dimension culturelle et sociale. Contrairement à ce qu'on est porté à croire, il se peut que ces différents désirs ne soient pas aussi instinctifs, irrésistibles, spontanés, normaux, intrinsèques ou essentiels. C'est pourquoi ce que l'on véhicule à leur sujet a besoin d'être décodé. Le désir d'enfant ne serait-il pas plutôt un devoir d'enfant? Ce désir serait-il conditionné et inculqué? Avoir un enfant s'apparenterait-il à une dette? L'incapacité de procréer développerait-elle une certaine culpabilité et intensifierait-elle ce désir d'enfant?

Toutefois, les participantes ont également fait part de leurs inquiétudes et du danger de concentrer la réflexion sur les motivations du désir d'enfant exclusivement sur les individus infertiles. Ceux-ci deviendront-ils des objets de curiosité aux plans médical et clinique? Leur désir d'enfant serait-il suspect, pas tout à fait véritable et revêterait-il une forme différente de celui des individus fertiles? De l'avis de certaines, il faut user de beaucoup de prudence face aux médecins qui pourraient s'arroger le pouvoir exclusif de gérer le cas des personnes qui souhaitent recourir aux NTR. Une certaine forme de discrimination pourrait alors s'exercer entre des désirs jugés parfois bons ou parfois mauvais ou entre des désirs discutables et des désirs incontestables.

Quelques participantes, actuellement suivies en cliniques de fertilité, ont elle aussi ressenti le besoin de s'exprimer sur le degré de prudence et de remise en question que nous devrions avoir face aux NTR et au désir d'enfant. Selon elles, le désir d'enfant n'est pas aussi obsessionnel qu'on veut le faire croire. Pourquoi serait-ce une obsession de vouloir aimer et de vouloir être aimé-e? Les individus qui ont recours aux NTR ont parfois analysé beaucoup plus profondément les raisons de ce désir d'enfant que les individus fertiles. Par conséquent, ils peuvent devenir, au même titre que les autres, d'excellents parents sans avoir développé de déviations ou de mécanismes obsessionnels.

À ce sujet, les personnes ressources de l'atelier ont tenu à rassurer toutes les participantes; il n'est nullement question de porter un jugement individuel sur les personnes qui se soumettent aux nouvelles technologies et sur leur capacité de devenir de bons parents. Geneviève Delaisi de Parseval a d'ailleurs livré certains commentaires sur son expérience australienne. Elle a rencontré dans ce pays deux enfants dont les parents avaient eu recours aux NTR. L'un d'entre eux ne correspondait absolument pas à ce qu'elle définit comme étant un enfant-prothèse; son développement était normal même si la mère avait des attentes assez élevées envers cet enfant, comme cela se produit aussi très fréquemment chez les couples fertiles. La situation de l'autre enfant était un peu problématique, un peu plus « difficile », et cela était vraisemblablement attribuable au comportement du père, l'individu infertile du couple, qui voyait dans cet enfant le témoin quotidien de son infertilité. De tels exemples montreraient donc à quel point il est difficile pour chacune d'entre nous de se situer face aux NTR et de définir des lignes de conduite communes et adaptables aussi bien à une demande individuelle qu'à une demande collective et sociale.

Les NTR: leurs limites

Un autre aspect, du reste fondamental, des NTR a également été abordé. Cette nouvelle médecine, comme on l'a judicieusement expliqué, ne guérit pas le problème des individus auxquels elle s'adresse. Qu'il s'agisse d'insémination artificielle, de fécondation in vitro ou d'une toute autre méthode, les couples qui réussissent, par le biais des NTR, à réaliser avec succès leur projet d'enfant demeurent, il ne faut pas se le cacher, infertiles. Plusieurs intervenantes l'ont souligné, il faut, avant d'avoir recours aux NTR et de laisser s'exprimer ce désir d'enfant, faire le deuil de son infertilité parce que celle-ci est souvent ressentie comme une blessure narcissique. Dans de telles conditions, l'enfant, le produit de ces nouvelles technologies, pourrait devenir une « prothèse »; prothèse d'un couple qui n'aurait voulu finalement que masquer ce qu'il croit être une faiblesse, un manque.

Mais d'où vient cette intolérance envers l'infertilité? Certaines affirment qu'il s'agit d'un phénomène social. Nous vivons dans une société où la femme a revendiqué, tout récemment encore, son droit au non-désir d'enfant. Ces actions nous auraient amenées à considérer la fertilité comme inhérente à chaque individu. Tous les hommes et toutes les femmes doivent être non seulement fertiles mais hyperfertiles, et ce à court terme. Le rapide développement que nous avons connu des méthodes et moyens de contraception en est la meilleure preuve. Face à un tel constat, l'infertilité apparaîtrait comme inacceptable et favoriserait chez les individus le développement d'une crainte collective et obsessionnelle face à cette « maladie ». À titre d'exemple, Laurence Gavarini a mentionné que certains centres français de traitement de l'infertilité proposaient la fécondation in vitro six mois après l'arrêt de l'usage d'un contraceptif. Elle a également cité certaines études qui auraient démontré que « le meilleur remède à l'infertilité pourrait bien être... le temps ».

Une des participantes a indiqué qu'il est essentiel de réfléchir sur les différences qui existent entre le désir d'enfant et le devoir d'enfant parce que, croit-elle, sans porter encore une fois un jugement sur les couples qui y recourent, les NTR vont réveiller chez ces couples l'obsession qu'il faut absolument être fertiles immédiatement, c'est-à-dire à partir du moment où on a décidé d'avoir un enfant. Elle s'inquiétait de ces couples qui, après d'énormes efforts, avaient finalement réussi à faire le deuil de l'infertilité de l'un ou de l'autre et qui, avec l'arrivée des NTR, risquent de se retrouver face à de nouvelles décisions, et donc à de nouvelles confusions.

Une autre des participantes, déjà traitée dans une clinique de fertilité, a abondé dans le même sens. Les NTR, avec leur faible taux de réussite, créeraient de faux espoirs. Chez elle, cet aspect combiné à l'impression de s'être sentie violée et impuissante, d'être passée par un processus douloureux, physiquement et mentalement, tout cela vécu dans un environnement inhumain, a eu comme résultat, qu'après quelques mois, elle décidait de tout laisser tomber. S'étant tournée vers l'adoption, elle abandonnait également en raison des délais d'attente qu'elle jugeait trop longs. Elle souhaite par conséquent qu'on envisage sérieusement de nouvelles solutions aux problèmes d'infertilité. Sans développer très précisément sa pensée, elle suggère de réfléchir sur une maternité alternative comme le partage du soin et de l'éducation d'enfants appartenant à d'autres.

Les « psy »: des acteurs majeurs

On a également voulu traiter du rôle primordial que des spécialistes tels que les psychologues et les psychanalystes ont à jouer. Selon certaines, il faut s'interroger sur tout le pouvoir que les femmes accordent aux médecins dans la question du traitement de l'infertilité puisque dans ce cas-là, il ne s'agit pas de guérir mais de créer, de faire un enfant. C'est pourquoi les « psy » doivent être plus que de simples consultants; ils doivent aider les personnes infertiles à faire le point sur le désir d'enfant qui devient, avec ces nouvelles technologies, plus qu'un désir mais un droit, et encore plus un droit à l'enfant parfait. Ces spécialistes doivent créer un certain rapport de force face à la médecine qui légitime le développement de la recherche en matière de NTR en se fondant sur la légitimité du désir d'enfant des couples.

En recherche, une lacune importante

Les causes de l'infertilité et les besoins de recherche en cette matière sont deux autres éléments qui ont été discutés par les participantes. Si des facteurs psychologiques comme le stress, l'angoisse peuvent expliquer l'infertilité de certaines femmes, il ne faut pas non plus négliger les autres facteurs, qu'ils soient biologiques, environnementaux ou sociaux. On ne doit pas attribuer aux problèmes psychologiques la principale cause de l'infertilité parce qu'on risquerait encore une fois de reporter tout le blâme sur la personne infertile comme si on voulait lui dire: « Règle tes petits problèmes et après, tu verras, tout ira bien! ».

Enfin, le manque d'information et de recherche sur les enfants issus des NTR, de l'insémination artificielle avec donneur, notamment, parce que celle-ci est pratiquée depuis plus longtemps que les autres méthodes, a été ressenti comme une lacune importante à ce stade du développement de ces nouvelles technologies. On juge essentiel que ces recherches soient faites, et ce qui semble le plus curieux et le plus inquiétant aux yeux de certains, c'est que justement elles ne soient pas encore faites. La recherche sur ces enfants permettrait d'améliorer nos connaissances sur le motifs du désir d'enfant et ainsi, peut-être, forcer le développement de nouvelles solutions, autres que médicales, à des problèmes qui, au-delà des apparences, pourraient bien être de nature sociale principalement.

Atelier D :

De parents inconnus

*C*omment expliquer la grande résistance à la levée
de l'anonymat dans les dons de sperme et
d'ovule? La levée de l'anonymat ne se heurte-t-
elle pas au désir des parents sociaux et des médecins de camoufler cette
forme « adultère » de procréation?

Personnes-ressources: **Lena Jonsson**
Rona Achilles
Édith Deleury

Artificial Insemination in Sweden
Lena Jonsson*

Résumé

Dans un premier temps, un historique de la situation qui prévalait en Suède avant l'adoption de la loi concernant l'insémination artificielle en 1985 est présenté. On apprend qu'à cette époque, l'anonymat était assuré au donneur et que des pères sociaux, après avoir donné leur consentement à l'IAD, avaient refusé de reconnaître l'enfant. C'est pour remédier à ces situations que des changements législatifs ont été apportés.

Il va s'en dire que l'adoption d'une loi sur l'insémination artificielle a suscité un vif débat en Suède. Des arguments ont milité en faveur de cette loi, notamment la nécessité d'encadrer la pratique pour éviter des abus, d'accorder à l'enfant le droit à ses origines permettant, entre autres, d'avoir des donneurs plus responsables. Les détracteurs se sont inquiétés de la pénurie de donneurs et ont demandé le maintien de l'anonymat. Le gouvernement suédois, ayant évalué le débat et étudié la situation des enfants issus de l'IAD par rapport à celle des enfants adoptés à qui on a déjà reconnu le droit de connaître leurs parents biologiques, a décidé d'agir dans le meilleur intérêt de l'enfant et de favoriser la franchise et l'honnêteté des parents à l'égard de leur progéniture.

Ainsi, parce qu'il est fondamental pour les Suédois qu'un enfant ait un père, qu'il puisse connaître ses origines, et parce qu'il est admis que le droit de procréer n'est pas un droit inconditionnel, le législateur a sanctionné une loi sur l'insémination artificielle; elle a pour effet de limiter l'accès à cette technique, de la réglementer, d'établir irrévocablement la filiation de l'enfant en faveur du père social et de reconnaître à l'enfant le droit à ses origines.

* Lena Jonsson possède une maîtrise en sciences politiques et travaille depuis 1972 au ministère de la Santé et des Affaires sociales de Suède. Depuis plusieurs années, elle s'occupe d'éthique médicale au sein de cet organisme et, a entre autres étudié, outre les questions reliées à la reproduction artificielle, celles relatives à la recherche génétique, aux transplantations d'organes, au concept de mort du cerveau. Son rôle de cadre dans un ministère clé pour tout ce qui a trait aux politiques sociales et de la santé suédoises, l'a amenée à suivre de près le contexte qui a précédé l'adoption en mars 1985, d'une législation sur l'insémination artificielle. Un des aspects les plus connus de celle-ci est sans conteste le droit qui y est consacré pour les enfants nés par cette méthode de connaître leur origine et l'identité du donneur.

In Sweden about 250 children are born each year after artificial insemination by donor. The sperm donors have up to 1985 had the right to be anonymous. Until then it was up to the parents to decide if thay wanted to tell the child that he/she had been born after artificial insemination. It hasn't been possible for the child to find out the identity of the sperm donor.

But since the 1st of March 1985 there is a law in Sweden about artificial insemination. And due to that law the child, when he/she has reached "enough maturity", — as the law says — has the right to learn who the biological father is.

The chief reason to introduce a law about insemination was the simple fact that artificial insemination wasn't at all legally regulated. Swedish law afforded no protection whatsoever for insemination children. As the law concerning parentage in Sweden then stood a husband who had consented to his wife or female cohabitant being inseminated with sperm from another man could at any time and without no limitations file proceedings with a court to establish that he was not the child's biological father.

There where some cases when the child suddenly stood without a father. These cases got a lot of attention. The "social father" changed his mind and didn't any longer want to be the father when the couple separated. And the biological father was unknown and couldn't be found with the rules and routines we had at that time.

This situation was considered unacceptable. Something had to be done. It was considered that every child must have the right to a father.

The Parliament then took the initiative to an investigation and eventually the law was introduced at the beginning of 1985.

The law of artificial insemination

To begin with I'll tell you more about the law now. And then I'll talk a little about the debate that took place before the law was passed. But first of all I want to say that the question that attracted most attention and caused most debate of course was that of the donor's anonymity.

There was on the other hand a great agreement that it was now time to have the conditions for inseminations regulated by law. It was also noticed that inseminations now had reached such a level that it wouldn't be reasonable to forbid it. But it was considered important that inseminations were carried on under controlled conditions and that the child's best interest was satisfied.

The basis of this new legislation has been the benefit of the child and not only to make it possible for a couple to get a child at any price. A child has to be born for his/her own sake. One must not just think of a child as means of bringing happiness to a couple.

The law begins by laying down the principle that a man who has consented to his wife or cohabitant being inseminated with sperm from a donor must be deemed the child's legal father and may never abrogate his responsibility. The donor, on the other hand, must never incur any responsibility for the child. This codifies a principle which is probably supported unanimously in Sweden.

A child that has been born after insemination then gets the same legal position as all other children. The child never runs the risk of being without a father. It is never possible to give up the fatherhood no matter how the fertilization has been done.

It is thus the ''social father'' wha has all rights and obligations towards the child. The biological father has no such responsibility.

According to the law only women who are married or cohabitant may be inseminated. The motive for this is that a child needs both a mother and a father.

Of course there are already a lot of women living alone with their children. But it would be wrong if society contributed towards a child being without a father from birth. It is thus not possible for single women or women living in lesbian relationships to be inseminated.

The law requires a written consent from the husband or cohabitant.

If the insemination is done with donated sperm from a donor the treatment has to be done in a hospital under the supervision of a gynaecologist. There are ethical and psychosocial problems connected with inseminations with donated sperm. It was therefore considered important that inseminations were done by doctors having experience from childlessness examinations and that it was carried out under ethically acceptable conditions. It was also considered important that there were access to psychological experts.

It is a task for the doctor to choose the sperm donor, but without taking into consideration special qualifications other than eye-colour, hair-colour and so on.

Before the law came into force insemination activities were carried out in secret with the ambition that no outside person should be allowed to know that AID treatment had been done. It wasn't at all possible for the child to get to know his/her origin. All informations about the donor were kept secret if they were saved at all.

The attitude of society with regard to a child's right to be informed of his or her origin has been very different in the case of adopted children as against AID children. In the case of adopted children the aim is, since some 20 years, to achieve as much openness as possible in this special area.

The new law lays down that the earlier attitude towards AID children is no longer acceptable if one has the child's best interests in view. But the question of telling the child about its origin wasn't anything one could legislate. It had to be left to the parents to decide at what time to tell the child. So instead it is observed in the law that during the psychosocial counselling procedure which precedes insemination, the physician should try to make the perspective parents understand the importance of being frank with the child. In the hospital they ought to tell the parents that this is a very important question.

The law says that the parents ought to tell the child that it is born after insemination as early as possible and at a time that they themselves find suitable.

The attitude of the parents is thus of vital importance to what the child gets to know. In practice, even with the law, the child may be unknowing of its origin.

When the child has reached "enough maturity" — as the law says — he/she not only has the right to know how he was made but also the right to know **who** the sperm donor is.

The maturity of the child is decided by hospital and a social worker.

But, of course, it is just in those cases where the parents have told the child how he was made that it is of current interest to find out who the sperm donor is.

Then it is possible for the child to ask the hospital that has done the insemination to show the case record and to help the child to come in contact with the sperm donor if he accepts that.

No one else has the right to search for the donor's name. Not even the parents.

Information about the sperm donor is to be saved in a special case sheet for at least 70 years so that the child can search for its origin when he/she is an adult.

The debate

Before the Parliament passed this law there was an intense and sometimes excited debate in mass media. The question arousing most attention and the strongest feelings in public debate is undoubtedly the delicate issue of the right of an insemination child to find out about his or her origin, that is the fact of AID having taken place and the identity of the donor.

As I said earlier, there was great agreement about the other main question — that about the father's legal responsibility. I'll tell you a little about the debate and what arguments for and against the question of anonymity that came up.

The advocates of donor anonymity feared that inseminations were to come to an end. It quite simply wouldn't be possible to get donors if the men knew they wouldn't remain anonymous, people said.

Those, on the other hand, who thought that the child should have the right to know its origin said that the law would bring about a new category of sperm donors. They thought we would, to a greater extent, get donors who were conscious and responsible.

The critics said all parents to children born after insemination until then had kept the secret and had let the child and the rest of the family and friends believe that this was their biological child. Parents, they said, didn't want to tell the child how he was made.

Those who thought the sperm donor shouldn't remain anonymous emphasized that one has to tell the truth. We have to be honest towards each other.

They thought the children could suffer later, if by chance they understood that the parents had told them a lie all their life. These people thought it would be better both for the child and for the parents if the child got to know the truth as early as possible. They also thought that it isn't reasonable that a society institute laws based on lies. If society thinks insemination is an acceptable way of being pregnant then the same society must be honest and able to take the responsibility.

In the debate it was also emphasized that "the social father" is the father in all respects — except when it comes to the start of life. It was declared that this debate had nothing to do with the question whether the social father is a good enough father or not. Instead people wanted to emphasize that the social father, the one who lives with the child, is the one who gives love and safety and also is the one who forms the child's character and so on. It is together with the social father that the child lives a family life. But this of course doesn't prevent some of these children from wanting to know their origin.

The situation of these children were compared to that of adopted children.

A lot of adopted children try to search their origin. They want to have knowledge about their origin. They look for knowledge, not for love.

Parents of AID children are in roughly the same situation as adoptive parents. In both cases the child has at least one non biological parent, with all the various problems this can involve.

Experience from adopted children shows that the best thing is to tell the child about its origin as early as possible so that it becomes a natural part of their life. If one by mistake, when one is an adult, gets to know that one has other natural parents this could create difficult problems.

Everyone now also knows that the relationship between the adopted child and the adoptive parents isn't at all disturbed by the parents being honest to the child.

For some people it can be very important to get to know their biological origin. For others it is not important in the same way.

If we know all this why then, people asked, should a law from the Parliament tell that it is wrong to search one's origin. Why should we in a law state that all papers and all information are thrown away from the beginning to keep secret who the father is, though actually we knew it from the beginning. This child could, rightly, some people meant, feel cheated by both his/her parents and society.

Today we've got convincing research showing that adopted children are happiest if they as early as possible learn about their origin. For those adopted children who hadn't learnt that they are adopted until they are adults the most difficult thing has been that the parents haven't told them the truth earlier, and not the fact that they are adopted. "If my parents haven't told me the trruth about my origin then I can't trust them in other situations either."

Perhaps it is the fathers of the insemination babies who would have most benefit of more frankness. They wouldn't have to be embarrassed when those around point out that the father and the child are not alike. And if there were more frankness, people said in the debate, the fathers shouldn't need to hide the right state for anybody and they shouldn't risk being exposed.

Judging from our knowledge of adoptive children, the majority of insemination children will be uninterested in the identity of donor. For most of the children it is enough to know how they have been made. But for those who really want to search their origin it is very important that it be possible to do so.

To this, of course, there were people who said that it wasn't at all confirmed that children had to know their biological origin to be able to develop their identity.

Those who wanted the sperm donor to remain anonymous also pointed to the fact that in Sweden it is said that about 10% of all children actually have another father than the woman's husband. In those cases the woman reports the husband as the father. The critics asked why then it was so necessary to make clear the biological origin of the insemination children.

Those who wanted to get rid of the anonymity meant that this was a bad reason to hide the truth about the insemination children.

It was also said in the debate that insemination is a rather exceptional method of getting pregnant. If a couple is mature enough to choose such a method they also ought to be mature enough to live with the fact that the sperm donor isn't unknown.

A reason in favour of anonymity was that the interests of the donor must also be considered. What will happen to a sperm donor in say 20 years time when perhaps his biological children get in touch with him? How does the man react at that time? And what does his family feel about it? We don't know anything about it yet.

Some people also said that if it would be difficult to get sperm donors, this would just mean that couples that could afford it would go abroad and also that one would get an "illegal market" in Sweden.

At the end of the debate, the majority of the doctors who made inseminations appeared in the newspapers threatenning to stop doing inseminations if the law was passed.

Finally the Parliament passed the law and it came into effect in the spring of 1985.

During the debate in the Parliament there was a great agreement that a legal regulation now was required. Most of all to give these children the right to a father — like every other child. But also because society has to have the possibility to control how "manipulation" with life is to be carried on.

When it came to the anonymity of the donor however several members of the Parliament wanted the donor to remain anonymous.

The law was passed with a fairly wide majority. The opinions were divided throughout the different political parties.

What has happened after 1985?

What then has happened since the law came into effect? Has this question been discussed a lot since? No, hardly at all. There has been one article or another in the newspapers now and then but as a whole it has been rather silent about the inseminations.

Before the law, inseminations were made in ten hospitals in Sweden. Now, one and a half year later, six hospitals are doing it.

During spring-time and autumn 1985, when the law was new, inseminations stopped more or less in most of the hospitals. Before the law, there were about 300 sperm donors altogether. After four months there were only about thirty left.

But already during late autumn 1985 some of the doctors said that the law wasn't the same "death-blow" that they had thought it would be. Inseminations started up again.

Some weeks ago, one and half years after the law came into use, I asked the hospitals how it worked today. It then showed that five of the hospitals (among those the greatest clinics) had enough sperm donors now. They had all experienced a depression to start with but rather soon they had got new donors.

Earlier the donors were recruited either among the physician's personal contacts or by inquiries at workplaces or military units.

After the law, five of the ten clinics got new donors without any active "recruitment". It was often another type of donor than earlier, men with own children who had met problems of childlessness among friends. One hospital got their new donors through recruitment activities.

It is to be observed that the only hospital which had a chief physician who was in favour of the law had no problem at all getting donors. Even before the law, they had had mature and responsible donors. And that hospital never experienced any drop in the number of donors.

One hospital continued with AID, but on a lower level than before the law due to difficulties in getting as many donors as they needed.

Four hospitals had ceased to do inseminations because it had been difficult to get donors. One or two of these hospitals had tried actively recruiting new donors, but hadn't been successful.

Conclusion

The underlying principle of this law is that having children is not an unconditional human right and that activities of this kind should therefore only be permitted on condition that the child will be able to grow up in favourable conditions.

It was the hope when this law was passed that the inseminations would be combined with greater honesty and frankness. And the aim was that the insemination children should require full "respectability" and a status bearing comparison, for example with that of adoptive children. For adopted children, Sweden has long ago abandoned the old tradition of secrecy and furtiveness. Adoption researchers find that adoptive children have become happier as a result. And this is what we hope will also happen to the insemination children.

Anonymity and Secrecy in Donor Insemination: In Whose Best Interests?
Rona Achilles*

Résumé

Les pratiques de l'anonymat et du secret en matière de nouvelles technologies de la reproduction sont-elles directement liées à l'importance sociale que l'on accorde au lien biologique dans notre culture? C'est la question que soulève l'auteure.

À cette fin, elle fait l'examen d'une analyse des comportements de chaque personne concernée par l'insémination artificielle avec donneur et l'intérêt de chacun au maintien de l'anonymat et du secret qui entoure cette pratique. On constate que toutes les parties à l'insémination artificielle avec donneur, le médecin, le donneur de sperme, la mère et l'homme infertile, préfèrent que l'anonymat soit conservé et continuent de garder leur secret alors que les enfants aimeraient connaître la vérité. À cet égard, les recherches effectuées confirment le besoin pour les enfants de connaître leurs origines.

En fait, l'anonymat préserve l'image mythologique de la famille, du donneur, du père social et du pouvoir médical. L'auteure affirme même que l'anonymat et le secret entourant la pratique de l'IAD normalise la famille selon la norme culturelle du lien biologique alors que cette norme ne représente plus la société actuelle.

Artificial insemination is a simple procedure in which semen, obtained through masturbation, is inserted into a woman's vagina, usually with a instrument similar to a syringe. Artificial insemination, in other words, is simply a replacement for sexual intercourse. Conception and gestation take place through natural means, or as "naturally" as pregnancies achieved through physical contact with a partner. The procedure is defined according to the relationship of the

* Rona Achilles est docteure en éducation du Ontario Institute for Studies in Education, affilié à l'Université de Toronto. Elle y a rédigé une thèse fort remarquée où elle a étudié la signification sociale des liens biologiques produits par cette nouvelle technique de reproduction assistée qu'est l'insémination artificielle avec donneur.

Madame Achilles est actuellement chercheuse pour le compte de la Children's Aid Society.

recipient to the sperm donor. This presentation will focus on donor insemination (DI), as practiced in clinical settings, in which the sperm donor is neither the husband nor partner of the woman and is generally unknown to her.

Despite the simplicity of the procedure which requires only an available source of fertile sperm, a method of inserting it into the vaginal tract, and a knowledge of ovulation time, donor insemination is generally practiced through a complex web of social interactions and restraints.[1] Although some women do utilize self-insemination, that is, simply obtain sperm and insert it on their own, donor insemination is defined as a medical procedure and most women do seek medical assistance to achieve pregnancy through this method. This discussion focuses on the practice in clinical settings because it is through this medicalization of the procedure that the defining social features — anonymity and secrecy — are facilitated. I will argue that the social reasoning underlying the anonymity and secrecy surrounding donor insemination is related to both the strength of, and the specific social meanings attached to biological ties in our culture.

The term "parent", mother or father, (in this case we are referring specifically to fathers) typically refers to an individual who assumes both the biological and social components of the parenting role. Those who beget, or conceive, in other words, are socially assigned the task of rearing children. When this is not the case, as with adoption, fosterparenthood, or step-parenting, parental roles are modified by an additional adjective or description. Biological parents are described as, for example, birthparents, original, or natural parents. Social parents are described as adoptive, foster, or step-parents. Successful use of donor insemination also severs the link between biologic and social fatherhood. The configuration of parental roles created depends upon the circumstances of the mother. With heterosexual couples, the DI mother's partner becomes the social father, with lesbian couples, the mother's partner becomes the social mother (or co-mother) and with single DI mothers, there is no second parent present. In all instances, the sperm donor is the biological father and the DI mothers preserve the link between biological and social parenting.

The situation of offspring created through donor insemination is somewhat analogous to adoptees whose biological parents are different from their social or adoptive parents. A more accurate social precedent, structurally speaking, is the circumstance of step-children in reconstituted families who live with one biologically-tied parent and a second parent who is not biologically linked. There are additional parallels with female single parents who rear offspring without assistance from the biological father. At a structural level, therefore, the family configuration of DI offspring do not appear to be significantly different from a substantial portion of our current diversity in family forms and structures.

Adoption and donor insemination, however, do differ in significant ways. First, in donor insemination the biological mother is also the social mother so that unlike adoption, (in a two parent family) there is one biologically tied parent and one who is not biologically tied[2]. Secondly, in donor insemination, again, unlike adoption, a child is knowingly created by one biological parent (the sperm donor) who has no intention of rearing it. Thirdly, the creation of this child occurs with the assistance of the medical profession. This movement of conception from the private to the public realm is critical. New social issues, questions, and responsibilities are raised by this shift. Among them are the issues of donor selection, screening, payment, eugenics, and the number of children that can be fathered by one donor. In addition, there are the issues raised in this workshop — the responsibility to keep accurate records linking recipients, donors, and offspring and the issue of access to those records by the DI offspring when they reach the age of majority. Although with adoption, biological parents may relinquish their children for a variety of different reasons,[3] the children were not knowingly conceived with this in mind. This may be a particularly significant difference for the offspring of donor insemination.

To just briefly address the title of this workshop — it is not really accurate to say ''parents unknown.'' Rather, the mother is known, the second rearing parent, if present, (whether male or female) is known. It is the sperm donor who is the biological father of the DI child and the procreative partner of the DI mother who is unknown — unknown specifically to the recipients and to the offspring. The very language that we use to describe the relationships created through donor insemination is awkward. The absence of a language which is both accessible and comfortable is indicative of the lack of cultural legitimacy about the procedure.

What is strikingly similar about adoption and donor insemination is that if we look back 30-40 years in the history of adoption we find the same anonymity and secrecy about the process as now surrounds donor insemination. There are actually two different issues, therefore, that are related to this workshop: 1) the anonymity of the sperm donor — who is generally unknown to everyone except perhaps to the physician and medical personnel and 2) the shroud of secrecy which surrounds the procedure. These two issues can be separated but are also, as with the adoption process, inextricably linked.

From the perspective of research, the anonymity and secrecy hinder our ability to do empirical research in this field and we know very little about the practice from the point of view of the participants. In the rest of this discussion, I will draw upon my own research which was an exploratory, qualitative, study of all of the participants in donor insemination (in total 50) and included: donors, DI mothers, partners of DI mothers, adult offspring, and physicians. The respondents were difficult to contact but I found that once contacted they were very eager to talk and to share their experience.

Anonymity

To begin with the issue of anonymity, there is almost universal agreement in medical, legal, and sometimes even social and psychological literature that the preservation of the anonymity of the sperm donor is essential to the very success of the procedure. Sweden, of course, is an exception to this otherwise quite unanimous belief, as is the Oakland, California Feminist Women's Health Centre which diverges from the medical model on this issue. To cite a few examples:

1) The Report of the Advisory Committee on the Storage and Utilization of Human Sperm, a report published by Health and Welfare Canada in 1981, states that "Every effort to ensure donor anonymity should continue to be made" (1981:21).

2) The Ontario Law Reform Commission Report in 1985 states "the continued secrecy respecting the child's origins and the anonymity of the donor are generally thought to be of substantial importance to the stability of the family and the welfare of the child" (1985:103).

3) And, the Warnock (1984:15) report, perhaps most revealingly comments that "anonymity protects all parties not only from legal complications but also from **emotional** difficulties" (Emphasis mine).

For a women to neither know nor choose her procreative partner is a momentous shift in reproductive relations. Historically, it is unprecedented. Neither marriage nor parenthood have always been based entirely on choice. However, prior to the separation of sexual intercourse from reproduction, knowledge of the reproductive partner (whether chosen or not) was always a necessary component of biological parenting.

It is the strength of, and particular meaning attached to, the biological tie that requires this distance between the DI mother and her sperm donor. This distance is facilitated and mediated by the medical setting. Otherwise, why wouldn't a woman borrow a cup of sperm from her neighbour as we do the proverbial cup of sugar? Defined and pursued as a medical problem a medical solution is sought even though the woman, who becomes the patient, is (presumably) fertile. Additionally, the DI mothers' description and understanding of the procedure is medicalized. Among the comments made by the DI mothers I contacted are the following: "It was just a little vial of semen, that was it. I don't even visualize a donor." "I think it's important to match the physical characteristics as much as possible, you know, because different people can handle different things... And it's funny, when she was born, a lot of people thought she looked like her father..." "DI is a clinical treatment, it's just like an allergy shot..." "DI is just a means to an end..." (Achilles, 1986).

Despite the impersonality, cost, and stress frequently associated with donor insemination for some of these mothers, fertile women undergo inconvenience and sometimes painful medical procedures to achieve distance from donors. Neither DI mothers, their partners, nor the donors had, with the exception of one mother, any interest in meeting each other.

Among the offspring, however, there was interest expressed in knowing more about their biological father. Two bad become quite obsessed with the idea. The sample is much too small to generalize from, however, it is possible to speculate from the experience with adoption that some DI offspring who know about their origins might express interest in information about their biological father. In one study recently commissioned by the Ontario government to study disclosure in adoption, the author states, "in recent research studies of adoptees in Canada, the United Kingdom, and the United States, it is unequivocally argued that adoptees **need to know** their origins" (Garber, 1985:25 — emphasis in original). The differences between adoption and DI do warrant consideration, however, the voices of some DI offspring suggest the similarities may override the differences. Long-term record keeping linking donors, recipients, and off-spring is increasingly feasible in light of advances in computer technology. Social policy could ensure rather than eliminate options in this respect.

Secrecy

The fact that donor insemination is an old procedure, one that has been around for over a hundred years, and used as a medical "treatment"[4] for male infertility not uncommonly since the 1940's and more widely since the 1960's, comes as a surprise to most people. The use of donor insemination, is, in fact, a very well kept secret. It is a secret socially, since it became visible only recently with the public attention focused on more highly sophisticated reproductive technologies. It is frequently a secret within families with perhaps no one except the DI mother and her partner knowing about it. Most significantly, it is frequently[5] a secret from the individual conceived through this method.

The issue of secrecy is a more flexible one than that of anonymity. It is also, from a recipient's point of view, a much more nogotiable one.[6] The identity of the donor, if records are not kept, or even if they are, may never be accessible to the recipients or offspring of donor insemination — this is the issue of anonymity. Whether or not, or to what extent, to keep the procedure a secret is much more in the control of the participants. Nevertheless, overall, medical, legal, and ethical discussions have leaned towards the benefits of secrecy. A 1975 British Columbia Royal Commission on Family and Children's Law recommends that: "The child should not have the fact of his [sic] origin by artificial insemination divulged to him." However, it is interesting to note a shift in the guidelines for the American Fertility Society from 1980 to 1986, on this issue. The earlier report states that "There is no benefit and considerable risk to informing the relatives, friends, ministers, and the offspring of the procedure, and other physicians involved in the care of the recipients need not be informed of the procedure." A more recent report (1986:36S) comments that "there is a lack of information about whether secrecy is better for the child."

Although secrecy cannot be legislated or regulated in ways that the anonymity or identity of the donor can be, all of the physicians that I interviewed saw no reason to tell the child. The DI mothers that I contacted expressed a diversity of responses from "no one knows" to "everyone knows". Mothers without male partners were all open about the procedure since they had to come up with some explanation about their pregnancy and child. DI was regarded as a more socially acceptable explanation than a "one night stand." Within my sample, therefore, the problem of secrecy applied only to married women for whom it was possible to disguise the origins of their child and their male partner's infertility. I spoke to some DI mothers who had never spoken to anyone else except their partner or husband and their physician about their child's origins. For these women, it seemed, the research served a therapeutic purpose as well, since some expressed feelings of isolation about their status as DI mothers and relief at being able to "talk to someone after all these years." For example, as one DI mother who I will call Stella said:

> "The doctors said there should be no publicity... that the less discussed the better... and connecting with donors raised questions, unanswerable questions... so, I haven't told anybody... it's been a little hard to keep the secret... [but] there would be little point in saying anything... though sometimes I'd like to say... look how lucky we are! But I can live with it. I won't have to tell anyone. [I asked why she wouldn't tell anyone.]... Because of my husband, I suppose, and I don't want them to think it isn't their father and because of the grandparents... I have three children with brown hair and when people comment that they don't look like my husband... I ache inside. It's just something you live with."

Stella's comments are quite typical of the majority of DI mothers I contacted who attempted to keep the DI secret but found, for a variety of reasons that secrecy was not always possible or feasible. Several other mothers commented that they were concerned that their children would feel "different," that they were protecting their children from possible negative responses from other family members, peers, and from feeling like their father was not their "real" father. As well as protecting their children, the DI mothers mentioned protecting their husbands from the stigma of infertility and from the reminder that their children were not biologically linked to them. Although not explicitly stated, the secrecy also protects the husband from being reminded of the fact that his wife conceived and bore children with another man usually unknown to both of them and that this man is the biological father of his children. If there was as Stella put it "no point in telling" there would also be no point in keeping the secret.

The adult offspring that I spoke to had been told under the worst imaginable conditions — a step-parent, jealous of his daughter's relationship with her father informs her that "he is no more your father than I am" — another father told his daughter after her mother died of breast cancer, he felt he could no longer deceive her, one mother told her son after his father commited suicide so that he would not think that he inherited depression. Secrets such as this one are loaded and it should not be surprising that offspring are told during family crisis. Those who are conceived by donor insemination therefore have two dilemmas to deal with at once — the fact that they were deceived and the fact that they have two fathers, one of whom (the biological) is unknown and potentially unknowable.

Of interest as well is the fact that donors preferred secrecy about their role as sperm donors. Unlike the role of a blood donor to whom sperm donors are frequently compared, the sperm donors who I contacted felt that their role was a clandestine one rather than something they could be proud of and be open about[7]. The infertile male partners of DI mothers were almost impossible to contact — two of those that I did contact had had vasectomies which is quite a different experience than involuntary infertility. "You are asking them to tell you about their inadequacy" commented one donor and another donor referred to the infertile men as "the third sex". Donors, in contrast to infertile male partners, were easier to find and eager to talk. The difference between the sperm donors and the infertile men was that one group were reproducing themselves whereas another was not. Culturally, fertility, virility, and masculinity tend to be merged.

In sum, it is my view that the current practices of anonymity and secrecy surrounding donor insemination are designed to "normalize" the families created to the cultural norm of the nuclear biologically tied family. Despite the fact that this norm no longer represents the current diversity of family forms and structures, biological ties emerge as carrying substantial cultural meaning. There were three themes that emerged in the data collected. Firstly, biological ties were described as "real", "true," and "natural" and are perceived as the source of genetic as well as social characteristics of individuals. Secondly, physical resemblance is regarded, almost celebrated, as a feature of biologically linked individuals — despite the fact that biological ties do not guarantee physical resemblance. Recipients were particularly concerned about matching physical characteristics of the sperm donor to their own. Several mothers expressed the desire for the same donor for a second and third child. And, thirdly, despite the clear separation of reproduction from the sexual act of intercourse facilitated by DI, biological ties (i.e. biological reproduction) appears to still carry strong sexual connotations. One DI mother, for example, commented that anonymity was "protection" because otherwise "you'd think of the donor as your husband." There is for some, therefore, still some adulterous connotations in the practice. For donors, biological reproduction was associated with, among other things, proof of manhood, virility, and masculinity. Infertility is therefore associated with impotence, a lack of virility and a failure of manhood.

The current practice of "normalizing" donor insemination families through anonymity and secrecy are frequently argued as being in the "best interests of the child." However, the best interests of children are not served by deception and secrecy about their origins. Rather, the interests served include the preservation of an increasingly mythological image of the family, protection of the donor and the social father, and the allocation of discretionary powers to physicians for which they are not trained. If the best interests of the children conceived through donor insemination are to be taken seriously, then a different system must be designed to ensure that information about their biological heritage is not eliminated.

Clarity is required about the meaning of different parental roles. This can be achieved to some extent legally but for the most part is a social project. The redefinition of parental roles will be required not only for the relationships created through donor insemination but for other reproductive arrangements which employ donor gametes, as well.

Filiation, parenté, identité: rupture ou continuité?
Édith Deleury*

« C'était comme si ces enfants sortaient d'un oeuf et qu'ils étaient sans père ni mère, sans parents et sans histoire »[1]

Rupture ou continuité? Tel est l'intitulé que nous avons choisi pour cette communication, car il reflète bien, selon nous, la problématique à laquelle nous sommes confrontés aujourd'hui: celui du secret des origines, que privilégient les nouveaux moyens de procréation alors que, parallèlement, des mouvements militent pour l'abolition de ce même secret. Dans ce contexte donc, quel courant privilégier?

L'analyse des faits nous a conduit pour notre part à préférer non pas la disjonction, c'est-à-dire le ou, mais l'adjonction des deux termes, soit le et, car en matière de filiation, il ne nous semble pas qu'il puisse y avoir rupture sans une continuité. Cette affirmation s'appuie d'abord sur une analyse des différents axes de la filiation, plus particulièrement la dimension symbolique; elle s'appuie aussi sur une analyse des faits, car la filiation biologique, nous le verrons, est aussi de l'ordre de la culture.

* Avec une formation en droit de l'Université de Lille et de l'Université Laval à Québec, Édith Deleury a par la suite gravi les échelons des rangs académiques dans cette dernière université. Elle est aujourd'hui professeure titulaire à la Faculté de droit, charge qu'elle combine avec d'autres fonctions de recherche et de critique scientifique.

Ses intérêts l'ont amenée à se spécialiser plus spécifiquement dans le domaine du droit des personnes et de la famille et elle a publié de nombreux articles sur la protection judiciaire de l'enfant. Dès le début des années 1980, elle s'intéresse également à l'éthique médicale et aux épineuses questions naissant de la confrontation de la médecine et du droit. Elle est membre du groupe de recherche en éthique médicale de l'Université Laval depuis 7 ans, elle a participé en 1984 aux travaux du Comité d'éthique du Conseil des recherches médicales du Canada qui révisait les normes d'éthique concernant l'expérimentation sur l'embryon humain et depuis 1986, elle dirige un projet de recherche issu de ce même Conseil. En outre, elle siège, depuis deux ans, au Comité sur les nouvelles technologies de la reproduction du Conseil du statut de la femme; au sein du Barreau du Québec, elle est membre du Comité sur la reproduction artificielle.

La filiation biologique: une référence symbolique et une norme culturelle

Dans toute société, écrit Janine Noël, la filiation se réfère à trois axes, dont deux seulement sont nécessaires à la reconnaissance culturelle des familles et à l'établissement des liens de parentalité et de filiation: la filiation biologique, c'est-à-dire celle de la procréation et de la continuité chromosomique; la filiation instituée, celle qui est définie par la loi, qui établit les conditions juridiques de la parenté; enfin, la filiation narcissique, qui pour sa part relève de l'ordre de l'imaginaire. Or, c'est précisément autour de cette dimension symbolique que se construit notre identité.

Dans cette dernière acception, la filiation, c'est « l'inscription dans son histoire, l'enracinement dans son passé mais c'est aussi la projection dans un avenir qui permet seul de dépasser la mort », et ce besoin d'enracinement a comme contrepartie celui d'une continuité. Pourquoi veut-on des enfants, écrit Pierre Verdier, sinon pour échapper à une finitude? Le problème de la filiation, « c'est donc tout à la fois le sens de l'existence et de la mort », un problème dont les différentes enquêtes qui ont pu être faites auprès des enfants adoptés témoigne avec acuité. Qu'il s'agisse du Québec, des États-Unis, de la France ou de la Grande-Bretagne, ces enquêtes démontrent toutes une grande souffrance au niveau du sentiment d'identité, de l'image de soi: besoin de se situer dans une généalogie, de se connaître et de se comprendre par des ressemblances, tels sont les motifs exprimés comme un leitmotiv par les adoptés à la recherche de leurs parents biologiques. Il ne s'agit pas tant, dans leur esprit — et les faits le démontrent également —, d'établir des relations avec leurs parents génétiques, « que de » se situer dans l'espace et parmi les hommes et les femmes dont ils sont issus pour comprendre leur différence et mieux s'assumer.

Certes, on peut alléguer que la situation de l'enfant adopté et de l'enfant issu des techniques de reproduction artificielle n'est pas tout à fait similaire. D'une part, en effet, dans les cas les plus fréquents, l'enfant aura au moins un lien génétique avec l'un des deux parents qui l'ont désiré; d'autre part, l'enfant n'est pas victime d'un abandon au sens traditionnel du terme, encore qu'un tel sentiment ne soit pas totalement à écarter dans l'hypothèse du don d'embryon. Si on se réfère également aux études qui ont été faites sur le développement des enfants nés par l'intermédiaire de ces techniques, il semble qu'ils se comparent, au plan psychosocial, aux enfants qui sont élevés par leurs parents biologiques. Leur vulnérabilité ne serait donc fonction, comme pour ces derniers, que des perturbations propres à un milieu familial dans lequel ils ne se sentiraient pas acceptés ou intégrés.

Pourtant ces enfants risquent tout autant — le problème se situant ici en regard de la conception elle-même — de connaître la frustration liée au mythe de l'enfant choisi. Il nous semble également qu'en regard du parent non biologique, le problème de la construction de son identité peut être vécu tout aussi intensément. Par ailleurs, les études qui ont été faites sur le phénomène des retrouvailles tendent à démontrer qu'il n'y a pas de lien significatif entre le désir de recherche manifesté par l'enfant et la nature des liens établis avec les parents adoptifs.

Qui plus est, les études concernant plus spécifiquement le développement des enfants nés grâce aux techniques de procréation artificielle — peu nombreuses au demeurant — sont très contestées. Elles ne nous informent en effet généralement pas sur les méthodes qui ont présidé à la sélection des enfants retenus dans l'échantillon, objet de l'étude, échantillon par ailleurs généralement trop restreint pour être concluant. En outre, il s'agissait, le plus souvent, de jeunes enfants. Certaines témoignent par ailleurs de l'ambiguïté de la rupture, c'est-à-dire du secret dans lequel on maintient et veulent se maintenir et, par voie de conséquence, maintenir aussi l'enfant, les parents qui ont eu recours à ces techniques; une ambiguïté qui témoigne de la persistance des liens biologiques comme norme culturelle dans les sociétés occidentales.

Il n'existe en effet de famille réelle et d'enfants se sentant appartenir à une famille, écrivent Michel Soulé et Janine Noël, que compte tenu de la représentation sociale de la famille. Le sentiment de filiation, phénomène psychique, et l'étude de la levée du secret des origines, ne se conçoivent donc que dans le cadre d'une culture donnée: la représentation de la filiation se fait ainsi en référence à l'appartenance à la lignée, norme culturelle; elle est aussi fonction des changements sociaux intervenus au cours des vingt dernières années.

Ces changements, quels sont-ils? Celui, d'abord, d'une société plus permissive pour les comportements individuels, notamment au plan de la sexualité; une société qui privilégie aussi la personne et qui la protège dans ce qu'elle a de plus intime, c'est-à-dire, son intégrité, laquelle inclut son identité, élément constitutif de la personne; une société protectrice également de la vie privée: mais le secret se conçoit-il au sein de la famille, lieu privé où, par définition, les secrets sont partagés?

Enfin, ce qui caractérise ces changements sociaux, ce sont aussi « le besoin grandissant d'un enracinement personnel dans un lieu et dans un passé, qui tient en partie à l'accélération de l'histoire et au sentiment d'être déraciné qui en résulte », sentiment qui n'est pas étranger non plus à l'impersonnalité des habitats urbains et à l'éclatement des structures familiales. Le temps, cette dimension essentielle écrit Pierre Verdier, a disparu: la mode rétro, le mouvement écologiste, le goût de la généalogie, la protection du patrimoine, effet plus que cause d'une aspiration, en témoignent. Les circonstances qui entourent la naissance artificielle en témoignent également, car au-delà de la rupture, elles témoignent aussi de la continuité.

Ruptures et continuité

Cette continuité à travers la rupture comment s'exprime-t-elle?

Rupture en premier lieu, entre les dimensions génétique et sociale de la paternité, éclatement également de la maternité où cette fois, au-delà de l'élément purement génétique, l'élément physiologique, c'est-à-dire la gestation, et l'élément social peuvent, en eux-mêmes, devenir fondateurs du lien de filiation. Il y a cependant là un paradoxe, car si le rôle de la volonté comme élément constitutif de la filiation se trouve influencé par le progrès des connaissances et des techniques scientifiques, celles-ci, parallèlement, viennent renforcer l'élément objectif, c'est-à-dire les liens du sang qui, exception faite du cas de l'adoption, constituaient jusqu'à présent la deuxième assise du lien de filiation. D'abord, par le secret même, qu'il s'agisse de celui entourant l'acte technique qui préside à la procréation ou de l'anonymat dont on auréole le donneur, considéré comme un élément essentiel, pour les futurs parents comme pour ceux qui les assistent dans la concrétisation de leur désir d'enfant: car si l'instrumentalisation du donneur facilite le rejet de sa signification aux plans psychique et biologique, le secret dont il est entouré réintroduit ce dernier élément dans l'apparence de naturalité, entendue ici au sens de normalité, que revêt la famille. Ensuite et c'est là encore un paradoxe, parce qu'il semble, écrit Christine Sinding, que tout l'effort de la biologie et de la médecine aille à l'encontre du secret: « il s'agit bien plutôt, de le percer, de chercher à savoir ce qu'il en est des origines de la vie et de la maladie, d'en maîtriser les processus d'apparition ». Il y a donc là encore rupture, mais aussi continuité.

Continuité également, si l'on envisage maintenant les liens entre la famille et la parenté, dont il convient préalablement de rappeler les définitions. « La parenté c'est, écrit Armand Colin, la communauté de sang qui résulte du lien naturel biologique, alors que la famille est un groupement social, plus ou moins artificiel qui suppose toujours un acte de volonté et dont l'existence entraîne des droits et des obligations ».

Or, si la procréation artificielle vient rompre la lignée, si elle met fin biologiquement à la génération, elle ne s'inscrit pas moins dans une continuité. D'abord, parce que, comme nous l'avons vu, dans le désir, dans le besoin d'enfant, il y a celui d'échapper à la finitude et que derrière le secret dont est entourée la conception, transparaît l'importance culturelle et sociale des liens du sang. Ce dont on cherche à s'assurer, nous disent Snowder et Mitchell, c'est que l'enfant qui entre dans sa maison sera protégé de toute atteinte diffamatoire quant à ses origines: ce qui est aussi plaidé, c'est le besoin d'un enfant socialement acceptable, d'un enfant qui ne laissera transparaître aucune trace de sa conception, un souci souligné par l'intérêt accordé aux caractéristiques physiques de l'enfant à naître par la recherche, au plan morphologique et génétique d'une certaine ressemblance entre le donneur et le parent social. Continuité donc, qui découle du souci de limiter au maximum l'apport de sang extérieur dans la nouvelle lignée. Continuité aussi, dans ce paradoxe, déjà évoqué, qui réside dans le fait que l'hérédité soit devenue, au cours de l'histoire, objet d'une science, la génétique, dont les savoirs alimentent par ailleurs généreusement les nouvelles techniques de reproduction.

Rupture encore, mais ici sans continuité, et plus conséquente, car elle s'inscrit dans un cadre légal, entre la filiation et l'identité. L'état civil en effet, est le label juridique de la personne; c'est en quelque sorte, le marqueur de son identité. Or cet état découle des inscriptions qui sont contenues à l'acte de naissance, inscriptions qui sont elles-mêmes libellées d'après les déclarations et la volonté des parties. Ainsi, l'article 572 du Code civil du Québec, tel qu'introduit par la Loi portant réforme au Code civil du droit de la famille dont l'objectif, lorsqu'on se resitue dans le contexte qui a présidé son adoption, était de faire triompher la vérité biologique, permet-il tout autant de faire triompher la vérité dite affective et sociale. Ce rôle fondateur, quant à l'établissement de la filiation, de la seule volonté des parties à l'artifice procréatif trouve d'ailleurs sa sanction dans les articles 586 et 588 du même Code, qui interdisent au mari qui a consenti à l'insémination artificielle de sa femme, de désavouer l'enfant qui en est issu, comme ils ferment les portes à toute contestation de la filiation de l'enfant au motif qu'il aurait été conçu artificiellement.

Il y a plus cependant, car au-delà du secret qu'autorisent et le mode d'établissement et la preuve pré-constituée du lien de filiation, il y a les garanties offertes par les lois protectrices de la vie privée: **Loi médicale** et **Code de déontologie des médecins** d'une part, — encore qu'en regard du secret professsionnel le devoir de discrétion quant à l'identité du donneur soit indirect, parce que dérivé de la relation au couple —; **Loi sur les services de santé et les Services sociaux** d'autre part — encore qu'il soit difficile de considérer le donneur comme un patient ou bénéficiaire; mais surtout, **Loi sur l'accès aux documents des organismes publics et sur la protection des renseignements personnels**, toutes ces lois ayant par ailleurs comme cadre de référence L'article 5 de la **Charte des droits et libertés de la personne** et son complément l'article 9.

Certes il est possible dans des circonstances particulières, notamment, lorsque l'état de santé de la personne le requiert, de connaître ses antécédents génétiques et sociaux. Cependant si, dans le cadre des techniques de reproduction, il nous apparaît, tout au moins dans le cas de l'insémination artificielle avec donneur, ou de la FIVETE, conjuguée ou non avec la même technique ou encore le don d'ovule, que le droit puisse consacrer les liens de filiation ainsi établis, il en va différemment par contre en ce qui a trait au secret des origines car ce secret nous apparaît incompatible avec la notion de personnalité juridique dont est investie toute personne humaine et le respect dû à sa dignité. L'identité ne se limite pas en effet au seul nom résultant de l'établissement des liens de filiation, car ceux-ci tels qu'établis et consacrés par le droit ne suffisent pas en eux-mêmes à fonder l'identité de la personne; celle-ci implique, nous l'avons vu, la possibilité de se situer par rapport à une histoire, un passé, un désir, possibilité qui est à la base même du roman familial que nous avons tous et toutes vécu.

En ce sens, nous faisons nôtres les commentaires de la Commission des droits de la personne, lorsqu'en 1979, dans son mémoire sur la confidentialité des dossiers d'adoption dans le Rapport de l'Office de révision du Code civil, elle écrivait: « le non-accès aux renseignements à l'endroit de l'enfant (...) » dénote une contradiction avec la **Charte des droits et libertés de la personne** et relève de l'incapacité de gérer institutionnellement et professionnellement ce droit. Ajoutons encore qu'au plan de la médiation des droits fondamentaux, droit à l'identité d'une part, droit à la vie privée d'autre part, il nous semble, qu'on peut encore arguer que le droit du respect de la vie privée inclut aussi celui du droit à la connaissance de soi-même. C'est pourquoi nous endossons également les recommandations faites par le Conseil du statut de la femme dans son mémoire au Comité interministériel sur la recherche des antécédents biologiques, recommandations qui visent à permettre à l'enfant de retrouver ses racines.

Un enfant par ailleurs, dont la loi nous dit que son intérêt et ses droits doivent être la considération déterminante dans toute décision prise à son sujet. Des droits et un intérêt qui nous semblent pourtant peu présents dans la balance, dont les plateaux sont équilibrés par l'intérêt des parents d'une part et celui du donneur d'autre part, dont la participation, sous couvert d'une idéologie thérapeutique est banalisée, réduite, effacée, pour ne pas dire gommée. Il convient cependant de rappeler que le recours au donneur ne participe pas d'un traitement, qu'il ne s'agit pas ici de sauver une vie ou de préserver la santé et l'intégrité d'autrui, mais de créer la vie, un acte lourd de conséquence, en regard duquel le donneur n'est pas conscientisé. Il ne suffit pas en effet, de créer la chair, écrit Pierre Legendre, encore faut-il l'instituer, institution qui relève ici de l'ordre symbolique et qui nous ramène à la construction, l'identité.

Les recommandations proposées nous semblent d'autant plus devoir se concrétiser, qu'on constate de la part des différents groupes de pression une demande d'ouverture encore plus large en regard de l'accès, pour les personnes adoptées, à leurs origines, — accès déjà existant —, et que créer un statut différent pour les enfants issus des techniques de reproduction artificielle serait discriminatoire. Si l'on admet qu'il puisse y avoir plusieurs formes de famille, on ne peut pas tolérer par contre, que les enfants qui en sont issus ne jouissent pas de mêmes droits. Or l'égalité, quelles que soient les circonstances de la naissance, est un principe fondamental de notre Code civil.

Ajoutons encore qu'aujourd'hui les enfants sont destinés à évoluer dans un contexte de pluralité de figures de référence. Les enfants de parents divorcés — et ils sont nombreux — ou séparés, connaissent bien souvent, après l'éclatement de la famille, sa reconstitution autour de ce qui, autrefois, en formait les deux pôles. Les enfants placés en famille d'accueil, ceux dont la garde a été confiée à une personne tierce sans qu'il y ait eu pour autant déchéance de l'autorité parentale sont bien souvent eux aussi confrontés à des familles plurilinéaires. Mais si ces enfants souffrent ou sont parfois perturbés par cette situation, ce n'est pas tant en raison d'un problème d'indifférenciation que par la façon dont cette pluriparentalité leur est présentée ou dont elle est vécue par les parents eux-mêmes. Il en est de même des enfants adoptés. Les différentes études qui ont été faites en regard du mouvement des retrouvailles démontrent en effet que les enfants concernés vivent très bien ce problème. Il n'y a eu ni meutre, ni drame, après des retrouvailles. Autant d'éléments donc qui permettent de conclure que s'il y a rupture, elle n'infère pas la discontinuité et que la rupture peut se vivre dans la continuité.

Synthèse du débat

Marie Rinfret, agente de recherche, Conseil du statut de la femme

Dès le premier jour, on a tout de suite senti une certaine complicité entre les conférencières. En effet, alors qu'elles considèrent fondamental que le droit aux origines soit reconnu à l'enfant issu des nouvelles technologies de la reproduction, elles admettent que, dans l'intérêt de l'enfant et de sa famille, le maintien du secret est essentiel.

Le débat s'est vite engagé.

L'anonymat et la recherche d'identité

Il est intéressant de constater que des participant-e-s s'interrogent sur les raisons qui motivent les spécialistes à vouloir garder l'anonymat à tout prix. On présente cette question par rapport à la tradition médicale de nier la vérité. Cette tradition serait bien servie par le manque de communication à l'intérieur du couple, voire même de la famille, confronté à une problème d'infertilité.

La pratique médicale

Sur la pratique médicale, les conférencières s'accordent pour dire que les médecins ont un rôle fondamental à jouer et, qu'actuellement, la tradition scientifique dessert, bien souvent, l'intérêt des parties.

En effet, lors de sa recherche, Rona Achilles a constaté qu'un bon nombre de couples ont appris au même moment qu'ils étaient infertiles et qu'il leur était possible d'avoir accès à l'insémination artificielle avec donneur sans qu'ils aient même le temps d'accepter les conséquences de l'infertilité et de choisir d'avoir un enfant à l'aide des NTR. Cette attitude en accéléré fait en sorte que, souvent, on oublie de vivre l'infertilité individuellement et comme couple en se réfugiant immédiatement dans la solution qui permet de correspondre à l'image sociale attendue.

Lena Jonsson, de la Suède, donne un exemple de l'influence des médecins sur leurs client-e-s. Dans ce pays, le droit aux origines est consacré législativement et les parents sont incités à faire connaître à leurs enfants, dès qu'ils le jugent opportun, la manière dont ils ont été conçus. Mais les médecins ou les psychologues, lorsqu'ils sont contre l'accès aux renseignements concernant l'identité du donneur, insistent plus ou moins, lors de l'entrevue, sur la nécessité de révéler à l'enfant qu'il a été conçu au moyen de l'IAD.

Pour sa part, Édith Deleury affirme qu'à cause du manque de communication dans le couple et parce que l'infertilité est souvent vécue par chacun comme un échec, il existe entre les époux un sentiment de fraude, d'infidélité dû à l'intervention d'un tiers: en matière d'IAD, il s'agira du donneur de sperme. Ce sentiment est, par ailleurs, renforcé par l'attitude des scientifiques qui défendent l'anonymat en se servant d'un argument utilitaire: celui de la pénurie de donneurs.

D'autres participant-e-s sont convaincu-e-s que l'intervention d'un tiers sous le couvert de l'anonymat dans un acte aussi intime que celui de concevoir un enfant provoque chez la mère le développement de fantasmes envers le donneur. En effet, l'anonymat permet l'idéalisation du donneur et préserve de la crainte de rencontrer ce dernier.

Les conférencières sont d'avis qu'il vaut mieux être confronté à la réalité que de vivre en situation d'angoisse. En ce sens, elles ajoutent que, dès le moment où les règles du jeu seront établies et que le droit aux origines sera reconnu à l'enfant, c'est en toute connaissance de cause que les futurs parents choisiront le recours aux NTR. Il sera ainsi plus aisé pour eux d'assumer ces nouvelles structures de parentalité.

Présentement, disent mesdames Achilles et Deleury, beaucoup de pression sociale et culturelle s'exerce sur les couples infertiles parce que notre société valorise la génétique, la famille biologique. À cet égard, l'anonymat normalise la pratique des NTR à l'intérieur du modèle familial idéal. Pourtant, ne sommes-nous pas, avec le divorce et les remariages, en pleinte mutation, en pleine restructuration de la famille?

On constate à quel point il s'agit là de questions complexes. Des raisons militent en faveur du statut quo, mais qu'en est-il de l'intérêt de l'enfant?

Intérêt de l'enfant

Malgré un échantillon très restreint, Rona Achilles rapporte ses rencontres avec des enfants conçus au moyen de l'IAD. Il semble important pour eux de connaître la vérité. Ils s'identifient beaucoup aux enfants qui ont été adoptés. Bien plus, certains d'entre eux sont obsédés par la recherche de leur père et parlent de mensonge délibéré.

Pour sa part, Édith Deleury constate que le législateur québécois a reconnu qu'il est dans l'intérêt de l'enfant adopté de pouvoir reconstruire sa chaîne biologique et que ce droit n'est pas accordé à l'enfant issu des NTR. Elle conclut qu'il y a là une situation discriminatoire qui n'a pas de raison d'être étant donné que tous les enfants doivent être sur un pied d'égalité.

Lena Jonsson rapporte que c'est sur la base de l'expérience suédoise à l'égard des enfants adoptés et du besoin qu'ils ont de retrouver leurs origines que le gouvernement de son pays a accordé aux enfants issus de l'IAD le droit de connaître l'identité du donneur.

Même s'il admet que la chose la plus fondamentale est l'identité humaine et qu'il conçoit la difficulté de se construire une identité quand une NTR entre en ligne de compte, un médecin travaillant en clinique d'infertilité s'interroge sur la pertinence de mettre autant d'importance sur le droit aux origines alors que des experts identifieraient les problèmes des enfants adopté-e-s davantage par rapport à leur relation avec leurs parents adoptifs. Il se demande finalement si le fait d'accorder ce droit ne serait pas tout simplement mettre de la pommade sur une plaie. Selon lui, savoir n'est pas suffisant!

À cela, le mouvement Retrouvailles, par la voix de sa présidente, rétorque qu'il faut, dès à présent, contrôler les NTR pour éviter de mettre ces enfants dans la même situation que celle des enfants adoptés: rechercher ses origines. Elle met la science en garde contre le fait de procurer aux parents l'enfant souhaité à tout prix en faisant fi de ses droits.

Fait intéressant, une jeune femme, travailleuse sociale dans une clinique québécoise d'infertilité, rapporte que de plus en plus de couples manifestent le désir d'être informés sur le donneur en raison du rapport qu'ils établissent entre la situation de leur enfant et celle des enfants adoptés. Elle va même jusqu'à dire que certains d'entre eux deviennent agressifs lorsqu'ils constatent l'impossibilité d'obtenir ces informations.

Cela témoigne d'une transformation sociale et d'une prise de conscience importante.

La levée de l'anonymat et ses conséquences

Dès le début, une participante dont le mari est infertile s'est ouvertement prononcée en faveur de la levée de l'anonymat tout en faisant part, par ailleurs, de ses préoccupations face aux droits du donneur de sperme sur l'enfant à naître.

Sur cette question, Édith Deleury rappelle que, dans l'état actuel du droit québécois, le donneur de sperme ne peut revendiquer aucun droit à l'égard de l'enfant issu du don, à la condition, toutefois, que cet enfant ait un père « juridique ». En corollaire, le donneur de sperme pourrait éventuellement réclamer sa paternité lorsque la femme inséminée est célibataire et que l'enfant n'a aucun père « juridique ».

Si on se rappelle les propos d'Édith Deleury, on comprend que la levée de l'anonymat permettra à l'enfant issu des NTR de reconstruire sa chaîne biologique. C'est ce qu'elle appelle la filiation symbolique par opposition à la filiation juridique qui crée des droits et des obligations entre les parents reconnus juridiquement et leur enfant.

La juriste française Catherine Labrusse-Riou, considère qu'il est dangereux d'attacher à l'enfant une filiation symbolique. Ce faisant, le droit créerait une fiction qui ne s'inscrit pas dans la vie puisque la connaissance du donneur n'ajoute rien à la relation entre les personnes concernées.

Édith Deleury, il s'agit de privilégier l'intérêt de l'enfant. Catherine Labrusse-Riou rappelle que des enfants naissent à la suite d'une relation adultère et qu'ils n'ont pas accès aux renseignements sur leur géniteur. À cet égard, Édith Deleury prétend que la technique utilisée impose une distinction. De plus, elle souligne que le droit aux origines est reconnu aux enfants adoptés et non à ceux issus des NTR. Il y a donc au Québec discrimination en fonction du mode de procréation.

Catherine Labrusse-Riou est d'avis que la levée de l'anonymat, en ce qui concerne les NTR, est différente de la situation de l'adoption où l'on constate le malheur d'un enfant d'avoir été abandonné. Cette participante a une attitude très prudente sur la levée de l'anonymat. En fait, elle propose l'adoption d'une loi à caractère expérimental qui accorderait le droit à l'enfant de connaître ses origines pour une période de temps déterminée, l'expérience devant démontrer la pertinence de la reconnaissance de ce droit.

Hésitant également à accorder d'office la consécration législative du droit aux origines, un participant a proposé une solution mitoyenne, soit le droit pour l'enfant d'obtenir des renseignements génétiques dépersonnalisés sur l'auteur-e de ses jours. À ce sujet, nous avons appris qu'au Québec ces renseignements sont disponibles et que, de toute évidence, ils ne suffisent pas à ceux et celles qui recherchent leurs origines.

D'autres considèrent qu'on propose un changement important en demandant le droit aux origines sans pour autant en connaître toutes les conséquences, sans avoir suffisamment de données sur les personnes concernées et qu'en imposant des obligations aux intervenants, on avalise la pratique de l'IAD qui, pourtant, ouvre la porte à la recherche de l'enfant parfait.

Toutes et tous sont d'accord sur le manque d'information. On ajoute cependant que tant et aussi longtemps qu'il y aura l'anonymat, aucune recherche d'envergure ne pourra être entreprise.

Par ailleurs, sur la normalisation de la pratique de l'IAD, Édith Deleury fait la distinction entre la norme et le fait. Elle rappelle que l'IAD se pratique depuis plus de 30 ans, qu'elle s'est développée en marge du droit et, qu'en ce sens, seule une solution de compromis est possible.

Une autre conséquence de la levée de l'anonymat serait d'interdire la pratique de certaines techniques d'insémination artificielle comme celle où l'on mélange le sperme du conjoint avec celui d'un ou de plusieurs donneurs. Ce procédé brouille irrémédiablement les cartes pour l'enfant ainsi conçu. En fait, non seulement aura-t-il toujours un doute sur son identité, mais encore se verra-t-il refuser le droit de pouvoir l'établir. Quant au père, il devra assumer le diagnostic de la stérilité dans l'ambiguïté.

Finalement, toutes et tous admettent que la levée de l'anonymat permettrait d'obtenir des donneurs et des donneuses de gamètes plus variés, plus responsables de leurs gestes. Présentement, nous ne savons même pas d'où viennent les donneurs de sperme.

Une participante, travailleuse sociale en clinique d'infertilité, indique qu'en ce qui concerne la sélection des donneurs, seul le côté biologique est étudié. Il y a donc place à plus de rigueur !

Rona Achilles nous rapporte que, lors d'une conférence tenue à Vancouver, un homme s'est vanté d'avoir donné 700 fois son sperme sur une période de cinq ans alors qu'un autre a avoué en avoir donné 240 fois au cours d'une année.

On en arrive ainsi aux problèmes causés par l'absence de contrôle sur les NTR.

Le contrôle

Des participantes ont soulevé la question de la consanguinité, voire même de l'inceste, par rapport à l'absence de limitation du nombre de dons par personnes et à l'existence des banques de sperme.

Pour le Québec, le gouvernement québécois recommande aux cliniques de limiter le nombre de dons par personne à six ou sept grossesses.

Au Centre hospitalier de l'Université Laval à Québec, on essaie effectivement de limiter le nombre de dons de sperme par personne à cinq ou six grossesses en demandant au donneur de ne plus se présenter à la clinique. Rien ne l'empêche cependant d'aller ailleurs. Aucun suivi n'est effectué. Une participante admet que ce chiffre est arbitraire et qu'il tente de maintenir l'équilibre entre une carence de dons et les risques de consanguinité.

Ainsi, on constate que, hormis une obligation morale faite au donneur, aucune limite n'est imposée et qu'aucun contrôle n'est exercé au Canada. Ceci sans parler des cliniques privées.

Les intervenantes et les panelistes souhaitent donc l'imposition d'une limite quant au nombre de dons par personne, l'exercice d'un contrôle afin de veiller au respect de cette limite et d'empêcher tout risque de consanguinité et l'établissement de critères pour le choix des donneurs.

L'accès à l'IAD

L'exposé sur l'expérience suédoise a provoqué un vif débat à propos de l'accès des personnes seules à l'insémination artificielle avec donneur. En effet, des femmes ont manifesté leur inquiétude à l'égard du fait que cette pratique est réservée aux couples hétérosexuels et ont déploré que cette restriction rende l'IAD éthiquement et socialement acceptable — en normalisant la famille.

En fait, il s'agit là de choix politiques et de valeur par rapport aux structures familiales et ceux-ci doivent être faits, de l'avis des conférencières, dans le meilleur intérêt de l'enfant.

La présidente du Conseil du statut de la femme, présente dans cet atelier, ajoute que dans le contexte où l'IAD institutionnalisée est un remède à l'infertilité masculine, les femmes seules doivent choisir d'autres moyens de reproduction, car pour avoir accès à l'IAD, il faut la démonstration médicale de l'infertilité du partenaire masculin.

Madame McKenzie rappelle qu'admettre en IAD des personnes fertiles serait ouvrir la porte à l'eugénisme. Or c'est justement ce que tout le monde craint!

Atelier E:

Utérus recherché

*D*evrait-on reconnaître les contrats liant les mères porteuses aux personnes qui requièrent leurs services? Ce service peut-il être marchandé? Y a-t-il des avantages pour les femmes dans cette pratique?

Personnes-ressources: **Bernard Dickens**
Margrit Eichler
Françoise Laborie

Conférence de
Bernard M. Dickens*

Résumé

Selon les pays, on distingue différentes tendances en ce qui a trait à la législation portant sur la question des mères porteuses. Certains ont choisi de ne pas criminaliser la pratique mais ne rendent pas exécutoires de tels contrats (Angleterre, Louisianne). Par ailleurs, l'Australie a déjà criminalisé la pratique. Dans ce dernier cas, la loi n'est toutefois pas en vigueur.

La non-reconnaissance des contrats peut faire surgir de multiples difficultés qui risquent d'affecter notamment le statut de l'enfant ou des parties. C'est ce qui a amené la Commission de réforme du droit de l'Ontario à recommander la reconnaissance légale de ce type de contrat.

Les tribunaux, au même titre qu'ils le font pour les ordonnances de garde d'enfant, pourraient être saisis de conventions et en apprécier les conditions. Si certaines clauses semblaient oppressives pour une partie ou contraires à l'intérêt de l'enfant, les tribunaux pourraient alors les modifier sans renégocier les termes de l'accord.

La reconnaissance des contrats n'entraîne pas nécessairement la commercialisation. À cet égard, deux aspects peuvent être distingués: la mère porteuse qui agit contre rémunération et les agences qui fonctionnent sur une base commerciale. La commercialisation des agences semble réprouvée de façon générale. Elle s'apparente à l'exploitation de l'absence d'enfant, de la vulnérabilité des femmes pauvres et à la commercialisation de l'enfant. La question de la rémunération des mères de substitution peut poser des problèmes et doit être rejetée si elle est source d'exploitation de la femme. Par ailleurs, elle peut être aussi considérée comme une compensation légitime de frais inhérents à la grossesse (vêtements, soins, etc.).

* Bernard Dickens est professeur aux Facultés de droit et de médecine de l'Université de Toronto. De 1982 à 1985, il a été directeur de projet pour la Commission ontarienne de réforme du droit. Il y a travaillé sur les questions reliées à la reproduction articielle et a en particulier été très lié à la production du rapport sur les mères porteuses.

Il est membre des Comités d'éthique de l'Association médicale candienne et du Conseil de la recherche médicale du Canada. Au printemps 1987, il obtient le Julius Silver Fellow en droit, science et technologie, une bourse prestigieuse qui lui permet de travailler à la Faculté de droit de la Columbia University de New York. Monsieur Dickens étudie actuellement le droit comparé en matière de maternité de substitution.

La mère qui, en raison d'infertilité ou de sa condition physique, a recours à une mère porteuse pour satisfaire son désir d'enfant en retire des avantages certains. Toutefois, ces avantages sont moins évidents en ce qui a trait à la mère porteuse puisque les risques d'exploitation de cette dernière sont nombreux.

La rareté du phénomène ne constitue pas un motif valable pour refuser d'intervenir. L'intérêt de l'enfant à naître exige qu'on précise certaines règles dans une législation appropriée. Ce sont les valeurs de notre société qui doivent influencer la décision.

The key questions to be adressed are:
- Should contracts between surrogate mothers and those requiring their services be recognized?
- Should such services be commercialized?
- Do women derive any benefits from this practice?
- Should common law be amended for a few problem cases?

Recognition of Contracts

The approach one takes to recognition of Surrogate Motherhood (SM) agreements reflects one's attitude to SM itself. Opponents will consider legal recognition to be wrongful approval or endorsement of an undesirable practice, whereas those who are tolerant of the practice in general or in particular cases will find legal recognition to be appropriate. If SM is to be legally prohibited, penal sanctions would clearly be inconsistent with legal recognition of agreements. A technique of disapproval of SM used in some jurisdictions, however, is to refrain from imposing criminal penalties, but to ensure that agreements are legally unenforceable and unrecognized. The United Kingdom Warnock Committee recommendations (1984), for instance, urged that SM parenthood not be criminalized in itself, but that agreements be made unenforceable. In contrast, the Australian State of Victoria has acted to criminalize SM, although its legislation is not fully proclaimed in force. In the U.S.A., legislation in the State of Louisiana made SM contracts unenforceable, in July 1987.

The effect of frustrating parties' intentions is to leave them to the uncertainties of the prevailing legal order. If the surrogate is married, for instance, a legal presumption arises that her husband is father to the child born of the SM agreement. The presumption is often rebuttable, so the husband can deny paternity, and the male partner of the commissioning couple (only couples will be considered here) can act to establish his paternity. Birth will be registered in the surname of the surrogate. To give the child his surname, the commissioning man will have to undertake adoption proceedings. Similarly, in order to regularize her legal relationship to the child, the commissioning woman will have to undertake step-parent adoption proceedings. Laws usually render it an offence to offer (or receive) money in order to obtain (or grant) consent for adoption. Where the surrogate was paid, her consent to the adoption my therefore be compromising. In recent times, it has been accepted that the adoption aspect of SM is secondary, so that laws about consent to adoption are inapplicable, but a hostile court could find objections here to the SM agreement or the subsequent adoption. Adoption or step-parent adoption ought not to be obstructed, however, since it is in the best interests of the child, and consistent with the interests of all participants in the agreement.

In jurisdictions such as Québec, the law recognizes artificial insemination by sperm donor (AID), so that a donor is not considered father of a resulting child and the consenting husband whose wife receives AID is deemed for all legal purposes to be father of the child. SM agreements are often implemented by artificial insemination, raising the question whether the AID law prevents the man providing the sperm from being recognized as father. Such a man is distinguishable from a ''donor'', however, in that, whereas nobody intends or expects a donor to act as father, have maintenance responsibilities for the child or claim rights of custody, a mala commissioning a surrogate is expected by all parties to be a full father to the child. Accordingly, such a man is not a ''sonor'' as addressed by the AID law. He does not become governed by that law merely because pregnancy is by artificial insemination, any more than if pregnancy were by in vitro fertilization or, as in a recently recognized English case, by natural intercourse.

Informal SM agreements, made for instance among family members or friends, can be inadequate because parties do not consider anticipating and resolving problems that may arise. There include spontaneous abortion, legal grounds for therapeutic abortion, harm to the surrogate due to pregnancy, death of the commissioning male, female or both before birth of the child, separation of the commissioning couple before birth, neonatal emergencies affecting the child and, for instance, questions of paternity following birth. When lawyers negotiate and draft SM agreements, many of these issues can be predetermined. Lawyers may be reluctant to be involved in negotiating or drafting agreements, however, if their legal status is unclear. Agreements that are merely unenforceable raise less problem, since many lawful agreements cannot be specifically enforced, but for lawyers to prepare agreements cannot be specificalled enforced, but for lawyers to prepare agreements that are unenforceable because they are void as being against public policy may constitute professional misconduct, leaving lawyers open to professional disciplinary proceedings and disbarment.

If a social case can be made for the propriety of SM agreements (see below **Benefits to Women**) it seems that they should be legally recognized. This can be through prior court proceedings, such as the Surrogate Adoption process recommended in 1985 by the Ontario Law Reform commission in its two-volume *Report on Human Artificial Reproduction and Related Matters*, or by recognizing legal effects of parties' intentions in freely implemented agreements. Such effects cover paternity of the child when uncontested (for instance by the surrogate's husband), and its maternity when ovum or embryo transfer occurred and the female of the commissioning couple is genetic mother. A Michigan court has ordered that a genetic mother be registered as mother on birth registration involving SM, but if this is not possible, the commissioning female who is also genetic mother may be able to become legal mother through *pro forma* step-parent adoption proceedings.

A model of legal recognition may be found in the celebrated New Jersey **Baby M** judgement, given at the end of March 1987, which is currently being appealed. News media indicated that the case was resolved on the principle of sanctity of contract, but the judgement may show that the SM agreement was treated like a child custody agreement that may be concluded in a divorce settlement. It is perfectly lawful to make such agreements, including financial terms, and courts will uphold them in the courts find that they serve, or do not contradict, the best interests of the children they concern. If courts find that they are inconsistent with the children's interests, however, the courts can disregard their provisions and impose their own terms for the children. By this principle in SM cases, agreements can be recognized where courts find their details unobjectionable, but if they are found oppressive of any vulnerable party (notably the surrogate) or not in the children's interests, courts can disregard them and make the provisions that seem appropriate. Courts would not necessarily renegotiate their terms, but might simply find that effect cannot be given the objectionable terms. In the **Baby M** case, for instance, the judge found that the surrogate's agreement to undergo amniocentesis was unenforceable.

This raises a critical issue of whether SM agreements should be recognized to the point of compelling seizure of a child a surrogate decides after birth not to surrender, and its delivery by court order to the commissioning couple. If the surrogate is considered an unequal party to the agreement, she may be considered entitled to a "cooling off" period after birth, when she can decide whether or not she wants to surrender the child. Such a period exists in adoption proceedings, and many have argued that it should exist in SM as well. Others have distinguished SM, however, because in SM the conception itself is deliberately planned for the sole purpose of surrender of the child. A surrogate who fears inability to surrender the child should decline to become pregnant for this purpose. It is also said to be paternalistic and to engage in adverse sexual stereotyping to treat the surrogate as incapacitated (not least when she has her own lawyer), unable to make up her mind, and liable to the unpredictable force of emotions. It is claimed by pediatric psychiatrists to be in the best interests of children, furthermore that commissioning parents accept a commitment to them early in pregnancy, and do not suspend accepting obligations for fear of non-surrender. Similarly, it is claimed that a surrogate should not be ambivalent about whether she will keep or surrender the child, but should know that surrender will occur, and decline to serve as a surrogate if she finds that unacceptable.

If SM agreements are unrecognized, or receive limited recognition (notably when the parties observe them) but are unenforceable when parties break their terms, unfairness may result. A commissioning couple in an unenforceable SM agreement may decline to accept a child, and refuse to make any payment agreed with the surrogate, such as for her expenses and lost employment income. Further, a surrogate may decline to surrender the child not because of emotional bonding but because she wants a payment (e.g. when payment is illegal *per se*), or an additional payment, opening the way to ransom and child-selling. Unenforceability of the agreement leaves the child's status and social parenthood in doubt, and may contribute to the child changing hands at the beginning of life in a way that harmfully impairs its bonding to adult guardians, which constitutes unfairness to the child.

Commercialization

It does not follow that if SM agreements are legally recognized, they must necessarily be recognized when based on commerce. Non-commercial agreements can be recognized, but commercial agreements can be criminalized, or alternatively they can be left unrecognized, or with their commercial terms unenforceable.

Two aspects of commercialization of SM agreements are distinguishable. Agencies may arrange SM on a commercial basis, and surrogates themselves may act for payment. The United Kingdom's Surrogacy Arrangements Act 1985, following recommendations of the Warnock Committee, criminalized operation of commerial agencies that advertize to recruit surrogates and to make SM services available to commissioning couples. The 1985 Act refrained, however, from criminalizing surrogates who act for payment.

The commercialization of SM through agencies that actively promote the practice seems objectionable to many. They seem to be exploiting childlessness and the vulnerability of poor women to be induced into SM pregnancy, and to be placing a price on a child's head. They are accused of commodifying motherhood and children. In modern times, however, paid agents or brokers are used for many purposes that used to be achieved more personally. Dating and marriage bureaux exist, and advertise their services with little objection. Similarly, psychiatrists, psychologists, sex therapists and marriage-guidance counsellors exist to provide comfort, reassurance and advice, and offer their services commercially. Adoption agencies are more suspect, however, when they are profit-making, and SM agencies may fall under the same suspicion of being so driven by the goal of profit as to act aggressively to induce people to do what they otherwise would not, or to agree to render services they later regret, notably to provide a child to others.

Professionals involved in SM may be less suspect, but not necessarily so. Doctors who attend a pregnant woman acting as a surrogate, who are paid in their usual way and at usual rates, attract no disfavour. Doctors who perform artificial insemination, in vitro fertilization or any other technique of achieving SM pregnancy may be similarly well regarded when they act for medical reasons, but may be questioned if they initiate SM pregnancy for a non-medical reason. Lawyers who negotiate SM agreements for a party are similarly respected, and, like doctors, are suspect only when they act as agents or brokers of SM services. Accordingly, although the concept may reflect a privileged status of a profession or social class, regular professional fees for legitimate services may not be considered an offensive form of commerce.

Payments to surrogates themselves may be opposed if they are considered to be exploitive. It may be proposed, for instance, that surrogates be prohibited from receiving payments. This raises difficult definitional problems, however, because reimbursements of costs incurred may be proper for an unpaid surrogate, but payment of clothing costs during pregnancy and providing nutritional supplements, uninsured medical costs, shelter (i.e. rent) and compensation for lost earnings, for instance late in pregnancy, as well as post-partum care and rehabilitation, can come close to paying the surrogate on a commercial basis.

A lump sum payment, often set at $10,000 may seem likely to induce a poor or unemployed woman into imprudently agreeing to serve as a surrogate. As an hourly rate for nine months of 24 hours a day, seven days a week work, however, it comes to about $1.53 an hour — well below the minimum industrial wage. The exploitation objection is double-edged, however, in that it is said to be exploitive to induce poor women into serving as surrogates and also exploitive when they serve to pay them so poorly. A further argument is that if surrogates are adequately paid on a commercial basis, poor infertile couples cannot afford to retain them. Accordingly, the exploitation objection to SM is beset by several inconsistencies, although it is nevertheless strongly urged against commercialized SM. It has also been observed, however, by Lori B. Andrews, a leading U.S. commentator, that if poor women are protected against pressure to act as surrogates by prohibitive legislation, the only women who can be found to act unpaid will be sisters, cousins, similar relatives and friends of infertile couples. They will come under greater pressure to serve than strangers, because of their relationship with the couple, and their blame for the couple's childlessness, will be continuing. Protection of a vulnerable class of poor women may thus lead to pressure on a vulnerable class of relatives and friends of infertile couples.

U.S. and English courts have moved beyond their initial disposition to consider paid SM agreements as baby-selling contracts. They now consider them as service agreements. Nevertheless, the monetary aspects of agreements are a source of discomfort, whereas a couple who pay $15,000 to extend or refurbish their home in order to be approved to adopt a child are not considered to have bought a baby. Studies have indicated that many women who offer to act as paid surrogates are not motivated by money alone but have important collateral goals. It is likely, however, that if commercialization were to become unlawful, the number of SM agreements would decline. This might be because women would not now be willing to serve as surrogates without reward or compensation, or because for-profit agencies would be removed, and charitable or governmental agencies would not publicize their existence and facilitate arrangements.

Benefits to Women

SM is easily presented as a means by which the male partner in an infertile union obtains his child, and the female partner rears it. It is often supposed that a couple's inability to have a child is the female partner's fault, and women incapable of bearing children may feel guilty not only that they are failing their partners, but also that they are failing as women. If a "woman" is a "womb-man", taking "man" to be the generic description of the human species, then a woman with no functional womb would seem to unsexed. Critics are condemned a male-dominated culture in which women are "brain washed" into believing that they want children, and that their lives are incomplete without them. Their consent to their partner's involvement in SM may appear as nothing more than pseudo-consent which amounts only to compliance conditioned by culture and guilt.

If a woman authentically and freely wants to rear her partner's child, SM by artificial insemination of the surrogate may be beneficial to her. Further, if she can produce ova but cannot gestate a child, due, for instance, to absence, loss or loss of function of her uterus, she may in the future engage a surrogate to have a child that is genetically hers. In vitro fertilization of her ovum, with her partner's sperm, can produce the couple's own genetic child through embryo transfer to a surrogate. Gamete Intra-Fallopian Transfer (GIFT) may achieve the same result by placing her ova and her partner's sperm in a surrogate's repro-ductive system for fertilization in vivo. Further, the couple may conceive their own embryo naturally, but it may be recoverable by the process variously called lavage, washing, flushing or irrigation, and be transplanted to a surrogate for gestation. By these means, a woman who is not infertile but who cannot bear a pregnancy may, through SM, have a child that is genetically her own.

If a woman has, for instance, a heart condition that makes pregnancy con-traindicated, or another medical condition that pregnancy might trigger or ag-gravate, such as a malignant growth, SM may be beneficial. In the **Baby M** case, where no ovum or embryo transfer was involved, the effect of pregnancy on mild Multiple Schlerosis was questioned, although the judge accepted that the decision not to initiate pregnancy was medically supported. More beneficial to a child itself may be SM where its genetic mother has severe diabetes or, for instance phenylketonuria (PKU). These conditions create a harmful uterine en-vironment for the child, and the "gestation of choice" may be in another woman in order for the child to be spared severe physical and/or neurological injury.

Opponents of SM may tolerate it when, for instance, a woman's embryo fertilized in vitro, which cannot be returned to her on medical grounds, is placed in a surrogate in order to avoir its wastage. SM may similarly be acceptable particularly in the case of chronic spontaneous abortion. Women who invariably lose their pregnancies due to uterine malfunction may conceive naturally, but yield their embryos to lavage and have them transferred to surrogates for completion of gestation. In such a case, SM may be beneficial to the woman to whom the child, which is her own genetic child, is surrendered at birth.

Less clear may be whether SM is beneficial to the surrogate. If a woman has a strong personal commitment to another and wishes to bear her child and/or her partner's, the arrangement may be deeply satisfying to her. Sisters, cousins and friends have long acted in this capacity by artificial insemination, without payment and without publicity. In South Africa, for instance, a mother is bearing her own daughter's embryos fertilized in vitro. Indeed, it may be the commercialization of SM that has brought it to public attention, while private altruistic arrangements have gone unnoticed and uncriticized. Further, although it is less usual, women with commitments to relief of others' childlessness may take pleasure in acting for strangers. Early publicized experience of SM, for instance, involved several nurses and social workers employed in hospital infertility units.

At the level of public perception, the main satisfaction surrogates derive is from payment. This raises the spectre of objectionable commercialization of motherhood and commodification of children. There is a paradox in the argument that if a woman wants or feels that she needs the money she can earn from SM it is wrong that she should have it, however, since it suggests that if she neither wants nor needs it, payment is less objectionable. Fear that women's freedom of action is corrupted by poverty is probably well-founded, but not only the poor are motived and conditioned to accept what others will not by the promise of reward. Further, to "protect" poor women from earning money is questionable when no effort is made to provide them with preferable means of achieving an income. Nevertheless, society does not allow *inter vivos* sales of kidneys or other organs lest the poor may be too easily induced by payment to offer themselves as donors. Altruistic donation, which often occurs within families, is not tainted in the way the commercial donation would be. The paternalism of protecting the poor against seeking to benefit themselves in this way may be justifiable. This begs the question, of course, of the relevance of the analogy with organ donation, since organs are irreplaceable tissues whereas SM may seem to offer an organic function rather than the organ itself.

Legislating For A Few Cases

SM seems to concern symbolic rather than pragmatic values. In the absence of specefic legislation, SM functions adequately for those seeking to use it, although operating under inadvertent laws. Similarly, it is sufficiently insecure and marginal for purposes of deterrence that many who are uncomfortable about it feel that it is not encouraged and is indeed discouraged by law. That raises the question in principle of whether legislation should be proposed. Supporters of legislation making contracts unenforceable may have been urged to greater effort by the **Baby M** case, but legal commentators have generally agreed that SM contracts as such probably would be held unenforceable by courts, and that legislation would serve only to reinforce this point rather than to change the law. The **Baby M** case, it will be recalled, was a custody case, and was determined by the best interests of the child. The fact that they were found to coincide with the terms of the SM agreement did not render such agreements enforceable in themselves.

Legislation is often enacted in the face of specific indidents or fears. The relative infrequency of such conduct as treason and piracy does not mean that legislation opposing it is unnecessary. Those who consider SM an outrage or a threat to the sanctity of family life may believe that its low incidence is irrelevant to the need to suppress it by punishment. A single case, such as the **Baby M** case, may show the need for action. As against this, however, a few unfortunate instances may seem tolerable for fear of enacting legislation that endangers wider values than the instances endanger. Laws suppressing SM may be objectionable, for instance, in seeming to control women by prescribing how, by whom, and for what reasons women may conceive children. In reducing women's reproductive freedom, laws may symbolize state control of women's bodies and decision-making autonomy. Further, the criminalization of parenthood is problematic, since participants in SM arrangements are not deviant, but are conforming to a social perception that having children is desirable and wholesome.

Reasons for legislating accommodatingly on SM may exceed reasons for legislating restrictively. If it is believed that SM is here to stay, and that it can be driven underground by oppressive laws but not prevented, a case can be made, perhaps as an exercise in damage control rather than in promotion of the practice, to regularize it. This may serve not so much the participants as the children born of SM arrangements, by establishing the circumstances and legal setting of their birth and determining who has control over and responsibilities for them at birth. If the welfare of children conceived in SM arrangements represents an important value, it can be accomodated appropriately in legislation.

The infrequency of the practice of SM is relevant to but not decisive of the question whether it warrants changing the law, and of the question whether change should be to oppose or to regularize the practice. More significant are the values SM is seen to challenge and protect, and the values new legislation itself would promote and offend. As is often the case, at stake in legislative proposals is imagery rather than substance. We must resolve the quality rather than the quantity of SM in social experience and perception.

Preconception Contracts for the Production of Children — What Are The Proper Legal Responses?
Margrit Eichler*

Résumé

L'auteure précise d'abord l'identification de la mère porteuse qu'elle qualifie de mère de plein droit et d'épouse substitut d'un homme en portant son enfant.

Différents paramètres définissent la nature des contrats de grossesse. On traite donc des parties à l'entente, des liens qui les unissent ou les relations qu'elles entretiennent — amitié, famille, dépendance, autonomie totale — des méthodes de fécondation auxquelles on peut avoir recours et des effets qu'elles peuvent entraîner sur la parenté génétique et sociale de l'enfant qui en est issu, du contexte socio-juridique et enfin, des différents aspects commerciaux.

On doit tenir compte d'enjeux importants avant de déterminer des réponses juridiques à l'égard de ce phénomène. Différentes questions sont donc soulevées. De quel contrat s'agit-il? Qui en bénéficiera et qui risque d'en être affecté? Peut-on croire qu'il en résultera l'exploitation des femmes qui s'y soumettront? À quel besoin veut-on répondre par

* Margrit Eichler a fait ses premières études en Allemagne et terminé sa formation universitaire à Duke University aux États-Unis. Depuis 1975, elle est professeure de sociologie à l'Ontario Institute for Studies in Education, au Department of Educational Theory et au Department of Sociology de l'Université de Toronto.

Elle a été bénéficiaire de nombreuses bourses de recherche, et a écrit un grand nombre d'articles pour un ensemble de périodiques spécialisés en sciences sociales et en études féministes, dont la Revue canadienne de sociologie et d'anthropologie, Sociology and Theory, le Canadian Journal of Sociology et Atlantis. Auteure de plusieurs livres, sa contribution dans le domaine de la sociologie de la famille doit être soulignée avec la publication en 1983, de Canadian Families Today: Recent Changes and their Policy Consequences où elle aborde notamment les nouvelles technologies de la reproduction. Madame Eichler s'est aussi longuement intéressée à la question du sexisme dans la recherche et à la recherche féministe, publiant sur ce sujet une liste abondante d'articles, de monographies et d'outils bibliographiques. Conférencière invitée à des dizaines de colloques et congrès, Madame Eichler est également membre de plusieurs comités de rédaction de revues féministes.

cette pratique? De quelle manière agit-on dans le meilleur intérêt de l'enfant et enfin quelles pourraient-être les implications d'une légalisation des contrats sur les femmes, les enfants, les hommes et les relations parentales.

Les réponses apportées incitent Madame Eichler à recommander la criminalisation de la pratique et des pénalités pour ceux qui sont impliqués dans l'arrangement de ces contrats. D'autre part, elle recommande qu'on considère les ententes comme privées, sans réglementation légale, si aucune somme d'argent n'est en cause, si aucune pression n'est exercée sur l'une des parties et si aucun lien de dépendance n'existe. Elle recommande enfin que dans de tels cas, la mère qui a contracté conserve intact son droit à l'égard de l'enfant à naître si elle veut le garder à la naissance. De plus, la mère doit aussi conserver son droit d'accepter ou de refuser tout traitement médical et sa liberté de mouvement comme toute femme enceinte. Ces garanties sont essentielles pour sauvegarder la nature de la grossesse pour toutes les femmes et les droits d'une mère à l'égard de son enfant.

Lors de l'exposé, Margrit Eichler a présenté une version abrégée de ce texte.

One of the most perplexing questions of today is how to react to the growing phenomenon of arrangements in which people contract for a child to be born in order to be handed over to the contractor. On the one side are couples in which the wife is infertile (and sometimes both the wife and the husband) and who argue that here is a chance for them to obtain a child. On the other side are concerns around the possible exploitation of contractual mothers, moral issues in using women to produce babies on contract, often for money, and, most important of all, the effect that such arrangements will have on motherhood and fatherhood in general.

The dilemnas posed cut through some of our most cherished assumptions about families and societies in general, and involve legal aspects far beyond family law. For instance, given the Charter of Rights and Freedoms, would it be legally possible to discriminate against single individuals (male or female) vs. heterosexual couples vs. homosexual couples concerning who could be permitted to engage in such contracts if they were legally permissible?

The question for today mus be what the legal response to this phenomenon should be. Contractual arrangements for the production of children are now going on, and Canadians are involved in such schemes. The issues raised must be confronted.

However, the discussion is often carried out at an inappropriately simplified level. Contractual arrangements for the production of children are misidentified as ''surrogate motherhood'' arrangements. This term was popularized by Noel Keane, who is often referred to as the ''godfather of surrogate motherhood''. It is a misnomer in so far as the so-called surrogate mother is always the uterine and usually the genetic-uterine mother of the child in question. If the term surrogate is to be used at all, she would be better defined as a surrogate wife than as a surrogate mother. She is a mother in her own right, but she plays the role of wife to a man by bearing his child.

Under this single heading of "surrogate motherhood", then, we find a great diversity of arrangements, all described by this same concept. This confuses the discussion and results often in simple-minded pro and con stances. Before trying to identify appropriate responses towards a phenomenon, we need to properly examine the parameters which define the phenomenon that is to be (or is not to be) regulated.

I will, therefore, first examine the various parameters that define the nature of various contractual arrangements for the production of children, second, list the legally possible responses, third, raise some of the issues that are relevant for identifying legal responses that are grounded in reality, and fourth, suggest a set of legal responses that follow from the foregoing discussion.

Factors Involved in Contractual Arrangements for the Production of Children

Before attempting any assessment of the import of preconception contracts, we need, minimally, to clarify the following factors:
1) Who are the contractual parties?
2) What is their relationship to each other?
3) What is the fertilization technique employed?
4) What are the genetic and social parenthood relationships seen from the perspective of the child that is produced?
5) Is there any involvement by a middle person or agency?
6) What is the social-legal context?
7) What — if any — commercial aspects are there?

The Contracting Parties

In all arrangements one party is clear — there will always be a contractual uterine mother. The other side is not so clear: the contractor may be (a) a man, or (b) a man with a partner who is an interested beneficiary of the contract, although not a signatory to it. The contractor might, further be (c) a couple, (d) a woman, or (e) a woman with a partner who is an interested beneficiary but not formally involved in any given contract.

The famous Baby M. case provides an example of the second alternative: the contracting parties officially were a contracting uterine-genetic mother, her husband and a man. The man's wife was not officially a party to the contract but was, in fact, very much present. Her role, as described in the judgement delivered by the Judge Sorkow, is contradictory: on the one hand, she was not a signatory to the contract signed by William Stern, Mary Beth Whitehead, and Richard Whitehead. Indeed, the judge emphasized that "It is noted with more than passing importance that Mrs. Stern was not a signatory to the agreement."[1] On the other hand, she was designated as the successor to Mr. Stern: in the event of his death, the child was to be placed into her custody.[2] Further,

> "Mrs. Stern insisted that Mrs. Whitehead undergo amniocentesis, take a prescription pharmaceutical in order to control the effects of the difference in blood type between Mr. Stern and Mrs. Whitehead and take certain precautions when Mrs. Whitehead reported an elevation in blood pressure in the last months of pregnancy".[3]

Mrs. Stern's medical condition was seen to be of such importance that it is discussed in the judgement in great detail over four pages[4], she was involved in telephone conversations, and the suitability of custody arrangements were evaluated against the backdrop of both Mr. and Mrs. Whitehead as well as Mr. and Mrs. Stern. Finally, and most importantly, Mrs. Stern was able to adopt the baby directly following the award of custody to Mr. Stern. Clearly, that makes her a very involved party, yer she was not officially a party to the contract.

In other cases, the agreement is directly between the couple and a contractual mother.[5]

The Relationship of the Contracting Parties to Each Other

Contracting parties may be complete strangers to each other prior to the contract negotiations; they may be friends, in which case the contracting negotiations; they may be friends, in which case the contracting mother engages in the arrangement in order to render a friendship service[6]; or they may be relatives, as in the recent South African case in which a grandmother gave birth to her daughter's triplets.[7]

Further, they may stand in a relationship of personal dependence or personal independence to each other. If the parties were previously unknown to each other, continue to live independently, and neither party has any power over the other, than presumably they are mutually independent. If, on the other hand, one party is asymmetrically dependent on the other, because, for instance, one party is the boss of the other, the situation is otherwise. A particularly drastic example of personal dependence of a contracting mother involved Alejandra Munoz, who was brought from Mexico to California on the understanding that she would serve as a contractual uterine mother. Apparently, for nine months of her pregnancy, she lived within the couple's home which she was not allowed to leave. She had a grade 2 education and needed a translator when speaking at a press conference. For her service, she was offered $1500, which she rejected. She is instead fighting for joint custody[8]

The Fertilization Methods Employed

While there are many fertilization methods which are currently employed, and others which may evolve over time, three are of particular importance: namely intercourse, artificial insemination (AI), and embryo transfer. The often-quoted passage from the bible in which Abraham has intercourse with Hagar in order to have a child for himself and his wife Sarah[9] provides an example of the first type of fertilization. AI is commonly employed in modern contractual arrangements, and embryo transfers are employed if the contracting party(ies) want to have a child with the genetic make-up of their own choice.

Consequently, the social and biological relationships of the ensuing child to the various parties may vary drastically, depending on the previous factors so far discussed.

Social and Biological Parenthood Relations to the Child

We have always had three forms of fatherhood and three forms of motherhood: namely instances in which social and biological parenthood coincide, instances in which a woman or man is a biological but not social parent (birth mother, birth father) and instances in which a woman or men is a social but not biological parent (adoptive or step-mother or -father). However, with the advent of in vitro fertilization techniques and other birth techniques, we now need to distinguish between three rather than two aspects of motherhood: namely uterine motherhood (the woman who gives birth), genetic motherhood (the woman who raises the child). Given further that contractual arrangements for the production of children are a contemporary reality, we must now distinguish between seven rather than three different types of mothers, as used to be necessary.[10]

Assuming, for the sake of simplicity, that we are dealing with a case in which a woman contracts, in some form, with a heterosexual couple for a child, the resulting child may be faced with one of the following possible parenthood combinations:

1) A contracting mother is inseminated with the sperm of the social father. In this case, the child has one uterine-genetic mother, one social mother, and one biological-social father. This describes the case of Baby M.

2) A contracting mother is inseminated with the sperm of a donor who is **not** the social father. In that case, the child has a uterine-genetic mother, a social mother, a biological father, and a social father.[11]

3) A variation of this set of parental relationships would occur if the sperm donor was in some way related to the recipient couple — e.g. a brother or father of one of the spouses. In that case, the child would have a uterine-genetic mother, a social mother, a social father, and a biological father who was at the same time an uncle, a grandfather, or the like.

4) A contracting mother is implanted with the fertilized egg of the contracting couple: her egg, his sperm are used. In that case, the child has a uterine mother, a socio-genetic mother, and a biological-social father.

5) A contracting mother is implanted with the fertilized egg of a contracting couple to one of whom she is herself in some way related (e.g. the South African case in which a grandmother gave birth to her grandchildren). In this particular case, the child has a uterine mother, who is at the same time its grandmother, a socio-genetic mother, and a biological-social father.

6) A contracting mother may also be implanted with the fertilized egg of a third woman (an egg donor or vendor) who is not involved in raising the child. In that case, the child has a uterine mother, a genetic mother, and a social mother. If the egg was fertilized with the social father's sperm, the child has a biological-social father.

7) If, in a parallel case, the egg was fertilized by an unrelated sperm donor's semen, the child then has a uterine mother, a genetic mother, a social mother, a biological father, and a social father.

8) In a further variation, the egg donor might be related to the social mother. In that case (assuming that the other factors are as in the preceding cases) the child has a uterine mother, a genetic mother who is also an aunt, grandmother, or the like, a social mother, and either a social-biological father (if the egg was fertilized with the social father's sperm) or

9) a social father and a biological father (if the sperm donor was an unrelated male) or, finally,

10) a social father and a biological father who is also related in some other fashion to the child (he is its uncle, grandfather, etc.)

Involvement by Middle Persons or Agencies

At present, contractual arrangements are sometimes made by parties as private agreements between them (as in the South African case), or they may involve a third party or parties: a lawyer, who oversees the contract negotiations and who may or may not help in getting the two parties together, and/or a middle person or agency who specializes in matching contracting mothers with individuals or couples seeking one. Such middle person or agency may or may not also provide legal services. Finally, where artificial insemination is involved, medical personel is likely to be involved. It is certain to be involved when complicated techniques such as embryo transfers are involved.

The Legal Context

At present, such arrangements operate in a legal gray area in Canada. Some countries have already passed legislation, others are discussing legislation. In the U.S. Baby M. case, the judge ruled specifically that "surrogate motherhood" contracts should be legally recognized. The Ontario Law Reform Commission (OLRC) Report has recommended that preconception contracts for the production of children be legally recognized, legislated, and **enforced**, once signed.

Commercial Aspects

Preconception contracts for the production of children may or may not involve commercial transactions. Some of the most highly publicized cases did **not** involve any money transfers, such as the recent South African case. On the other hand, there are a number of companies in operation in the United States which charge a fee for putting potential contracting mothers and contractors in touch with each other. Some lawyers, in particular Noel Keane, have built a business practice on arranging such contracts. Contracting mothers who carry a child on contract are often paid a fee.

Commercial transactions, then, may be involved, and they may take the form of payments to a contracting mother, payments to a middle agency or person, or both. This leaves aside the issue of payments for medical services, which is less important in Canada than in the United States, due to our medical insurance system, and which is supposed to be a simple transfer of costs from the contracting mother to the contractor rather than a payment for service.

Summary of Important Factors

We now have a list of factors that need to be specified in order to discuss issues concerning preconception contracts for the production of children in an intelligent manner.

Using this list of factors, we can, for instance, describe the Baby M. case as an arrangement in which a contracting mother contracted with a man, and indirectly with his wife, to conceive a child via AI who had as genetic-uterine mother the contracting mother, as social mother the contractor's wife, and as social-biological father the contractor. The contract was arranged by an agency, and it was judged to be enforceable. The transaction was a commercial one, involving fees for the contracting mother as well as for the middle agency.

By contrast, the South African case involved an arrangement in which a contracting mother contracted informally with her daughter and indirectly with the daughter's husband, to conceive a child (children, as it turned out) via embryo transfer. The children, therefore, have as their uterine mother a woman who is not their genetic or social mother, but who genetically and socially is the grandmother of these children. Their social mother is also their genetic mother, just as the social father is also the biological father. The contract was a private one, arranged without middle agency, there were no commercial aspects involved, and the contract would probably have been legally unenforceable, had it come before a court.

Given these types of differences in two recent cases of preconception contracts for the production of children, it seems to make little sense to consider **all** contractual arrangements in the same light. Clearly, then, if we discuss possible legal responses, we need to place these into the context of the entire range of possible contractual arrangements.

Possible Legal responses to Preconception Contracts for the Production of Children

Possible responses to the emergence of this new phenomenon include the following alternatives:
• The entire area can be left legally undefined, as at present. In such instance, disputes, for instance in the case of contested custody, would be decided on the basis of existing law. Under the circumstances, this would probably mean that certain clauses of contracts would be unenforceable. Custody decisions would be likely to be made in the best interest of the child, with the presumption being that the uterine mother had a first claim to her child, and payment for services would probably be unenforceable if the contractor refused to pay.
• Alternatively, contracts could be legally scrutinized, regulated, and enforced. In such case, custody would go to the contractor, the child would be forceably taken from the contracting mother in the case of a dispute, and money could be ordered to be paid by court order, once a contract had been made. This characterizes the position of the Ontario Law Reform Commission.
• Third, all contracts of this nature could be declared as being against the public good and people and agencies could be penalized for being involved in such arrangements.
• Fourth, various combinations of these three basic alternatives are possible: certain aspects of contractual agreements could be declared to be illegal and prosecuted, while others could remain unregulated and non-enforceable. Potentially, yet others might be regulated and enforced.

Before considering these possible alternatives for their desirability, we will now turn towards addressing some of the questions that are relevant in order to enable us to suggest a desirable (rather than possible) legal responses.

Relevant Issues in Identifying Desirable Legal Responses

We will here consider some of the issues that are relevant when grappling with the problem of what legal responses are appropriate for this phenomenon. Specifically, we will consider the following questions:
1. Do preconception contracts for the production of children constitute a form of baby selling?

2. Who would profit from legalizing and enforcing preconception contracts? Who would lose?

3. What legal response would be in the best interest of the child(ren) involved?

4. Are preconception contracts a viable medical-legal solution to infertility or not?

5. Do preconception contracts exploit the contracting mother?

6. What are the implications of legalizing such arrangements for all women, men, children, and parental relations in general?[12]

Do Preconception Contracts Constitute a Form of Baby Selling?

We have seen above that some contractual arrangements do not involve any money transfers. Where no money or other valuable considerations are involved, it does not make sense to talk about selling and buying. In such instances, then, no baby selling is involved.

However, the more common type of contract **does** involve fees, usually for the contracting mother as well as for the middle person or agency who arranges the contract. This is the more important type of contract to consider in this context. Proponents who argue that "surrogate motherhood" contracts should be legalized and enforced, also argue that such contracts do **not** constitute the selling of children.

We shall consider one such argument. Judge Sorkow argues:

> "... the money to be paid to the surrogate is not being paid for the surrender of the child to the father. And that is just the point — at birth, mother and father have equal rights to the child absent any other agreement. The biological father pays the surrogate for her willingness to be impregnated and carry his child to term. At birth, the father does not purchase the child. It is his own biological genetically related child. He cannot purchase what is already his."[13]

There are two points to Judge Sorkow's argument which deserve careful attention: the first is that the money is paid not for the child, but for the women's willingness to be impregnated and carry the contracting father's child to term. The second is that at birth, mother and father have equal rights to the child **absent any other agreement**.

It is the clause "absent any other agreement" which is interesting here. Judge Sorkow explicitly defines "a new rule of law", namely that "once conception has occurred the parties [sic] rights are fixed, the terms of the contract are firm and performance will be anticipated with the joy that only a newborn can bring."[14] In other words, once he explicitly declares preconception contracts as valid and enforceable under New Jersey law, we need to re-write the passage concerning the mother and father's right to the child quoted above as follows:

> ... the money to be paid to the surrogate is not being paid for the surrender of the child to the father. And that is just the point — at birth, mother and father

have equal rights to the child unless they entered into a surrogate contract with each other. Having entered into such a contract, once conception has occurred, the terms are firm and the baby will belong to the father and be anticipated by him with the joy that only a new born can bring. The biological father pays the surrogate for her willingness to be impregnated and carry his child to term. At birth, the father does not purchase the child. It is his own biological genetically related child. He cannot purchase what is already his.

The argument separates the process of insemination and pregnancy from the resulting child. Although the father cannot buy what is already his, the mother can lose — because she entered into a contract for a service for which she received pay — what is hers. That is comparable to a client who commissions a piece of sculpture and who pays for the sculpture being created rather than for the sculpture itself. If, on the other hand, once the sculpture was finished, the client had a claim greater than that of the sculptor him-or herself on the piece, would we not regard this as buying the sculpture? The logic of arguing that only the work is paid for, and that the piece belongs equally to the sculptor and the client, while at the time arguing that the piece belongs to the client, is unreconcilable.

It seems obvious, that in instances in which a contract gives a contractor a right to a child which supersedes that of the contracting mother, and where money is exchanged for the transaction, we are, in fact, dealing with an instance of babyselling. For it is the baby that the father contracts for and that he wishes to have, not the insemination or pregnancy. They are means to an end, not the desired end. If it was otherwise, the contract would **not** specify that the baby go to the father, but would simply specify that the woman be inseminated and give birth to the child — and the agreement would be fulfilled once the child was born, although the mother kept the child.

The answer to this first question then, is that in instances in which money is paid by one party to the other for the purpose of obtaining a child, we are, indeed, dealing with an instance of baby selling.

Who Would Profit Or Lose From Legalizing And Enforcing Preconception Contracts?

In order to answer this question, we need to specify what aspects of a contract would be legalized'' and enforced. I will use the Ontario Law Reform Commission Report on the issue as a useful guide for this discussion. The OLRC report suggests that regulation apply to the entire arrangement, and specifically for
a) assessing the suitability of parents,
b) medical need for such arrangement,
c) assessing the suitability of the contractual mother,
d) immediate surrender of the child to the social parents after birth, and

e) regulating the life style of the contracting mother during the insemination period and pregnancy.

The first condition is argued on behalf of the resulting child. I will consider this condition in the context of the next section. The notion of "medical need" will be dealt with in section headed "Preconception Contracts for the Production of Children: What Problems Are They solving?" This leaves us to deal with the other three proposed sets of regulations, of which the immediate surrender of the child to the social parents and lifestyle regulations of the contracting mother are the most important ones.

A compulsory assessment of the suitability of contractual mothers seems, in principle, a useful precaution for all sides, which might (if successfully undertaken!) reduce heartbreak for all parties concerned. The question is: who carries out this assessment, how, and in what manner? **If** assessments are well done, and **if** preconception contracts are legally recognized, it would appear to be a sensible precaution. It does **not** address the issue whether such contracts **should** be legalized.

Immediate surrender of the child to the social parents is the single most important proposal. This, of course, was also the gist of the struggle in the Baby M. case — to whom does the child belong if the contractual mother wishes to keep her child?

The OLRC report expressed the dilemna succinctly when stating that contract law and adoption law

> "... suggest the only alternative resolutions to the question of surrender. Either the regulatory scheme should provide that the surrogate mother must honour her promise and surrender the child after birth, irrespective of any attitudinal change on her part in the intervening period, or the surrogate mother should be given a right, in effect, to rescind the agreement unilaterally within a period after birth. In the first case, the risk of disappointment and trauma rests on the surrogate mother, while, in the second, it is placed on social parents."[15]

The dilemma in terms of competing interests in a win-lose situation is well stated. However, the report continues that "The crucial question, however, is not where the risk of disappointment should lie, but which resolution will serve in the best interests of the child."[16]The report argues forcefully that "... a child born pursuant to an approved surrogate motherhood arrangement should be surrendered immediately upon birth to the social parents."[17] The **reason** provided for this is that

> "... immediate surrender would serve to prevent bonding with the surrogate mother and... facilitate bonding with the person — the social mother — who, in the vast majority of cases, would be the ultimate recipient of the child and who, therefore, would be the primary influence in its life during the neonatal period and infancy."[18]

The logic employed here is directly parallel to the logic inherent in Judge Sorkow's statement in which he argues that mother and father have equal rights to a child absent any other agreement. Here the presumption is that the social mother would ultimately receive the child. Since she will receive the child, it is better for the child that she receive it immediately, hence she should receive the child.

Alternatively, of course, one could argue that if the contractual mother decides to keep the child, the child should not be exposed to any legal wrangling, and since the child would ultimately remain with the contractual mother, she should receive the child. The logic is identical.

Therefore, we cannot make the presumption that the child is better served by being assigned to either the contractual or the social mother. The issue is, therefore, one of conflict of interest between the contractual mother and a (or two) social parents. Seen in this sense, a recommendation that the social parents receive the child is a clear instance in which the interests of the social parents are safeguarded at the expense of the contractual mother. She loses, they gain. This, once more, is of course what did happen in the Baby M. case.

Finally, the issue of regulating the lifestyle of the contractual mother during the insemination period and pregnancy restricts the freedom of the woman to control her own body and lifestyle, and her freedom to accept or reject medical treatment as she sees fit. To the degree that control is taken from her and given, via contract, to the social parents, or, on their behalf, to a medical expert, the interests of the social parents are served, while her self-determination is diminished.

Enforced surrender of the child upon birth, and control over the contractual mother's lifestyle, then, clearly serve the social parents at the expense of the contractual mother. The latter point also has implications for **all** parents, and particularly for pregnant women, and will be picked up again.

Serving the Best Interests of the Child

Both the Baby M. judgement and the Ontario Law Reform Commission Report argue strongly that the best interests of the child must be the ultimate criterion used to determine the outcome of conflicts in preconception contracts for the production of children. However, when looking over the recommendation of the OLRC Report, it turns out that the interests of the child are **not** safeguarded. This has been argued extensively elsewhere.[19] I shall therefore here only briefly repeat the conclusions: the child's interests are not served in so far as the report proposes that anonymity of anybody but the social parents be maintained. This serves the interest of the various parents involved, but not of the child.

As we have seen, the immediate and compulsory surrender of the child to the social parents serves the interest of the social parents, but not necessarily those of the child.

As fas as the assessment of the suitability of prospective parents is concerned, the problem here lies with the fact that to date no good criteria exist that would allow us to make such predictions. For instance, stability of a relationship (to the degree that this can be judged) is **not** necessarily a relevant criterion for one's adequacy as a parent. Stable marriages may yet produce abusive parents.

Other recommendations, e.g. concerning clarification of inheritance rights of children, etc., do, in fact, serve the interests of the child. That, however, leaves unanswered the question whether it is in the interests of a child to be deliberately conceived and born within the context of a preconception contract. In so far as life itself is of intrinsic value to anybody, the child profits — but since there is no right to be born before one is conceived, this is not a very compelling argument.

The question is more meaningfully put whether children are better or worse off if born in such arrangements, than if born outside of such arrangements. This question needs to be addressed empirically. Before follow-up studies have been made on the effect on children of **existing** contractual arrangements, this question must remain unanswered.[20] By the same token, it is really not very ethical to propose legalizing a practise the effects of which are highly suspect, and which **can** be, but have not been examined.

Preconception Contracts for the Production of Children: What Problems Are They Solving?

At the present time, there are more people who are infertile or who are married to an unfertile partner and who want to have children than there are children available, for instance, for adoption. Waiting lists for adopting children are long, and the outcome is uncertain. There is, then, a strongly felt subjective need on the part of some people or couples to have a child of their own, preferably genetically related to at least one of the prospective social parents. Preconception contracts are often described as a legal-medical response to a medical problem.

Indeed, the OLRC report explicitly states that there must be a "medical need that is not amenable to alleviation by other available means, including the artificial conception technologies."[21]

However, "medical need" is by no means as clearcut a criterion as might be tought at first sight. Two aspects make "medical need" a very imprecise term: one having to do with **how** the medical need arose in the first place, and the second having to do with the conceptualization of couple relationships which underlie the notion of medical need.

As to the first point, the OLRC Report states in strong terms

> "Our sole purpose in allowing individuals to pursue surrogate motherhood arrangements under strict control is to respond to infertility, not to afford individuals the opportunity to satisfy their lifestyle preferences. Accordingly, it is our recommendation that, before the court approves a surrogate motherhood arrangement, the prospective parents should be required to satisfy the court that there is a medical need not amenable to alleviation by other available means,

including the employment of the artificial conception technologies. In other words, surrogate motherhood should be a solution of last resort."[22]

Assuming that we are dealing with a heterosexual couple who with to enter into a preconception contract, infertility could exist on the part of the woman, or both the woman and the man (since the report allows for the use of donor gametes on behalf of both prospective social parents). Let us assume that a woman had a tubal ligation before she decided to have a child, and that this was due to a lifestyle decision at that point in time. Is her resulting infertility a medical condition or due to a lifestyle decision?

In the Baby M. case, Mrs. Stern was not infertile, but considered herself to be in medical danger if she were to become pregnant. Expert opinion has apparently shifted over time whether a pregnancy would, in fact, have been more dangerous to her than is usually the case for a woman of her age. Was there or was there not "medical need"? The answer is not unambiguous.

Finally, let us assume that a man wishes to enter into a preconception contract because his wife is (for whatever reason) infertile while he is fertile. The arrangement would **not** constitute a medical cure of the infertility of his wife. If the man found a willing female partner, he could have a child with her through sexual intercourse, the birth mother could give up her child in a private adoption, he would declare paternity, and his wife would adopt the child. The result, in other words, would be identical to the results achieved through a complicated medico-legal process. The **medical** involvement, then, does **not** consist of a **medical solution** to a **medical proble**, but provides **medical legitimacy** for the **social solution** of a **social problem**: the man does not have to have intercourse with the contractual mother, but instead, AI is employed. He is thus relieved of a charge of adultery. That is all. The medical profession is utilized to solve a social problem — avoidance of adultery. Legalization, as we have seen, would secure the rights of the father over those of the contractual mother. No medical treatment to an infertile person has been given — and in the case hypothesized, the **couple** is not infertile, only the wife is.

There is, therefore, no compelling need for any involvement of medical personnel at all[23], expect if we accept the idea that AI involving a stranger is morally acceptable in order to generate a child, whereas intercourse in order to achieve the same effect is not. It strikes me as a rather tortured logic.

Potential Exploitation of Contractual Mothers in Preconception Contracts

Whether or not a contractual mother is likely to be exploited within any given preconception contract for the production of a child would depend entirely on the circumstances. If the contract is entered into freely, if there is no relationship of asymmetrical dependency of whatever kind, if there is no financial or other need on the part of the contractual mother which drives her to engage in a contract of this type, and if she has first claim to the child in case she changes her mind, it is hard to argue that the contractual mother is exploited. All of these conditions seem to have been present in the recent South African case, judging on the basis of the available information.

On the other hand, if any one of the conditions just specified is absent, it seems a given that the contractual mother **is** open to exploitation. Obviously, if the contract is entered into not freely, exploitation has occurred. Or, if the contractual mother was, in fact, in some sort of asymmetrical dependency relationship with the contracting father, we are again dealing with potential exploitation. Likewise, if there is no direct dependency relationship between the contracting mother and the contractor, but if the mother engages in the arrangement out of financial need, we are dealing with an exploitative situation. Finally, the same applies if the mother is forced to give up her child, even if she desires to keep it, after having gestated it for nine months in her own body. I would suggest that this is an inappropriate, gender insensitive[24] equalization of the rights of a mother and father to a disputed child, and that, unless the mother is given precedence (or minimally co-custody) she is being exploited to the benefit of the father involved.

The proposals made by the OLRC would in fact create the legal preconditions for the exploitation of contractual mothers, but not **all** arrangements are necessarily exploitive.

Implications of Legalizing Preconception Contracts for the Production of Children for Women, Men, Children and Parental Relations in General

Given what has just been stated, it is now relatively simple to draw out the potential consequences of legalizing preconception contracts. The vague term "legalizing" needs to be specified. It means, in this context, recognizing preconception contracts as valid contracts, which are enforceable. This implies that in the case of a dispute the contractor will be forced to pay (if payment has been agreed upon) and that the child will, if necessary, be taken by force from the contracting mother in order to be surrendered to the contractor. These, in fact, are the recommendations of the Ontario Law Reform Commission, as well as the *de facto* outcome of the Baby M. case.[25]

Another, related and very important aspect, are provisions for the behaviour of the pregnant contracting mother including her ability to accept or reject medical treatment: if the contract spells out certain types of behaviours and medical treatments, and if she does not wish to abide by these rules, and if, further, the contract is enforceable, she could be forced to abide by the contract.

We will briefly consider these various aspects in turn. If the contract is enforceable in case of a custody dispute, and if a money transfer is involved, we have, in fact, legalized baby selling.

We have done more than that, however. Whether money is involved or not, we have fundamentally changed the nature of parenthood, and in particular, motherhood. So far, there is a presumption law that if a woman gives birth to a child, she is also the social mother of this child **unless** — and this is so far the only exception — the child needs to be protected from her for its own sake. This does happen occasionally, in which case children are usually made crown wards and may, eventually, be put up for adoption. However, with an enforced custody transfer **because of a contract that had been made prior to conception**, the mother thereby is permitted to give up her rights as a mother before the child is even conceived. If she is unable to change her mind once her child is born, she has been reduced to the status of a means for someone else. Her humanity is diminished.

A parallel here would be an instance of organ donation. If a grown man has two failing kidneys, and only his brother and nephew were suitable donors, they may be asked to donate the organ (provided they have two healthy kidneys) and both may, in fact, agree to do so for humanitarian reasons. If, then, however, a contract was signed between the potential recipient of the organ and the potential donor (or vendor in case the contract would provide for a sum of money to be paid in exchange for the organ donation), and if this contract became enforceable **even though the donor (vendor) changed his mind** and wanted to back out of it — for whatever personal reasons — we would have another instance in which a person, in this case a man, had been reduced to the status of a means for someone else. His humanity would have been diminished. Canadian law prohibits (a) the selling of organs for money, and (b) forcing donors to undergo such an operation if they change their minds. The difference between such a situation and that of a contracting mother who has changed her mind is none too great. What is an acceptable transaction as long as it is truly voluntary becomes repulsive when it is enforced.

Let us now turn to the question of regulating the pregnant woman's lifestyle and her power to accept or reject medical treatment that may be specified in a contract. There is already some movement in American and Canadian courts to regulate — and enforce such regulations — the behaviour of pregnant women. The recent Baby R. case is relevant in this context. In this case, an obstetrician, Dr. Zouves, called a social worker, Mr. Bulic, to state that he had a woman, Sandy Roininen, in his care who was to have a baby within the next few hours.

> "According to the Doctor she required a Cesarean Section. The baby would die or would be seriously or permanently injured if the operation was not done. She refused to have it performed.
>
> ...
>
> Within the hour of receiving the telephone call from Dr. Zouves and after reviewing the mother's history, Mr. Bulic advised Dr. Zouves that he was apprehending the child and that the Doctor was to do what he required medically for the child but that he was not consenting to any medical procedure to be performed on the mother.

> Mr. Bulic was at the hospital at 21:18 hours and was advised that the mother had in fact consented to the Cesarean operation."[26]

The cesarian section was performed, the baby was born, and immediately apprehended. The judge subsequently ruled the child is need of protection.

As to the question whether he had the jurisdiction to make the order sought by the Superintendant in light of the timing of the apprehension, he wrote:

> "The short answer is yes. The evidence is that the birth was imminent and it in fact occurred within three hours of the Superintendent making the apprehension. The purpose of the apprehension was to ensure proper medical attention for the baby. This is not a case of women's rights, Mrs. Roininen consented without coercion or threat to the operation... This is simply a case to determine what is best for the safety and well being [sic] of this child. It is clear that the child was in the process of being born and the intervention and redirection of its birth were required for its survival. It was at or near term....
>
> Under those circumstances, namely where the baby is at or so near term and birth is imminent, the failure to provide necessary medical attention to prevent death or serious injury is sufficient to allow the Superintendent to invoke the procedure of apprehension. I am satisfied that the apprehension was entirely proper."[27]

This is the second time that a fetus inside its mother's body has been apprehended as a child in need of protection in Canada.[28] If we couple these events with contacts that would be legally enforceable and that would regulate pregnancy behaviour of contractual mothers, as well as specify medical treatment they would have to undergo, this is extremly likely to have consequences for every pregnant woman. Once standards of behaviour and treatment are set for one type of pregnant woman, it would be a small step to apply them to **all** pregnant women.

Preconception contracts, if enforceable, and if regulating the mother's lifestyle and medical treatments, would therefore potentially have implications **not** only for the parties directly involved in such contracts, but for every individual pregnant woman in Canada. Pregnant women could potentially be disenfranchised in determining their own treatment. Fathers or even third parties could potentially sue for certain lifestyle changes of pregnant women. There have already been a number of U.S. cases in which women were sued by third parties because they failed to follow doctor's orders during their pregnancy. The scenario outlined is, therefore, given the context, in no way far fetched.

Appropriate Legal Responses

On the basis of the foregoing, it is now quite simple to determine appropriate legal responses. It is not in the public interest to allow the selling of human beings, whether these be babies, children or adults. Since legally recognizing and enforcing preconception contracts which involve payment for the child constitute a form of babyselling, such contracts should not only **not** be enforeceable, but people engaged in arranging such contracts for their own profit should be penalized, and this practice should be outlawed.

On the other hand, where contracts had been engaged in and no money was involved, where there was no form of coercion or exploitation involved, where no situation of asymmetrical dependency existed in any form between the contracting parties, such contracts should be regarded as private arrangements, not be regulated by law. **If**, in such a private arrangement, the contracting mother changed her mind and wanted to keep the child, she should be regarded as any other mother who gives birth to a child. Her rights should be exactly the same as that of any other woman.

This leaves unregulated (and implicitly regards as permissable) private preconception contracts for the production of children as long as the parties involved are acting in a free manner without any coercion, whether subtle or gross, direct or indirect, and as long as no commercial aspects are involved.

Finally, if contractual arrangements were permitted as private arrangements, a pregnant woman who was party to such a contract would have exactly the same rights to accept or refuse medical treatment as any other pregnant woman, and her lifestyle would be determined by herself. Any provisions agreed upon under a contract would, by definition, not be enforceable.

Given these safeguards, private, non-commercial preconception contracts would constitute only one further variation in the way people become parents. On the other hand, making preconception contracts enforceable and allowing the exchange of money in exchange for the production of children, would irrevocably change the nature of pregnancy for every pregnant woman, and strip some women of their rights to their children due to economic considerations or other such external factors.

La radicalité des mères porteuses
Françoise Laborie*

L'hypothèse dans laquelle je me situe est la suivante.

L'opposition quasi généralisée aux mères porteuses — si elle s'alimente des critiques qu'on peut faire et que je fais, du mode d'organisation sociale qui prévaut actuellement dans ce domaine — tient probablement davantage au fait que la mère porteuse vient fortement heurter l'ordre social à plusieurs niveaux:

• D'une part cette mère porteuse fait (le sachant ou non) la critique en acte non seulement de la logique scientifique et instrumentale qui se soutient du mythe du progrès de la science (comme je l'ai écrit par ailleurs) mais plus largement de la logique de l'économie politique au sens large. Dans ces deux logiques parfaitement dominantes dans nos sociétés, prévalent les codes du **réductionnisme**, de **l'abstraction**, de **l'équivalence** (des organes, des substances, des individus), de la **fonctionnalité**, de **l'utilité**, des **besoins**.

• Elle tente au contraire (et c'est certes difficile) de se situer dans une autre logique qui est celle de **l'échange symbolique**. Là il n'y a plus échange et appropriation de substances, d'organes ou de signes, mais **don de sujet à sujet**, don de quelque chose qui est plus qu'un organe ou une substance (ce qui déjà n'est pas rien) mais don d'un enfant. Dans une telle logique, faire un tel cadeau installe une relation entre deux personnes, oblige celui ou celle qui le reçoit à rendre et même parfois davantage: il y a circularité des dons et des manques. On sait qu'en effet la mère porteuse est très souvent en **attente de réciprocité**

---

* Françoise Laborie est chercheuse au Centre national de la recherche scientifique à Paris. Travaillant actuellement à titre de sociologue engagée dans une réflexion critique et collective sur la science, elle fut, par sa formation d'ingénieure chimiste et de docteure en sciences physiques, d'abord chercheuse en chimie macromoléculaire.

À titre de sociologue, elle s'est d'abord intéressée à une analyse des enjeux sociaux à l'oeuvre dans la recherche scientifique en général et, plus particulièrement, dans la recherche en biologie. Elle a étudié ainsi ce qui, au sein d'organismes tels que l'Institut Pasteur à Paris, « fait courir » des scientifiques de deux laboratoires de biologie moléculaire. Elle se pencha également avec attention sur la nature des quelques enjeux sociaux reliés à la mise en oeuvre et au développement des manipulations génétiques.

Auteure de plusieurs publications et coéditrice, Françoise Laborie étudie présentement les convergences et les contradictions d'intérêts rapprochant ou séparant les différents acteurs sociaux — qu'il s'agisse notamment de scientifiques, de médecins, de femmes — concernés par le développement des nouvelles technologies de la reproduction.

d'autre chose que d'un simple paiement pour un travail bien fait; mais en attente, notamment, d'être reconnue comme personne ayant investi d'une façon importante et non comme pièce d'un dispositif de production d'un enfant; d'être aimée ou de devenir amie du couple à qui elle a fait ce cadeau d'un enfant; d'avoir une place symboliquement marquée dans le réseau social et familial où l'enfant sera élevé. Avec tout ce que cela comporte d'ambivalence et de multiplicité de sens lorsque sont en jeu **désir et jouissance**.

Et de ce double point de vue elle apparaît comme archaïque.

• De surcroît, elle vient mettre en question la définition classique et biologique de ce qui fait la mère, en permettant de la penser comme intentionnellement sociale. La mère porteuse peut constituer un **modèle de maternité sociale, décidée par avance**, de socialisation du lien de filiation maternel; ou même un modèle de **plurimaternité** ou maternité additionnelle[1] selon un mode de solidarité entre femmes. Ce n'est pas parce que les fameux intermédiaires qui ont fait main basse sur l'organisation sociale du processus utilisent aussi l'argument du penchant naturel des femmes à l'altruisme et à la générosité qu'il faut nier l'existence d'une solidarité entre la mère porteuse et la future mère sociale.

• Décider d'être mère porteuse me paraît enfin impliquer la **revendication d'une place centrale pour les femmes dans l'organisation sociale de la reproduction dans le cadre de la stérilité**. La mère porteuse soutient un mode d'affirmation positive des femmes en tant qu'êtres humains sexués, un mode de reconnaissance sociale et symbolique de la différence sexuelle, une aptitude à partager la maternité. Et c'est de ce point de vue qu'elle me semble se situer dans une position ou une éthique que je qualifie de féministe. C'est pourquoi, en tant que féministe j'estime sa démarche importante et en aucun cas ne pouvoir être rapidement évacuée ou analysée simplement en termes d'exploitation, d'aliénation, de mise à la disposition du corps des femmes au profit du patriarcat.

Elle est ainsi perçue comme dangereuse car radicale et novatrice.

J'entends déjà les critiques s'élever pour m'objecter que tout ceci n'est que strictement théorique et que la réalité des faits est tout autre. C'est exact dans de très nombreux cas. Comme le plus souvent dans l'histoire, de véritables « maquereaux » sont venus dans certains cas, et tout particulièrement aux USA, rabattre l'ensemble du processus dans la sphère marchande, l'ont organisé socialement de la façon la plus rude pour les femmes et la plus profitable pour eux. Ils visent alors à faire de ces femmes de purs objets, traitant leurs désirs et notamment celui de donner un enfant, comme une force productive. Ils sont venus encadrer, contrôler, tirer profit, et forcer des femmes, celles des mères porteuses qui ne se sentaient pas la force d'aller jusqu'au bout, à abandonner l'enfant qu'elles voulaient garder.

J'ai déjà dit plusieurs fois que je suis absolument contre l'existence des différents types d'« intermédiaires »: avocats, médecins ou autres. Contre l'obligation où ils mettent la femme (comme Mary Whitehead aux USA) de respecter à l'accouchement le « contrat » signé avant la conception, de donner, contre sa volonté, l'enfant dont elle a accouché[2].

Et il y a à se battre contre cette forme d'organisation sociale. Je pose simplement la question de savoir si compte tenu de ce que j'ai écrit ci-dessus, il ne vaut pas la peine de chercher à la penser autrement.

Reste à argumenter ce que j'ai présenté comme mon hypothèse.

Ce n'est que dans le cadre d'une analyse globale de ce que j'appelle les Nouveaux Modes de Reproduction (NMR) qu'il me paraît possible de parler des mères porteuses. L'ensemble NMR comprend:

• la mère porteuse simple (dont je viens de parler): celle qui, inséminée par le sperme du futur père social, porte à terme un enfant qu'elle donne à un couple demandeur.

• ce qui est communément désigné par les NTR (Nouvelles Technologies de la Reproduction), à savoir l'IAD (Insémination Artificielle avec Donneur) dans le cas de la stérilité masculine, d'une part; la FIV, le GIFT et les autres technologies lourdes (lavage d'utérus, CIVETE, FIP etc…), théoriquement destinées à pallier la stérilité féminine, d'autre part.

Des enjeux autour d'une dénomination

Parmi ces technologies existe une invention récente que certains praticiens ont dénommé la « véritable » mère porteuse: il s'agit d'une femme fertile dans l'utérus de laquelle on réimplante un ou plusieurs embryons obtenus par FIV, à partir des ovocytes et spermatozoïdes des personnes qui élèveront l'enfant. Ceci afin qu'elle assure la gestation de ces embryons, les porte à terme et donne à un couple demandeur le ou les enfants obtenus.

Si cette mère porteuse est qualifiée de « véritable », c'est pour bien montrer qu'elle se situe dans la logique scientifique et technicienne selon laquelle le **morcellement** des organes, la **distinction** des spécialités et leur prise en charge par des individus différents font que si une femme porte un enfant, cela implique qu'elle ne fasse que ça sans être aussi celle qui a fourni l'ovule. Dans ce processus de réimplantation d'un (ou plusieurs) embryons dans l'utérus de la « véritable » mère porteuse, on cherche alors à installer une relation d'étrangeté, d'abstraction de cette femme à l'enfant qu'elle porte.

Et c'est précisément cette **relation d'étrangeté** qui fait dire à un médecin, dans un article récent[3], que le qualificatif de « porteuse » lui paraît tout à fait bien choisi. Selon lui, ce terme renvoie à l'acception de porteur dans « porteur sain »; car selon lui: « Il s'agit d'un sujet qui porte dans son corps un germe, une bactérie, un virus qui **ne le rend pas malade, qui ne le concerne pas directement**. Rien de plus logique donc d'adopter ce mot aux cas de femmes dont la grossesse est destinée à d'autres femmes ». (C'est moi qui souligne)

Je passe rapidement sur l'effet que peut susciter l'évocation des « porteurs sains » dans le contexte actuel de développement du SIDA, et je laisse chacune apprécier le parallèle que l'auteur établit entre le fait d'abriter un virus et celui de porter un enfant…

J'insiste plus fortement sur le fait que cette citation vient exemplifier l'**existence d'un véritable enjeu autour de la dénomination « mère porteuse »**. Les médecins tentent de se l'approprier et de la redéfinir dans sa « pureté », dans « l'essence » même de ce qu'est pour eux le fait de porter scientifiquement un enfant: **selon les praticiens des NTR la « véritable » mère porteuse ne doit recevoir en son utérus qu'un élément étranger qu'elle se contente de porter.**[4] Il faut noter ici, ainsi que le fait Simone Novaes[5], qu'on continue cependant d'utiliser le terme de **mère** dans toutes les expressions: mère porteuse, mère de substitution, surrogate mother.

Je pense, à la différence des praticiens des NTR, que ce terme par lequel ont d'abord été désignées **les mères porteuses ordinaires**, renvoie au fait qu'elles **portent un enfant, comme les femmes l'ont toujours fait**: réalisant à la place d'une femme stérile, **la totalité** du processus qui, du point de vue de la biologie, va de la fécondation dans leur ventre d'un de leurs ovules jusqu'à l'accouchement d'un enfant; ce qui, du point de vue des implications psychologiques et sociales n'est jamais neutre.

Où les mères porteuses « ordinaires » sont inacceptables du point de vue du discours scientifique

1) Les mères porteuses dérangent donc la logique scientifique, car, à assurer la totalité du processus, elles engagent non seulement leur utérus, mais aussi leur ovocyte. Et là, il y a pour eux une inadmissible confusion des genres: elles sont alors à la fois donneuses d'ovocytes et prêteuses d'utérus.

C'est pourquoi, selon leur logique ils préfèrent **distinguer les spécialités et dissocier les étapes du processus reproductif**. Si la stérilité d'une femme résulte d'une absence d'ovaire ou d'ovocyte, on aura alors recours, à une donneuse d'ovocytes qui ne fera que cela. Si les ovaires sont déclarés « fonctionnels » (capables de produire des ovocytes suffisemment nombreux et « de bonne qualité ») et que c'est l'utérus qui est déclaré défaillant, la véritable mère porteuse est là pour ça.[6]

2) Mais il existe une autre raison pour laquelle cette aptitude des mères porteuses (ordinaires) à pouvoir assurer la totalité du processus, les rend particulièrement insupportables aux yeux des médecins.

S'ils savent (non sans risques pour les femmes) bloquer puis programmer leur ovulation pour qu'elle advienne au jour (excepté la fin de semaine de préférence) qui convient au programme de l'équipe médicale; prélever des ovocytes hors du corps des femmes; les féconder pour obtenir des embryons, **ils ont (encore) besoin de l'utérus des femmes pour assurer la gestation du foetus** et (parfois, car les avortements spontanés sont nombreux et les taux de réussite sont minces) celle de l'enfant. De ce seul point de vue, les mères porteuses font beaucoup mieux qu'eux.

3) Si les praticiens des NTR sont, avec les industriels pharmaceutiques les principaux bénéficiaires de ce qui est un véritable marché de la procréation, et font, largement relayés en cela par les média, des **offres de bébés**, ils vendent en réalité, essentiellement des signes: **les signes de la grossesse**, les rares bébés obtenus servant de légitimité à l'ensemble. Ainsi leurs taux de succès sont-ils quasi toujours exprimés en grossesses, lesquelles sont très loin de toujours aboutir à des bébés. Leurs publications réfèrent leurs succès aux grossesses biochimiques qui ne sont qu'un pic sur une courbe (et durent 15 jours au plus), ou aux grossesses cliniques dont on repère « les signes ». Alors qu'à peine plus de la moitié des grossesses comptées comme succès se terminent par la naissance d'un enfant vivant.[7]

De plus la logique même du processus de séparation des étapes du processus reproductif amène des femmes à se sentir déjà moins stériles si, à défaut d'avoir un enfant grâce à la FIV, elles réussissent à passer un ou plusieurs des divers stades de la FIV. Si elles ont eu un prélèvement d'ovocytes, si ceux-ci ont pu devenir des embryons, si elles ont eu un replacement d'embryon ou encore mieux un début de grossesse: **tous ces substituts peuvent être présentés (par les praticiens) et vécus (par les femmes) comme presque équivalents au bébé inaccessible.**

Ne peut-on estimer qu'on trouve ici l'une des formes de ce que Baudrillard désigne comme « économie politique du signe »[8] au sens où ce sont des signes qui s'échangent et produisent de la valeur?

Alors que la mère porteuse ne vend pas des signes, mais donne un bébé.

4) De plus **la mère porteuse** vient rappeler la spécificité des femmes dans la procréation et **va fortement contre le présupposé scientiste (qu'on tente d'imposer comme norme sociale): celui de l'équivalence, de l'interchangeabilité des rôles des hommes et des femmes dans la reproduction**. Spécificité des femmes à la fois au niveau psysiologique et dans ce qui est **leur rapport complexe à l'enfantement**: certaines se sentent déjà mères en étant mères porteuses (c'est probablement parmi celles-ci que se trouvent les femmes qui veulent garder l'enfant, mais aussi celles qui veulent donner l'enfant et pouvoir continuer à le voir ou recevoir de ses nouvelles); d'autres veulent se sentir (encore une fois et différemment) enceintes mais ne veulent pas élever un (autre) enfant; d'autres enfin ont ainsi la possibilité de vivre l'abandon d'un enfant ce qui pour elles peut avoir une grande importance. Et il y a vraisemblablement d'autres scénarios possibles, comme dans n'importe quel enfantement par une femme, mais qui tous viennent témoigner d'une spécificité des femmes dans leur rapport à l'enfantement, de la complexité et de la multiplicité des formes de leur acceptation ou refus de la maternité.

Alors que selon une idéologie récente et qui a cours aussi parmi certaines féministes, partant de l'idée (vraie) que les femmes peuvent faire aussi bien que les hommes en maints domaines, et que leur oppression émane de leur assignation biologique et sociale à la maternité (largement vrai aussi selon moi), on tente alors d'annuler toute différence entre les sexes (notamment au plan de la biologie) comme si cela suffisait à aplanir les inégalités qui existent toujours au niveau des rapports sociaux de sexe.

De ce point de vue, le discours scientifique permet là aussi d'alimenter des présupposés réducteurs ou normalisateurs et notamment celui de l'interchangeabilité des hommes et des femmes dans la reproduction. Selon les connaissances en génétique, ovocytes et spermatozoïdes jouent un rôle égal dans la conception et la production d'un embryon; ils sont équivalents en tant que gamètes (c'est en eux que résident les chromosomes, vecteurs de la transmission héréditaire). De cette équivalence selon la logique scientifique, on glisse alors à celle du don de sperme et du don d'ovocyte (ce qui bien sûr n'est vrai ni techniquement ni socialement) et qui relève d'une logique sociale. On organise donc (en France) le don d'ovocyte sur le modèle du don de sperme tel qu'il est pratiqué dans les CECOS (banques de sperme) en imposant l'anonymat[9]. Ceci se fait d'ailleurs à l'encontre de l'avis généralement exprimé par les intéressées, (candidates donneuses ou receveuses) qui, dans de très nombreux cas sont sœurs ou amies. Moralité: le nombre des candidates au don d'ovocyte a fortement diminué[10].

On peut donc dire que dans le domaine de la reproduction (mais c'est peut-être vrai dans tout le domaine du vivant) s'opposent deux logiques:

a) Celle de la science et de la rationnalité économique qui s'inscrit dans le projet d'une société de contrôle technique du social. Projet dans lequel la sexualité, le corps et la reproduction doivent devenir fonctionnels, rationnels, objectifs et contrôlés par des experts. L'on a alors affaire à des individus objectivés dont les corps sont réduits par des techniques (lourdes, dangereuses et compliquées dans le cas des femmes) à tel ou tel de leurs organes[11], substances ou fonctions: éléments que l'on agence dans une combinatoire; affaire à des gamètes, des embryons qui s'échangent et sont stockés dans des « banques » dans le cadre médical car tout ceci ne peut se penser et s'organiser hors de l'hôpital, du laboratoire et de... la banque. Si donc, l'un ou l'autre des éléments ou des fonctions manquent dans la chaîne de production d'un enfant, il peut et il doit être remplacé, selon une double logique de l'équivalence anonyme et de la division du travail spécialisé et gratuit[12] sauf en ce qui concerne les techniciens que sont les praticiens des NTR, qui eux, tirent du système différents types de profit: en termes d'argent, de clientèle, de carrière scientifique.

b) Celle de l'échange symbolique et de la convivialité dans laquelle se situent les mères porteuses ordinaires qui ont, au contraire, l'aptitude — et y réussissent quelquefois — de se situer radicalement hors du système précédent. Au plan technique, l'insémination est tellement simple qu'elle ne suppose en rien le cadre médical; au plan social, elle impose cependant, dans le respect de l'engagement pris (que l'enfant soit issu du futur père social), que la mère porteuse n'ait pas de rapports sexuels, tant qu'elle n'est pas enceinte par insémination (et cela peut prendre plusieurs mois). Faire un enfant de cette façon ne relève donc pas de la technologie hospitalière mais de la sphère conviviale et engage non seulement le corps dans son intégralité physique mais dans ses rapports au psychisme. Vivre cette grossesse, l'accouchement, le don de l'enfant ne sont certainement pas des choses simples, mais qui mettent en jeu des sujets avec des projets, des histoires, des désirs; des personnes plus ou moins aptes à s'engager, nouer des relations sociales, avec ou sans conflit.

Ne peut-on pas à partir de là dénoncer le rôle des intermédiaires qui cherchent à contrôler ce système et le rabattre dans la sphère marchande?

Reste la question de la commercialisation.

Ainsi que **les mères porteuses** le disent elles-mêmes, les enfants qu'elles ont portés sont donnés et non abandonnés. Ce don précieux appelle, dans le système de l'échange symbolique, et ainsi que je l'ai déjà dit, un autre don. En réalité, dans le système tel qu'il fonctionne actuellement, les mères porteuses reçoivent de l'argent considéré comme la rémunération ou le salaire pour un service ou un travail correctement effectué (dans cette logique, on ne compte d'ailleurs que les 9 mois de travail gestatif auxquels devraient s'ajouter les mois supplémentaires pendant lesquels la mère porteuse est inséminée).

Mais, faire et donner un enfant n'est pas un simple travail; ni comparable au don d'organe dont la gratuité en France sert volontiers de modèle éthique dans le monde et guide en France l'organisation des dons de gamètes. Au nom de ce principe éthique, certains supporteraient mieux, semble-t-il, les mères porteuses si la gratuité de leur geste était la règle.

J'estime, pour ma part que pour la mère qui a porté l'enfant, il y a perte, il y a don et donc dette du côté des receveurs qui lui sont obligés. La gratuité d'un tel geste me paraîtrait suspecte et « porteuse » de lourdes conséquences. Je pense qu'il doit lui revenir quelque chose et même s'il ne compense pas l'attente d'un autre type de retour, l'argent qui, dans nos sociétés, est l'équivalent généralisé des échanges est le minimum de ce qui lui est dû.

Mais, bien évidemment, dans le système tel qu'il est organisé existent **les « intermédiaires »**. En France le Dr Geller est le principal responsable de l'organisation des mères porteuses; il conseille aux couples demandeurs de chercher une mère porteuse en passant une petite annonce dans la presse. C'est la mère porteuse qui répond à une ou plusieurs de ces annonces et choisit, en principe, le couple pour lequel elle décide de donner un enfant. Geller m'a dit avoir reçu des demandes de couple pour tel ou tel type physique et psychique de mère porteuse et prêt à payer plus cher pour cela. Il m'a dit aussi avoir accepté une fois de répondre à ce type de demande, mais une fois seulement... Avec ses collaboratrices, il dit examiner et sélectionner les mères porteuses selon des critères médicaux et psychologiques, pratiquer les inséminations, surveiller la grossesse, et chercher (avec difficulté) une ou des cliniques à Marseille acceptant l'accouchement d'une mère porteuse, c'est-à-dire d'une femme qui accouchera sous X (sans donner son nom) et donnera notoirement l'enfant dès sa naissance à un couple.

Concernant la rémunération, Geller ne cesse de dire deux choses:
• qu'il se bat pour que la rémunération de la mère porteuse soit toujours la même et fixée à 50.000F (sensiblement l'équivalent du SMIG pendant neuf mois, dit-il) de façon à ce que soit évité le développement d'un marché sauvage où ne

règnerait que la spéculation au plus offrant. Une mère porteuse que j'ai inter-
viewée m'a cependant raconté que dès les premiers contacts téléphoniques avec
deux couples demandeurs, l'un d'eux lui avait immédiatement proposé le double
du prix indiqué par Geller: preuve que là aussi ce n'est pas un intermédiaire qui
peut empêcher ceci.[13]
• que lui-même en tant que tel ne gagne rigoureusement rien dans l'affaire. Je
n'ai aucun moyen de vérifier ou infirmer de tels propos qui cependant me
paraissent curieux.

Mais on sait qu'aux USA les intermédiaires font de très gros profits sur le
dos et le ventre des mères porteuses. J'ai appris récemment que Noel Keane qui
est le plus célèbre des tenanciers d'officine à mère porteuse, cherche à installer
une antenne en Europe et qu'il va probablement le faire en Allemagne fédérale
à partir du mois d'octobre 1987.

**D'un autre côté, les NTR permettent de réaliser de très importants
profits**: le nombre des tentatives de FIV a, en France, été multiplié par 2 entre
l'année 1985 et 1986, et la vente de différents produits et instruments leur est
évidemment corrélée. Profit donc pour les firmes productrices d'instruments
chirurgicaux et de contrôle, les industries chimiques et les firmes pharmaceutiques qui dans le cadre de la FIV, par exemple, vendent de considérables
quantités de médicaments et d'hormones.

Si, dans le système des NTR, les dons sont gratuits, non payés aux donneurs,
ils produisent cependant de la plus-value:
• au profit des firmes pharmaceutiques. Les hormones « hCG » ou « hMG »
par exemple, très largement utilisées pour stimuler l'ovulation, sont extraites de
l'urine de femmes enceintes, pour la première; ménopausées pour la seconde.
Là aussi on parle de « solidarité » entre femmes fertiles et stériles et on recueille
gratuitement ces dons à partir desquels réaliser des profits, probablement assez
considérables.
• au profit des praticiens des NTR, à qui la multiplication des tentatives (dont
le prix officiel moyen en France est d'environ 15.000F, et dont le prix officieux,
certainement variable selon les équipes et la notoriété des praticiens est beaucoup
plus élevé), la multiplication des recherches, des publications scientifiques, des
grandes premières, permet à la fois renommée, carrière, clientèle, et fortune.
Or tout ceci n'est possible qu'à condition de disposer, gratuitement de surcroît,
et du corps des femmes et de la matière première que sont les gamètes (spermatozoïdes et ovocytes). Ces derniers, sont abondamment prélevés sur les femmes de plus en plus nombreuses — et non nécessairement stériles — qui
s'engagent dans les NTR.

De ce point de vue, on peut dire que ce sont toutes des donneuses d'ovocytes
gratuits et qu'elles payent pour cela...

Où la mère porteuse vient bousculer la définition classique et juridique de la maternité

Mais, par-dessus tout, la mère porteuse, à la différence de ce que font généralement les médecins, permet que se réalise un projet de maternité sociale, celle, comme dans le cas de la maternité par adoption, dont la définition ne relève pas du biologique ou du physiologique .Et là, elle va très violemment contre l'un des repères les plus ancrés historiquement et socialement car référé à un déterminisme naturaliste: la mère est celle que tout un chacun a pu voir grossir en portant l'enfant dans son ventre et accoucher. Avec la mère porteuse il pourrait donc y avoir deux mères (peut-être aussi deux pères), partage entre deux femmes de la maternité, de la relation maternelle à l'enfant. Il est vrai que ceci va tout à fait contre ce que souhaitent bon nombre des couples demandeurs d'enfants, contre la pratique la plus courante dans nos sociétés et que de ce fait même, penser et vivre autrement n'est certainement pas la voie la plus facile.[14] D'un autre côté, il me semble qu'existe une tendance à rechercher un certain élargissement des relations et des familles dont on sait par ailleurs qu'elles tendent à se restreindre fortement dans les sociétés dans lesquelles nous vivons. Les mères porteuses ne viennent-elles pas témoigner de ce mouvement?

Au contraire de ceci, ce que cherchent à réaliser les médecins grâce aux diverses techniques les plus sophistiquées, c'est à reconduire la définition classique (et juridique) de la mère comme étant celle qui a porté l'enfant et accouché.

De ce point de vue, le don d'ovocyte (ou d'embryon) se situe dans cette logique puisque la femme qui élèvera l'enfant l'aura aussi porté, même si l'embryon qui fut réimplanté en son utérus était issu d'un ovocyte qui lui était étranger. Autrement dit selon les différents scénarios possiblement réalisables grâce à la FIV par exemple — il peut y avoir ou non don de sperme, d'ovocyte, d'embryon — dans la très grande majorité des cas, c'est dans l'utérus de la femme qui élèvera l'enfant que l'embryon est réimplanté.

Autrement dit la définition de la maternité reste conforme à celle qui fut historiquement et juridiquement acceptée: est mère la femme qui accouche. La conjonction des deux fonctions — porter et élever l'enfant — est alors réalisée en une même femme.

Paradoxalement à l'heure de la « mystique génétique », où tout est censé résider dans le gène, dans le code de la molécule ADN (encore un exemple du réductionnisme scientiste, prévalant au niveau idéologique dans nos sociétés), paradoxalement donc, la maternité est ici référée au biologique, au physiologique (c'est l'utérus enceint qui fait la mère), mais non nécessairement au génétique puisque sinon, ce serait la donneuse d'ovocyte (dans lequel sont les chromosomes porteurs de l'ADN) qui serait la « vraie » mère. Mais ceci irait probablement, trop violemment contre l'inscription historique de ce qui **visiblement** fait la mère, d'une part; contre ce qui nous est, d'autre part, récemment décrit comme fondamental: les liens mère/enfant in utero.

Cependant et contradictoirement avec ceci, les praticiens de la FIV ont récemment inventé, je l'ai dit, la « véritable » mère porteuse: une femme prête son utérus pour assurer la gestation de l'embryon conçu à partir de l'ovocyte de celle qui élèvera l'enfant. Ici est déclarée mère celle qui a fourni son ovocyte et à qui on donne l'enfant, et non pas celle qui l'aura porté.

Mais il faut noter que ce scénario permet encore de **maintenir une définition naturalisante de la mère comme étant celle qui a engagé dans la procréation une partie au moins de sa physiologie (son ovocyte)**.

Déjà existante aux USA, cette « véritable » mère porteuse a, à la différence de la mère porteuse « ordinaire », la faveur, non seulement des praticiens — elle ne peut exister qu'à l'intérieur du système de la FIV, puisqu'ici c'est un embryon et non un enfant qui circule — mais aussi, semble-t-il, d'une partie du public, polarisé sur la transmission du patrimoine héréditaire. Cette position favorable du public, des scientifiques et des médecins, est en parfaite contradiction avec la critique faite par les mêmes, à la mère porteuse ordinaire d'être une femme qui, faisant fi des liens tissés in utero entre elle et le foetus, peut ensuite abandonner le bébé.

Synthèse du débat

Madeleine Lévesque, agente de recherche en organisation communautaire, Conseil du statut de la femme

C'est autour d'une trame de fonds on ne plus actuelle que les spécialistes et les participant-e-s ont amorcé le débat sur les contrats de grossesse.

Devrait-on reconnaître les contrats formels ou informels liant les mères porteuses aux couples en demande d'enfants?

Il n'y a pas eu de consensus sur cette question, bien que les interventions furent nombreuses. Le compromis pourrait être de laisser la loi telle qu'elle est, c'est-à-dire que les contrats de grossesse ne s'appliquent pas, sans toutefois introduire de pénalité. L'idée des contrats de services privés est cependant ressortie.

Par ailleurs, une réglementation des contrats de grossesse peut entraver, par une somme d'obligations dans l'entente, le contrôle des femmes sur leur propre corps, leur sexualité et leurs habitudes de vie: un contrôle médical, qui, par exemple, pour une mère porteuse pourrait aller jusqu'à l'avortement.

Les participant-e-s se sont également intéressé-e-s à ce que vivent les personnes liées par contrat de grossesse: l'ambiguïté face aux motivations des mères porteuses et parallèlement, détresse et désir profond des couples infertiles d'avoir un enfant.

Enfin, plusieurs personnes ont souligné l'absence d'études préalables à une réglementation. Ces études permettraient de mieux comprendre ce nouveau mode de reproduction et d'en cerner les conséquences. Plus encore, selon les participant-e-s, c'est une étape essentielle avant de légiférer. Une des conférencières a annoncé que les Ontariennes travaillent à une coalition contre les nouvelles technologies de la reproduction qui réclamerait, entre autres, l'instauration d'une Commission royale d'enquête pour élargir le débat public et forcer ainsi les intervenant-e-s à prendre position sur la question.

Interventions de nature plus globale

Des participantes ont rappelé que la reproduction est au coeur des relations hommes-femmes et que c'est la logique même du développement des NTR qu'il faut questionner. Nous en sommes même rendus à l'industrialisation de ces techniques, là où les femmes sont des sujets expérimentaux utilisés pour légitimer ce champs de recherche. Elles sont donc des produits « testés ».

Margrit Eichler avance que: « L'implication médicale n'est pas une solution **médicale** à un problème **médical**, mais elle fournit une **légitimité médicale** à la **solution sociale** d'un **problème social** ».

« Les femmes doivent donc revendiquer une place centrale dans tous les processus touchant la reproduction dans le cadre de la stérilité », de dire Françoise Laborie.

Non-commercialisation des contrats de grossesse

Un consensus évident a émergé quant à la non-commercialisation des contrats de grossesse et les participantes sont d'avis que les activités des intermédiaires, telles les agences, doivent être considérées comme illégales et par conséquent, doivent être pénalisées.

À cet effet, on rappelle qu'il y a cent ans seulement, les femmes aux États-Unis étaient encore vendues comme esclaves…

Viendront-elles de Westmount ou de Rosemont les mères porteuses?

La menace d'exploitation de certaines catégories de femmes a été longuement discutée. L'inquiétude est générale quant à l'exploitation des femmes noires ou celles du tiers monde, et plus près de nous, des femmes de Rosemont ou des régions éloignées des grands centres.

En effet, il appert que là où le taux de chômage est élevé, une somme de 10 000,00 $ peut sembler alléchante à des mères porteuses éventuelles, alors qu'en réalité, elles ne recevraient, à tout calculer, que 1,53 $ l'heure. Donc, exploitation double, selon Bernard Dickens: exploitation des femmes pauvres et exploitation du fait qu'on ne paie pas la pleine valeur.

Mais il poursuit en disant que l'objection à l'exploitation est à deux tranchants: si nous devions mieux payer les mères porteuses, les couples infertiles pauvres ne pourraient retenir leurs services. Si on protégeait les femmes pauvres par une législation, on pourrait penser que les seules femmes qui agiraient sans paiement seraient les amies, les parentes de couples infertiles. Cela peut entraîner des risques puisqu'elles subiront à leur tour des pressions découlant de leur relation avec les couples sans enfant provoquant ainsi un certain sentiment de culpabilité. C'est donc dire qu'une forme de pression peut être exercée sur des femmes qui ne sont pas nécessairement pauvres.

« Et que penser des gouvernements qui paient les couples pour faire des enfants?… Ne devrait-on pas plutôt faire l'apologie de l'adoption en pays du tiers et du quart monde et par la même occasion questionner sérieusement le modèle d'enfant parfait qu'on veut à tout prix », de dire Françoise Laborie.

Une participante ajoute qu'actuellement, dans le cadre de l'adoption, il y a une division internationale: les femmes du tiers monde produisent et les femmes riches peuvent acheter des enfants.

Origine des mères porteuses

On s'est interrogé sur l'origine des mères porteuses en citant le cas de Sarah et de sa servante Agar tel que décrit dans la Bible ainsi que la très longue tradition des tribus amérindiennes du Canada quant au partage des tâches dans l'éducation des enfants. On relève cependant que dans ce contexte, l'enfant connaît non seulement ses parents sociaux mais aussi ses parents biologiques; c'est alors que la notion « d'échange symbolique » peut prendre tout son sens et changer totalement la présente logique.

Pour ou contre cette pratique

Selon certains, la possibilité d'abus des femmes est tellement élevée qu'on doit s'opposer à la pratique des mères porteuses. On est d'avis que le système est aliénant et on s'inquiète du risque qu'encourent toutes les mères: celui de perdre davantage de droits face à la maternité en général, et ce même en dehors des contrats de grossesse.

Le questionnement est allé plus en profondeur quant à la reconnaissance des besoins et intérêts spécifiques de la mère porteuse. Les participant-e-s considèrent qu'il lui reste peu de choix, déplorant le fait qu'on lui nie la possibilité de changer d'avis et que l'on puisse la forcer à donner son enfant.

Pourquoi ne pas s'inspirer de la Loi sur l'adoption où il existe une période de six mois pendant laquelle il est possible de revenir sur sa décision. Autre exemple: lors de dons d'organes, les donneurs qui changent d'avis ne sont aucunement pénalisés.

Quant à la notion d'échange symbolique présentée par Françoise Laborie, il en ressort que la mère porteuse dérange l'ordre social à plusieurs niveaux. Dans un système de convivialité, lorsqu'il y a don d'enfant, il y a une dette et dans une telle logique il doit y avoir un échange. Faute de mieux, c'est l'argent qui complète l'échange symbolique. « Dans le fond, on ne paie pas les femmes pour avoir des enfants; les vrais coûts n'ont rien à voir avec l'argent versé », dit-elle.

Et les enfants dans tout ça?

Notion fourre-tout que celle de **l'intérêt de l'enfant** qui est revenue souvent au coeur des débats offrant justification à des points de vue divergents.

Plusieurs s'opposent à la pratique de la maternité de substitution, pratique qui fait de l'enfant un **bien**, en soutenant qu'une société qui considère un enfant comme un bien est une société malade.

On se rappellera que la Commission de réforme du droit de l'Ontario avait reçu du gouvernement le mandat de cerner le problème de la maternité de substitution dans le sens juridique et en considérant l'intérêt de l'enfant.

La discussion fait revenir sur scène un personnage important: le **foetus** puisqu'un statut légal n'est accordé à l'enfant qu'à sa naissance. Il est évident qu'il y a une zone trouble en ce qui a trait aux droits du foetus: cela fait ressurgir la question: « Le foetus est-il une personne? »

Anonymat

Un participant a émis des réserves sur l'anonymat des donneurs et des donneuses. Il appréhendait que les enfants ne puissent vivre le morcellement, compte tenu que durant l'enfance, l'identité se façonne davantage au niveau biologique. Les revendications du mouvement Retrouvailles sont d'un autre ordre, relevant du cadre du droit commun.

Terminologie à revoir

Toute la question de la terminologie a suscité beaucoup d'intérêt. Il en ressort qu'il est urgent de développer un langage plus adéquat et de redéfinir des concepts moins réductionnistes entourant notamment les notions de maternité partielle, maternité sociale, mère porteuse, mère utérine, etc.

Fécondation in vivo

L'atelier a également fait un survol des taux de réussite en fécondation in vivo ce qui a donné lieu à un débat d'interprétation des statistiques entre spécialistes et suscité un certain scepticisme dans la salle.

Bref, les discussions de l'atelier sur la maternité de substitution ont permis aux participant-e-s d'identifier des éléments clés qui alimenteront leur réflexion et leurs débats ultérieurs quant aux nouveaux modes de reproduction et supporteront leur action pour les infléchir.

Atelier F:

Une société sans handicap

*L*a possibilité de contrôler la qualité du foetus par le diagnostic prénatal ne risque-t-elle pas de renforcer l'intolérance au handicap et la marginalité des personnes handicapées? L'enfant parfait que laissent entrevoir les manipulations génétiques est-il un acquis pour la société? À qui reviendra la responsabilité des enfants handicapés qui naîtront malgré tout? À quoi ressemblerait, à la limite, une société sans handicap?

Personnes-ressources: **Louis Dallaire**
Abby Lippman
Yvette Grenier
Marsha Saxton

La société du futur sans handicap: mythe ou réalité
Louis Dallaire*

Permettez-moi de jeter un regard sur le passé, ce qui nous permettra de comprendre pourquoi l'incidence des malformations congénitales semble avoir diminué au cours des dernières années et de mieux répondre à la question qui se pose: « Se dirige-t-on vers une société sans handicap? »

Au début des années 60, au Québec, on comptait environ 130 000 naissances par année et de ce nombre, plus de 23 000 nouveau-nés de mères âgées de 35 ans et plus. Jusqu'à cette époque la moyenne d'enfants nés vivants par famille avait été de l'ordre de 5,0 par famille à l'exclusion des fausses-couches et des pertes foetales plus tardives. En rétrospective on peut évaluer à plus de 200 le nombre d'enfants atteints de trisomie 21 (syndrome de Down) qui naissaient à tous les ans au Québec. Si l'on songe à toutes les autres pathologies congénitales, de nature héréditaire ou non, entraînant un retard psychomoteur sévère, on comprend mieux qu'à cette époque on pouvait retrouver des **institutions d'État** ou **privées** aux quatre coins de la province et généralement éloignées du lieu de résidence des familles.

Le rapport Bédard[1], à une époque où en Europe les services aux handicapés étaient déjà bien structurés, résumait en 1962 une situation devenue intolérable par le manque de contrôle sur les admissions dans ces centres d'hébergement. On faisait état dans ce rapport de l'absence d'évaluation et de plan de traitement et on recommandait de freiner cette escalade désordonnée de résidences et d'hôpitaux pour handicapés mentaux. Plus tard, le ministère des Affaires sociales

---

* Le docteur Louis Dallaire est diplômé de la Faculté de médecine de l'Université Laval et a obtenu en 1964 un doctorat en génétique de l'Université McGill. Après ses études post-graduées à Londres et Edimbourg, il revient exercer à Montréal.

Il est actuellement professeur titulaire de pédiatrie à la Faculté de médecine de l'Université de Montréal en même temps qu'il est médecin-généticien à l'hôpital Sainte-Justine de Montréal. Il préside également le Comité de bioéthique de ce dernier hôpital et le Comité provincial de diagnostic prénatal. Membre du « Social Issues Committee » de l'American Society of Human Genetics, il a produit plus de 100 publications et résumés de communications sur des sujets reliés en grande partie au diagnostic prénatal des maladies génétiques. En particulier, il a étudié les techniques de dépistage, la fréquence des anomalies congénitales et l'identification des groupes à risque. Monsieur Dallaire est aussi un membre fondateur du Collège canadien des généticiens médicaux.

prônera plutôt une politique d'intégration des enfants handicapés dans leur milieu et une orientation des facilités existantes vers le traitement des maladies mentales psychiatriques.

Inutile de mentionner tous les facteurs qui au cours des denières années ont contribué à l'assainissement des politiques de prise en charge des enfants handicapés. Certains retiennent notre attention: les progrès scientifiques surtout en néonatalogie et en génétique médicale, la mise sur pied du Réseau provincial de médecine génétique et l'émergence du Conseil des affaires sociales prônant une médecine préventive, ceci dans un contexte d'accessibilité universelle aux soins médicaux. En matière de santé infantile[2], notre province a un record très enviable, ne serait-ce que par les progrès réalisés au cours des 20 ou 30 dernières années dans la réduction de la morbidité néonatale.

Natalité

Si nous laissons le film se dérouler, nous traversons la période critique des années 70 qui a vu (sauf peut-être pour la fin de cette décennie où la femme de carrière et celle qui voulait fonder un nouveau foyer envisageaient une grossesse à un âge tardif) une chute radicale des naissances (de 130 000 à 90 000). On note également de 1960 à 1983, une diminution du nombre des parturientes âgées de 40 ans et plus, de 4700 à 700 soit moins de 1% du total des naissances. Maintenant le pourcentage des naissances de mères âgées de plus de 35 ans ne représente que 5% des grossesses comparativement à 17% en 1960.

Même si le taux de natalité est actuellement inférieur à 2 dans notre milieu, nous faisons toujours face à ce spectre de malformations congénitales majeures dont la fréquence de 2% semble pour le moment incompressible. Par exemple les fissures labio-palatines, certaines malformations cardiaques ou gastro-intestinales, la majorité des maladies métaboliques héréditaires se manifestant chez le nouveau-né d'une primipare ne pourront être évitées ou décelées lors des examens de routine durant la grossesse. Il y aura toujours une primigeste (âgée de moins de 35 ans) dont le dossier ne suggérait aucun risque particulier, qui donnera naissance à un enfant porteur d'une anomalie chromosomique et les services médicaux et paramédicaux seront de plus en plus démunis face à ces situations. Que dire aux parents éplorés? Quelles sont les ressources disponibles? Tel que nous le mentionnions dans notre enquête sur l'enfant handicapé[3], c'est une famille traumatisée que l'on retrouve et qui crie au secours puisque nous n'avons plus rien à lui offrir. Pour l'handicapé sévère qui ne peut être gardé en soins prolongés dans un centre hospitalier, le rôle de la travailleuse sociale sera de convaincre les parents qu'ils auront besoin d'une dose énorme de courage et qu'ils pourront compter sur la sympathie des intervenants mais n'auront pas facilement accès à des facilités publiques pour préparer l'intégration de leur enfant dans la société. Les foyers d'accueil existent, mais malgré tout le mérite qui leur est dû, ils ne peuvent remplacer les institutions spécialisées. Heureusement l'enfant qui présente un handicap mineur ou sévère, mais quand même traitable, aura accès à de multiples cliniques spécialisées comme celles des prématurés, de la fibrose kystique, de la dystrophie musculaire, différentes cliniques d'orthopédie, de neurochirurgie, de néphrologie et urologie, ergo et physiothérapie pour n'en nommer que quelques-unes.

Dépistage des anomalies congénitales

Maintenant jetons un coup d'oeil sur les activités de nos centres de dépistage des maladies congénitales ou génétiques. L'identification de « la famille à risque » après la naissance d'un enfant handicapé, nous permet d'alerter les couples qui envisagent d'avoir d'autres enfants. Ne nous méprenons pas cependant, même si ces connaissances de la génétique sont qualifiées d'extraordinaires, en toute humilité, nous en sommes au balbutiement de cette science. Par exemple, tout couple a un risque d'environ 2/1000 d'engendrer un enfant qui présenterait un bec de lièvre mais on ne peut ni prévenir ni corriger ce défaut avant la naissance et cette situation se répète pour des dizaines d'autres malformations.

Notre conclusion est donc qu'il sera toujours impossible de prévenir, de corriger in utero ou même de dépister un fort pourcentage de handicaps et la société devrait accepter cet état de fait. Félicitations à tous les individus ou groupes, bien souvent bénévoles, qui tentent d'apporter une solution à ce vide qu'on retrouve dans le monde hospitalier déjà trop préoccupé par les urgences et le quotidien. Ce sont des bénévoles, dis-je bien, qui ont su mettre sur pied des associations de parents facilitant les échanges et le partage de certaines ressources. La création d'un Office pour « jeunes handicapés » ne s'imposerait-elle pas?

Accidents gravidiques

La parturiente est soumise, dès les premiers jours de la conception, à l'influence parfois néfaste d'une foule d'agents dont la nature et les effets tératogènes nous sont plus ou moins connus. Partons du principe qu'à la fois les médicaments et les maladies infectieuses peuvent causer un tort parfois irréparable au foetus. Le syndrome de la rubéole maternelle et, à la fin des années 50, le syndrome de la thalidomide sont deux exemples classiques des dangers qui guettent la femme enceinte. Des mesures sont actuellement prises pour dépister les femmes non immunisées contre la rubéole et, d'autre part, sensibiliser la population au danger que peut représenter la prise de certaines drogues ou médicaments au premier trimestre de la grossesse. Soyons réalistes cependant, la majorité des médicaments n'auraient aucune action tératogène, les mécanismes naturels de protection de la vie foetale étant très efficaces. Nous avons évalué il y a quelques années que 20% des anomalies congénitales étaient de nature anténatale ou héréditaire puisqu'elles impliquaient des changements au niveau du matériel génétique; de 10 à 20% de ces anomalies étaient d'origine paragravidique et 10% d'étiologie périnatale, laissant la majorité d'entre elles causées par des mécanismes encore inconnus. Même si le cercle se rétrécit et que le nombre de foeto-pathologies identifiées et attribuables à des causes génétiques augmente, leur nombre absolu est toujours restreint (voir tableau). Même si des mesures extraordinaires sont mises de l'avant pour prévenir des accidents à l'accouchement, la majorité des complications sont toujours imprévisibles. Nous avons résolu dans une certaine mesure le problème d'incompatibilité RH, prévenu la rubéole maternelle, accru la surveillance des médicaments et identifié les individus susceptibles d'être porteurs de maladies génétiques (anémie falciforme, thalassémie, tyrosinémie), mais le foetus sera toujours un être fragile se développant, dans le temps et l'espace, à des moments différents dans un environnement imprévisible, dans le sein de mères dont le bagage génétique est souvent unique et inconnu. Des réactions imprévisibles peuvent se produire indépendamment du savoir et du contrôle du personnel médical. Toutes les facettes du métabolisme foeto-maternel sont encore peu connues. Ainsi en est-il des mécanismes de protection placentaire contre les agents toxiques et infectieux. Il ne faut pas oublier non plus les maladies transmises sexuellement (Sida) et les produits nouveaux utilisés au cours de traitements (antiviraux, antinauséeux, antimétaboliques) dont la fonction première est de protéger la mère, mais dont les effets sont encore peu connus sur le foetus.

Étiologie des malformations congénitales majeures

Étiologie	Fréquence %
I. Monogénique	7,5
II. Chromosomique	6,0
III. Hérédité multifactorielle et facteurs d'environnement	26,5
IV. Idiopathique	60,0

L'identification des anomalies congénitales isolées et des syndromes se fait au cours des jours et des semaines qui suivent la naissance. La prise en charge et la responsabilité de chacun des intervenants est en fait mal définie. Malheureusement, souvent le couple est laissé à lui-même avec peu de support extérieur et dans l'incertitude quant au dévenir de leur enfant. Peut-on envisager un autre scénario? Il est fort peu probable que l'on puisse éliminer tous les accidents pré ou périgravidiques, à nous donc d'y faire face.

Diagnostic prénatal

Parmi les moyens qui sont maintenant à notre disposition, le diagnostic prénatal des maladies génétiques a été réalisé dans notre milieu pour la première fois en 1968. Ce diagnostic prénatal[4] s'adresse à une population bien définie à risque élevé pour un problème précis: une anomalie chromosomique, à cause de l'histoire obstétricale ou familiale ou de l'âge maternel qui est de 35 ans ou plus; une maladie métabolique, personne atteinte dans la famille, parents porteurs, une malformation du tube neural (spina bifida) lors d'une grossesse antérieure ou d'incidence familiale[5] (figure 1). À noter que la limite d'âge fixée à 35 ans est plus ou moins arbitraire et ne peut tenir compte de tous les facteurs individuels et familiaux. Elle est dictée dans une certaine mesure par les contraintes de disponibilité des services et surtout par le risque de l'examen qui ne devrait pas être de beaucoup inférieur à celui d'engendrer un enfant porteur d'une anomalie chromosomique.

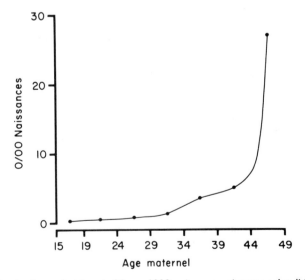

Augmentation du risque de trisomie 21 par 1000 naissances vivantes selon l'âge maternel en 1960.

Même si le nombre d'enfants atteints d'une malformation du tube neural semble avoir diminué à cause de la chute du taux de natalité, et peut-être des modifications de l'environnement (entre autres de l'alimentation), il s'agit toujours d'une des malformations les plus fréquentes dans notre milieu. Un grand nombre de patientes enceintes d'un foetus porteur d'une telle anomalie en sont informées lors de l'échographie réalisée au second trimestre de la grossesse, en particulier celles qui sont enceintes d'un fœtus anencéphale (malformation sévère de la boîte crânienne). Une interruption de la grossesse est alors indiquée. Un suivi est assuré lors des grossesses subséquentes à cause du risque légèrement accru d'une telle récidive. On introduit même dans certains cas un supplément vitaminique dès que la patiente envisage une autre grossesse, mais nous n'avons pas encore d'évidence concluante quant au bien-fondé de cette vitaminothéraphie qui favoriserait la fermeture du tube neural vers la 3e semaine après la fécondation.

L'amniocentèse est réalisée à la 16e semaine de grossesse (figure 2). Il s'agit de la période optimale, tant sur le plan de l'évaluation échographique que sur le plan technique, pour l'aspiration du liquide et l'obtention d'une quantité suffisante de cellules pour initier la culture cellulaire. La mesure des alpha fœto-protéines (AFP) présentes dans le liquide et en quantité croissante par la suite dans le sérum maternel, nous donne une bonne idée de l'intégrité des parois fœtales et peuvent être le reflet d'une malformation fœtale (exemple: augmentation s'il y a une lésion ouverte, spina bifida, gastrochisis). Une diminution de ces protéines dans la circulation maternelle pourrait signifier que la femme est enceinte d'un enfant trisomique dont le métabolisme serait déjà moins actif. Certains pays et états américains envisagent l'implantation d'une mesure systématique des AFP dans le sang de la femme enceinte au second trimestre de la grossesse. Déjà la Californie a mis sur pied un tel système de surveillance.

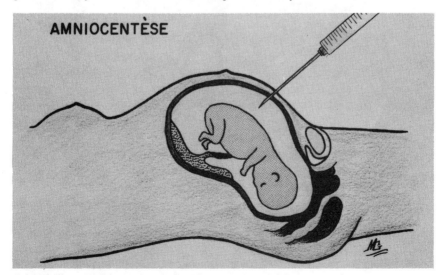

Schéma illustrant la ponction du liquide amniotique à 16 semaines de grossesse.

Les risques de traumatisme lors de l'amniocentèse, surtout de nature mem-
branaire ou placentaire, sont minimes (inférieurs à 1%). Les risques d'erreur
sont de l'ordre de 1/500 et 1/1000 et variables suivant la nature des examens
complétés et de l'état des tissus qui sont examinés; aussi dans certains cas, bien
qu'elle serait préférable, une reprise de l'examen ne peut être réalisée puisque
l'âge gestationnel est déjà trop avancé.

La biopsie choriale (aspiration de villosités choriales) est une technique
précoce de diagnostic prénatal qui se pratique entre la 8e et la 12e semaine de
grossesse (figure 3). De minuscules fragments de placenta sont aspirés dans une
seringue par voie vaginale à l'aide d'un cathéter flexible. Ces tissus sont formés
de cellules dont le rythme de division est très rapide. Dans les heures qui suivent
cette aspiration, une première analyse est possible et permet un diagnostic de
certaines pathologies fœtales par analyse chromosomique, enzymatique ou moléculaire. Une équipe de chercheurs du Conseil de la recherche médicale du Canada
complète actuellement un projet de recherche qui permettra de connaître les
risques de perte fœtale et d'erreur (surtout par contamination par des cellules
maternelles) lorsque cette technique est utilisée de préférence à l'amniocentèse.

BIOPSIE CHORIALE

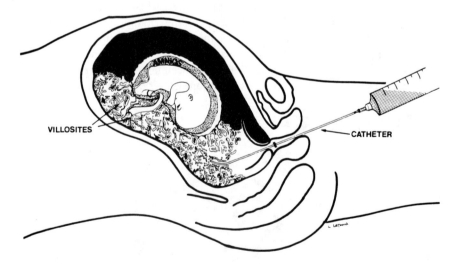

*Schéma illustrant l'aspiration de villosités choriales (placenta) entre la 8e et 12e semaine
de grossesse.*

La biologie moléculaire

L'étude du polymorphisme de l'ADN (acide désoxyribonucléique) en association avec un gène ou une maladie donnée, permet maintenant d'identifier

les individus susceptibles d'être atteints ou de transmettre une maladie. Ces techniques s'appliquent maintenant par exemple à la dystrophie musculaire de Duchenne (cette dystrophie musculaire est reliée au chromosome X et transmise par la femme) et à la fibrose kystique du pancréas, une maladie autosomique récessive très fréquente en Europe et en Amérique du Nord (env. 1/3600 naissances). Ces examens sont très coûteux et les priorités d'accès à ces tests ne sont pas encore formulées de façon définitive, quoique les patientes enceintes ou susceptibles de le devenir dans un avenir rapproché se verraient offrir ce service dans des délais raisonnables. Les règlements concernant la confidentialité des résultats obtenus lors de ces tests sont ébauchés au fur et à mesure de la mise en opération des cliniques et laboratoires de dépistage. Le diagnostic prénatal par amniocentèse a été réalisé chez plus de 3000 patientes au Québec en 1986 (figure 4). Cette nouvelle technique a permis aux couples à risque d'envisager une grossesse, alors que plusieurs d'entre eux n'auraient pas considéré cette possibilité sans évaluation prénatale[6].

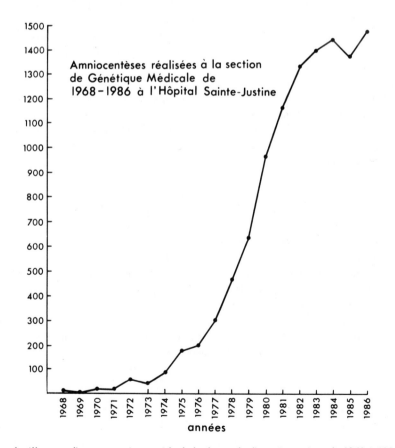

Courbe illustrant l'augmentation rapide de la demande d'amniocentèses de 1968 à 1986.

Plusieurs avenues sont ouvertes au traitement d'enfants qui souffrent d'une maladie ou malformation congénitale. Souvent ces traitements sont de nature symtomatique comme dans la paralysie cérébrale (physiothérapie, ergothérapie, orthopédie) ou font appel à la pharmacologie (fibrose kystique du pancréas), ou à l'environnement (intolérance alimentaire). Permettez-moi de vous dire un mot des transplantations d'organes ou de moëlle osseuse: ce sont des techniques médico-chirurgicales qui permettront, par exemple, de donner un rein à un enfant qui aurait des reins peu ou pas fonctionnels ou un foie à l'enfant qui souffre d'une maladie métabolique (déficit enzymatique). Certains individus qui souffrent de déficit immunitaire peuvent bénéficier d'une transplantation de moëlle osseuse.

Conclusion

L'évaluation prénatale par échographie fait maintenant partie du protocole de suivi de la grossesse. Dans les grossesses à risque élevé viennent s'ajouter des examens plus poussés. Si une malformation fœtale majeure est décelée, le couple peut opter pour une interruption de grossesse au second trimestre: cela en fait n'est pas la solution souhaitée. Il serait préférable que les recherches conduisent à la découverte des mécanismes qui engendrent les syndromes malformatifs afin de prévenir les accidents gravidiques (vaccination contre la rubéole), ou trouver des moyens pour traiter certaines maladies avant la naissance, une solution qu'on pourrait envisager pour certaines maladies métaboliques. La chirurgie fœtale ne s'applique malheureusement qu'à des cas très rares et les succès escomptés sont souvent loin de ceux obtenus en réalité. Mais ce sont ces efforts concertés de toutes les disciplines qui aideront à diminuer le fardeau décisionnel des parents impliqués. Si l'on brossait un tableau dans lequel on retrouverait une société sans handicap, il est plus que probable que les marginaux (génies et enfants qui ont un apprentissage ralenti) deviendraient les hors castes. Les parents d'enfants handicapés ne pourraient alors retrouver dans leur milieu le support et les soins dont ils ont tant besoin et les soins souvent donnés par des personnes bénévoles. Même si les spécialistes de la santé font des efforts louables dans le but de prévenir ou d'aider les gens qui ont donné naissance à un enfant handicapé ou les enfants eux-mêmes, il est urgent que des mesures soient prises afin de faciliter aux parents la prise en charge de leur enfant handicapé à la maison et l'accès à un support psychosocial essentiel pour permettre à ces mêmes familles un cheminement vital acceptable.

Conférence d'Abby Lippman*

Résumé

Ni bonnes, ni mauvaises en soi, les techniques de diagnostic prénatal (DPN) posent plutôt des dilemmes, à la fois pour les utilisatrices et pour ceux et celles qui les offrent. Ce texte cherche à identifier certains des facteurs qui expliquent la prolifération du DPN et analyse quelques-unes des tendances importantes qui se dessinent, notamment en regard du handicap.

Pratiqué de plus en plus tôt au cours de la grossesse, le DPN pourra même à la limite se faire avant la conception. L'avènement de tests précoces, comme l'examen des villosités choriales, modifie les données du problème éthique. Lié à l'origine à quelques conditions graves d'anomalies foetales pour lesquelles un consensus assez large d'avortement existait, le DPN est aujourd'hui davantage dissocié de l'épineuse question de l'avortement tout comme il l'est de la certitude d'un risque grave. De plus, le raffinement considérable des tests permet maintenant le dépistage de toutes sortes d'anomalies, qu'elles soient mineures ou même éventuelles, contribuant ainsi à élargir la notion de handicap. Ce développement technologique croissant exige qu'une réflexion soit entreprise sur les **objectifs** du DPN pour que les conditions d'accès aux tests reflètent bien les valeurs sociales et morales que nous voulons mettre de l'avant.

Par ailleurs, une médecine « défensive » se développe chez les praticiens qui prescrivent de plus en plus le DPN pour prévenir toute accusation judiciaire de négligence. On banalise ainsi le recours au DPN

* Née aux États-Unis, Abby Lippman y effectue ses premières études après quoi elle obtient un doctorat en biologie de l'Université McGill, avec une spécialité en génétique humaine. Elle enseigne dans la même université depuis 1978 et est aujourd'hui professeure associée au Département d'épidémiologie et de biostatistique. Elle donne également des cours au Center for Human Genetics et au Center for the Study of Reproduction, deux centres affiliés à l'Université McGill.

Sa formation, ses recherches et sa pratique comme conseillère en génétique au Montreal Children's Hospital et sa participation au Comité exécutif du programme de diagnostic prénatal de McGill en font une spécialiste du diagnostic prénatal, des différentes techniques du DPN, comme l'amniocentèse ou la biopsie du chorion, de leur capacité de détection des défauts génétiques du foetus, des effets et de l'efficacité de ces tests. Elle a publié sur ces différents sujets un nombre impressionnant d'articles dans diverses revues médicales et scientifiques ainsi que des textes dans des publications importantes éditées au Canada et à l'étranger.

et toute nouvelle technique devient rapidement partie intégrante des soins médicaux routiniers correspondant aux normes professionnelles d'usage. Encore sous cet angle, l'accès au DPN semble donc être dicté davantage par des impératifs de protection professionnelle que par un réel souci de répondre aux besoins et objectifs des utilisatrices.

Enfin, la médecine prédictive permettra de diagnostiquer des « prédispositions » du foetus autant que des handicaps graves. Outre la généralisation du DPN qu'elle suppose, cette tendance pourrait éventuellement conduire à un contrôle grandissant exercé sur les individus susceptibles de développer une pathologie quelconque — ou à leur discrimination. On doit craindre aussi l'effet psychologique sur la mère et l'enfant des tests dont le résultat est faussement positif, ce qui est assez fréquent dans tous les programmes massifs de DPN.

Tout en reconnaissant que le DPN ne constitue pas un moyen efficace d'éliminer les handicaps — qui sont souvent sociaux plutôt que génétiques — il faut définir le degré d'autonomie et de liberté de choix à laisser aux utilisatrices. Ces questions doivent être considérées maintenant avant que l'expansion des technologies n'en décide pour nous, tout en cherchant de meilleurs moyens de prévenir le handicap que celui d'éliminer le foetus défectueux.

Compared to several of the other "new reproductive techniques" being discussed at this conference — and elsewhere — prenatal diagnosis (PND) may seem quite benign — perhaps even "good" for at least some women. For instance, there is no question that prenatal diagnosis can detect several life-threatening disabilities for which there is no effective treatment. Furthermore, there is probably little question that the ability to detect some conditions in utero — and Tay Sachs disease is the most commonly cited example — has permitted couples who have watched one child suffer and die undertake a subsequent pregnancy. In these individual cases, prenatal diagnosis and abortion of affected fetuses would often be thought appropriate by most observers.

Unfortunately, however, these easy cases are rare and in most situations and for most people, PND is neither only obviously good nor obviously bad. One cannot simply choose sides and either celebrate the autonomy PND seems to provide individual women to make personal decisions about being tested and about selectively aborting fetuses or condemn the eugenic possibilities inherent in the use of PND should public acceptance of the abortion of fetuses whith serious disabilities be the start of a slide down this particularly ugly slope. Neither position is nuanced sufficiently to encompass the reality of what PND today can do or to integrate the wide range of (often conflicting) individual and collective values and needs that a coherent position on prenatal diagnosis would seem to require. In particular, neither gives proper recognition to the political and social context in which testing occurs; neither addresses the complex feelings of many thoughtful people asked for their opinions about PND.

It has been said that "a difficult problem becomes a dilemma when we are quite sure that we will be making a big mistake regardless of whatever path we choose'' (Hundert, 1987). Prenatal diagnosis, perhaps more than any other of the reproductive technologies, creates a dilemma for those who offer the services as well as for those who may use them. Choosing to be tested is never obviously better or worse than choosing not to be tested, and making the choice is often painful. The decision requires that we at least attempt to reconcile, balance or otherwise harmonize what seem to be irreconcilable or incommensurate: our attitudes to women, to fetuses, to the medicalization of pregnancy and to disability. PND is a dilemma **irrespective** of whatever attitudes to abortion one may hold because, for most women, choosing to be tested appears to violate some values we hold dear, just as does choosing not be tested. This perspective helps explain why so many women may age, when talking about these new techniques, express relief that our childbearing was completed **before** these tests were available so that we did not have to make decisions about their use. It also helps explain the generally ambivalent, and often unsatisfying, fashion in which PND is discussed by feminists and others concerned with the non-technical aspects of these interventions.

The recent expansion of PND highlights many of the problems inherent in our use of this technology and adds to the dilemma that decisions about its use present. What I hope to do today is identify some of the developments underlying this expansion and their potential implications with respect to the question of disability. In particular, I shall share with you some of the concerns that seem especially pressing from my perspective as a woman involved professionally in the use and evaluation of PND.

First, though, let me note that in speaking of prenatal diagnosis I am referring generically to all the methods and techniques that can be used to obtain information about a fetus during pregnancy. Included are already widely-used procedures, such as amniocentesis and ultrasonography, as well as methods currently under assessment (chorionic villi sampling, CVS, the removal of cells from the membranes surrounding the developing fetus in order to study them in a laboratory to determine whether the fetus has certain genetic disorders) or methods under development (fetal cell sorting). For many women 35 years and over, amniocentesis has become part of the ''ordinary'' medical care received during pregnancy. Other selected prenatal diagnostic techniques are all-too-quickly becoming part of the routine obstetric care of most pregnant women. Estimates that about 200 000 of the 365 000 women expected to give birth in California this year will participate in that state's screening program for fetuses with neural tube defects unambiguously underscore the expansion of PND procedures. Evidently, their potential impact on women's lives and on the kind of children we will bear is considerable. Equally evident is that many thousands of women are now confronted by the need to consider how much they want to know about the fetus during pregnancy and how they feel about disability, non-trivial demands in themselves.

Let me admit at the outset my belief that some form of prenatal diagnosis is here to stay: its complete elimination is certainly highly unlikely and, in fact, expansion of its use, though controversial, is far more probable. However, this reality does not — in fact, must not — imply a technological imperative whereby we automatically test for everything simply because tests are available. It is because of my growing concern about our ability to resist this imperative and to harness this technology and insure that physicians/scientists developing PND do not continue independently to make value-loaded decisions about its use that I would like to address, albeit very briefly, three specific trends in the expansion of PND that bear directly on our attitudes to and treatment of disability. These trends are interrelated and I have separated them only in an attempt at clarity. Also, it should be emphasized that they are representative rather than the **only** trends that should concern us.

First Trend

PND is being carried out earlier and earlier in pregnancy and could even be undertaken before a woman herself actually becomes pregnant. First trimester diagnosis via CVS is likely to become common in the near future (already over 35 000 women have been tested this way worldwide), since for many it is an attractive alternative to second trimester amniocentesis, which has so far been the predominant approach for fetal screening. Current attitudes to and guidelines for PND have been formulated within the context of amniocentesis. How will earlier testing affect our attitudes about use of these techniques? What are the implications of this technical change not only on access to screening and its voluntary nature but on the very objectives of PND and the conditions screened for?

At the beginning, and until recently, most prenatal tests were carried out for fetal disabilities referred to as "serious". Although "serious" was never rigorously defined — and one can question if it should (or could) be, since we must first ask serious to whom? — its rapid acceptance as a physician-imposed criterion for testing can be explained, at least in part, by two factors. 1) Because PND carries some risk to the fetus, physicians were probably unwilling to jeopardize a pregnancy in the absence of a compelling reason to do so. A serious fetal abnormality would be such a justification. 2) Abortion has historically (if myopically) been isolated as **the** ethical or sociopolitical question of paramount importance with regard to PND, perhaps because the PND technology available has meant that any resultant pregnancy terminations would have to be carried out in the second trimester. Health professionals, the gatekeepers for PND, may have felt that only a serious disability would be a compelling justification for the procedure this late in pregnancy. In addition, the fact that only "serious" fetal abnormalities are legally accepted grounds for abortion in many countries, though not in Canada, may also explain why seriousness or severity became grounds for access to testing.

We can now make fetal diagnosis earlier, and carry out any requested abortions earlier. This seems to be removing moral qualms about abortion for disability for many practitioners. Does this mean that prenatal diagnosis, at least for women who accept abortion, will also no longer be a dilemma? Does this mean, too, that previous restriction of tests to "serious" problems will have less — if any — justification?

It is not clear that merely making testing available earlier can or **should** resolve the dilemma. In fact, first trimester diagnosis via CVS — and other potential techniques that are equally early but even less invasive — may even make the dilemma worse. For example, to the extent that early abortion is seen as **not** problematic, the possibility of overt pressure on women to undergo fetal testing becomes greater, an important sequelae that has been discussed in the literature and which I shall therefore not dwell on here. What does need further attention is the more fundamental question of **if** technical changes should alter our basic attitudes to PND?

PND had its beginning in the development of tests for certain specific genetic disorders that were known (and quantifiable) threats to the possibility that some couples would have healthy and intelligent children. Since then, the scope of conditions considered appropriate for PND has been broadened and fetal abnormalities potentially diagnosable in utero now range from a missing digit to various degrees of spina bifidia to anencephaly. Some diagnosable disabilities are present at birth; others will appear, if at all, only much later in life. In some countries, a fetus of the "wrong sex" is considered to have a disability justifying abortion. Through the choices physicians-scientists have made about the tests they would develop, selected conditions have become labeled not only as serious disabilities but as "undesirable" enough to warrant testing and the possible abortion of affected fetuses. If at its beginning, PND was oriented primarily to genetic conditions whose severity and consequences were more or less generally agreed upon and for which there was no effective treatment, as many have argued, this is certainly no longer the case. With many of the tests that can now be carried out, we can identify fetuses with conditions of little or uncertain implications for postnatal health and functioning. Often we can tell if the fetus has the relevant genes that increase her or his susceptibility to some illness but not if (s)he will be exposed to the environmental circumstances that will interact with these to actually create a problem. As well, we can sometimes give a fetus a general diagnostic label — neural tube defect, for example — but we cannot tell how serious the disability is in a specific case; we can diagnose conditions for which effective treatment is available; we can detect a number of conditions that are not even genetic. Features such as diagnostic ambiguity, an extended time lapse between diagnosis and the appearance of disability, and treatability that characterize the conditions newly accessible to prenatal diagnosis complicate our attempts to establish objectives of PND or to create any list one might perhaps like to make of what tests to do. However, they also make it urgent for us to know why we seek (need?) knowledge about the fetus. What is it we want to predict — and why? Unlike mountains, climbed just because "they are there", information about the fetus ought not necessarily be sought — or provided — just because we can. Are there not principles regarding prenatal testing that we should honor irrespective of the nature of the test or when it is carried out? Are there any basic objectives of testing we can agree on that will prevent its "banalization" as information about fetal status can be obtained earlier and earlier and at less and less risk — perhaps even at no risk at all if fetal cells in the mother's blood can be found and analyzed. What if we can do PND even before there is a pregnancy by examining a fertilized egg? What "ground rules" would we want to see in place? The objectives of fetal testing have never really been rigorously addressed and the technical changes occuring challenge us to consider them. What information do we want to obtain and what responses to this information can we tolerate as individuals and as a society. **Before** we expand the test list further, we must examine our objectives in seeking the information PND will provide. The techniques required to identify a chromosomal or biochemical abnormality in fetal cells may themselves be neutral, but their application is certainly not. Will earlier diagnosis lead to extensions in what is called "undesirable"? Will our values with respect to what we call a disability adapt to our technical skills, or can we learn to apply only those skills that conform to our common values? Past experience does not leave one optimistic. Consequently, we must insure that the process by which the extension or restriction of prenatal testing is decided reflects the social/moral values of the women who will seek testing, not those of the health professionals who will provide it. Most important, we must insure that the timing of testing and the earlier decisions it allows remain part of, not solutions to, the dilemmas posed by PND.

Second Trend

The second trend I want to address is the growing practice of "defensive" medicine. By this I mean the tendency of physicians to make clinical decisions based on the likelihood of a future lawsuit should something go wrong as well as — if not more than — on the likelihood some planned intervention will be effective.[1] Two factors are especially relevant here. First, since most parents in our society wish — and may even be led to expect — that their babies will always be healthy, the birth of an infant with a disability leads to a search for an explanation and, perhaps, for someone (self or other) to blame for what has apparently "gone wrong". Physicians are aware of this and, in their desire to diminish the possibility of any accusation of culpability, may routinely, if unnecessarily, suggest prenatal testing to all patients. Second, there is growing public expectation that health professionals will be aware of new knowledge and its implications for patients (Dickens), and this includes genetic knowledge. This suggests that health professionals will feel an increasing duty to offer tests as soon as they are developed. Moreover, the very availability of a prenatal test may pressure physicians into offering it so that their practice conforms with local standards of care and gives patients an opportunity to partake of the new technology. Given this context, it seems increasingly likely that attitudes to PND and to disability will come less and less to reflect either physicians' efforts to reduce the birth prevalence of some disorders or women's control over the quality of the children they bear, both previous justifications of PND. Instead, the techniques may be integrated into obstetric practice by physicians who want merely to comply with perceived medical-legal standards of care. One effect of this is to trivialize the implications of these new techniques and this is, I would suggest, the situation now with the extensive — and still growing — use of ultrasound. This latter is not recommended for routine use, since its efficacy has not been demonstrated, but it is so applied nonetheless, probably as a component of a defensive (if not ''agressive'') medical approach (expand?). This attitude may also explain how ultrasound has become the first method of PND for which informed consent is not obtained. It is not unlikely, then, that newly developing diagnostic techniques will be similarly applied quickly and universally by physicians wishing to avoid any possibility of a lawsuit should a patient who was not tested subsequently give birth to a child with some disability that a test might have identified. In fact, California regulations requiring MDs to inform all pregnant women of maternal serum alpha-fetoprotein screening seem to have been enacted just on this basis: to protect physicians rather than out of concern for the pregnant woman.

Legal concerns may motivate some medicala practices more often than clinical judgment, and this is reflected in the willingness (if not desire) of physicians to adopt several ''defensive'' behaviors (fetal monitoring, C-sections, etc.) **not** necessarily to decrease the chance that a baby will be born with some disability, but to insure that if such a baby is born, they will not be held responsible. And, given the growing frequency of court ordered obstetric interventions, often requested to protect health professionals, one must ask if mandatory PND, as well as attempts to regulate women's behavior during pregnancy, are really unlikely. If defensive medicine takes hold, issues of disability may be answered by court decisions more often than by individual women or their care-givers. In this how we want them resolved? How can we prevent this covert transfer of control?

It should also be noted that a factor underlying the frequent recourse to the courts in the U.S. when a child is born with a disability may be economic: the costs for the individual family of a disabled child may be way beyond their means and a court settlement might provide the funds essential for her or his care. PND to identify such children before they are born incomes, in this context, a medical solution to a social problem — lack of appropriate health and social insurance programs — and we must question the appropriateness of this response. PND, if it is to be used at all, would seem to require its own objectives and not merely be a tool to fix other societal problems.

Third Trend

The third development I want to consider is the growing popularity of what some call "predictive medicine."

Recent technological developments in molecular biology have added more and more to a seemingly endless list of conditions for which testing is technically possible. In fact, they expand the potential population for testing to all pregnancies, since fetal "predispositions" as well as fully developed disabilities can be diagnosed. This raises concerns not so much because continued expansion of the list will necessarily lead to some malign eugenic policy, but because continued expansion could be the basis for a more insidious but no less dangerous future in which lives are programmed and directed according to the susceptibilities identified in utero.

Thus, while a eugenic application of PND that requires selective abortion of fetuses with certain genetic disorders may be highly unlikely, a more subtle approach wherein children identified as "susceptible" in utero are subjected postnatally to programmed "preventive" measures and discrimination ostensibly for their own "good" does not seem at all improbable. For example, testing may allow us to identify those who, after birth, may be at greater than average risk for the development of a disorder of adult onset (diabetes? heart disease? cancer? mental illness?), a disorder that is triggered by some gene-environment combination. The "predictive medicine" that permits identification of those thought to be genetically susceptible is not just looking for this knowledge for its own sake. On the contrary, it is likely to be used to make suggestions about behavior and lifestyles for these individuals that would decrease the probability of future disability. Sounds benign, doesn't it? But the predictive information could also be used to **prescribe** a path for each individual to follow (what jobs to avoir or favor; what habits to avoid) to prevent future disability, with penalties for non-observance of the guidelines, discrimination in hiring or refusals of insurance. For instance, insurance companies could seek to reduce their risks by refusing to cover those with known susceptibilities. Employers could seek to reduce their risks by refusing to hire those with known susceptibilities. Knowing of these "liabilities" prenatally could result either in the establishment of the "best" program after birth to decrease future risks or the abortion of the susceptibles because of the added burden their programming will entail. Unfortunately, we are **all** susceptibles. A postnatal parallel from the past, screening newborn males for the Y chromosomes, and the concerns about labelling and discrimination it aroused, suggest the complexity of the issues we must consider as we think of what tests we should develop and what susceptibilities, actual or potential, we wish to know about even before a baby is born.

Since all fetuses are potential candidates for screening for predictive purposes, we must be alert to the possible misuses of PND in this context and not be seduced by its seemingly rational approach to dealing with health problems. As it is being developed now, predictive medicine emphasizes primarily now the individual must act to reduce her or his probability of later disability. The alternative, how the environment must be changed to accommodate the most susceptible among us, appears politically disfavored today but must constantly be kept in mind.

Another worrisome aspect of using PND as a component of predictive medicine stems from the fact that as mass testing programs for neural tube defects and, perhaps, Down syndrome or other conditions, are established, many more pregnancies will be called into question than will actually later be diagnosed as affected. These are the initial ''false positives'' who only later are identified as such when confirmatory tests are carried out. We do not have any solid data on the meaning of early knowkedge (of either the presence or absence of actual or potential disability) to the individual or her/his family, but it is not unreasonable to ask if it might create some problems. What does it mean to a woman to have her fetus' health called into question, however temporarily — and is it temporary? — early in pregnancy? Can the anxiety this may create have an effect either psysiologically, on the pregnancy itself, or socially, on mother-infant bonding? What does it mean to the child born subsequently to have had her/his health questioned? To know it might not have been born had it not met certain standards? Are we at risk of creating an entire generation of ''vulnerable children'' among those who were false positives on an initial battery of screening tests? Among those who are selected to be born? Even if a false positive diagnosis *per se* only rarely causes a problem, the numbers of false positives in most screening programs is likely to be sufficiently large to make this an important question.

It was once thought that I in every 100 women having amnio would develop ''iatrogenic anxiety'' (physician-created anxiety) when testing revealed that, though the fetus did not have Down syndrome, it did have some chromosomal rearrangement whose effects were mostly unknown. Mass screening programs extend enormously the population at risk for iatrogenic anxiety (and vulnerability), since among all the women with positive results on the first round, over 80% on average will later be shown to have unaffected fetuses. Are the children born at the end of these pregnancies likely to be handicapped because remaining parental uncertainty undermines their normal development? What, in fact, do we ''predict'' by doing prenatal tests?

I began my comments by describing PND as a dilemma. In fact, it is probably many dilemmas, most of which take root in the desire of most of us for healthy children and the apparent ability of prenatal testing to help us achieve this goal. The dilemma exists because we want to accommodate the individual for whom PND is evidently of some use in identifying before birth a fetus with a disability that can only lead to suffering and the collective society in which support and respect for the disabled who are born may be undermined by selective abortion. Moreover, the dilemma is made especially difficult by the discomfort we each may feel in acknowledging that we could select among our pregnancies according to the kind of fetus involved. Given that prenatal diagnostic techniques will continue to be developed, and not just for clearly disabling conditions, and that at least some women will continue to request them, is there some way we can alter the context in which the procedures are available and the process by which testing is carried out to make them respectful of the needs and rights both of pregnant women and of disabled people? Can we find an approach to PND that will resolve our competing values and solve the dilemma?

To begin, we must first recognize that PND is not really a way to eliminate disability. In fact, as Rothman has suggested, the only problems solved by PND may be those it first creates. As Hubbard has emphasized, social not genetic conditions are responsible for much infant disability and if we were really committed to its reduction we would insist on increased government support for prenatal care for all pregnant women. We can — and must — also collectively struggle for the rights of the disabled. However, even in a perfect world where poverty, malnutrition and environmental toxins have been eliminated, fetuses with disabilities will be formed, given the complexity of human development, and techniques to identify disabled fetuses **in utero** will be available. Do we use our technical skills to identify them before birth? How are we to act, especially as prenatal tests for more and more conditions are developed?

Once we put aside the idea that PND will eliminate disability, we must collectively consider what degree of autonomy we want it to provide to individual women, what PND choices we want to have. These questions should have been addressed before testing became widespread; they must be addressed now before further expansion occurs. Once we can agree on the choices we want, we must then insure that making a choice is a reality for all women. Many women who have had amniocentesis already answer, when asked why they decided to be tested, "I didn't have a choice". Unfortunately, in many ways, they really do not have a choice. To date, general social constraints have limited their choices. Our social norms — our wish for healthy children — have influenced the choices many separate individuals have made to undergo PND, and their choice of testing has by now created a new social norm wherein amnio is seen — by many pregnant women and health professionals — as an accepted feature of pregnancy care, a way to reassure mothers-to-be. We must interrupt this synergy and reopen the questions about PND. There are no easy answers for them; our dilemma will neither go away nor be quickly resolved. Instead, we must face the hard issues now and, at the same time as we make individual autonomy a reality with respect to testing by challenging constantly its techno-socio-political assumptions, we must continually seek and support better ways of preventing disability, ways that do not rely on solely preventing the birth of the individual with a disability.

Le diagnostic prénatal et les minorités
Yvette Grenier*

Depuis l'avènement de la contraception chimique dans la décennie 1950, la biologie et la technologie de la reproduction humaine se sont largement développées. À la limitation des naissances par contraception, stérilisation ou avortement, sont venues s'ajouter les techniques du dépistage prénatal qui offrent une nouvelle possibilité de contrôle d'ordre quantitatif et même qualitatif.

Le diagnostic prénatal et le traitement in utero de certaines anomalies créent de nouveaux moyens thérapeutiques, suscitant de nouvelles responsabilités, une nouvelle éthique. Cette nouvelle dimension dans la liberté individuelle est nécessairement confrontée à l'intervention de la collectivité qui trouve, à ce niveau, un moyen de contrôle démographique et géographique. N'est-ce pas là, un moyen de pression sociale et politique pour la femme et la personne handicapée?

Confronté à ces développements scientifiques, le philosophe s'interroge sur sa capacité d'apporter un éclairage susceptible de protéger les droits de la personne et d'aider à orienter les limites d'intervention de la société dans le domaine de la reproduction humaine.

• Faut-il être parfait-e, pour devenir citoyen-ne?
• Quel statut moral accorde-t-on à l'enfant anormal?
• La femme peut-elle jouir d'une réelle autonomie reproductive?
• Quelle protection lui accorde-t-on?
• Que faire pour intégrer ce qui nous sépare?

Ces questions sont diffusées dans le public par l'information quotidienne et font l'objet de multiples positions.

---

* Après avoir exercé pendant plusieurs années de nombreuses activités dans les secteurs de l'éducation et des services sociaux, Yvette Grenier entreprend des études de philosophie à l'Université de Montréal. Après des diplômes de 1ᵉʳ et 2ᵉ cycle, elle part en France où elle étudie et prépare une thèse de doctorat à l'Université de Paris XII.

Le travail qu'elle effectue au sein d'une équipe de recherche en bioéthique a comme thème l'influence du diagnostic prénatal et de l'interruption eugénique de la grossesse, sur les mentalités des femmes et du couple. Le matériel de la thèse sera constitué par les résultats de quatre enquêtes dont deux menées en France et deux au Québec. À l'aide d'entrevues auprès de trisomiques actuellement vivants et de leur famille et de femmes ayant bénéficié d'un diagnostic prénatal par amniocentèse au cours des dernières années, elle tente de cerner les conséquences du DPN et ses répercussions sur les couples concernés, les femmes et la société dans son ensemble.

Dans un premier temps, j'indiquerai en quelques mots en quoi consiste cette possibilité de contrôler la qualité du foetus par le diagnostic prénatal. Dans un second temps, je tenterai de mettre en valeur cette notion d'intolérance que font surgir les pratiques actuelles du diagnostic prénatal: l'objectif eugénique. Enfin dans un troisième temps, je laisserai entrevoir ce qui est souhaitable pour une société sans handicap.

En quoi consiste cette possibilité actuelle de contrôler la qualité du foetus par le diagnostic prénatal?

Son avènement au Québec remontant à une quinzaine d'années, le diagnostic prénatal connaît, comme dans tous les pays qui y ont recours, un essor considérable, tant par la diversité des techniques successivement élaborées pour sa mise en application, que par la fiabilité croissante des résultats obtenus.

Au plan de son utilité, il permet de connaître la condition du foetus, de déceler les anomalies dont il peut être atteint. Le nombre des anomalies actuellement décelables est en voie d'extension importante. Actuellement, les techniques du diagnostic prénatal sont proposées aux couples à risque d'avoir une enfant anormal mais naturellement désireux d'avoir un enfant normal. Tel est le cas dans la grande majorité (95%) des résultats favorables. Loin de déceler une anomalie dans ce cas, le diagnostic permet d'amoindrir certaines angoisses et de rassurer les couples. En outre, pour certains couples ayant déjà un enfant handicapé, le diagnostic prénatal offre cet avantage de leur accorder l'espoir d'avoir un enfant normal, conséquemment de renoncer à la contraception, voire à des stérilisations abusives dans certains cas. Le diagnostic prénatal favorise ainsi la natalité, en permettant des grossesses heureuses qui autrement n'auraient jamais eu lieu. Et enfin, il fournit l'information sur le sexe du foetus.

Au plan de sa finalité, il permet une préparation adéquate pour le traitement du foetus in utero, ou pour l'enfant dès la naissance. « Tout enfant opérable, déclare Roger Henrion, l'est dans de meilleures conditions qu'autrefois »[1] Le diagnostic prénatal peut ainsi se justifier par sa finalité thérapeutique. Or, dans l'état actuel des moyens médicaux disponibles, la majorité des anomalies décelables sont incurables, d'où surgissent les problèmes éthiques. Le diagnostic prénatal ne peut donc poursuivre l'objectif prioritaire à la majorité des cas défavorables (5%), c'est-à-dire la mise en échec d'une anomalie pour la guérir. À défaut de cette dimension, la thérapie consiste donc à supprimer un foetus atteint d'une anomalie, d'une particulière gravité reconnue comme incurable.

La décision peut être facile à prendre dans certains cas, alors que dans d'autres, notamment dans ceux d'une trisomie 21*, il peut en être autrement.

* À la demande de la république de Mongolie (URSS), qui a insisté pour que le terme **mongolien** disparaisse de la Classification Internationale des Maladies (OMS), désormais les termes **mongolisme** et **mongolien** sont abandonnés en faveur de **trisomie** et **trisomique**, termes du langage médical nouveau.

Il est utile de rappeler ici que la trisomie 21, considérée la plus fréquente des anomalies dépistées durant la grossesse est due à la translocation d'un chromosome qui vient s'ajouter à la 21e de 23 paires, d'où son nom.

La situation devient difficile du fait qu'il existe des trisomies 21 plus ou moins sévères, impossibles à évaluer in utero. « On dit, déclare Maurice de Wachter, que l'interruption de la grossesse, bien qu'elle ne soit jamais thérapeutique pour le foetus peut se justifier normalement par le souci de diminuer le tourment des familles et d'alléger le fardeau qu'elles et la société auraient à supporter ».[2] Il apparaît évident que dans certains cas, la présence de l'enfant mentalement ou physiquement déficient peut rendre malade tout l'ensemble environnant dont il dépend. Ceci pourrait devenir un handicap ou désavantage social par extension. Par ailleurs, on est amené à s'interroger sur ce refus du tragique, de l'anormal, parfois de la contrainte, qui explique au moins partiellement l'extension de l'avortement thérapeutique. « L'avortement thérapeutique ou sélectif qui actuellement suit presque toujours le diagnostic prénatal défavorable représente le jugement de valeur d'un groupe sur l'handicapé: comme société, nous disons que nous ne souhaitons pas la présence d'handicapés parmi nous »[3], surtout pas des mongols ou mongoliens si fréquemment nommés dans le langage courant. Sous prétexte de lutter contre l'anormal, ne risquons-nous pas de porter atteinte au singulier?

> « On objectera, déclare le sociologue Bruno Latour, qu'il s'agit simplement de généraliser (et d'anticiper) une forme subtile d'avortement thérapeutique, c'est-à-dire la possibilité de ne pas laisser naître les enfants dotés de tares. (...) On dira qu'il ne s'agit que d'étendre un peu plus loin la notion de médecine préventive en empêchant non les maladies de survenir mais les patients d'exister! On objectera enfin, qu'il est bien moins grave de refuser certains caractères génétiques que de choisir dans quelle école on mettra ses enfants, de les faire passer dans les mains de dizaines de psychologues, d'orthodontistes, d'orthophonistes, etc. ou de leur imposer des normes de comportement. »[4]

Vers un objectif eugénique: les techniques de perfectionnement?

Il est courant de dire que nous avons supprimé la sélection naturelle. Ne serions-nous pas contraints inéluctablement de la rétablir artificiellement, ne pouvant soigner tous les malades, ni conduire à tous les traitements possibles, ni faire face aux dépenses de tels soins? La sélection naturelle privilégiait les meilleurs reproducteurs. Sur quels critères se fondera notre sélection artificielle?

Le diagnostic prénatal est une opportunité offerte de façon sélective, à un groupe prédéterminé, aux femmes qui risquent de mettre au monde un enfant anormal. Cette opportunité croissante risque de causer, à court terme, des changements importants dans l'attente qu'aura la société concernant les obligations de la femme envers le foetus. « La société attend et exige qu'elle et le médecin, instrument de la naissance lui donnent de beaux bébés, les plus sains, les plus normaux. »[5] Or le cas de la femme qui ne recourt pas à ce service médical mis à sa disposition sera difficile à évaluer. Si elle donne naissance à un enfant atteint de maladie évitable, elle pourrait se sentir coupable. Qu'en pense ce père d'un enfant trisomique?

> « Puisqu'on peut faire des avortements, dit-il, qu'on peut éliminer des êtres trisomiques, on pourra dire: pourquoi en existe-t-il? et pourquoi on va payer les charges? Le niveau d'intolérance va monter. Si on pratiquait cette méthode-là, il est certain que ça jouerait contre ceux qui sont vivants, puisque l'on saurait qu'il y a une possibilité d'éviter cette chose-là. » [2Y][6]

Même s'il s'agit de maladies traitables, on constate que trois femmes sur cinq sont convaincues que, du moment que la prévention est possible, on devient responsable de la naissance d'enfants atteints. Des témoignages le prouvent comme celui-ci notamment.

> « Aussi bien dans l'intérêt de l'enfant, du couple, des frères et des sœurs, de la société, enfin, de tout le monde, je ne vois pas la nécessité de mettre au monde un enfant anormal, même pour une question de religion! Je crois qu'on n'a pas le droit de mettre des enfants au monde même au moindre risque... et si on a une prévention, justement, c'est pour s'en servir. La meilleure façon, c'est effectivement ce dépistage. La personne doit être consciente quand même, que si elle met un enfant malformé au monde, ce sera un handicap pour elle, et, surtout pour l'enfant. » [3A][7]

À cela, une mère ayant eu à prendre une décision à la suite d'un résultat défavorable, au cours de l'une de ses grossesses objectera que « Tout ça, ce sont des notions qu'il faut manier avec beaucoup de précautions, pour ne pas faire n'importe quoi. » [15C][7]

La majorité de ces femmes interrogées sur le sujet, en France, ne souhaitent pas l'imposition et la mise en application systématiques des techniques de dépistage. Les unes souhaitent que le diagnostic prénatal puisse être accessible dans la mesure de la demande de chacune, tout en respectant la limite d'âge et autres critères de sélection. Les autres souhaitent que les moyens leur soient donnés, afin d'abaisser (de 38 à 35 ans), en France, l'âge maternel, à partir duquel le diagnostic prénatal est proposé aux femmes. Or, quelle que soit l'opportunité offerte, le diagnostic prénatal peut prendre l'aspect d'un dépistage systématique et d'une pratique eugénique inquiétante.

> « Il faut bien voir, déclare le sociologue François Isambert, qu'une pratique qui se répand par la multiplicité des cas individuels devient de fait collective. Ainsi la diffusion du diagnostic prénatal chez les femmes de 35 ou 38 ans, selon les pays, peut prendre l'aspect d'un dépistage systématique, un pas que certains voudraient voir franchir en rendant le diagnostic obligatoire pour cette catégorie. Un problème de liberté pourra donc peut-être se poser, comme il s'est posé pour les vaccinations. »[8]

Il faut se demander si le diagnostic prénatal donne vraiment aux procréateurs la liberté de choisir pour un foetus anormal? Ne s'agit-il pas d'un choix implicite pour le seul foetus dont le résultat est favorable? Le choix se fait-il à la demande ou au moment de l'information sur le résultat?

> Pour Marie-Noëlle Mathis, « ... il s'agit en réalité de véritables problèmes de philosophie politique et de démocratie. Graves sont les questions que soulèvent les énormes moyens mis à notre disposition pour sélectionner ceux qui auront le redoutable privilège de devenir nos concitoyens. Associées avec l'IVG, les techniques de dépistage prénatal constituent le premier examen de passage du citoyen à venir, dont on peut craindre que souvent dans les faits il ne soit sans appel. Ne dit-on pas qu'en Grande-Bretagne déjà on n'accorde l'examen prénatal à la femme que si elle s'engage à interrompre sa grossesse en cas d'anomalie du foetus? »[3]

Comment prendre une décision sans avoir eu l'information sur la condition du foetus? Comment évaluer le cas de cette femme désireuse de poursuivre sa grossesse en dépit du diagnostic défavorable? « La société pourrait reprocher à cette femme, d'avoir laissé la grossesse se poursuivre et on pourrait dire: vous avez pris ce risque, maintenant assumez-le. » [2F][6] Ce témoignage rejoint parfaitement ce que pense Barbara Katz-Rothman lorsqu'elle dit ceci:

> « Dans le cas où une anomalie est révélée et qu'une femme envisagerait de poursuivre sa grossesse, la société pourrait se décharger sur elle de la responsabilité du handicap, ce qui introduit une pression importante sur sa décision. Des calculs de « rentabilité sociale » sont susceptibles de favoriser le recours massif au diagnostic prénatal: des incitations ou contraintes diverses risquent d'être appliquées à la décision des femmes d'avorter. »[9]

Quelle réaction aura cette femme à moyen risque âgée de 20-25 ou 30 ans pour qui le diagnostic est inaccessible, de cette femme à risque plus élevé, non informée des services médicaux mis à sa disposition? Chez ces femmes un ressentiment ou une agressivité ou enfin un sentiment de déconsidération peut être éprouvé au refus du diagnostic prénatal, de la jalousie même comme chez cette mère de 45 ans, non informée au cours de sa grossesse.

> « (...) moins maintenant, dit-elle, mais j'avais une réaction de jalousie de voir des parents qui avaient des enfants normaux..., je me disais: moi, je ne pourrai jamais avoir ça..., mais ça passe. » [T3][6]

On est amené à penser que par le fait de cette exigence de la société, l'enfant anormal se trouve rejeté socialement, la femme qui le met au monde, réprouvée implicitement.

Le diagnostic prénatal de certaines anomalies crée de nouveaux moyens thérapeutiques, de nouvelles responsabilités chez la femme qui pour l'instant ne semble plus avoir le choix de les refuser. Cette nouvelle dimension dans la liberté individuelle est nécessairement confrontée à l'intervention de la collectivité qui trouve, à ce niveau, un moyen de contrôle démographique et géographique.

Bien qu'elle ne soit pas toujours intentionnelle, la pratique actuelle du diagnostic prénatal répond, à court terme, à cet objectif eugénique, celui de favoriser la naissance d'enfants en meilleure santé et plus intelligents, de réduire le nombre d'enfants génétiquement ou sérieusement déficients, par conséquent permettre d'élever la qualité de la société et de l'espèce humaine. Cet objectif eugénique, est-il en accord avec les objectifs fondamentaux de la médecine?

« Si, par sa nature, la médecine travaille contre la sélection naturelle, le diagnostic prénatal, tel qu'il est pratiqué actuellement, la favorise. La médecine peut-elle concilier ces deux objectifs se demandent David Roy et Maurice A.M. de Wachter, ou bien est-elle en profonde mutation? »[10]

Ainsi, cette pratique actuelle du diagnostic prénatal ne risque-t-elle pas de renforcer l'intolérance au handicap et à la fois d'oublier les catégories marginales: la femme et la personne handicapée?

Conclusion

La pratique actuelle des techniques de dépistage fait appel à une nouvelle éthique, à une politique qui assure la protection des femmes et des familles. La société assure cette protection par un financement des pouvoirs publics. La médecine étant toutefois limitée dans ses possibilités thérapeutiques à l'égard du foetus atteint d'une anomalie, la prévention prend une place particulière. D'un isolement individuel, ces femmes et leurs familles sont passées à un isolement collectif, solution de facilité pour la société qui, en payant et en étant généreuse, se déculpabilise à l'égard de ce problème. Elle intègre une institution certes, mais pas chaque individu handicapé. Que ce soit dans une situation prénatale ou périnatale, le foetus devenu un patient ou l'enfant dès la naissance n'est pas dans la société, mais en juxtaposition tout en étant à sa charge. En France, de l'avis du Comité consultatif national d'éthique sur les problèmes posés par le diagnostic prénatal et périnatal, l'écart existant entre les méthodes de diagnostic et les moyens thérapeutiques peut faire craindre que le recours fréquent au diagnostic prénatal ne renforce le phénomène social de rejet des sujets considérés comme anormaux et ne rende encore plus intolérable la moindre anomalie du foetus ou de l'enfant.

Que peut-on espérer? Dans une société qui cherche à réduire le handicap, à protéger les droits de la personne, peut-on espérer, unir ce qui nous sépare? Les techniques appellent la dimension manquante du projet: l'objectif prioritaire du diagnostic prénatal, la recherche scientifique des maladies, le traitement in utero de celles qu'il dépiste. Peut-on espérer intégrer une éthique réaliste d'information, exempte de préjugés? Deux points nous apparaissent importants: la qualité comportementale des intervenants professionnels et des informations plus nombreuses sur les diverses anomalies dépistées.

Enfin, on admettra que depuis quelques années, la génétique, la biologie et la technologie de la reproduction humaine ont fait d'immenses progrès. Si l'on sait faire un effort analogue d'information (du public) et de formation (des intervenants), une prévention de nombreuses causes de handicaps est possible.

Cela peut être pour demain.

Prenatal Screening and Discriminatory Attitudes Towards Disabled People
Marsha Saxton*

Résumé

Plusieurs mythes entourent la problématique du handicap et du dia-gnostic prénatal. La notion, par exemple, que le DPN accroît la qualité de la vie, prévient l'incidence du handicap ou que l'avortement est la réponse automatique au foetus handicapé doit être remise en question. Dans notre culture, les déficiences physiques et mentales soulèvent beaucoup d'appréhension et les personnes atteintes souffrent davantage de la discrimination exercée envers elles que de leur handicap.

D'autres idées préconçues affectent plus particulièrement les parents qui doivent prendre une décision à la suite d'un diagnostic positif. On croit généralement que les personnes handicapées représentent un poids pour la société sans voir que c'est la société elle-même qui est en cause en ne réussissant pas à répondre aux besoins de ce groupe de person-nes. De plus, on tend à exagérer la souffrance physique et mentale des handicapé-e-s. Malgré cette souffrance, ces personnes sont tout à fait aptes, comme toutes les autres, à jouir de l'existence et à mener une vie productive. La question du degré de sévérité du handicap n'est pas non plus pertinente dans ce débat, car qui peut s'arroger le droit de décider quelle vie vaut la peine d'être vécue? Enfin, on soulève fréquemment le problème du conflit entre les droits du foetus et ceux de la mère. Il n'y a là que contradiction apparente résultant du sexisme et de l'oppression sociale dont sont victimes les personnes handicapées.

* Marsha Saxton est une militante de longue date de toute la question des droits des personnes handicapées. Elle a été consultante auprès d'institutions de santé, d'employeurs et de maisons d'enseignement sur ce sujet et en tant que directrice d'un centre pour personnes handicapées, elle a eu l'occasion de connaître et d'étudier les problèmes qu'ils vivent. Elle dirige actuellement un projet portant sur les femmes et le handicap pour le compte du Massachussets Office on Handicapped Affairs. Elle a écrit de nombreux articles sur des questions touchant à la condition féminine, à la santé mentale, aux attitudes discri-minatoires vis-à-vis les personnes handicapées. Parmi tous les aspects des nouvelles technologies de la reproduction, elle s'est intéressée particulièrement au diagnostic pré-natal et aux conséquences que cette technique entraîne tant sur le plan des attitudes sociales que des pratiques médicales. Madame Saxton vient de terminer un ouvrage qu'elle a co-édité avec Florence Howe: *With Wings: An Anthology of Literature By and About Women with Disabilities* publié par Feminist Press.

> Ne faudrait-il pas fournir aux femmes qui se trouvent en situation de décision, une occasion de rencontrer des adultes ou des enfants affectés d'un handicap? Elles pourraient découvrir, lors de ces échanges, l'intérêt du défi que peut présenter la tâche d'élever un enfant handicapé.

Ce texte a été fait à partir de l'enregistrement.

I speak as a disability rights activist, as a feminist and as a person who has to live with a disability.

My disability is called spina bifida. It is a form of neural tube defect and it is one of the major target of the prenatal screening. .

I have been doing, speaking and writing on the issue for the last three years. And very often, when I approach audiences of parents, medical, care-takers and students, the most common reaction is: "I have never thought of that issue, in terms of the relationship between attitudes about disability and the culture, and prenatal screening."

The most common assumption about prenatal screening is that it raises the quality of life, for everyone, that it can prevent or reduce the incidence of disability in the society, and if the woman has the information that the fetus she is carrying is affected, that of course, she would have an abortion.

The assumptions that I would like to challenge include that a quality of life for disabled people is necessarily less than for people without disabilities. Also that having a disabled children is a wholly undesirable thing, and thirdly, that we, as a culture, have the means to rationaly decide who is better of living and who is better of dead. Disability in our culture triggers much fear. Disabled peoples are the targets of behaviors and attitudes that restrict our access to the mainstream life of the community.

People with mobility impairments because of architectural barriers, have limited access to restaurants, to movie theatres, court rooms, the post office, sometimes hospitals. People with hearing impairments are restricted in their access to media, television, radio, conversation, sometimes communication with their physicians, the shopkeepers, etc. People with visual impairments are restricted in their access to media, to materials in tape and in Braille.

In fact, it is and it can be difficult to have a disability. It can be physically painful, it can be extremely inconvenient but I contend that what is disabling about disability is discrimination. Discrimination and oppression are what makes it difficult to have a disability. What I would like to discuss is how attitudes in our culture affect a perspective parent in the choice of wheter to abort a fetus identified as having a disability.

I think that there are two major assumptions about disabled people that affects parents in this decision-making process. One is about the burden of the disabled on society. I read a story in a women's magazine about it called: "The Young Mother Story", a parent of disabled child, severely disabled child and the child's non-disabled sibling.

This woman described her life in her suburban home. Her husband was working all the time, away from the home, and in this story, she described no support from the neighbours, from extended family, from support organizations for disabled children. She described the only resource as the family physician. This woman described her life as overwhelming, she felt isolated. She didn't feel burdened indeed by the child's needs. What has striken me in the article was that any woman, alone in her suburban home, raising a non-disabled child would feel overwhelmed and isolated. That it was the failure of the nuclear family to address the needs of a unique situation, that we typically interpret this woman's difficulties as caused by the child's disabilities rather than by the social factors that affect her isolation.

Another assumption is about the suffering of people with disabilities. In my work as a counselor, I have had exposure to the lives of hundreds of peoples with disabilities, many people who are seeking services for the difficulties they face, in relation to having a disability, for depression, for emotional reactions that people with disabilities face. But I feel very strongly that people with disabilities don't necessarily suffer any more than any other group of people who are the target of oppression. Some people with disabilities may choose to end their own life because of the physical pain, the isolation, the difficulties they face. But this is also true for non-disabled people who may choose to end their own life because of emotional distress, because of poverty, because of oppression.

The vast majority of people with disabilities enjoy their lives, live productive lives, have a good time, just like people without disabilities. Sometimes, the issue of severity is raised, the severity of disability, in relation to prenatal screening. Sometimes, feminists will approach me after I have spoken and done training around the issues of disability in relation with prenatal screening and the reaction will be: "I hadn't realized that spina bifida could be so mild. I didn't realize that somebody with that disability could live such a productive life as you. Maybe, we should reevaluate our attitudes about prenatal screening, and be more careful to allow people with mild disabilities to survive."

My reaction is: You didn't get it yet.

If I were sitting up here speaking, with a severe disability, if I was drooling and spactic, with an extreme disability that prevented the easy articulation of my needs, would that mean that I had less right to survive, to live a productive life, to enjoy myself, to articulate my own needs. Supposing I was a disabled person who was unable to advocate for myself, a person with mental retardation, a person with severe profound retardation, does that mean necessarily that I should have less right to survive, to live and to experience existence as I would?

People with disabilities are oppressed in our society. I want to mention, in relation to the issue of the society, that I recently had the experience of meeting with German women at the Congress of People with Disabilities, from around the world, to get together in Bremen. It was sponsored by an organization called Crippled Movement, at the Independent Living Center. What I was struck by, in relation to the disabled German women, is that they had a much better accurate grasp of the extremes of the oppression than women that I have met in North America, including disabled women activists. That people born in Germany have a much more graphic sense of the extremes of the oppression having been born in a generation during and immediately after the Nazi Holocaust.

We were allowed to view a video that the organization had created on the last ten years of the disability rights movement and it included some Nazi's newsreel films, propaganda films, about the quality of life for people with disabilities. The message being that disabled life is worthless, that disabled people are a burden to society and interfere with the quality of life of anyone else. And therefore, people with disability should be eliminated.

I feel very strongly that our goal should be to eliminate oppression, that our attempts to eliminate an oppressed population is not a workable goal for our society. How would I counsel a woman who is considering prenatal diagnosis, with intent to abord on the basis of a diagnosis of disability. I would ask: has she had the opportunity to meet with children and adults with disability, has she had the chance to examine her own values about disability, to look at the values that were taught her, as a child, in relation to imperfection, to physical vulnerability, to disability. Has she had a chance to talk with her husband, with her family members, with her close friends, and resources about the opportunities that might be presented to her in relation to raising a child with differences?

The issue is often raised that there is an apparent conflict between the rights of the mother and the rights of the fetus, in relation with disability. And I would like to point out that this apparent conflict is only the result of oppression, of sexism, and of the oppression of people with disabilities. I don't believe that there is a rational human conflict between the needs of a mother and her child.

Synthèse du débat

Micheline Boivin, directrice du Service de recherche, Conseil du statut de la femme

Deux instruments majeurs d'application de la médecine prédictive ont été abordés dans le cadre de l'atelier. Il s'agit du diagnostic prénatal et de la cartographie du génome humain. Les questions que posent aux femmes et à la société les développements scientifiques en ces matières ont été l'objet d'échanges de points de vue, de demandes et parfois de revendications précises.

Le diagnostic prénatal (DPN)

Des précisions ont été apportées sur le nombre de maladies dont le DPN permet le dépistage de même que sur son degré de précision. D'après les informations obtenues auprès de Louis Dallaire, il y en aurait 200. Toutefois, lorsqu'on administre un test à une femme, c'est en vue d'identifier une maladie précise dont le foetus peut être porteur en raison de l'histoire particulière de la femme concernée. Le diagnostic permet d'identifier la présence d'une maladie, mais il ne donne aucune indication sur sa gravité. Se pose alors la question centrale de la définition du handicap. D'après Marsha Saxton, ce sont les normes sociales de beauté, productivité, prouesses athlétiques et autres qui définissent le handicap. Ce sont la répression sociale et le manque de support qui transforment souvent une déficience en un handicap.

Le diagnostic prénatal et l'avortement

Que penser des avortements pratiqués lorsque, par le DPN, des anomalies sont détectées? D'après des résultats de recherches mentionnés par Abby Lippman, le pourcentage d'avortements à la suite d'un diagnostic d'anomalie varie en fonction de la maladie identifiée.

Selon Marsha Saxton, il revient aux femmes de prendre leur décision à la suite du DPN. L'élimination de l'oppression à l'endroit des femmes de même qu'à l'endroit des personnes handicapées s'impose pour qu'un choix réel s'exerce.

D'après Abby Lippman, il est très délicat pour les médecins de donner des informations aux femmes à la suite du DPN sans par ailleurs influencer leur choix. Dans le cas de déficience du foetus, il ne faut pas donner de directives mais plutôt indiquer les capacités de l'enfant à venir, les incidences de la maladie identifiée sur la vie de l'enfant. Il faut alors considérer le contexte dans lequel se situe la femme concernée. Il est important pour cela, conformément aux remarques de Martha Saxton, de pouvoir compter sur la présence des associations d'handicapé-e-s. Des pressions subtiles, involontaires et inconscientes peuvent être exercées par les médecins. Il est d'autant plus difficile de ne pas exercer de pressions indues que la décision d'avortement doit être prise rapidement après l'amniocentèse en raison des dangers pour la santé de la femme reliés à un avortement tardif. D'après Abby Lippman, la biopsie chorionique pratiquée plus tôt pendant la grossesse permettrait plus de temps de réflexion.

Le commentaire d'un participant a permis de soulever la difficile question de la cohérence des réflexions relatives à l'avortement sélectif avec la revendication du libre-choix à l'avortement. Pour ce participant, il serait incohérent de questionner l'avortement sélectif lorsqu'on revendique le libre-choix à l'avortement. Les parents qui recourent à l'avortement sélectif désirent un enfant. L'avortement sélectif toucherait une minorité de foetus; d'après Louis Dallaire, 5% des femmes qui ont subi un DPN auraient un foetus atteint d'anomalies.

Une participante considère que le point de vue des féministes est tout à fait cohérent. Elle demande que soit préservé le libre-choix des femmes face à l'avortement, ce qui ne semble pas être le cas pour les avortements sélectifs. Les conditions requises pour un choix éclairé n'existent pas; les femmes disposent de peu d'informations sur la nature de l'anomalie, les capacités de l'enfant à venir et cela à la suite d'une amniocentèse où la décision doit être prise rapidement. La carence de supports sociaux au bénéfice des personnes handicapées et la répression dont elles sont victimes pèsent lourdement sur les décisions d'avortements sélectifs.

Le diagnostic prénatal, la prévention et le traitement

Le diagnostic prénatal peut-il être considéré comme un moyen de prévenir et de traiter les anomalies? D'après Marsha Saxton, le DPN est une astuce pour nous faire oublier la répression sociale face aux handicapé-e-s. Selon Yvette Grenier, on pourrait prévenir la naissance d'enfants atteints de déficiences par une consultation génétique avant même la conception comme cela se pratique quelquefois en France.

Par l'élimination des personnes déficientes, ne se prive-t-on pas de la possibilité de guérir les maladies dont elles sont atteintes?

Abby Lippman soutient qu'il y a possibilité de poursuivre des recherches à la fois sur le DPN et sur les causes et traitements des maladies. Pour cela toutefois, des ressources en recherche doivent être disponibles sans qu'il y ait nécessité de choisir entre ces deux grandes options.

L'avantage de ne pas savoir

Une participante a témoigné du fait qu'elle se considérait chanceuse d'avoir donné naissance à une fille handicapée à une époque où le DPN n'était pas accessible. « Je suis heureuse de ne pas avoir su avant la naissance, de ne pas avoir eu à faire un choix et éventuellement de ne pas avoir eu à me sentir coupable de sa naissance. »

L'échographie

Une participante a reproché aux conférencier-e-s de ne pas avoir parlé de l'échographie obstétricale. Toutes les femmes doivent être soumises à l'échographie, et cela plus d'une fois en cours de grossesse. Cette participante faisait remarquer que pour le monde médical, il n'y avait plus de grossesse normale, mais seulement des grossesses à gravité variable. « Le libre choix face au DPN apparaît bien limité lorsqu'on en vante tellement les mérites et lorsqu'on inculque aux femmes l'idéologie du risque face à la grossesse et à l'accouchement. »

Incidences du diagnostic prénatal sur les grossesses tardives

Le modèle social actuellement en vigueur favoriserait, selon une participante, l'émergence de grossesses tardives. Les exigences des études et de la carrière feraient reporter à plus tard le projet d'enfant de sorte que les premières grossesses après 30 ans ne seraient pas rares. Selon Yvette Grenier, il se pourrait que l'accessibilité à l'amniocentèse après 35 ans incite certaines femmes à retarder jusque là leur grossesse afin d'avoir droit au DPN. Louis Dallaire affirme que les statistiques indiquent un nombre de grossesses tardives beaucoup moins élevé aujourd'hui qu'il ne l'était autrefois. Le DPN permettrait toutefois davantage aux femmes de carrière ou à celles qui ont un deuxième conjoint d'entreprendre une grossesse.

Le support requis pour les personnes handicapées

La communication de Marsha Saxton a suscité de multiples questions et commentaires dont l'essentiel porte sur le support requis pour les personnes handicapées et pour les parents responsables d'enfants handicapés. Une amélioration de la situation actuelle passe:
• d'abord par la formation et l'information du public sur la situation des personnes handicapées et sur la capacité qu'elles ont de mener une vie intéressante lorsque la société le leur permet;

• ensuite par des supports particuliers aux personnes qui doivent prendre une décision à la suite d'un diagnostic d'anomalie du foetus. Les associations de personnes handicapées et de parents d'enfants handicapés ont un rôle irremplaçable à jouer à ce moment;
• enfin, par un support indispensable de l'ensemble de la société, de la communauté et de la famille pour permettre aux personnes déficientes de développer pleinement leurs capacités.

Les suites à apporter aux réflexions du forum

À la question d'une participante sur les moyens disponibles pour que soient acheminées à qui de droit les préoccupations du forum au sujet du DPN, Louis Dallaire a indiqué qu'il existe un comité québécois sur le DPN. Ce comité n'aurait pas eu de rapport à ce jour avec le ministère de la Santé et des Services sociaux lequel considère que le DPN est à l'état expérimental de recherche. Le comité prépare un document en vue de sensibiliser le ministère sur les besoins en ressources matérielles et humaines pour que le DPN continue d'être un service accessible. Louis Dallaire a, par ailleurs, indiqué qu'il attendait, en tant que médecin et chercheur, des indications de la société pour savoir ce qui devrait être fait du DPN.

La cartographie du génome humain (CGH)

Des recherches actuellement en cours sur la CGH permettent de détecter les personnes susceptibles de développer une maladie précise. Ces recherches seront complétées avant l'année 2010. La CGH commence à se commercialiser. Dans un avenir rapproché, le dépistage génétique pourrait, à la limite, être disponible pour usage domestique par des non-spécialistes. D'après Louis Dallaire, il faut connaître le génome pour identifier la fonction des gênes et traiter certaines maladies qui sont actuellement incurables.

Les dangers de la CGH

L'identification de personnes susceptibles de développer une maladie expose ces personnes à des risques de discrimination. Celles-ci pourraient, par exemple, se voir refuser l'accès à certains emplois ou à certains pays. Cela est d'autant plus odieux que les personnes concernées ne développeront pas nécessairement la maladie qui avait été appréhendée. On pourra toujours, selon une participante, justifier des problèmes individuels que la recherche permettra éventuellement de solutionner. Si aucune question n'est posée sur les applications de la recherche, nous pourrions nous retrouver aux prises avec une situation analogue à celle engendrée par la recherche sur l'énergie nucléaire. Il faut, selon Abby Lippman, soulever les questions qui se posent en ce domaine afin de ne pas succomber à l'impératif technologique.

Le contrôle éthique sur la CGH

Louis Dallaire reconnaît qu'il faut légiférer afin de contrôler le développement de la CGH. Catherine Labrusse-Riou, participante à l'atelier qui a lancé le débat sur le sujet, invoque que les instruments juridiques eux-mêmes peuvent être dangereux parce qu'ils compromettent les libertés fondamentales. Les risques sociaux, culturels et professionnels face aux connaissances génétiques seraient difficiles à évaluer mais nous nous berçons d'illusions avec la conviction de pouvoir en contrôler les applications lorsqu'elles seront disponibles. Étant donné la difficulté d'évaluer les risques et de contrôler les applications de telles recherches, ne vaudrait-il pas mieux les interrompre, demande-t-elle? Louis Dallaire croit que les chercheurs doivent poursuivre la recherche et qu'il revient aux juristes d'en concevoir les contrôles. Monique Bégin (ex-ministre de la Santé du Canada), qui siège sur un groupe de travail en matière de génétique au Conseil des sciences du Canada, croit que les effets que peut provoquer la CGH seront tels qu'aucun gouvernement ne pourra les contrôler. Selon madame Bégin, les médecins et les chercheurs ne peuvent se départir de leurs responsabilités à cet effet. Ils doivent eux aussi se poser des questions sur les finalités et usages de leurs recherches et de leur pratique.

On a fait remarquer, par ailleurs, qu'il est faux de prétendre que le corps médical ne fait pas de choix. Il a déjà opté en faveur de la sélection des individus par le DPN au détriment des autres champs de recherche tels que la prévention des maladies.

Les débats entre médecins, juristes et gouvernements afin d'identifier qui devrait prendre la responsabilité des choix en matière de NTR seraient vains selon une participante. Il faudrait plutôt élever le niveau de conscience individuelle et sociale par une information accessible.

Un moratoire imposé aux recherches sur la CGH

À une hypothèse de législation proposée par Louis Dallaire en vue de contrôler le développement de la recherche sur la CGH, Catherine Labrusse-Riou préfère un moratoire imposé à de telles recherches. Abby Lippman, pour sa part, préconise la poursuite des recherches mais l'interdiction d'en appliquer les résultats tant qu'on ne sera pas assuré que les avantages qu'ils procurent seront supérieurs aux inconvénients qu'ils comportent. Un participant suggère plutôt que soit renversé le principe de privilège favorable existant en justice. Selon un tel principe, il est préférable de laisser la liberté à un coupable plutôt que de condamner un innocent. Toutefois, pour être efficace, par exemple dans le domaine de l'environnement, comme il faudrait l'être dans celui des recherches génétiques, un tel principe devrait être révisé. Ainsi, il serait préférable de risquer d'empêcher la poursuite de recherches sans conséquence néfaste plutôt que de permettre la poursuite de recherches aux conséquences dangereuses.

L'éthique est-elle contre la science?

Au terme de l'atelier consacré à la réflexion sur une société sans handicap, Catherine Labrusse-Riou a fait remarquer que ses propos pouvaient, à tort, laisser entendre qu'elle était opposée à la science alors qu'elle se porte à la défense de la vraie médecine et de la science véritable. Les attitudes de certains médecins et scientifiques lui semblent aller à l'encontre de la médecine et de la science elle-même. Ainsi, ces médecins et ces scientifiques reconnaissent que le DPN et l'avortement ne constituent pas une solution au handicap, et pourtant ils généralisent le DPN. Madame Labrusse-Riou a exhorté les médecins à travailler vraiment sur le terrain de la thérapie, celui qui est effectivement le propre de la médecine. « Il faut faire en sorte d'éviter que les actes médicaux soient autre chose que de la thérapie. Il faut éviter que des actes autres que thérapeutiques soient requis dans le cadre des recherches en médecine. Définissez des conditions de recherche qui vous permettront d'arriver à ces thérapies plutôt qu'à des processus eugéniques d'élimination. »

Atelier G:

Droit du fœtus, intégrité physique de la mère

L a congélation et le transfert des embryons ainsi que les théraphies foetales ne font-ils pas de l'embryon et du fœtus un être avec des droits propres? Si oui, comment concilier ces droits avec le libre-choix de la mère face à l'avortement et son droit au libre consentement face aux interventions chirurgicales?

Personnes-ressources: **Edward W. Keyserlingk**
Caroline Kaufmann
Diane Girard

Balancing the Health of the Fetus and the Physical Integrity of the Pregnant Women
Edward W. Keyserlingk*

Résumé

Le développement des thérapies fœtales pose un problème d'équilibre entre les droits de la mère et ceux du fœtus. Dans une revue de la législation relative au fœtus et à la périnatalité, l'auteur rappelle que le Code criminel fait une distinction entre un fœtus et une personne humaine et, qu'en cas de conflit entre leurs droits respectifs, la loi accorde clairement une préférence à la personne (la mère). Dans le Code civil et en Common Law, le fœtus possède des droits patrimoniaux et le droit de poursuivre en justice. La jurisprudence canadienne et américaine fait état de cas où « l'enfant » a été confié aux services sociaux avant sa naissance et où la mère a dû se soumettre à des interventions médicales pour le bien du fœtus. Ces jugements, rendus dans des situations d'urgence, sont généralement insuffisamment motivés et n'offrent pas une argumentation solide quant à l'équilibre des droits de la mère et ceux du fœtus.

Deux opinions sont généralement exprimées concernant cet équilibre des droits. Certains croient que la mère et le fœtus sont si intimement

* Edward W. Keyserlingk a fait la grande partie de ses études à l'Université de Montréal et à McGill où il s'est spécialisé notamment en études religieuses, en éthique médicale et en droit comparé. Ses thèses de maîtrise et de doctorat sont consacrées aux questions concernant les thérapies fœtales et les politiques médicales à l'égard des nouveau-nés sévèrement handicapés.

Il est actuellement professeur à la Faculté de médecine de l'Université McGill, membre du McGill Centre for Medicine, Ethics and Law, et président, depuis 1986, de la Société canadienne de bioéthique. De 1975 à 1986, il a dirigé une unité de recherche de la Commission de réforme du Droit du Canada, qui étudiait la question du statut légal du fœtus en regard notamment de l'avortement, des nouvelles techniques de reproduction, des pratiques d'expérimentation et des thérapies fœtales. En plus de la production de quelques ouvrages et d'une série de documents de travail pour la Commission de réforme du droit, Edward W. Keyserlingk a publié de très nombreux articles sur l'éthique médicale, le droit de la santé et de l'environnement et plus précisément sur les dimensions éthiques des nouvelles techniques de la procréation.

liés qu'une intervention sur le fœtus est justifiée, surtout lorsque la naissance est imminente. D'autres, dont l'auteur, croient plutôt que la mère conserve à tout moment le droit à l'inviolabilité de sa personne. Admettre la première thèse équivaudrait à considérer le fœtus comme un patient et à mettre ses droits sur un pied d'égalité avec ceux de la mère. Ce qui est douteux en regard des lois actuelles.

Si les lois doivent évoluer en cette matière, il n'appartient pas à des tribunaux de première instance de leur donner une orientation nouvelle, mais au législateur dans le cadre d'un débat public.

The potential conflict between fetal rights and interests and the physical integrity of the woman is of course at issue in the technologies of direct interest in this Forum, such as in vitro fertilization, experimentation on the embryo and fetus, surrogate motherhood and genetic manipulation. But to this point the conflict and the need to find the proper balance has arisen most starkly around the issue of court-ordered medical or surgical interventions on the pregnant woman **for the sake of the fetus,** and decisions by courts that the endangered fetus can fall within the scope of child-welfare legislation and therefore be subject in some sense to the (legal) protections provided by that legislation.

In my remarks I will focus on the developments and debates in those areas. In my view what is happening there will greatly influence the evolution and outcome of the same debate and conflict in the area of new reproductive technologies.

In view of my two areas of training and experience, my perspectives in these remarks will be primarily legal and ethical. My observations will be in four parts:

I A brief description of the status and rights of the fetus to this point in common law and civil law systems.

II A description and evaluation of recent court decisions in Canada and the United States which have authorized interventions on pregnant women, such as caesarean sections, for the sake of the fetus.

III The matter of fetal surgery.

IV My proposal of a formula and criteria for balancing and resolving competing maternal and fetal rights and interests.

I The Status and Rights of the Fetus

1. Criminal law (in Canada)

Section 206 of our Criminal Code indicates when one becomes a "human being" for Criminal Code purposes:

206(1)   A child becomes a human being within the meaning of this Act when it has completely proceeded, in a living state, from the body of its mother, whether or not it has breathed, it has an independent circulation, or the navel string is severed.

On the basis of this section it is clear for example that killing an unborn child **in utero** is not homicide because it is not yet (for criminal law purposes) a human being.

However, there are several qualifications to be found in the Criminal Code, which in effect provide some degree of protection for the fetus.

Section 206(2) states that if a child is born alive and then dies as a result of an (intentional) injury inflicted before or during its birth, that constitutes homicide.

Section 221(1) states that killing an unborn child in the act of birth, even thought not yet actually born, is an indictable offence.

But that in turn is qualified by s. 221(2) which states that s. 221 does not apply to one who in good faith causes the death of the child in an effort to save the mother's life. Clearly in this case when there is a conflict between allowing the child to be born alive and saving the mother's life, present legal policy favours preserving the mother's life.

Another qualification is provided by section 226 of the Code. It states that a pregnant woman about to give birth who fails to obtain the necessary assistance because she intends that her child shall die, is guilty of an indictable offence even though the child dies immediately before or during birth. Strictly speaking then, the child could die without having been born alive, and therefore not yet a human being for criminal law purposes, yet the pregnant woman could be criminally responsible.

Though in discussion and practice one frequently refers to the woman's "right to abortion", abortion (or "procuring a miscarriage") is actually referred to in our Criminal Code in terms of being a criminal act, albeit with justifying exceptions. The two conditions which excuse from criminality are that the abortion must be approved by a therapeutic abortion committee, and on the grounds of saving the woman's life or health.

In theory at least, our abortion law provides a protection to the fetus which is available at every stage of gestation from conception to birth, though limited by the exceptions just indicated. In origin and intent it is arguable that the abortion law was not enacted primarily to protect the fetus, but to protect the pregnant woman from the dangers of "back-alley" abortionists.

Several conclusions follow from that brief summary. First of all, from the criminal law standpoint in Canada, the unborn child or fetus is not a human being until born alive. Yet it does enjoy some degree of protection even before birth. But those protections give way when in conflict with the rights to life and health of the pregnant woman.

As one Quebec jurist (E. Deleury) has expressed it:

> C'est dire qu'en droit criminel, sans pour autant être considéré comme une personne, l'enfant conçu mais non encore né jouit d'une certaine protection, mais cette protection s'arrête lorsqu'elle entre en conflit avec la vie ou la santé de celles qu'on considère légalement comme des êtres humains.[1]

Regarding the abortion law specifically, essentially the same point was made in these words:

> A possible explanation of the abortion provision is that the law is extending its protection to the potentiality of human life, but that when the potentiality of life conflicts with the rights of those actually living, the rights of the latter will prevail.[2]

2. The Civil Law Perspective

a) patrimonial rights

We begin with the tradional Civil Law maxim, "the unborn child shall be deemed to be born whenever its interests require it". One such interest long recognized in Civil Law is the right of the "child conceived but not yet born" to inherit. The unborn child is considered to be "civilly in existence" at the moment a succession devolves, but subject to the **suspensive condition of live and viable birth**.

b) the right of action for prenatal injury

In an important Supreme Court decision of 1933 it was held for the first time in Canada that an unborn child though not yet born when injured could be compensated for that injury. But once again, the same suspensive condition of live and viable birth applies. In the words of that decision.

> If a child **after birth** has no right of action for prenatal injuries, we have a wrong inflicted for which there is no remedy... To my mind it is but natural justice that a child, if born alive and viable, should be allowed to maintain an action in the courts for injuries wrongfully committed upon its person while in the womb of its mother.[3]

3. The common law perspective

a) property rights

As in the Civil Law tradition, so in the Common Law, the earliest affirmations of the rights of the unborn were made in the context of properly law.

The same principles regarding property and the unborn apply in Canada as in Anglo-American common law generally. In a 1973 British Columbia decision it was affirmed for example that if a testator makes a bequest to his "surviving children" or "all living children", a conceived but unborn child was allowed to inherit provided it is to his benefit to do so, and **provided he is subsequently born alive.**[4]

In closer examination, one is led to conclude that in reality the interest and right being protected by the law is not so much to unborn's right to inherit, as the testator's right to dispose of his property.

b) the right of action for prenatal injury

As in Civil Law, so too in common law, the unborn child has a right of action for negligent prenatal injury, but once again, the condition is that of subsequent live birth. In a 1972 Ontario decision, the judge concluded as follows:

> In my opinion it is not necessary in the present case to consider whether the unborn child was a person in law or at what stage she became a person. For negligence to be a tort there must be damages. While it was the foetus *en ventre sa mere* who was injured, the damages sued for are the damages suffered by the plaintiff Ann since birth and which she will continue to suffer as a result of that injury.[5]

II. Recent Court Decisions

1. Cases involving dependency and support

In a 1931 California decision[6] an unborn child was brought within the meaning of "child" by applying an unusual provision in the California Penal Code. It provides that a child conveived but not yet born is deemed a person insofar as that section concerning support is concerned. Since the father was found to have failed to provide food and care to his unborn child "through its mother", liability followed more or less automatically.

A 1943 Canadian decision brought the unborn child within a judicial inter-pretation of a Workman's Compensation Act.[7] It was held in this case that an unborn child was a "dependant" and entitled to share damages for wrong done to the family provider.

2. Decisions holding that the unborn child falls within the scope of Child Welfare legislation but no intervention or steps taken before birth

In a 1979 Nova Scotia decision[8] the Family Court appointed a guardian *ad litem* for an unborn child since the father was seeking an injunction to prevent his pregnant wife from having an abortion. One of the questions the court asked itself was whether an unborn child of 18 weeks gestation fell within the meaning of child in the Children's Services Act. The relevant section of that Act states: "child means a boy or girl under 16 years of age unless the context otherwise requires". The court answered in the affirmative.

A 1981 Ontario Family Court decision involved a wardship application of a baby girl born suffering from fetal alcohol syndrome[9]. It was held that the mother's use of alcohol constituted physical abuse of the child **before birth**, and the fact that she refused to obtain help was a denial of adequate care needed for the child's health. The court stated:

> The child was a "child in need of protection" prior to birth, at birth and on May 24, 1981... by reason of the physical abuse of the child by the mother in her excessive consumption of alcohol prior to birth...

It should be noted here that even though the child was said to be in need of protection before birth, the actual legal intervention took place as usual after the birth. It could hardly have been otherwise given that no statutory or other authority exists permitting a court to "apprehend" a mother-to-be and provide legal protection to an unborn child like this one.

Nevertheless, the decision has been seen a major step, for some a step "forward", to others a step "backwards", in stating that the baby girl was in need of protection "prior" to birth, even though this court did not in fact provide or authorize any protective intervention.

A similar decision was rendered by a court in British Columbia in 1981.[10] In this case, because of the drug addiction of her mother, a child was born drug addicted, and the court held that abuse can indeed occur during the gestation period. The judge concluded that therefore,

> D.J. falls within the definition under s. 1 of the Family and Child Services Act (of B.C.) of a "child in need of protection", as would any other child born drug addicted.

Again, as in the previous case, no protective legal intervention was actually provided for the prenatal period.

3. Court ordered interventions or apprehensions before birth for the sake of the fetus

The first case to consider under this heading is a 1961 New Jersey decision.[11] In view of the pregnant woman's RH negative blood condition, the medical evidence seemed to establish that unless a blood transfusion was given soon after birth the child would die. The Jehovah witness parents refused permission before birth. The court therefore took jurisdiction over the unborn child while still unborn, under a child welfare statute. It awarded custody of the child, when born, to the County Welfare Dept, and authorized it to consent to the transfusion. It should be noted that while injunctive relief was granted to the unborn child in utero, the relief was of course to be applied and effective only after birth and if born alive. There was no actual intervention here.

A second case in this category was a 1964 New Jersey decision.[12] Here too the pregnant woman was a Jehovah witness, eight months pregnant. The doctors thought that at some point before birth she may hemmorage severely and that both she and the unborn child would die unless a transfusion was given. The mother refused. The hospital sought court authority to administer the transfusion. The trial court upheld her refusal but the New Jersey Supreme Court decided that the child was entitled to the protection of the law and held that the transfusion could be given if it became necessary to "save her life or the life of the child, as the physician in charge may determine". The court reasoned:

> The welfare of the child and mother are so intertwined that it would be impracticable to attempt to distinguish between them.

As it turned out, the transfusion was never given. In fact, the woman had left the hospital against the advice of her doctor before that court judgment. Unfortunately I do not know, despite efforts to find out, what happened to the mother and baby.

These last two judgments, especially the last one, have been the objects of much attention and criticism. What is clear is that the last decision was the first one allowing the provision of protective medical intervention in the prenatal period.

Should it have been allowed? Personally I have serious reservations. In effect the decision is probably of very limited precedental value. Hardly any reasons for judgment are provided, and therefore the decision is hard to evaluate on its arguments.

We will consider now some caesarean section cases.

The first is a 1981 Georgia decision.[13] A hospital sought a court order allowing it to perform a caesarean section if neccessary on a woman about to give birth in about four days. The doctor felt there was a 99% certainty that the baby would not survive vaginal delivery, and a 50% chance the woman herself would not survive.

She had previously told the hospital that she did not plan to allow intervention if anything went wrong, but would accept whatever happened as God's will. The court decided that the unborn child merited protection, authorized all medical procedures deemed necessary by the doctors, and granted a petition requiring the mother to submit to a caesarean section. The reason given: the state's interest in preserving the unborn child's life and its duty to do so outweights the intrusion involved. The decision was upheld by the Georgian Supreme Court.

After all this, the pregnant woman delivered a few days later, without complications and without any surgical interventions a healthy baby.

Another case about the same time involved a pregnant woman with a strong fear of surgery who refused to consent to a caesarean section.[14] A fetal heart monitor indicated fetal hypoxia and the need for a caesarean. Despite efforts of relatives and doctors, she continued to refuse. The hospital petitioned the (juvenile) court to find that the unborn child was a dependent and neglected child, and to order the caesarean to save its life. After an emergency hearing in the patients room the court ordered the surgery. The caesarean was performed, but to everyone's surprise the baby was born healthy and without complications.

Several observations and conclusions to this point:

• In these conditions, no real effort was made to identify, consider and weigh the rights of the pregnant women, along with the State's right and duty to protect the unborn child.

• Hardly any reasons for judgment were provided.

• The court-ordered intrusions in these last two cases were considerably more intrusive and dangerous to the pregnant woman than is a transfusion.

• The medical prognosis in both these last cases turned out to be inaccurate and unduly alarmist.

• Not considered at all by these courts was the question of how far a hospital could go to enforce a court-ordered intervention if the woman continued to refuse physically.

Surely if a woman struggled or resisted it, it is highly doubtful that a physician should be able to restrain her, especially if doing so risked serious injury to the woman, whether physical or psychological injury.

I will now briefly describe and discuss two recent Canadian court decisions.

The first is a decision in Belleville Ontario in April of this year.[15] It involved a pregnant woman who more or less lived on the streets, and whose previous four children had been taken from her by the Children's Aid Society for neglect. Medical evidence indicated that she badly needed medical assistance or the unborn child would be at serious risk, and her own health as well. She refused to obtain medical assistance and demonstrated what the Children's Aid Society felt was a total lack of concern for the unborn child's welfare. The Society applied to the Family Court for an order declaring the child to be in need of protection. Application was made as well for an order pursuant to s. 10 of the Mental Health Act, requiring an assessment of the respondent by a physician.

Result: it was held that the unborn child was indeed in need of protection under s. 37(2) of the Child and Family Services Act, and ordered that the upborn child should be a ward of the Society for a period of three months. It was also held that her conduct constituted a danger to her (own) life and that of the unborn child, justifying the application of s. 10 of the Mental Health Act, requiring hospitalization for the purpose of assessment by a doctor. In effect the ruling assured that she would remain in hospital until the child was born. The woman gave birth while in hospital.

Anti-abortionists hailed the ruling as a legal recognition that a fetus is a person under the law. In fact the judge did not say so explicitly, though as in other such rulings there is an undeniable assumption of some such status implicit in the rulings.

A second and recent Canadian decision again involving a court ordered caesarean was that of the ''Baby Boy R'' ruling in Vancouver, this past September.[16] The case involved a woman who was a former drug addict and had had three of her previous children taken away from her by the provincial authorities. At this point she was living on ''skid row'' in Vancouver. When her fifth child was close to birth in May, complications arose during labour and the doctors recommended a caesarean section. The woman refused. Concerned about the baby's well-being, the hospital called in the provincial authorities, who ''apprehended'' the ''child'' under the provisions of the British Columbia Family and Child Services Act, and authorized the caesarean three hours before the birth.

Though the news reports at the time did not say so, in fact the woman herself consented to the surgery shortly before the birth. Why she refused was not publicized, nor how the need for surgery was explained to her.

The case was subsequently taken to the Family Court by those including the mother who argued that the government agency acted incorrectly. One of the groups was the newly formed ''Committee for Maternal Autonomy''. That court ruled in September that the provincial authorities were justified, and the court granted the child welfare agency permanent custody of ''Baby Boy R''.

Women's groups and others expressed fear that now the state would have grounds to force unwanted medical treatment on women. To which the judge replied:

> The birth was imminent and in fact, occured within three hours of the ''apprehension''. The purpose of the apprehension was to ensure proper medical attention for the baby. **This is not a case of women's rights**.

He also stated:

> The case was not concerned with right to life issues. This case in my humble opinion ought not to be a concern for the right to life of the unborn person. This is simply a case to determine what is best for the safety and well being of this child. Where the baby is at or so near term, and birth is imminent, the failure to provide necessary medical attention to prevent death or serious injury is sufficient to allow the superintendent to invoke the procedure of apprehension.

But, the judge assumed without providing any real argumentation that the unborn child is (clearly) a ''child'' under the law. But that is simply not the case in present law, at least not for purposes of prenatal protection. It was not of course the first court to slide over or past that central issue.

Opinion on this and similar decisions tends to break down into two main directions.

There are those who feel for intuitive and other reasons that the pregnant woman and the fetus are indeed so inextricably linked that interventions via the woman for the sake of the fetus are justified, at least when birth is imminent.

But there are also those who feel that the woman's right to inviolability is absolute in such cases, and that therefore courts cannot enforce involuntary intrusions on her for the sake of the fetus. To do so assumes equality of status between the woman and the fetus, which is simply not the case in present law. In my view this latter position is on much more solid legal ground given present law.

Some would go further and argue in effect that even if the woman and fetus had equal legal status, involuntary intrusions for the sake of the fetus would remain unjustified. One expression of that view is the following:

> No woman has ever been legally required to undergo surgery or general anes-thesia (e.g. bone marrow or kidney transplant) to save the life of her dying child. It would be ironic to say the least, if she could be forced to submit to more invasive surgical procedures for the sake of her fetus than for her child.[17]

It is of course the case, that in present law the only recognized justification for unconsented to medical intrusion is to save the life of that person, not to save the lives or health of other persons.

It should also be noted that some news reports of the ''Baby Boy R'' decision implied that the authorization was acceptable because of the mother's former drug addiction. That is of course an irrelevant consideration in this sort of issue. Even if she had been incompetent, the only justification which could have permitted unconsented to intrusions would be that they be in that person's own interest.

III Fetal Surgery

A still further escalation of the degree of potential conflict between woman and fetus is to be found in the matter of fetal surgery. There are a number of congenital defects which are not only diagnosable in utero, but some of them are already or soon will be treatable and correctable in utero as well.

Some of these fetal problems influence the timing of delivery, indicating early and induced (often caesarean) delivery since they require correction as soon as possible. They are detectable in utero but are best corrected after induced preterm delivery and birth.

But a number of other deficiencies, malformations and anatomical lesions already are or may eventually be treatable and correctable before birth.

Among these are the following five, the first four of which have already been successfully performed on unborn children in the womb.

1) **Fetal red blood cell deficiency**, requiring transfusion of red blood cells into the fetal peritoneal cavity. This has been successfully done since the 1940s;

2) **growth retardation of the fetus**, requiring the injection of nutrients into the amniotic fluid. This too is now successfully done;

3) **obstructive hydrocephalus** (the accumulation of fluid in the cranial vault, compressing the brain and eventually destroying neurological function); it requires decompression of the cerebrospinal fluid, or shunting of the fluid into the amniotic fluid; this was performed successfull for the first time in 1982;

4) **congenital hydronephrosis** (obstruction of the ureter), requiring early decompression of the fetal urinary tract and drainage of the urine from the bladder into the amniotic fluid. This too was successfully achieved in 1982;

5) **congenital diaphragmatic hernia** (causing a compression of the lung), requiring surgical relief of pulmonary compression. This form of fetal surgery has so far been successfully performed on the fetuses of sheep, not yet on the human fetus or even on the fetus of a primate for that matter. The uterus of the sheep is far less sensitive than that of the human.

In conclusion, it should not be thought that in utero interventions are all futuristic or only experimental. That is now far from true. For **consenting** women when they are available and the risks are judged to be acceptable, forms of prenatal intervention are already being used.

Of particular interest in that fetal surgery is in effect and in perception contributing to the transformation of the fetus into a **patient**.[18]

The ability to provide prenatal diagnoses of fetal malformations or genetic defects has already led to a medical alternative to bringing those pregnancies to term, that of selective abortion. Now thanks to everimproving methods of diagnosis and fetal surgery, other alternatives are those of induced pre-term delivery for early correction, and in utero treatment.

But in the event of refusal by the pregnant woman, the following legal and ethical questions arise:

• what, if any, court imposed medical interventions in utero upon the unborn child and arguably in that child's interest, could be morally and legally acceptable in the event of refusal by the woman?

• what moral and legal principles and priorities require consideration and balancing?

• if involuntary court-ordered fetal surgery or other forms of surgical intervention are ever acceptable, what limits should be imposed on them in view of the pregnant woman's rights to life, inviolability, health and mobility?

IV Balancing and resolving competing maternal and fetal rights interests

1. Narrowing the scope of potential candidates for intervention

It could be argued that any eventual policy allowing court-ordered surgical interventions or institutionalization on the fetus in utero or on the woman for the sake of the fetus, would include within its net vast numbers of non-consenting pregnant women. But such a fear is hardly justified.

a) The unborn children or fetuses at issue should be **wanted** children, those in other words for whom pregnant women have ruled out abortion. This is inescapably imposed by and consistent with the fact that section 251 of the Criminal Code extends at least a qualified and exceptional right to abortion. In effect that means that the interest of the state and the duties of the pregnant woman and others to provide adequate prenatal care, have to give way if a pregnant woman decides to undergo a legal abortion.

b) Another factor which would undoubtedly limit the number of cases at issue is that most women on being informed that their unborn child has a serious problem correctable only by pre-term delivery or surgical intervention on the fetus, **would undoubtedly consent to it**. At least some would and do consent even when the risks to them are not negligible.

2. Weighing benefits, risks and prognosis

I would propose that courts which are asked for orders permitting these interventions on non-consenting pregnant women for the sake of the fetus, should apply these basic criteria:
• The benefits of intervention for the unborn child
• The benefits to the pregnant woman and family
• The potential benefits to society
• The risks to the fetus and pregnant woman
• The accuracy of the diagnosis
• The prognosis for success
• The gestational age of the fetus.

3. A policy proposal

Applying those criteria, I would propose the following formulation by way of a policy:

> In the event of a pregnant woman's refusal, only two prognoses could in principle justify a court-ordered surgical intervention before birth for the sake of the fetus. One would be that there is a reasonable hope of **saving the life** of the fetus. The other would be that it represents the only reasonable hope of correcting disabilities likely to result, once born, in intractable and serious pain and discomfort and/or in a seriously **diminished quality of life**. In both cases the fetus at issue would only be those which the pregnant women do not intend to abort.

In both cases such a court order could not be provided unless **all** the following conditions are met:

• the diagnosis and prognosis can be shown to be accurate and reliable;

• the complications are such that they require early ex utero correction after a caesarean section, or they cannot be corrected after birth and must be corrected in utero if they are to be corrected;

• the risks to the pregnant woman are minimal;

• the risks to the fetus are acceptable in view of the benefits to be gained, either saving its life or preventing serious and permanent disability;

• any forcible restraint or medication required in order to perform a court-ordered intervention must not in itself risk physical or psychogical injury to the pregnant woman; if such a risk exists, an order should not be enforced.

Given such rather stringent criteria, it seems reasonable to conclude that court orders authorizing such interventions would and should be exceedingly rare. One condition alone, that of minimal risk to the pregnant woman, would or should if applied lead courts at present to deny requests for court orders. None of the interventions referred to above would appear at present to pass a "minimal risk" test.

A relatively high degree of risk to the fetus may be acceptable when there are good reasons to think that the alternatives to intervention are its death or serious and permanent disability. But since the hoped-for therapeutic benefits would normally go to the unborn child and not to the pregnant woman, clearly any imposed risks upon her must be minimal. That being so, it is difficult to see how for example caesareans could pass that test. Despite improvements in techniques and post-operative care, it is worth noting for example that mortality following caesarean delivery has been found to be four times that of vaginal delivery.[19] As for intrauterine transfusions, the risks of complication for both fetus and pregnant woman are not inconsiderable. For the fetus the major complications are trauma and hemmorrhage, mainly due to the inadvertent piercing of various organs and tissues during the transfusion.[20] The same study reported that 175 of 584 pregnant women (33%) went into premature labour, and 70 of these had premature rupture of the membranes. Ten percent had infections, 4 of the 58 requiring hysterectomies as a result. Physicians rightly feel that these risk factors and percentages justify **consented to** interventions, but it is difficult to construe the risks involved as only minimal.

If the conditions proposed above were applied by courts, some applications for authorization to intervene against the woman's wishes would undoubtedly not pass the first condition, that the desired intervention must be based upon accurate and reliable diagnoses and prognoses. Many feel for example that some doctors resort to caesarean delivery too quickly and routinely. While the caesarean delivery in the Baby "R" case referred to above appears to have been medically justified, the outcome of the other reported court-ordered caesarean cases suggests that requests for those orders may not in fact have been based on persuasive medical grounds.

Other requests for court-ordered interventions should be defeated because they cannot pass the last of the conditions listed above. To enforce the order on a resisting woman would predictably in many if not most cases risk physical and/or psychological injury to the pregnant woman.

Conclusion

By present law, court-ordered involuntary surgical interventions on or via a pregnant woman for the sake of her fetus, do not have a solid legal basis and in fact appear to be in violation of some basic legal principles and protections. Given the context of urgency and haste necessarily involved in requesting such orders from agencies and courts, they are not in a position to carefully weigh, all the precedents and competing principles and interests. If the law is to evolve and change in this very important matter and area, it should be done in the form of explicit legislation, after thorough debate and consultation by the appropriate legislatures. Given the fundamental and contentious issues involved, it should not be for an agency or court of first instance to decide for example that an unborn child or fetus falls within the intended meaning of ''child'' in a child welfare statute, or that the fetus falls within the intended meaning of the endangered ''others'' in Mental Health Acts when put at risk by the acts or omissions of pregnant women.

The arguments for doing so may be persuasive to many, but they must be made explicitly and debated publicly. In our pluralist society, it cannot be adequate for the fetus to be implicitly assumed to have more or less equal legal status with the pregnant woman without even adverting to present law on the matter and presenting carefully reasoned arguments for changing it. Yet courts are presently making those assumptions and not providing those arguments.

There may in fact be persuasive legal and moral arguments supporting a degree of protection and intervention on behalf of the fetus very close to or in the act of birth, as in the Baby R case. But those who wish to defend that view cannot simply **assert**, as did the Baby R court in effect, that the unborn child in such a case is equivalent to a child. More reflection and debate is clearly needed, and the legislature is the better vehicle for effecting whatever law reforms may be justified.

Finally it should be stated that law and law reform in this difficult ans sensitive area must not be seen as the best mechanisms to provide improved prenatal care and protection. In the first place, there is no evidence to support a view that vast numbers of fetuses are being intentionally or negligently endangered by the acts or omissions of pregnant women. While laws and protective agencies clearly have important roles to play, the most productive and positive route is surely that of improving prenatal health education programs and services, and ensuring wider access to them at all levels of society.

Maternal Integrity and the Construction of Fetal Rights: An Examination of Policies on Fetal Surgery
Caroline L. Kaufmann*

Résumé

La technologie médicale est souvent utilisée pour renforcer et sanctionner des rôles sociaux existants. Dans ce contexte, la chirurgie fœtale peut être vue comme tentative de réduction des femmes à leur rôle de reproductrice et comme moyen d'assurer leur obligation sociale de porter des bébés en santé. Ce texte examine trois aspects de ce dilemme: le statut de patient du fœtus, les conséquences d'étendre ce statut pour protéger juridiquement l'enfant, et l'abrogation du droit des femmes enceintes de refuser un traitement médical destiné au foetus.

Les médecins semblent désireux de considérer le foetus comme un patient en fondant leur argument sur le nécessaire équilibre à préserver entre les risques pour la mère et les bénéfices escomptés pour le foetus. Dans plusieurs cas, le refus d'une femme enceinte de se soumettre à une césarienne a été annulé en faveur des droits du fœtus à des soins. La tendance jurisprudentielle est de baser ces décisions sur les lois protégeant les enfants d'abus ou de mauvais traitement plutôt que sur des législations reliées à l'avortement et au droit de la mère. Ainsi, on accrédite la théorie juridique qui veut considérer le fœtus comme un être distinct dans les dernières phases de la grossesse.

* Ayant complété une maîtrise et un doctorat en sociologie à l'Université de Pittsburgh aux États-Unis, Caroline Kaufmann s'est surtout spécialisée en sociologie de la médecine. Elle a enseigné cette matière à l'Université de South Florida et a été consultante pour des hôpitaux et cliniques médicales. Aujourd'hui, elle est chercheuse au Western Psychiatric Institute and Clinic de l'Université de Pittsburgh.

Outre la sociologie médicale, Madame Kaufmann s'est intéressée aux politiques publiques de santé des États-Unis, aux implications légales et éthiques des biotechnologies et au processus décisionnel chez les patients exposés à des choix de traitements. Son expérience plus récente en santé mentale auprès de patients psychiatrisés l'a aussi amenée à étudier la question cruciale du consentement chez cette clientèle, mais aussi chez les femmes qui ont a prendre des décisions quant aux interventions médicales sur un foetus défectueux ou quant à l'avortement. Elle a travaillé avec le Boston Women's Health Collective afin de proposer des protections légales pour la mère placée dans cette situation.

Le droit d'une femme enceinte à refuser des interventions médicales sur son foetus est limité par l'intérêt public de protéger l'enfant contre des mauvais traitements de la part de ses parents. Cependant l'analyse coût/bénéfice est faussée à cause de la nature expérimentale de plusieurs thérapies foetales et des résultats douteux du diagnostic et de la prévention d'anomalies congénitales. On assujettit donc le droit des femmes enceintes à contrôler les conditions de leur grossesse aux jugements et normes décrétés par les médecins ce qui constitue une oppression particulière pour les femmes, car le traitement du foetus n'est possible qu'à travers une intervention chirurgicale sur la mère. Dans le contexte médical, l'utilisation des thérapies foetales est compatible avec une éthique de la perfection où la santé physique et mentale sont conçues comme un bien ultime. Une autre éthique devrait réaffirmer la souveraineté de la femme pour toute décision entraînant une utilisation de son corps pendant la grossesse.

Modern medicine has become increasingly more vigorous in its efforts to intervene in the process of conception, gestation, and birth. Society seems fascinated by advances in medical and surgical science because this technology extends power over human life at its earliest conception. However, scientists themselves may be unable to address the social and ethical implications of this new knowledge or the more general question of the impact of technology on health care policy. Scientific research often proceeds in a policy vacuum defined minimally by restrictions on the use of human subjects in biomedical research, and the funding priorities of public and private agencies. Within these limits, medical researchers develop new techniques for diagnosis and treatment. Serious exploration of the consequences of new technologies is often withheld until the techniques are actually applied in human situations.

Fetal surgery is a very new medical technology with serious implications for the medical control of women who are pregnant. This paper explores two aspects of this technology: the social norms relevant to gestation, and the rights of women to determine the course and outcome of their pregnancies.

Gestation and Health — Norms for Late pregnancy

Medical technology is generally used in a fashion which reinforces social expectations and obligations. In the case of technology related to birth, the application or surgical procedures to the fetus appears to be employed in a manner which reinforces two sets of social expectations. The first is the expectation that women commit themselves to the role od ''gestator'' in late pregnancy (Lorber, 1987). The second is the expectation thay only healthy babies should be born. I will first briefly examine social expectations for the gestator role of pregnant women.

The first social expectation for a woman in the gestator role obliges her to carry the fetus until it is born or dies in the womb. The pregnant woman is expected to treat her body in such a way as to promote the maximum health and wellbeing of the fetus she carries. Her diet, exercise, use of drugs, and psychosocial state are monitored for its effect on the fetus. Although her own wellbeing is not entirely subsumed under that of the fetus, it is accorded less emphasis. She is enjoined against risking her own health not because it may be detrimental to her but because it may have detrimental effects on the fetus.

Pregnant women are always encouraged, and sometimes compelled, to sacrifice their own comfort for the good of the baby. Many women voluntarily restrict their use of alcohol and other drugs in the interest of their own health and that of their fetus. They usually receive the support of the medical community and their own families in these efforts. The attitude toward maternal health may be best expressed by the adage, "Healthy mothers make healthy babies." In her role as gestator, the health of the mother is not an end in itself, but a means to obtain healthly children.

The second set of norms relevant to the manipulation of human gestation define expectations for the birth of a child who is not healthy. Physical and/or mental disability when it occurs in any human being is viewed as a tragedy resulting from a loss of function. The judgement of loss is based on expectations for normal physical and mental abilities which are heavily weighted by the evaluations of physicians. Efforts to diagnose ans intervene in the gestational process when fetal abnormalities are suspected enhance societal values regarding able-bodied children and the obligation of women to do everything they can to guarantee that their children will be healthy at birth. Barring correction of fetal defect, physicians often encourage women to abort. In fact, abortion of a defective fetus in late pregnancy has been upheld by the courts in the United States. Abortion in the face of known or suspected fetal defects is a preventive strategy whereby one "treats" disability by terminating any pregnancy likely to result in a child with physical or mental impairments. Fetal surgery is developing as a medical alternative to abortion for the prevention of disabilities in children.

From Fetal Patient to Unborn Child — Construction of a Social Object

Fetal surgery is the technique whereby anatomical abnormalities detected prior to birth are subjected to surgical intervention. While most congenital defects are best treated after birth, many fetal abnormalities can be diagnosed in the womb. The list of fetal abnormalities currently subject to surgical treatment before birth includes hydrocephalus, congenital diaphragmatic hernia, and obstruction of the urinary tract. By current knowledge, 22 congenital abnormalities are subject to diagnosis and treatment prior to birth. Scientific advances in the field, coupled with the development of refined surgical techniques, promise to expand the list before the close of this century.

In the context of medical care, the relationship of health care professionals to pregnant women changes with the development of effective fetal therapies. The ability to detect fetal movements, visualize the fetus in the womb, monitor heart beat and metabolic function, diagnose, and treat fetal abnormalities makes the fetus a well defined element in the physiciant-patient relationship. While it has been customary in obstetrics to consider both mother and fetus as patients, the mother has been the primary subject of care. Decisions to initiate or withhold treatments have customarily been weighted in favor of the wellbeing of the mother.

The development of medical and surgical techniques for prenatal intervention presents difficulties in decisions which involve significant risk to both the mother and the fetus. The availability of these techniques may tip the balance of medical interest in favor of the fetus. The interest of the pregnant woman and the physician may not be antithetical in many cases of fetal intervention. Pregnant women are often willing to sacrifice personal comfort and safety in order to assure the health of their fetuses. However, we should be wary of any decision which compels such behavior on the part of pregnant women.

Furthermore, though medical professionals may be the most intimate observers of the fetus, the mother and other family members also develop a more explicit relationship with the fetus as a secondary consequence of such techniques. Parents and other family members may also invest in the process of pregnancy. This social investment in the fetus makes it a social object, but its presence still does not overshadow the social existence of the woman who sustains its life. Whether such action is enforced by formal laws or informal social expectations, forced intervention in pregnancy is the exercise of physical power over women and should be examined in those terms.

The heated debate over the rights of women to control when or whether they will bear children has direct implications for the use of fetal intervention. In the case of fetal surgery, a great deal of activity in the law and in health care policy has clear implications for the use of these techniques. For example, the extention of equal protections rights to the fetus prior to birth implies that the fetus is a legal entity with some limited rights to due process and protection from harm, as well as the potential right to sue for malpractice in the event of survival with impairments after birth. In the wake of Roe v. Wade, the courts have upheld the right of pregnant women to terminate their pregnancies in the first trimester, but also supported the right of states to regulate obstetrical procedures affecting the fetus. The Supreme Court's decision endorsed a limited right for woman to control their reproductive potential — a right bounded by the interests of the state in the protection of human life and the administration of medical treatments. The status of the fetus falls short of full personhood under current interpretations of the abortion decision. However, there is legal and medical precedent which casts fetal rights in the language of child abuse and neglect (Condon, 1986; Shaw, 1984). Such a view permits the State to override the rights of parents in the interests of protecting the child from harm.

The Consequences of a Tragic View of Disability

The medical professional regards fetal surgery as a means for preventing disabilities. In the face of negative views of handicapped or disabled individuals, the live birth of a fetus with congenital abnormalities is unwelcomed. Physicians on the forefront of this technology have argued for careful screening of cases before attempting fetal intervention. Many in the medical community are reluctant to employ extreme treatments which preserve the life of a fetus with defects.

This position raises serious questions regarding the social value of disabled children and adults. The reservations raised by many physicians over the use of fetal interventions to assure the live birth of a fetus which may have congenital abnormalities implies a negative view of disability. This is consistent with a shared social norm that physical health is a precondition for participation in the life of the social group. The popular press views the birth of a handicapped or disabled child as macabre and tragic — a view echoed in the attitudes of many people. Society tends to view disabled individuals as burdens to their families, themselves, and to society. The image of disability as both tragic and burdensome is reinforced by the willingness of the medical community to extend abortion services to women carrying fetuses "at risk" for such conditions as neural tube defects or Down's syndrome. Physicians assume that a woman undergoing amniocentesis will decide to abort a fetus with a suspected or confirmed defect (Seals, 1985).

Most physicians are aware of limitations in the sensitivity, specificity, and predictive power of fetal diagnosis which make the outcome of pregnancy indeterminant. Nevertheless, pregnant women receive a clear message concerning their duty to carry healthy babies — and only healthy babies — to term. The problem is that most lay persons in the patient role have limited access to information and limited freedom to make a decision about consent or refusal of medical treatment. Information crucial to the decision to use fetal surgery is controlled by physicians. In addition, both the standards for determining what is normal in the fetus as well as the technology used to treat its defects or terminate gestation are medical. The medical profession claims the power to both define the normative criteria for fetal function and apply technology to change that function.

The point I wish to make here is that any commitment to the fetus is a moral choice which physicians are increasingly making independently of pregnant women. This is an ethical position which has far reaching consequences for the lives of women and children. It justifies medical decisions to override a woman's refusal of medical treatment as well as the physician's decision to encourage the abortion of a defective fetus.

Social Justice in Gestation and Birth

In this discussion I have argued that fetal surgery is consistent with a socially defined role of women as gestators in addition to negative social norms regarding disabilities. These two sets of expectations define a social obligation on the part of pregnant women to comply with the judgement of medical experts in the handling of birth. Fetal surgery in the later stages of gestation is employed to construct an image of the fetus, first as a patient in medical treatment, and second as a potential child subject to protection from harm. A commitment to in utero detection and treatment of anatomical defects has the effect of limiting the freedom of women in order to uphold medically defined norms for gestation and birth. Fetal surgery is likely to develop into a popular form of treatment primarily because it fits well within the existing social institutions concerning the obligations of pregnant women and the presumptive negative views of disability.

There is ample precedent in the law establishing the judicial right to limit the freedom of one individual in the interest of preserving the rights of another who is regarded as more vulnerable. Most societies set limits on personal freedom in sanctioning collectively shared norms. The issue in fetal surgery is the potential obligation of a pregnant woman to submit to medical procedures which may cause her discomfort or actual harm in the interest of decreasing the risk of harm to an unborn fetus. The medical view of birth instills increasing value in the fetus as gestation proceeds. Such an investment in the fetus is one basis for undermining the integrity of pregnant women, particularly in the later stages of pregnancy. As a consequence, the value of the life and physical integrity of the woman becomes contingent on the fulfillment of her role as gestator. Women are asked to sacrifice their own wellbeing in the interest of **potential** human life. Considerations of the **actual** lives of these women appear to be given less weight.

In my view, the construction of a socially defined contingency which evaluates the physical integrity of the mother in reference to the wellbeing of her fetus is wrong for three reasons. First, it requires social consensus on the humanity of the fetus prior to birth. Most cases of forced fetal intervention have been decided based on laws protecting children from abuse and neglect. Such decisions are possible only through judicial acknowledgement that the fetus is a child prior to birth, however, there is no judicial consensus on this point. It appears that the status of the fetus is a function of the attitudes of those around it, most importantly pregnant women and physicians who treat them. In cases where both the woman and her attending physicians agree, treatment decisions are not morally problematic. However, when there is disagreement, the decision to initiate or withhold treatment should be made with a clear bias favoring those who will bear the most direct consequences for the decision. In the case of pregnancy and child birth, the pregnant woman is the one most directly affected by the consequences of birth, and her decision prevails in cases of conflict.

A second reason for control of fetal surgery lies in the need to protect the autonomy of patients in the context of medical treatment. Technology applied to the birth process should function as a service offered to women at their discretion. Any intervention should be guided by a primary interest in preserving the integrity of the woman. This includes her desire to continue pregnancy and correct fetal defects if she chooses. No medical procedure should be forced upon a patient solely because her opinion differs from those of physicians. Medical technology works best when it extends and supports individual choice.

The third and final aspect I would like to consider involves the notion of justice. Rawls has argued that the principles of justice which are embedded in any free society include the view of human beings as rational selectors of their own ends and means. This position is a priori to independently determined conception of what is good for them. Each person is her own sovereign and equal and should make decisions based on a personal understanding of what is best for that individual. People should not have their opinions molded by indoctrination or limited access to information. In cases where reasonable people are likely to differ, the only recourse of a just society rests with the sovereignty of the individual. (Rawls, 1973; Scanlon, 1973). According to this, the fairness of a social institution, including medicine, can be determined by each member of the institution based on the contributions it makes to each individual's good as assessed from that individual's own point of view.

The Ethics of Perfection

One may hold principles of individual justice and still argue that fetal surgery is justified even when the pregnant woman objects because such intervention protects the interest of the future child. One may argue that the potential child wants to live and do so without disabilities. It may be reasonable for a third party — a court appointed guardian, for example — to decide whether the risk of undergoing surgery is warranted given a potential benefit of life as an able bodied person. But what is the position of the guardian in cases of noncorrectable fetal defects. Would sociecty or the individual choose death over life with a disability? From the position of society, the argument in favor of abortion might be that no reasonable person would want to bear and raise a disabled child, and that disability is a burden to the family and to the social group. From the position of the individual fetus, one would argue that the reasonable person in that position would choose death over life with a disability. The medical profession evokes both arguments in counseling women to abort fetuses with diagnosed congenital abnormalities and has been supported by the courts in individual cases.

Decisions supporting mandatory fetal treatment or selective abortion reflect an ideal of human perfection which is defined, nurtured, and preserved through medical technology. Again, I turn to Rawls in his discussion of "perfectionism" in human societies. According to Rawls, perfectionist theories are those which direct the social group to enforce duties and obligations on individuals so as to achieve human excellence in art, science, and culture. Perfectionist theories are similar to religous dogmas in that they share a common "teleological structure" (Scanlon, 1973:172). Such theories establish the value of a particular goal and then judge the worth of social institutions in terms of their ability to advance society toward this goal. In applying this concept to surgical intervention in utero, the medical profession has emerged as the social institution dedicated to the advancement of human mental and physical perfection. There is a need to examine critically the value of such a goal in human society. There is reason to be concerned about the decisions of physicians who take the ethical position that physical and mental health is the ultimate human good, especially when equally compelling notions of good may also be held by reasonable people.

Casting individual women as primary determiners of the course and outcomes of their pregnancies is consistent with justice because it places the individual in a sovereign position as decisionmaker in cases where reasonable people differ in their opinions. Second, it gives a primary weight to the decision of the individual who is asked to bear the most personal and severe consequences for the decision. Third, it avoids the a priori imposition of perfectionist ethical principles upon individuals.

Droit du foetus et intégrité physique
de la mère
Diane Girard*

La problématique des nouvelles technologies de reproduction fera-t-elle du foetus, ou même de l'embryon, un être distinct avec des droits propres?

Dans la perspective d'une évolution inévitable de notre droit québécois et canadien en cette matière, à plus ou moins long terme, et dans le but d'amener les femmes et la population en général à participer à l'orientation même de cette législation, nous examinerons dans une perspective à la fois juriste et féministe, la situation actuelle vécue au Québec quant au statut juridique du foetus ou de l'embryon et certaines situations conflictuelles pouvant survenir entre les droits ou la protection dont il pourrait bénéficier et le droit à l'intégrité physique et à la vie privée de la mère.

Il serait irréaliste de songer pouvoir, à ce stade du débat, offrir des solutions hermétiques à des problèmes aussi complexes. Nous nous attarderons davantage aux questions soulevées par différentes circonstances ou pratiques, nous permettant à l'occasion de faire l'ébauche de certaines solutions possibles.

Statut juridique actuel du foetus et de l'embryon

À l'heure actuelle, au Québec, le foetus et l'embryon n'ont aucun statut juridique propre.

En matière de droit criminel, d'une part, pour l'ensemble du pays l'enfant ne devient un être humain qu'à partir du moment où il est sorti du sein de sa mère[1]. Le foetus n'a donc aucune personnalité juridique, mais il bénéficie tou-

* Licenciée en droit depuis 1980 et membre du Barreau depuis 1983, madame Diane Girard est avocate dans une étude légale importante de Chicoutimi. Elle y pratique le droit dans plusieurs champs: le travail, les assurances, le droit administratif et celui relatif aux établissements de santé et services sociaux.

Depuis décembre 1983, elle est membre du Conseil du statut de la femme du Québec et y travaille au sein d'un comité d'experts créé pour analyser les implications sur les femmes des nouvelles technologies de la reproduction. Elle siège en outre sur plusieurs conseils d'administration et s'implique activement dans son milieu tout en s'intéressant particulièrement à toutes les questions touchant la femme et le droit.

tefois indirectement d'une certaine protection avant la naissance par l'application de certains articles du Code criminel[2]. Par ailleurs, le foetus se trouve également en quelque sorte protégé de l'avortement autre que thérapeutique par les dispositions de l'article 251 du Code criminel.

En matière de droit civil québécois, la personnalité juridique n'est acquise que dès la naissance et, encore là, seulement si l'enfant naît vivant et viable[3]. La validité de tels critères est toutefois contestée, de nos jours, vu les progrès scientifiques[4]. À sa naissance, l'enfant bénéficie alors de certains droits rétroactifs, notamment ceux de succéder[5], recevoir des biens par donation[6] ou par testament[7] pendant qu'il était dans le sein de sa mère. De plus, la jurisprudence a reconnu que l'enfant pouvait réclamer d'un tiers pour des dommages qu'il aurait subis avant sa naissance[8].

Le débat concernant le statut juridique du foetus au Québec a été affecté par la promulgation, en 1982, de la Charte canadienne des droits et libertés[9], l'article 7 de la Charte garantissant à « chacun » le droit à la vie, à la liberté et à la sécurité de sa personne, et précisant qu'il ne peut être porté atteinte à ce droit qu'en conformité avec les principes de justice fondamentale. Toutefois, en 1984, la Cour du Banc de la Reine de Saskatchewan a statué que le foetus n'était pas une personne au sens de l'article 7 de la Charte canadienne des droits et libertés[10]. Cette même Cour réitéra sa position dans une autre cause entre les mêmes parties, en avril 1987. Cette dernière décision est toutefois en appel devant la Cour suprême du Canada[11].

Sur le plan de la Charte québécoise des droits et libertés de la personne[12], l'article 1 prévoit que tout être humain a droit à la vie, à la sûreté, à l'intégrité et à la liberté de sa personne. De plus, il y est stipulé qu'il possède la personnalité juridique. Cet article ne semble toutefois pas encore avoir suscité de jurisprudence relative au statut juridique du foetus, à savoir s'il s'agit d'un « être humain » pouvant bénéficier de cette protection.

Il est évident toutefois que le Canada et le Québec devront légiférer prochainement quant à certains aspects soulevés par les nouvelles technologies de reproduction. Dans ce contexte, certains mettront sans aucun doute de l'avant des propositions visant à ce que le foetus, sinon l'embryon lui-même, se voient reconnaître des droits propres, et même un statut juridique. L'examen des situations conflictuelles qui suivent nous permettra de commenter l'opportunité d'une telle détermination de statut juridique pour le foetus ou l'embryon.

Congélation et transfert d'embryons

Bien souvent, dans le cadre de la fertilisation in vitro en clinique de fertilité, on procède à la fécondation de plusieurs ovocytes et donc à la fabrication de plusieurs embryons, et ce pour ne pas avoir à répéter la laparoscopie par la suite si la première implantation ne réussissait pas ou si les parents désiraient d'autres enfants dans le futur.

Quel est donc le statut de l'embryon **en dehors de l'utérus**? Les parents peuvent-ils revendiquer les embryons supplémentaires et en faire ce qu'ils veulent par la suite? La clinique de fertilité peut-elle limiter leurs droits sur ces embryons? L'autorisation des deux donneurs de gamètes est-elle nécessaire afin de réimplanter l'embryon chez un tiers? En cas de divorce, les embryons peuvent-ils faire l'objet d'un partage? Peut-on s'en servir pour fins d'expérimentation?

Certains rapports, aux États-Unis, au Royaume-Uni et en Ontario, traitent de cette question. Pour certains, les gamètes et l'embryon sont la propriété des donneurs. D'autres soutiennent par contre que l'embryon ne peut être objet de propriété. La Commission de réforme du droit de l'Ontario soumettait, quant à elle, une propriété conjointe des donneurs[13].

La congélation d'embryons et leur utilisation devraient, à notre avis, être soumises à des règles strictes quant à, par exemple, la durée de conservation. Doit-on toutefois faire plus, comme leur accorder un statut juridique? Nous ne le croyons pas.

L'expérimentation sur l'embryon ou le foetus

L'expérimentation sur l'embryon ou le foetus doit-elle être permise? Qu'en est-il de l'utilisation du tissu foetal à des fins d'expérimentation? Les parents ou donneurs de gamètes doivent-ils consentir au préalable?

L'auteur Jean-Louis Beaudoin soulignait, dans un article sur l'expérimentation sur les humains, que « l'expérimentation sur le foetus pose des problèmes éthiques extrêmement complexes, en raison du fait qu'il convient de décider si celui-ci est une personne humaine, ou un simple produit de la conception »[14].

Nous sommes d'avis qu'en matière d'expérimentation **non thérapeutique**, la mère pourra refuser toute intervention, au nom de son intégrité physique. La situation est toutefois plus complexe lorsqu'il s'agit d'interventions **thérapeutiques** sur le foetus. Nous y reviendrons sous la rubrique « soins au foetus ».

Nous croyons par ailleurs que le Québec et le Canada doivent se doter, sans tarder, de dispositions visant à interdire toute expérimentation non-thérapeutique sur le foetus vivant ou l'embryon in utero.

Quant à **l'embryon hors utero**, notamment dans le cas d'embryons supplémentaires résultant de la fécondation de multiples ovocytes lors des techniques in vitro, nous sommes d'avis qu'ils ne peuvent être assimilés à de simples « animaux de laboratoire ». Des règles strictes, visant à éviter certaines formes d'expérimentation contraires à nos valeurs morales et éthiques, doivent être établies.

Par ailleurs, dans certains pays, des foetus obtenus suite à des avortements sont utilisés pour fins d'expérimentation. De telles recherches doivent-elles être permises? De nouveau, nous réitérons l'importance d'introduire, tant sur le plan légal qu'éthique, des règles concernant l'expérimentation en cette matière.

Par ailleurs, il deviendra sans doute bientôt possible, selon certains chercheurs, de prélever sur des embryons et des foetus certains organes ou cellules permettant le traitement de patients atteints de certaines maladies, ou du moins, la stabilisation de leur état (ex.: Parkinson, Alzheimer). Des expériences en ce sens sont tentées actuellement, notamment en France, en Grande-Bretagne et en Allemagne[15]. Il semble même qu'aux États-Unis, une entreprise s'apprête à mettre en marché des cellules ayant germé à même le tissu foetal[16].

Des femmes seraient-elles tenté de convevoir dans le but précis de faire interrompre leur grossesse, puis de faire utiliser une partie du foetus pour sauver la vie d'un être cher? Par ailleurs, la commercialisation de tels procédés n'irait-elle pas à l'encontre du principe admis en notre droit à l'effet que le corps humain ne peut être objet de commerce?

Les implications éthiques, morales et sociales de l'expérimentation sur les embryons et le foetus sont trop importantes pour que notre droit continue de les ignorer.

Soins au foetus

Nous en arrivons à l'un des aspects où l'on retrouve le plus de conflits entre l'intégrité physique de la mère et le respect de sa vie privée d'une part, et les droits possibles du foetus d'autre part.

Trois situations peuvent amener une situation de conflits entre le foetus et sa mère relativement à la santé du premier, pendant et au terme de la grossesse:
1) les habitudes de vie de la mère;
2) la méthode d'accouchement;
3) les traitements au foetus.

Les précédents juridiques qui s'accumulent à ce sujet, hors du Québec, sont alarmants.

Ainsi, quant aux **habitudes de vie**, soulignons qu'en Californie, en 1986, une femme a été arrêtée après avoir donné naissance à un bébé cliniquement mort, pour ne pas avoir respecté l'ordonnance de son médecin de rester couchée et de ne consommer aucune drogue[17].

Au Wisconsin, une jeune fille de 16 ans fut détenue dernièrement, « pour le bien de son foetus », après qu'il fut décidé qu'elle n'avait pas l'habileté ni la motivation nécessaires pour solliciter des soins pré-nataux[18].

Au Yukon, le récent Children's Bill permet au directeur de la Protection de la jeunesse de s'adresser au tribunal afin d'obtenir une ordonnance pour contraindre une femme enceinte abusant d'alcool ou de drogues à une surveillance médicale[19].

En matière de **méthode d'accouchement**, soulignons l'affaire de « Bébé R ». En Colombie-Britannique en mai 1987, le Superintendant du bien-être des enfants a émis une ordonnance, quelques heures avant la naissance de l'enfant, réclamant « l'arrestation » de Bébé R. afin que soit pratiquée une césarienne que sa mère refusait de subir[20]. La mère accepta finalement de se prêter à une césarienne: toutefois, un précédent venait d'être créé. La mère porta par la suite cette décision devant le Tribunal de la famille, mais celui-ci décida que la première décision était bien fondée.

Un cas similaire s'était produit à Belleville, en Ontario, alors qu'un juge ordonnait à une mère, qui vivant dans des conditions défavorisées, d'être hospitalisée pour l'accouchement, déclarant qu'un foetus de 38 semaines avait droit à la protection de la Cour en vertu de la Loi de la protection de la jeunesse[21].

Aux États-Unis, on dénombre plusieurs cas d'ordonnance similaires concernant des césariennes.

Notamment, au Colorado, une telle ordonnance fut rendue malgré la déclaration d'un psychiatre à l'effet que la mère était compétente pour prendre une telle décision. La mère refusait de s'y soumettre, vu ses craintes face à l'anesthésie générale et à la chirurgie[22].

Des médecins citeront certainement ces décisions pour illustrer la possibilité d'un devoir envers ce « patient », le foetus, de procéder à une telle chirurgie, même si la mère refusait une telle intervention.

Quoique les précédents juridiques à cet effet sont absents de la jurisprudence québécoise, il ne fait aucun doute que nous pourrions assister à un développement du droit en ce sens au cours des prochaines années. Il s'avère certes difficile de résoudre un tel conflit de valeurs morales et de droit.

Par ailleurs, les décisions précitées ont été rendues sans que soient discutés, ou même considérés, les droits de la mère elle-même et les risques pour sa vie ou sa santé. De plus, il semble que, dans la plupart des cas de césarienne, le diagnostic médical s'était avéré erroné et le recours à la césarienne ne fut pas nécessaire. Des précédents juridiques importants ont toutefois été créés sur de telles prémisses.

Sur le plan purement juridique, nous sommes d'avis que les dispositions du Code civil et des chartes des droits attestant l'inviolabilité de la personne humaine devraient faire en sorte qu'au Québec, il ne serait pas possible de forcer la mère à une surveillance médicale ou à s'abstenir d'utiliser certaines substances pouvant s'avérer nocives pour l'enfant, ni à subir une césarienne.

Rappelons toutefois que notre droit a permis, exceptionnellement, au médecin d'intervenir et de forcer quelqu'un à se faire soigner lorsque la Cour considérait qu'il y avait état d'urgence, ou que la vie du·patient était en danger. Le foetus étant considéré, par certains médecins, comme un patient distinct, nous croyons que certains médecins pourraient s'estimer autorisés à forcer la mère à se soumettre à une césarienne. Nous croyons qu'une telle position serait injustifiée, puisque ce ne serait pas la vie de la mère elle-même qui serait en danger.

Il s'avère donc difficile de déterminer de quelle façon de telles questions seraient tranchées au Québec par nos tribunaux, et en tenant compte des règles de notre droit québécois. Toutefois, il est à craindre qu'ils seraient influencés par les précédents juridiques précités.

Tout juste avant l'ouverture, mesdames Thérèse Lavoie-Roux, ministre de la Santé et des Services sociaux, et Francine C. McKenzie, présidente du CSF.

En place pour la première conférence-débat sur les enjeux des NTR selon la vision de la journaliste Gena Corea, du philosophe Jacques Dufresne, de la juriste Catherine Labrusse-Riou et du scientifique Jacques Testart.

Louise Jacob, coordonnatrice du forum, et Marie Gratton-Boucher, animatrice de l'ensemble de l'événement, s'entretiennent avec un participant.

Anne-Marie de Vilaine, Robyn Rowland et Francine Descarries soumettent à la discussion avec l'assistance leurs positions sur le morcellement de la maternité et ses effets sur l'identité des femmes.

Les NTR poussent-elles à l'extrême la médicalisation de la maternité? Diogène Cloutier, Isabelle Brabant et Renate Klein répondent à cette question controversée.

Sujet majeur de discussion au cours de ce forum, le désir d'enfant a été examiné sous différents aspects par Laurence Gavarini, Andrée Chatel et Geneviève Delaisi de Parseval.

Édith Deleury, Rona Achilles et Lena Jonsson écoutent attentivement les propos d'une participante qui réagit à leur position sur la levée de l'anonymat.

Maternité de substitution? Contrat de grossesse? Mère porteuse? Phénomène que l'on hésite maintenant à désigner de façon formelle et sur lequel Margrit Eichler, Bernard Dickens et Françoise Laborie ont exposé leur point de vue.

La possibilité de contrôler la qualité du foetus par le DPN ne risque-t-elle pas de renforcer l'intolérance au handicap? Difficile question que n'ont pas hésité à aborder Louis Dallaire, Abby Lippman, Yvette Grenier et Marsha Saxton.

Droits du foetus, intégrité physique de la mère, un sujet qui a donné lieu à des prises de position très fermes de la part de Diane Girard, Caroline Kaufmann et Edward W. Keyserlingk.

Daniel Lessard, MCQ

Claire Ambroselli, Karen Messing, Maïr Verthuy (animatrice de l'atelier), Carole Beaulieu et Rita Arditti ont tenté de sonder les intérêts de la science et des médias en rapport avec les NTR.

Daniel Lessard, MCQ

Au cours du déjeuner-causerie, la ministre déléguée à la Condition féminine, madame Monique Gagnon-Tremblay, a réitéré son appui au CSF et rappelé les intentions gouvernementales au sujet des NTR.

« Conversation in vitro », un spectacle tendre et humoristique que la comédienne Denise Guénette (au centre) a conçu spécialement pour le forum et qu'elle a interprété avec brio.

Directrice de l'Institut Simone-de-Beauvoir qui est lui-même rattaché à l'Université Concordia, madame Arpi Hamalian a collaboré très étroitement, avec son équipe, à l'organisation de ce forum international.

Daniel Lessard, MCQ

Les femmes peuvent-elles contrôler le développement et l'application des NTR? C'est par un oui unanime mais nuancé qu'ont répondu à cette question Marie Lalancette, Jalna Hanmer, Mary Sue Henifin, Janice G. Raymond, Françoise Laborie et Louise Vandelac.

Claire Miville, CSF

Lors des conférences-débats et dans les ateliers, les 500 participant-e-s ont fait preuve d'une attention soutenue et d'un intérêt remarquable sur des sujets complexes et à travers un horaire très chargé.

Quant à la **thérapie foetale** elle-même, soulignons qu'elle n'est possible, pour l'instant, que de façon limitée. Les interventions se limitent à l'emploi de drains, cathéters ou aiguilles. On peut ainsi, par exemple, évacuer le liquide céphalorachidien en excès ou corriger une malformation urinaire chez le foetus. Il est également possible de traiter le foetus par l'injection de drogues à la mère[23].

Le foetus a-t-il un droit à ces traitements? La mère est-elle obligée de s'y soumettre? Les tribunaux devraient-ils protéger le foetus à l'encontre de la mère, si leurs intérêts divergent?

Nous sommes d'avis que la situation juridique actuelle au Québec ne devrait pas permettre de telles interventions, contre le gré de la mère, le foetus n'étant pas considéré comme étant une personne au sens du Code civil et des Chartes canadienne et québécoise des droits et libertés.

De plus, permettre de telles interventions équivaudrait à forcer une personne, la mère, à se soumettre à une intervention chirurgicale qui n'est pas pour son propre bénéfice, mais bien pour celui du foetus.

Nous constatons par ailleurs que de telles situations peuvent soulever des controverses importantes, tant sur le plan éthique que moral et légal. Certains auteurs prônent d'ailleurs que le droit de la mère doit céder devant le droit de l'enfant s'il y a danger de mort du foetus[24].

À notre avis, l'intégrité physique de la mère doit primer. De telles interventions ou traitements ne doivent pas pouvoir avoir cours contre sa volonté. La solution de ces conflits doit passer par la **prévention** et l'**éducation**, et non par la **répression** des droits fondamentaux de la mère.

Par ailleurs, existe-t-il un devoir de la mère d'assurer et de protéger la santé du foetus? Doit-elle mettre au monde un bébé le plus parfait possible? À cette deuxième question, nous ne pouvons que répondre par la négative. Quant à la première, le débat reste à faire.

L'avortement

Les dispositions actuelles du Code criminel permettent seulement l'avortement thérapeutique: la mère dont la santé est précaire n'a pas à risquer sa vie ou sa santé pour porter à terme son enfant. Nous savons toutefois qu'au Québec l'avortement se pratique, même en dehors de ce contexte juridique. L'opinion publique, au Québec comme au Canada, est partagée à ce sujet.

Les opposants de l'avortement ont d'ailleurs tenté, à plus d'une reprise, de mettre fin à ces pratiques en alléguant que le foetus est une personne humaine et bénéficie du droit à la vie et à l'intégrité prévus à l'article 7 de la Charte canadienne des droits. La jurisprudence québécoise et canadienne en cette matière se résume principalement aux arrêts **Borrowski** précités de la Cour du Banc de la Reine de la Saskatchewan. Ces jugements ont déterminé que l'article 7 de la Charte canadienne des droits et libertés ne peut s'appliquer dans le cas du foetus[25]. Par ailleurs, dans une cause impliquant le Dr Morgentaler, la Cour d'Appel de l'Ontario a déterminé que la liberté et la sécurité de la femme, prévues à l'article 7 de cette même Charte canadienne des droits et libertés, n'étaient pas compromises par les restrictions dans le Code criminel limitant l'accès à l'avortement au seul cas d'avortement thérapeutique[26]. Les deux causes sont présentement en appel devant la Cour suprême du Canada.

Par ailleurs, rappelons qu'en juin dernier un député conservateur proposait de modifier le Code criminel pour que le danger pour la santé de la mère ne soit plus une justification pour l'avortement, démontrant ainsi la fragilité des acquis des femmes en matière de libre choix d'avortement. D'autre part, au cours du même mois, un autre député de l'Ontario a présenté une motion pour amender la constitution afin d'y ajouter une certaine protection des foetus, à l'article 7 de la Charte canadienne des droits qui garantit la vie, la liberté et la sécurité de la personne. Cette motion fut rejetée. Elle aurait toutefois évidemment permis de restreindre l'accès à l'avortement[27].

Aux États-Unis, selon la déclaration américaine des droits (art. 4), toute personne a droit au respect de la vie et ce droit est protégé à partir de la conception. Il faut toutefois se rappeler qu'en 1981, l'Inter American Commission of Human Rights, dans deux décisions, a statué que le droit de la mère à la vie, à la santé et à vie, à la santé et à la vie privée, limitait ce droit à la vie du foetus. Par ailleurs, la Cour suprême des États-Unis a déjà décidé que le droit à la liberté, prévu à la Constitution, fait en sorte que l'interruption de grossesse ne peut être soumise à aucune condition pendant le premier trimestre de grossesse[28].

En France, par ailleurs la loi de 1975 sur l'interruption volontaire de grossesse reconnaît que l'être humain a droit au respect dès le commencement à la vie, sans préciser à quel moment commence ce droit à la vie lui-même.

En Grande-Bretagne, d'autre part, la vie du foetus est considérée intimement liée à celle de la femme qui le porte et les droits du foetus ne sont pas considérés isolément. Le droit à la vie du foetus est considéré limité par la nécessité de protéger la vie et la santé de la femme[29].

Ce survol de l'état du droit dans d'autres pays suffit pour démontrer que le moment à partir duquel le foetus est considéré comme un être humain n'a pas vraiment été encore déterminé, tant au Québec, au Canada qu'ailleurs.

Le Groupe de travail sur le statut juridique du foetus, formé par la Commission de réforme du droit du Canada faisait état, dans un document de consultation récent, de la problématique entourant l'avortement. On y souligne ce qui suit quant au statut juridique qui pourrait être accordé au foetus:

> « Il ne semble donc pas opportun de tenter de résoudre le problème de l'avortement par la simple adoption d'une nouvelle définition légale de la personnalité juridique.
>
> Ceci ne veut toutefois pas dire que la loi ne doit pas se prononcer sur le statut juridique du foetus. En effet, si ce statut n'est pas expressément défini, il n'en est pas moins implicitement identifié par la loi. L'application d'une règle de droit substantif (et surtout de droit pénal) exige en effet l'attribution d'un statut.

> En faisant du foetus un sujet de droits ou en lui reconnaissant le droit d'être protégé, la loi lui confère tacitement un certain statut juridique. Au reste, il n'est pas rare que la jurisprudence **définisse** la personnalité juridique en fonction de l'attribution de droits et d'obligations. »[30]

Nous sommes d'avis que toute femme doit pouvoir librement choisir de vivre ou non la grossesse. En ce sens, si elle décide de recourir à une interruption de grossesse, elle doit pouvoir le faire et ce, dans les meilleurs conditions possibles pour sa santé.

En ce sens, nous ne pouvons souscrire à toute tentative d'accorder au foetus un statut juridique, ce qui aurait inévitablement pour effet de porter atteinte au libre choix dont la femme doit pouvoir bénéficier face à la maternité.

Il existe toutefois un danger réel que les législations à venir, loin de permettre ce libre choix en décriminalisant le recours à l'avortement, maintiennent de telles règles, ou même les renforcent par le biais de l'octroi d'un statut juridique au foetus. Les femmes devront se montrer particulièrement vigilantes sur ce point.

Conclusion

Doit-on attribuer un statut juridique au foetus?

Attribuer des droits et un statut juridique au foetus équivaudrait nécessairement à limiter les droits de la mère quant à son intégrité physique et à sa vie privée.

En effet, mis en présence de deux « personnes juridiques » avec des droits propres, un tribunal n'aura d'autre choix que de soupeser les droits de chacun face au problème soumis, puis de décider lesquels doivent prévaloir. Ainsi, un tribunal pourra passer outre les droits de la mère et les risques à sa santé, pour ordonner qu'elle se soumette à des interventions chirurgicales ou modifie certaines de ses habitudes de vie, pour le bénéfice du foetus.

De cette façon, l'ingérance de tiers dans la maternité ne connaîtrait plus de limite, au nom des droits du foetus.

Le foetus devenu personne, et par conséquent patient, justifiera l'atteinte à l'intégrité physique de la mère au bon vouloir des médecins.

Peut-être même, et pourquoi pas, en cette ère du désir de l'enfant parfait, de l'enfant à tout prix, légiférer pour que les grossesses se fassent dans les meilleures conditions possibles, et que les contrevenants aient à se soumettre à des contrôles. Pourquoi ne pas forcer le changement de leurs habitudes de vie?

Les mères, le temps de leur grossesse, pourraient devenir des utérus régis par l'État et soumis à la volonté des tiers, tels pères et médecins.

Nous disons non à de telles pratiques interventionnistes. Le droit à l'intégrité physique de la mère, droit fondamental, ne peut être ainsi écarté.

Nous recommandons que certaines **activités** ou **pratiques** envers les embryons et foetus soient prohibées. Nous croyons d'ailleurs qu'il devient urgent de légiférer en ce sens, notamment en matière d'expérimentation.

Nous croyons toutefois qu'il ne faut pas que la protection de nos valeurs morales et éthiques se fasse au détriment de la mère. En ce sens, il ne nous semble pas opportun d'accorder au foetus ou à l'embryon des droits propres ou un statut juridique.

Synthèse du débat

Louise Barnard, agente de recherche, Conseil des Affaires sociales et de la famille

Dans leurs exposés, les conférencier-e-s ont tous trois retenu, qu'en dernière instance, il revient à la femme enceinte et à personne d'autre de prendre toutes les décisions en ce qui concerne sa grossesse et son accouchement. Du même coup était rejeté unanimement l'octroi d'un statut juridique au foetus. Les participant-e-s ayant pour l'essentiel souscrit à une telle position, la discussion s'est située à l'intérieur d'une approche beaucoup plus large que l'approche légale suggérée par le thème de l'atelier.

Les interventions ont surtout porté sur deux sujets principaux. D'une part, on a cherché à identifier les fondements sociaux à la source des pratiques médicales et juridiques à l'égard des femmes enceintes, dénonçant du même coup plusieurs de ces pratiques. D'autre part, on a abordé la question du traitement à accorder à l'embryon et au foetus hors utérus.

Femme enceinte — foetus in utero

Les lois actuelles ne reconnaissant de statut juridique au foetus qu'une fois celui-ci sorti du sein de sa mère, l'utilisation exclusive du terme foetus a été retenue pour la période de grossesse afin de rappeler le clivage qu'opère le droit entre le foetus et l'enfant. On s'est d'ailleurs élevé contre certains jugements qui ont outrepassé les principes juridiques actuels en obligeant des femmes enceintes à se soumettre, contre leur gré, à des interventions médicales pour le bien-être du foetus. Devant de tels actes posés sans aucun référent moral ou légal, il est apparu nécessaire de débattre publiquement de nouvelles interprétations quant au statut du foetus avant d'en accepter les applications.

Il ressort que les attitudes adoptées envers les femmes enceintes ont des fondements sociaux. On souligne d'ailleurs que les normes sociales constituent en quelque sorte des lois informelles qui assurent un contrôle social efficace. On convient donc que c'est sur ces normes qu'il faut agir, car la pratique et la technologie médicales ne seraient utilisées que pour les renforcer alors que la structure légale ne chercherait qu'à s'assurer de la conformité des comportements à l'égard de ces normes.

Les participant-e-s souscrivent dans l'ensemble à l'existence de deux normes sociales que les femmes enceintes peuvent difficilement transgresser et qui s'imposent avec d'autant plus de force que la grossesse approche de son terme. La première norme réduit les femmes enceintes à leur rôle de gestatrices. Il est alors souligné qu'à chaque fois qu'on transforme ainsi une personne en un véhicule pour atteindre un but, ici la naissance d'un enfant, on manque de respect envers cette personne; c'est d'ailleurs en vertu de cette norme qu'on soumettra une femme enceinte à une surveillance forcée. La deuxième norme, pour sa part, presse les femmes d'accoucher de bébés en santé, et seulement de bébés en santé. À maintes reprises, on a fait d'ailleurs état de pressions sociales qui s'exercent sur les femmes enceintes pour qu'elles se conforment à cette norme dont le diagnostic prénatal, l'avortement sélectif et la chirurgie foetale permettent l'application.

À ces normes s'ajoute le fait que, de façon générale, la société considère les femmes comme étant les subordonnées des hommes. On croit de plus que les hommes s'identifient au foetus. Ces différents éléments conjugués expliqueraient les efforts que déploient les hommes, autant sur le plan médical que légal, pour criminaliser l'avortement de foetus sains et pour que les femmes ne donnent naissance qu'à des enfants en santé.

Il apparaît clairement qu'il ne suffit pas de maintenir le droit des femmes à l'intégrité physique par le respect des lois actuelles parce qu'à cause des normes sociales, c'est dans tout son être que chacune est isolée et souffre. Il est essentiel de ne pas réduire le malaise des femmes au non-respect de leur intégrité physique. Il semble en effet qu'on puisse se remettre de certaines agressions physiques, mais qu'il n'en est pas de même pour certaines agressions à l'intégrité morale. En vue d'actions ou de revendications futures, l'assistance retient donc l'importance de considérer les femmes dans leur globalité, avec leur coeur et leur tête, en se rappelant qu'elles subissent des pressions sociales: par exemple de leur faire porter individuellement l'odieux et le poids de la décision d'avorter de foetus portant peut-être un handicap, avec tout ce qu'une telle décision peut occasionner de malaise chez elles.

L'institution médicale au banc des accusés

Certain-e-s participant-e-s font le procès de la médecine qui s'impose de plus en plus dans le processus de la maternité, appelant au besoin la loi à sa rescousse. On fait référence au spectre du contrôle de la conception elle-même dans certains cas. On rappelle que des jugements ont obligé des femmes enceintes à demeurer sous surveillance après avoir été jugées inaptes à se comporter de façon à engendrer un enfant en santé, que d'autres ont permis à des médecins de pratiquer une césarienne contre le gré de la parturiente. On dénonce le fait qu'une femme, pour se rendre admissible à un test de diagnostic prénatal, doive parfois consentir préalablement à l'avortement dans l'éventualité où le foetus serait diagnostiqué défectueux. On dénonce également le fait qu'on n'offre, pour ainsi dire, aucun soutien à une femme qui choisit de poursuivre sa grossesse malgré un test révélant un handicap. On mentionne que le corps médical ira même jusqu'à considérer suspecte une femme qui refuse de se soumettre au diagnostic prénatal.

On reproche à la médecine d'imposer ses connaissances comme étant infaillibles. Il est dommage que l'opinion des personnes se forme souvent dans le cadre d'une information insuffisante et souvent fautive, étant donné que les connaissances scientifiques sont limitées, notamment sur les comportements bons ou mauvais durant la grossesse ou encore sur la gravité et le degré du handicap diagnostiqué chez un foetus. Il est souhaitable que le corps médical fasse état des limites de ses connaissances aux patientes. Ce n'est malheureusement qu'avec du recul qu'il consent à remettre ses connaissances et pratiques en cause. Ainsi, on rapporte qu'un conducteur de tramway fut reconnu coupable par un tribunal d'avoir fait trébucher une femme enceinte, entraînant ainsi un handicap au foetus qu'elle portait, l'enfant étant né avec un pied bot. On sait maintenant qu'une chute ne peut occasionner un tel handicap. De même, alors que tout récemment les médecins scandaient « césarienne un jour, césarienne toujours », on propose aujourd'hui aux femmes qui ont déjà accouché par césarienne un accouchement par voie vaginale. Certains soutiennent de plus que le corps médical préconise trop souvent des interventions plus dangereuses pour la femme enceinte et le foetus que ne le serait la non-intervention.

On reproche enfin à l'institution médicale d'avoir contribué à faire du foetus un patient et d'avoir du même coup porté atteinte au droit de la femme enceinte, au respect de son intégrité physique. C'est en effet tout l'appareillage médical qui a fait du foetus un sujet en permettant de le visualiser à l'aide de l'échographie et de connaître son bagage génétique à l'aide de l'amniocentèse. La médecine recommande même certaines thérapies dites foetales. Elle dicte enfin la meilleure façon pour lui de venir au monde, à savoir par voie vaginale ou par césarienne.

L'institution légale, un recours à craindre

L'institution légale qui sanctionne parfois le contrôle abusif exercé par l'institution médicale est également dénoncée. À peine évoquée, l'opportunité d'un encadrement légal s'appliquant aux comportements des femmes durant une grossesse est écartée. On invoque entre autres l'incompétence des médecins à juger de ce qui est bon ou mauvais à la fois pour la mère et pour le foetus et, par conséquent, l'inconvenance pour le droit de se baser sur de telles incertitudes pour fonder ses jugements. On rapporte de plus que les comportements répréhensibles ne sont le fait que d'une minorité, qu'ils ne se produisent en général au sein de populations déjà fort défavorisées et qu'il serait d'autant plus indiqué d'intervenir de façon positive à leur endroit au lieu de les oppresser davantage. On ajoute enfin que la plupart des dommages causés au foetus le sont en début de grossesse alors même que celle-ci n'est pas connue. On se demande ironiquement s'il ne serait pas pertinent d'exiger des femmes qu'elles se comportent toujours comme si elles étaient enceintes.

À la société qui blâme certaines femmes enceintes pour leur comportement, on reproche de ne pas intervenir suffisamment dans le but de diminuer les substances toxiques présentes dans certains lieux de travail et dans l'air de nos villes. On avance que ces différents types de pollution affectent autant sinon plus les femmes enceintes que leur comportement individuel, même déviant. De plus, on note qu'il est impossible de se soustraire à ces pollutions environnementales. À plusieurs reprises d'ailleurs au cours des échanges, la société est mise au banc des accusés pour ne pas déployer suffisamment d'efforts sur le plan de la prévention, intervenant plutôt en aval qu'en amont avec un arsenal technologique dont fait partie le diagnostic prénatal.

On souligne aussi que jamais on n'exige de la part d'une mère autant d'altruisme envers un de ses enfants qu'envers le foetus et qu'il est tout a fait inacceptable de forcer une personne à subir une intervention pour le bénéfice d'une personne autre qu'elle-même.

Dans aucune situation d'ailleurs n'est-il retenu d'autoriser un contrôle médical ou légal à l'égard de la femme enceinte même si l'on reconnaît que son droit à l'intégrité physique peut ne pas être absolu, comme d'ailleurs n'importe quel droit. On parle plutôt ici d'inviolabilité de la personne.

L'assistance surtout soucieuse d'empêcher une détérioration des droits des femmes en cette matière, retient la nécessité d'une grande vigilance afin d'éviter que les accouchements ne redeviennent un cauchemar. On rappelle cette époque, pas si lointaine où les parturientes craignaient qu'on sacrifie leur vie au profit de celle de l'enfant à naître, sombre fin que les tendances actuelles laissent craindre. Les acquis des femmes sont fragiles, croit-on. Qu'on pense par exemple au droit à l'avortement qui, s'il était retiré même dans sa forme actuelle, menacerait grandement les droits de la femme enceinte à tous points de vue.

À la recherche de stratégies pour infléchir les tendances

À la recherche de stratégies pour renverser des précédents indéniablement préjudiciables aux femmes et pour leur redonner le contrôle de leur corps et un libre choix réel durant la grossesse et au moment de l'accouchement, les avenues suivantes sont proposées en rejetant formellement tout contrôle légal.

Au lieu d'entériner la quête d'enfants parfaits et les pressions sociales qui en garantissent la venue, on propose d'investir la société de valeurs autres que la perfection physique et mentale, non garante d'ailleurs de bien-être, et de dénoncer l'intérêt économique à la base de la démarche de suppression des foetus défectueux. On propose également d'offrir du soutien aux femmes qui choisissent de donner naissance à un enfant handicapé, et de développer des services adéquats au profit des parents d'enfants handicapés et des personnes handicapées elles-mêmes.

Au lieu d'entériner la quête d'enfants parfaits et les pressions sociales qui en garantissent la venue, on propose d'investir la société de valeurs autres que la perfection physique et mentale, non garants d'ailleurs de bien-être, et de dénoncer l'intérêt économique à la base de la démarche de suppression des foetus défectueux. On propose également d'offrir du soutien aux femmes qui choissisent de donner naissance à un enfant handicapé, et de développer des services adéquats au profit des parents d'enfants handicapés et des personnes handicapées elles-mêmes.

Des jugements récents aux États-Unis et ailleurs au Canada accordent priorité au foetus au détriment des femmes enceintes, contrevenant ainsi aux principes juridiques actuellement reconnus: on propose de les porter en appel. Ces jugements dénotent d'un manque de considération du bien-être de la femme enceinte. Ils sont de plus discutables en regard de la rapidité avec laquelle ils ont quelquefois été rendus, dans la chambre même des patientes, sans le temps de réflexion souhaitable et sans le recours au support courant que constitue la consultation de documents et de conseillers.

Enfin, étant donné le rejet d'un statut juridique au foetus et compte tenu que la femme enceinte demeure libre de risquer sa vie pour tenter de sauver celle de son foetus, on propose de définir certaines règles pour encadrer l'intrusion médicale, comme l'obligation d'obtenir une réponse affirmative à une série d'éléments avant de permettre toute intervention médicale. Certains éléments sont évoqués à titre indicatif:

- que la femme enceinte ait choisi de rendre sa grossesse à terme;
- que le diagnostic soit précis et fiable;
- que la malformation congénitale ne puisse être corrigée après la naissance;
- que le risque pour la mère soit minime;
- que les chances de succès pour le foetus soient bonnes;
- que le risque pour le foetus soit acceptable.

Il appert qu'aucune des interventions posées actuellement ne résisterait à un tel examen.

Ces constatations, rendent essentiel de donner aux femmes et aux groupes de femmes un droit de regard et un droit de parole sur toutes ces questions qui les concernent au premier chef. Ces droits devraient s'exercer entre autres au sein de comités d'éthique dont la création est fortement recommandée.

Embryons hors utérus

À ce sujet, on a traité presque exclusivement des embryons issus de la fécondation in vitro pour déterminer d'une part qui en a la propriété, et d'autre part ce qu'on peut en faire. Plusieurs questions troublantes ont été soulevées, mais peu de réponses fournies; on a toutefois évoqué certaines avenues de solution.

La majorité retient qu'on ne devrait pas considérer de la même façon l'embryon in utero et l'embryon hors utérus. Ici encore toutefois on refuse de lui accorder un statut juridique. On rappelle que le droit ne comprend que deux catégories distinctes: les personnes et les biens. Tout en niant le statut de personne à l'embryon, on s'entend pour le distinguer d'un bien. Une nouvelle catégorie pourrait théoriquement être créée, mais il semble qu'un tel processus serait long et laborieux. On évoque plutôt la pertinence d'une protection légale et l'identification d'activités permises sur l'embryon afin d'établir des limites. Étant donné que l'embryon est le produit de la conception humaine, on ne veut lui assigner que des fins positives. On précise que toutes les parties et non seulement la mère devraient porter respect et protection aux embryons: on pense ici, entre autres aux personnes, aux médecins, aux scientifiques et aux juristes.

À qui appartiennent les embryons congelés, demande une participante qui travaille dans une clinique où cette pratique est en vigueur. Le vide juridique en cette matière l'inquiète. Que faire quand les parents divorcent, quand ils meurent? Peut-on implanter ces embryons dans l'utérus d'une tierce personne? Doit-on les détruire? Parmi les avenues de solution, on se demande d'une part s'il ne serait pas plus simple d'interdire un tel procédé, bien qu'il semble qu'une telle pratique soit plus efficace pour la clinique et moins douloureuse pour la femme dans le cas d'une tentative d'implantation ultérieure. D'autre part, on suggère de respecter le souhait du couple qui pourrait, par exemple, être contenu dans le contrat de mariage ou dans le protocole de la clinique de fécondation in vitro.

On s'interroge par ailleurs sur les expérimentations thérapeutiques et non thérapeutiques effectuées sur des embryons dans les laboratoires. On en connaît bien peu, car les laboratoires sont plutôt discrets en cette matière. Des embryons ou des foetus peuvent être utilisés à des fins thérapeutiques pour d'autres foetus ou d'autres personnes; l'éthique de tels gestes suscite des interrogations. On dénonce, entre autres faits, celui d'implanter un embryon humain dans l'utérus d'un animal, au-delà en tout cas d'un certain nombre de jours. Des participant-e-s iraient jusqu'à criminaliser certains actes dont celui de permettre qu'un tel monstre humain se rende à terme. De quelle façon pourrait-on intervenir pour encadrer les expérimentations sur des embryons et des foetus ainsi que l'utilisation de leurs tissus? Il semble en effet que ces tissus servent à des activités commerciales. Même si l'on criminalisait certains actes, il semble que le contrôle serait difficile. Pour fin de supervision, on mentionne qu'il faudrait probablement assortir la loi de l'octroi de licences et d'obligation à l'incorporation. On pense également à la création de comités d'éthique. Aux États-Unis, il existe certaines procédures à respecter dans le cas de membres humains obtenus à la suite d'une amputation. Pourquoi ne pas s'en inspirer? Dans ce même pays, un embryon de treize semaines doit être traité avec respect, mais pas plus que n'importe quelle autre partie du corps.

Un participant fait connaître son désaccord avec ce qui lui semble être une fiction, à savoir que le fait de nommer l'embryon « humain » ou « produit de la conception » le dote de caractéristiques fort différentes. Il expose également son inconfort face à deux types d'intervention différentes actuellement posées à l'égard de deux foetus de six mois: d'une part, permettre que l'un soit anéanti par l'avortement, et d'autre part, tout tenter pour conserver la vie à un foetus de six mois né prématurément.

Peu de réponses à des questions qui causent tant d'inconfort et d'inquiétude. Les pratiques ont devancé toute considération morale ou éthique, et certaines questions sont si complexes qu'on ne leur trouve pas de réponse même après des mois d'examen. C'est ainsi que pour la majorité des participant-e-s, un moratoire s'impose, du moins en ce qui concerne les expérimentations non thérapeutiques sur les embryons et sur les foetus, et le sort des embryons congelés. Avant d'aller plus loin, il faut que les femmes et la société réfléchissent à ce qu'elle veulent.

Atelier H:

La science en question

*Q*uelles sont les orientations actuelles de la science?
Le développement scientifique est-il inéluctable? À
quelle logique économique répond-il? Les intérêts
des chercheurs entrent-ils en conflit avec ceux des femmes infertiles et avec
leurs propres responsabilités vis-à-vis la société? Quelles sont les principales
stratégies de promotion des NTR et du diagnostic prénatal et quel rôle les
médias y jouent-ils?

Personnes-ressources: **Carole Beaulieu**
Rita Arditti
Karen Messing
Claire Ambroselli

On ne congèle pas les nouvelles comme les embryons
Carole Beaulieu*

« Il n'est pas d'acte médiatique qui ne rencontre simultanément l'opprobe et la considération, seul varie le dosage de l'un et de l'autre sur chaque bord de l'énorme indifférence. »[1]

C'est avec un peu d'appréhension que j'ai accepté l'invitation du CSF de partager avec vous ma réflexion sur les médias et les nouvelles technologies de la reproduction.

Je me savais là en territoire dangereux. Dans la question aussi bien que dans le ton sur lequel on la posait, je sentais la désapprobation.

La cause déjà était entendue. Le verdict était rendu. Les médias étaient coupables. Coupables d'encenser les magiciens. Coupables de naïf émerveillement devant les bébés roses conçus dans de petits bocaux de verre. Coupables de l'information spectacle ou apocalyptique: des hommes enceints, du sexage, des foetus féminins avortés en Inde... Jacques Testart, lui-même, le nouveau grand chantre de la morale post-Amandine, ne l'avait-il pas dit dans son virulent manifeste de *L'Oeuf transparent*.

Les journalistes sont des « charognards » qui prennent des photos pirates de pauvres femmes nouvellement enceintes...[2] et n'écrivent pas une ligne quand elles expulsent le foetus.

« Combattants de la triste bataille du scoop », nous nous « cachons derrière les portes des couloirs d'hôpitaux », rampons le long des murs, obsédés par l'idée d'en dire plus, même si ce n'est que la couleur des rideaux de la chambre de la maman...

Nous posons des questions banales qui ne vont jamais à l'essentiel.

Pire encore, quand nous le faisons ce n'est que pour sonner des sonnettes d'alarme qui « font des bruits de chasse d'eau »: « reporter médiocre », « enquêteurs sans gêne », « prédateurs méprisants », nous forçons les chercheurs à

---

* Madame Beaulieu a étudié le journalisme à l'Université Carleton à Ottawa et travaille comme journaliste au Devoir depuis 1984. Elle y a surtout traité d'affaires sociales et de condition féminine, s'intéressant notamment à la question des nouvelles technologies de la reproduction.

Membre pendant deux ans du comité de rédaction du magazine La Vie en Rose, un mensuel québécois d'actualité féministe, elle y a réalisé des reportages sur des questions de santé et de développement international. Madame Beaulieu était récemment boursière de la Fondation Journalistes en Europe.

répéter cent fois les réponses aux mêmes éternelles questions sans avoir fait un minimum de recherche. Rémunérés pour faire nos interviews, nous exploitons l'effort bénévole des chercheurs en un « rapt d'image ou de mots »[3]. Malgré les promesses, nous soumettons rarement nos papiers à la relecture des chercheurs. Conséquemment, il n'y a pas transmission mais perversion de la vérité.

Que dire après toutes ces charges virulentes? Suis-je encore digne de parler devant vous?

Il y a des bons et des mauvais journalistes, comme il y a de bons et de mauvais chercheurs.

On a les journalistes qu'on mérite

Il y a surtout des lecteurs et des lectrices, des gens qui font des choix. Quand ces personnes encourageront de leur abonnement une meilleure information... un plus grand nombre d'entreprises de presse investiront peut-être dans cette voie.

Le Monde, dont Jacques Testart vante les enquêteurs avisés, connaît toujours les mêmes problèmes financiers. Je ne parlerai pas de ceux du Devoir qui a sans doute publié, sous la signature de Laurent Soumis, l'une des meilleures séries de reportage sur la question. Qui d'entre vous l'a lue?

À chacune des se demander si elle n'aurait pas acheté un magazine lui promettant la photo du premier bébé éprouvette, les détails de la technique qui promet des hommes enceints, si elle n'aurait pas dévoré un reportage lui décrivant les angoisses du chercheur confronté à la commercialisation de la vie ou les détails de la vie d'une mère porteuse... On a les journalistes qu'on mérite.

Mais je ne vais pas m'éterniser sur l'expérience française, ni parler encore de l'expérience américaine, ou britannique. Je voudrais plutôt voir avec vous ce que nous avons fait ici. Absente du Québec depuis près d'un an, je l'ignorais moi-même jusqu'à ce que je me plonge récemment dans les archives.

Dans son récent ouvrage Le Silence des médias, la journaliste Colette Beauchamp parlait du journalisme comme d'une fonction de haute responsabilité sociale et enjoignait les journalistes à tendre à l'équité plutôt qu'à l'objectivité.

Au cours des deux dernières années les médias québécois ont-ils été équitables dans leur couverture d'un phénomène qui, plus encore peut-être que la fission de l'atome, remet en question la notion même de l'humain et de sa capacité à se reproduire.

Non, nous ne l'avons pas été.

Oui, nous sommes coupables.

Coupables des mêmes fautes que nous ne commettons pas qu'à l'endroit des NTR mais bien à l'endroit de presque toutes les questions: une certaine paresse, un manque de suivi et de rigueur, une grande vulnérabilité face aux contraintes de temps et d'espace que nous impose la structure actuelle des médias.

Jacques Testart déplore que les scientifiques n'aient que 90 secondes pour s'expliquer[4]. Les partisans du libre-échange n'en ont pas plus, pas plus non plus ceux qui cherchent à nous expliquer que la couche d'ozone diminue, que la planète est menacée. Ce ne sont pas les NTR qui sont en cause, ce sont les médias eux-mêmes.

Nous n'avons pas traité les NTR plus mal que nous traitons tout le reste. En fait, nous les avons même mieux couvertes que certains autres dossiers si je me fie aux coupures de presse qu'un bien sommaire relevé des archives m'a permis de dénicher. Certes ce n'est pas une analyse exhaustive. Je n'en avais ni le temps ni les moyens. Mais ce relevé laisse entrevoir une couverture qui a, curieusement, plus souvent donné la parole aux opposants des NTR qu'à ses promoteurs.

Au total, plus d'une centaine de papiers ont été publiés sur cette question en 1986 et 1987, dans La Presse, Le Devoir, Le Soleil, La Gazette, Le Globe and Mail et Le Journal de Montréal. Et je n'ai relevé que les plus importants, pas toutes les petites dépêches sorties des fils d'agence internationale.

Certes 1986 et 1987 furent fertiles en événements reliés aux NTR: document du Vatican, coup de théâtre de la déclaration de Jacques Testart, affaire Bébé M aux États-Unis, la naissance d'Audrey au Québec suivie de nombreuses premières québécoises et canadiennes.

Les médias ont donc témoigné des inévitables « premières »: première fécondation in vivo au Québec, première à Montréal, première fécondation in vitro à Maisonneuve-Rosemont, premiers jumeaux, premiers triplés, premier à Chicoutimi, etc.

Évidemment, plusieurs de ces papiers parlaient de la mère « resplendissante », « réjouie », des poupons roses, des hommes en blanc qui « donnent un coup de pouce à la nature », des bébés éprouvette 100 % pur laine, des bébés faits à contrat. Les plus récents mentionnaient que les parents, tout à leur joie, disaient que les résultats valaient bien tous les essais infructueux, toutes les douleurs.

À lui seul, en 1987, le magazine L'Actualité a publié deux reportages sur la question, l'un racontant l'histoire d'Audrey, le premier in vitro québécois, l'autre, de Yannick Villedieu, qui présentait sobrement les enjeux et invitait à un moratoire. D'autres magazines, tels Châtelaine et La Vie en Rose, ont aussi parlé de la question.

L'engouement pour la nouvelle NTR a aussi été partagé par la radio et la télévision.

Les archives de Radio-Canada étant en réorganisation il a été impossible de recenser la multitude d'émissions qui ont traité de la question, mais à la direction de l'information on s'entend pour dire qu'il y a eu plusieurs dizaines de reportages et de lignes ouvertes, sans compter les bulletins de nouvelles.

En télévision, Le Point a consacré trois émissions à la question. Trois de ses quatre invités étaient des partisans d'un moratoire. L'émission Impact a réalisé deux émissions présentant les témoignages de parents stériles et de médecins.

En 1987 seulement, <u>Montréal ce soir</u> a diffusé six reportages sur le sujet, la plupart soulevant les questions éthiques ou morales.

Pour la première fois de son histoire, <u>Sciences Réalité</u> a consacré toute l'émission à un seul sujet: celui des NTR. Précédée d'un grand battage publicitaire, l'émission a été diffusée deux fois et Radio-Canada a reçu des dizaines d'appels d'auditeurs désireux de se procurer les textes de l'émission et une vingtaine de demandes d'achat. L'émission présentait aussi bien les enjeux médicaux, juridiques, sociaux que philosophiques. Selon Solange Gagnon, la réalisatrice de cette émission, la collaboration de la direction dépassa la moyenne et de loin. (interview sept. 87)

Radio-Québec diffusa aussi un <u>Droit de parole</u> sur les hommes enceints.

Ces reportages que nous n'avons pas écrits

Ce qui ne veut pas dire que la couverture fut idéale, loin de là. Occupés à rapporter les progrès de la science et le bonheur qu'elle apporte à l'humanité, bien peu de médias ont enquêté sur les sources de financement de ces recherches. Il faut dire tout de même que nous sommes loin au Québec du niveau d'expérimentation atteint en Europe, en Australie, ou aux États-Unis.

Les bons reportages de vulgarisation évitant le sensationalisme des hommes enceints ont aussi été bien rares et les couples pour qui les NTR furent un échec n'ont pas encore trouvé de place dans nos médias.

C'est peut-être là que nous avons échoué, si échec il y a eu. Mais il ne faudrait pas tirer à tort sur le messager. Les médias n'ont pas créé les NTR. Ils cherchent à témoigner de leur développement et des questions qu'elles soulèvent.

Contrairement à ce que certains semblent penser, je ne crois pas qu'il y ait de forces obscures complotant pour séduire les médias de façon à ce qu'ils présentent les NTR sous un bon oeil. Certes les hôpitaux organisent des conférences de presse pour annoncer leur succès, il en va de leur fond de recherche. Et s'ils n'en organisaient pas nous en exigerions, par crainte de voir un seul média s'accaparer la nouvelle.

Il y a des stratégies de communication des NTR... comme le gouvernement a des stratégies de promotion de ses nouveaux programmes et comme un nombre croissant d'organismes font appel aux firmes de relations publiques pour vendre leur message. Aux journalistes de faire preuve de discernement et de creuser au-delà du discours officiel.

Qu'on le veuille ou non les NTR sont des nouvelles... et la naissance d'un enfant suite à une fertilisation in vitro est une nouvelle importante même si elle effraie certains d'entre nous.

Déjà les 3ᵉ, 4ᵉ ou 5ᵉ... sont de moins en moins des nouvelles. Dans l'avenir les nouvelles seront beaucoup plus les décisions qu'un peu partout dans le monde, des sociétés prendront pour réglementer l'usage de la technologie. Une fois ces réglementations mises en place... il n'y aura plus de nouvelles, jusqu'à ce que quelqu'un y contrevienne. La nouvelle ne se congèle pas, contrairement aux embryons. Et elle se détériore rapidement.

Qu'avons-nous au juste le droit de savoir? Jusqu'où va le droit du public à l'information? Des journalistes plus sages et plus expérimentés que moi ont écrit des livres pour répondre à ces questions.

Le public a le droit de savoir tout ce qui peut l'aider à faire de meilleurs choix, à mieux comprendre les enjeux, à mieux réfléchir. Il a le droit de savoir qui fait quoi, où, comment, pourquoi et avec quel argent. Il a le droit de connaître les conséquences des NTR, non seulement sur les individus qui subissent le traitement mais aussi sur nos droits collectifs. Il a le droit d'être interpellé par l'humanité dissimulée derrière la technique.

Journaliste scientifique recherché

Le dossier NTR pose toute la question de l'information scientifique dans nos médias.

Le Devoir n'a plus aujourd'hui de reporter chargé de l'information scientifique, pas plus que La Gazette ou Le Journal de Montréal, pour n'en nommer que deux. Outre les journalistes d'émissions spécialisées, bien peu de mes collègues de la télé ou de la radio ont une formation scientifique. La lacune est importante.

Jacques Testart lui-même dit avoir eu affaire à trois types de journalistes:

— « Les plus rares et les plus précieux, cherchaient le pourquoi psychologique de l'aventure achevée et de celle à venir;

— d'autres, trop peu nombreux, se voulaient les traducteurs objectifs d'une expérience concrète;

— les derniers, toujours premiers au feu, avaient pour mission de remplir une surface de presse automatiquement affectée au sujet. Ceux-là orientaient immédiatement le dialogue vers les mots magiques, même s'ils nous sont étrangers: manipulations génétiques, clonages. »[5]

À vouloir être le « traducteur objectif d'une expérience concrète », je serais forcée de dire aujourd'hui que les promoteurs des NTR n'ont jamais encore organisé un colloque de cette taille et qu'aucun d'entre eux n'a été convié à s'adresser à cet auditoire...

Male science and the "technological fix": the case of the New Reproductive Technologies
Rita Arditti*

Résumé

L'analyse féministe a clairement fait ressortir que la science est une entreprise masculine, marquée par une idéologie de l'objectivité, de domination et de contrôle sur la nature, de croyance absolue au progrès inévitable et à la nécessité de trouver des solutions technologiques aux problèmes sociaux.

Dans le domaine de l'infertilité, cette idéologie s'est révélée aliénante pour les femmes en les réduisant à des objets d'expérimentation et s'est montrée impuissante à analyser, à corriger ou à prévenir les problèmes d'infertilité produits en grande partie par l'environnement physique et social plutôt qu'en raison d'anomalies congénitales. Sous leur apparence de neutralité, les nouvelles technologies imposent un système de valeurs qui abuse du corps des femmes pour servir les intérêts du monde scientifique, qui exploite les plus pauvres au nom du profit, qui dicte des choix. Le développement de ces technologies masque aussi l'essor d'une toute nouvelle industrie de la santé dont le centre est la FIV. Les profits générés, en quelques années seulement, par la vente de médicaments hormonaux, d'équipements servant aux interventions, de services de fécondation in

* Madame Rita Arditti est née en Argentine. Elle a obtenu son doctorat en biologie de l'Université de Rome. Elle est venue ensuite aux États-Unis en 1965 pour faire de la recherche en biologie moléculaire.

Elle a coédité *Science and Liberation* (South End Press, 1980) et un recueil important de textes sur les nouvelles technologies de la reproduction: *Test-tube Women: What Future for Motherhood?* (Pandora Press, 1984). Elle est une des fondatrices de New Words, une librairie féministe à Cambridge au Massachusetts et enseigne actuellement les études féministes à la Union Graduate School. Mme Arditti est également membre de Science for the People, une association qui étudie et débat des questions sociales et politiques soulevées par les orientations et le rôle de la science.

On peut lui faire parvenir des commentaires sur son texte à l'adresse suivante: 82 Richdale Avenue, Cambridge, Mass., 02140. U.S.A.

vitro, indiquent clairement qu'un marché lucratif se développe. Le recours aux mères porteuses est un autre aspect du commerce de la reproduction dont l'essentiel du profit revient aux agences: celles-ci prospèrent en exploitant des femmes de classes sociales défavorisées.

Par leurs reportages superficiels, les médias jouent un rôle majeur, du moins aux États-Unis, dans la promotion des intérêts économiques de cette industrie en soulignant les « succès » et les « miracles » technologiques, en obscurcissant leur impact négatif sur la santé des femmes, en servant même de véhicule publicitaire à des promoteurs en quête de clients ou d'utérus à louer.

Seule la création d'une science fondée sur des principes non patriarcaux et intégrant une approche holistique de la santé pourrait vraiment accroître la liberté de reproduction des femmes, mais il s'agit d'un projet à long terme qui exige auparavant une transformation féministe de la société et l'émergence de nouvelles valeurs.

I would like to start this discussion focusing on the feminist critique of science that has evolved in the last few years. The feminist critique of science has called attention to the fact that science is a **masculine** enterprise. That science, as we know it today is embedded in an ideology of domination and control of Nature — an ideology that stresses **objectivity**, a detached way of relating to the world as the only way of knowing. The feminist critique of science (Arditti 1974; Merchant 1980; Fee 1982; Rose 1983; Keller 1985) puts in question the idea that scientists are truly ''objective'' and the belief that science is a politically neutral and impartial enterprise.

Feminist critics point out that scientists have in practice adhered to an ideal of subjectivity which closely mimicks the male way of relating to the world. Masculinity and scientific thought seem to be one. This is the model for knowing the world that we inherited from the 16th century, a model that saw Nature as the enemy of ''man'' and science as the instrument for its control and domination. A dichotomy was set up in this vision, stressing the difference between **subjectivity** and **objectivity**. Subjectivity (female) was looked upon with suspicion, while objectivity (male) was granted an almost divine and perfect quality. Attitudes that increased distance and separation, non-involvement and remoteness between the knower and the knowable were seeing as yielding ''true'' knowledge, while closeness, connectedness and an acceptance of interdependence were supposed to distort the quest for knowledge.

We have inherited from this vision the belief that progress is inevitable and unlimited, that science will improve upon Nature and that technology would unquestionably benefit society. As a result, the idea of a ''technological fix'', of the solution of social problems through the development and use of new technologies is a dominant idea in our culture. Langdon Winner (1977) has coined the expression ''autonomous technology'' to describe what is going on with technology in our society. Technology is seen as having a life of its own, and we, human beings, are the ones who have to adjust to it. In other words, technology, supposedly impersonal and "objective", runs the show. This view hides the fact that it is the **culture** in which we live that determines which questions are worth asking, which facts we will pay attention to and which technological decisions will be made.

How appropriate is the "technological fix" in dealing with infertility issues?

So, in looking at the new reproductive technologies, technologies developed by a predominantly white male scientific establishment to be used on women's bodies, it is important to remember that there is a long history of abuse by scientists of women's bodies. Scientists have usually looked upon and studied women as the reproductive system of the species, reducing us to our reproductive organs and our secondary sexual characteristics. For instance, the main ideology pervading the whole area of birth control research is a sexist ideology that sees women as the "natural" targets for birth control technology. The result of this ideology has been that women became the subjects of experimentation in the contraceptive field, particularly poor, Hispanic and Black women and that appropriate male contraception has never been developed (Corea 1977; Dreifus 1977; McDonnell 1986).

Particularly relevant to the discussion of infertility is the case of the Dalkon Shield IUD. In the United States, the National Women's Health Network has recently exposed the corporate involvement of physicians, the destruction of research data and the shoddy science involved in that story (see The Network News July/August 1983; November/December 1984; January/February 1985; March/April 1985; July/August 1987). It is estimated that between 15 and 36 women have died, and hundreds of thousands have suffered pelvic inflammatory disease (PID), sterility, spontaneous septic abortion, loss of reproductive organs and birth defects in their progeny (Mintz 1985). 300 000 women have filed legal claims for damages. Women all over the world have suffered the consequences of this particular scientific/corporate alliance. After the FDA issued a warning that women who used the Dalkon Shield IUD should have it removed immediately (in 1983), the manufacturer, A.H. robins "dumped" approximately 4.7 million devices in foreign countries. For about nine months after the U.S. sales were stopped, Robins continued to sell the Shield to 55 countries. Now, A.H. Robins has finally submitted its proposal for paying women injured by the shield. The plan will provide a maximum $1.75 billion trust fund for the women. In the interim, the company has agreed to set up an immediate emergency fund of $15 million to pay for pregnancy-related reconstructive surgery or **in vitro fertilization**. Damages from the "old" technologies are supposed to be repaired by the "new" technologies.

Some of the new technologies, like IVF (in vitro fertilization) or ET (Embryo Transfer) are presented as the solution for infertile women who have blocked oviducts. But these technologies are being rapidly expanded to other women, like women who themselves do not have infertility problems but are married to an infertile partner, or couples where the origin of the infertility is unknown. The whole area of infertility deserves a close and critical look before accepting that interventionist technologies on the bodies of women are the appropriate approach.

Infertility is an area plagued by lack of good information and research (Eck Menning 1977; Pfeffer and Woollett 1983). We know very little about infertility and lifestyle, employment patterns and stress. However, there is clear evidence that pollution and chemical poisoning of the water, air and work environment affect human fertility. Drugs and alcohol, smoking, weight and nutrition issues, all can play a role in infertility. But more important, in terms of numbers, is the infertility that can be totally prevented: infertility that has been induced by the previous use of medical interventions, **iatrogenic** infertility. For instance, abdominal surgery, mistreatment of endometriosis, DES treatment on pregnant women, previous caesarean section, can all lead to infertility. Lack of proper treatment of sexually transmitted diseases can also produce infertility. And two of the most widely used contraceptive agents, the Pill and the IUD have been shown to damage the female reproductive system. The IUD, as mentioned before, has been a leading cause in the development of PID while the Pill has been implicated in the increase of infertility from chlamydia infections, the most common sexually transmitted disease. In short, it looks like very little infertility is truly congenital, most of it is induced by the social and physical environment.

A truly scientific approach would be to understand the reasons for the increase in infertility, to teach people how to prevent it and to work to change the social and environmental conditions that contribute to it. But a narrow, reductionistic approach tries to "solve" a problem by direct intervention and manipulation, without taking into consideration the whole system. Women's bodies, natural objects "par excellence" become that field of operations. Like in the case of birth control, the problem to solve is identified as a problem that lies **with the bodies of women**. In all matters of fertility the burden of scientific interventions end up on the female.

As for the claim that technologies are "neutral", that it is only who controls them that determines the character of a technology, we need to remind ourselves that technologies do not fall from heaven, that they contain a vision and a value system **within** themselves (Dickson 1974). Corlann Gee Bush, (1983) in discussing the assessment of technology regarding women, has proposed that each technology has a "valence", a bias or a "charge". She proposes that this "valence" tends to "seek out or fit in with certain social norms and to ignore and disturb others." She says: "Guns, for example, are valenced to violence; the presence of a gun in a given situation raises the level of violence by its presence alone. Television, on the other hand, is valenced to individuation; despite the fact that any number of people may be present in the same room at the same time, there will not be much conversation because the presence of the

TV itself pulls against interaction and pushes toward isolation.'' Bush identifies four contexts in which a technology operate:

1) **the design or developmental context**, which includes all the decisions, material, personnel, processes and systems necessary to create the technology;

2) **the user context**, which includes all the motivations, intentions, advantages and adjustments called into play by the use of the technology;

3) **the environmental context**, that describes what happens to the physical surroundings in which a technology is developed and used; and

4) **the cultural context**, which includes all the norms, values, myths, aspirations, laws and interactions of the society in which the technology is a part.

Applying this model to the new reproductive technologies, we can gain a sense of their ''charge''. For instance, in thinking about the **developmental context**, we can ask about the decisions that were made to experiment on hundreds of women before the first IVF baby was born, or about what exactly was told to these women or about the career considerations of the scientists that developed the technology. Regarding the **user context**, we can ask who are the women would use IVF or ET. How did they become infertile? To which social class, race, ethnic group do they belong? Are they single, married, heterosexual or lesbians? Who are the women most likely to become ''surrogate mothers'' or ''egg donors''? Are rich white women likely to be among them? Now that ''total surrogacy'' is a reality (implantation in a woman's womb of an embryo with no genetic connection to her) what possibilities does this open for the use of Third World women's bodies as incubators for the embryoes of affluent couples?

About the **environmental context** we can ask: How would sex-selection technology affect the sex ratio in the world? With genetic intervention being made possible on embryoes through IVF, what implications does this have in terms of control of certain groups or certain traits in the population? (Minden, 1985). And since women **are** the physical environment in which these technologies take place, what are the long-range consequences of superovulation, ultrasound scanning, the puncturing of the ovaries to get the eggs out?

And on the **cultural context**, we can ask: what is the role of the culture in determining what ''choices'' women make? What does it mean that childlessness is seen as a deficiency, how ''free'' are women to decide not to be mothers? What will be the consequences for women **as a group**, of the fact that motherhood can now be split up in discrete components and steps, all amenable to intervention and manipulation by a white male scientific elite? (Corea, 1985).

When we ask these questions, we can see how technologies like IVF and ET, for instance, have a ''charge'' that reinforces pronatalism for white women in Western industrialized countries and at the same time, promote an individualistic approach to a collective problem. The technologies ignore the unequal distribution of power in society and conspire against the development of preventive and more holistic ways of dealing with infertility which would impact on **all women**. In fact, while these technologies are offered to women in the West, women in the Third World (so called) are massively sterilized or given dangerous contraception, like Depo-Provera, (Hartmann, 1987). Actually, in the United States, the Indian Health Service announced that it was still prescribing Depo-Provera for American Indian women even though the Federal Government rejected the drug for contraceptive use almost a decade ago, (New York Times, August 7, 1987). And regarding infertility, it is known that in the U.S., infertility is a major problem for women of color, specially Black women. 23% of Black couples are suffering from infertility as compared to 15% white couples. (Jefferson, 1987). But Black women are less likely to have obtained help in dealing with infertility, this is true also for low-income women (Henshaw and Orr, 1987). In short, the women who are suffering the most from infertility, are **not** the women to whom these technologies are being offered.

The economics of "new conception" technologies

As in many other areas of scientific research, like for instance in the areas of biotechnology and the pharmaceutical industry (Lappe 1985; Mc Donnell 1986) the development of new technologies implies an intimate association with structures and organizations that promote, manage and essentially "sell" the technologies to the public.

There is a real infertility industry growing out there, with the heart of the business being IVF. The industry furnishes the drugs and instruments to carry the procedures involved in IVF. For instance, the sales of the drug Pergonal, used to stimulate the ovaries to superovulate, has gone from $7.2 million in 1982 to $35 million in 1986. According to one manufacturer, sales of ultrasound equipment with special probes for IVF treatments are likely to rise from $5 million now to $35 million in a few years. (Blakeslee, 1987). There are currently 150 IVF clinics in the US, of which about 65 are at university centers. The rest have private funding or are associated with commercial hospitals. Because each IVF procedure costs around $6 000 and during 1986 the clinics performed about 6 000 of them, it can be estimated that there is a $30 to $40 million market in IVF only. Insurance companies are beginning to pick up the costs and there is consumer pressure in several states to require the companies to do so. As a result the medical profession is more and more interested on it. Specially since the number of births declined from the mid-1960s to the 1970s and consequently physicians were faced with a decreasing volume of patients requesting obstetric services (Aral and Cates, 1983).

IVF clinics must generate high patient volume to cover high costs. Vicki Baldwin, from IVF Australia (now with a branch in the U.S.) says: "We invest heavily in public relations" and Dr. Sher, who runs the Northern Nevada Family Fertility Clinic in Reno, Nevada, one of the largest independent clinics says: "The whole thing in IVF is numbers. You need to go above a certain threshold to make a lot of money." Dr. Sher believes that IVF could eventually become a $6 billion annual business. The low success rate of the procedure makes it so that women try it several times before giving up. There are reports of women who have gone through eleven tries. (Village Voice, August 25, 1987). While clinics claim a success rate of about 20-25%, the way success is measured is so misleading that even one IVF director has said: "The widespread practice of exaggerating the IVF pregnancy rate appears to be a marketing ploy to lure infertile couples in to become active IVF patients" (Corea, 1986). And as Corea points out in her article: "In the United States, a Medical Tribune survey of 108 clinics found that half of the responding fifty-four clinics have never sent a woman home with a baby. All these clinics were operational and collecting fees ranging from $1 375 to 7 000 and averaging $4 085 per attempt."

In the case of ET, the company that funded the research has been awarded a patent on the instrument to retrieve eggs and it has already entered into a franchising agreement with a group of doctors in Long Beach, California and a hospital in Pasadena, California. The company is clearly trying to monopolize the technique of ET and at a cost of over $5 000 per try it certainly is interested in the expansion of the market.

"Surrogate mothering" businesses (like the Infertility Center of New York, founded and directed by Noel Keane, the main proponent of commercial surrogacy in the U.S.) can thrive because of class differences and the exploitation of poor women. The business grossed Keane $600 000 last year. The contracts drawn at the Infertility Center are mainly between upper-middle class couples and working class or lower-middle class women. The "surrogate mother" gets paid $10 000 when she delivers the baby. But if she delivers a stillborn baby or the baby dies, she receives $1 000. The Infertility Center gets $10 000 for each woman they recruit to serve as "surrogate". It is important to clarify the language used in this discussion. We should not use the term "surrogate mother". As Canadian feminist Somer Brodribb has pointed out: "The woman who carries and labours to give birth to a baby with her own ova and from her own womb is clearly a real mother. She is, however, a surrogate wife to the man whose legal wife is infertile." (Brodribb, 1984).

Now the Infertility Center is offering a new service: "ovum transfer and in vitro fertilization implantation in a surrogate" (from the brochure of the Infertility Center). This means that "total surrogacy" is now a market option. The price has accordingly gone up. In the first reported case in the U.S., IVF has been used to fertilize an ovum from an infertile woman (who lacked an uterus), and the resulting embryo was implanted into another woman. The genetic parents paid $40 000 for this "project", of which $10 000 went to the women who carried the pregnancy (Annas, 1986).

The commercialization or reproduction is increasing every day. Scientists have become an integral part of the infertility industry. How can they ever provide a disinterested assessment when their livelihood, research careers and professional contacts are dependent on the development and further expansion of these technologies?.

The media's uncritical approach to the technologies

The media is today the main channel that conveys scientific information to the public at large. How new technologies are presented shapes the ideas and options of the population. In the United States, in general, the media has been quite uncritical of the technologies and has fostered the view that "miracle" technologies will solve the problems of infertile women. The media focuses on individual "success" stories, giving the impression that women are truly being helped and fosters the view that a collective problem (like infertility) can be solved by privatizing the problem.

The media also paints a rosy picture of motherhood and assumes that it is the deepest and most important aspiration of all women. It goes without saying that the glorification of motherhood is restricted to the topic of "having one's own baby", stressing the joys of the biological connection and leaving out topics such as: health care for pregnant women, child care for working mothers, the policies at workplaces that make it virtually impossible to hold jobs and take care of children, etc.

Dorothy Nelkin (1987) says it well: "The reporting of technology, like that of science, tends to be promotional... political questions of scientific responsibility and accountability are seldom considered news... focusing on individual accomplishments and dramatic or controversial events, journalists convey little about the sociology of science, the structure of scientific institutions, or the daily routine of research... while art, theater, music and literature are routinely subjected to criticism, science and technology are almost always spared."

Noel Keane himself credits the media for the best referrals for his business: "I had now been on Donahue 5 times plus countless other TV appearances, and the thrill had long worn off. I now went on shows like Donahue for a simple reason. Other than placing classified ads, the only effective way of finding surrogate mothers was through television and news articles. The true fathers of the surrogate mother story, perhaps, are the Phil Donahue show and People magazine" (Keane and Breo, 1981).

A concrete example will help to illustrate the point about the superficial reporting of the media. A recent article in The New York Times (July 15, 1987) reported on the "donor egg program" started by the Cleveland Clinic in Ohio. In describing the program the article said: "There are limited risks to the donor, including the minor surgical procedure used to remove eggs from the ovary". The journalist however, did not inquire about what the "limited risks" exactly consist of and what does the "minor surgical procedure" really involve. Most likely, the woman who is "donating" the eggs will be submitted to superovulation treatment with hormones, to ultrasound scanning, to general anesthesia and to a laparoscopy. The article gives the impression that "egg donation", though it involves daily participation for ten or twelve days is truly a minor event. It makes it sound like a similar procedure to "sperm donation", which simply involves masturbation and ejaculation. What really happens during those ten or twelve days remains a mystery. This is the kind of reporting that gives false ideas to the public by presenting the scientists's version of the event and not asking probing and in-depth questions.

Could Science be any different?

Because science and technology are shaped by the priorities and the interests of the society where they develop, because they are cultural enterprises, it is no wonder that we have a patriarchal science creating invasive technologies to be used on women. It is perfectly coherent and the logical outcome of a masculinized science. Given the long history of seeing women's bodies as "different" (meaning less perfect that the male body) interventions in the body seem the logical and "natural" thing to do. A holistic approach would require changes in the organization of science, in scientific education and in the manner and style of scientific decision making. A feminist transformation of society is one of the prerequisites for the creation of a "new" and non-patriarchal science. And this is clearly, a long-range project.

The words that keep coming up in thinking of a new kind of science: "connectedness", "love", "receptivity", "empathy", (Arditti 1980; Goodman 1971) speak of a new relationship between people and Nature, a relationship of partnership and balance, equilibrium and integration. A feminist, woman-loving society could produce a very different kind of science of the one we have now. But the emergence of a new paradigm that encompasses life-affirming values and principles is necessary for the development of that "new" science. A science that would be appropriate for the environment, for the bodies of women and that would truly increase women's reproductive freedom.

Quels sont les sujets de pointe en génétique et pourquoi?
Karen Messing*

En tant que généticienne spécialisée en santé au travail qui travaille dans le contexte d'une entente entre les centrales syndicales et l'Université du Québec à Montréal, j'entends souvent les questions que posent les travailleuses sur la reproduction. Ceci me donne une perspective particulière sur les façons de réaliser l'objectif des nouvelles technologies de la reproduction, soit la naissance d'enfants en santé.

Pour assurer la naissance d'enfants en santé, et un bon taux de natalité, l'État dispose de deux types d'approche. Les approches discutées à ce colloque concernent plutôt des interventions pratiquées auprès d'un seul couple à la fois. Mais on pourrait privilégier des moyens visant la collectivité, comme par exemple, celles dirigées vers l'identification des risques génotoxiques, le retrait préventif de la travailleuse enceinte exposée à un risque tératogène, des congés parentaux à plein salaire, des régimes d'assurance-maladie qui ne discriminent pas par rapport à l'état de grossesse, et par extension, des garderies gratuites et des mesures facilitant la maternité chez cette majorité des mères québécoises qui occupent un emploi salarié. Comme une des raisons souvent évoquées pour les problèmes d'infertilité et de naissances d'enfants infirmes est l'âge relativement avancé des femmes qui essaient pour la première fois de devenir enceintes, ces dernières mesures devraient peut-être constituer des mesures de première ligne. À la limite, comme il a été démontré que le travail non-salarié

* Née aux États-Unis, madame Karen Messing a étudié en psychologie à Harvard, puis à l'Université McGill à Montréal où elle a obtenu une maîtrise en génétique et un doctorat en biologie. Après avoir travaillé dans plusieurs instituts de recherche, Karen Messing enseigne depuis 1976 au Département des sciences biologiques à l'Université du Québec à Montréal où elle est également codirectrice d'un groupe de recherche-action en biologie du travail. Depuis 1985, Madame Messing est aussi chercheuse associée à l'Institut du cancer de Montréal.

Auteure de nombreux articles scientifiques, Madame Messing a aussi participé à la production d'ouvrages collectifs féministes où elle a publié des textes sur la santé des femmes au travail et le développement scientifique en rapport avec les intérêts des femmes. En tant que généticienne elle s'intéresse de près à la recherche sur les nouvelles technologies de la reproduction, aux orientations et à la logique économique et sociale qui la sous-tendent.

des femmes constitue également un facteur de risque pour la grossesse, des programmes de construction de maisons communautaires pourraient être considérés comme moyens d'augmenter le nombre d'enfants en santé.

Dans le domaine de la recherche scientifique, subventionnée en grande partie par l'État, l'identification des risques génotoxiques et tératogènes, l'étude des conditions de travail nuisibles des postes féminins, y compris le travail domestique non-payé, pourraient donc prendre autant de place que la fécondation in vitro ou la production d'utérus artificiels.

Toutefois, pour que des scientifiques fassent des recherches, et surtout celles qui impliquent des manipulations au laboratoire ou l'étude de grands nombres de sujets, il faut des subventions de milliers de dollars. Un laboratoire de recherche dans le domaine de la santé peut difficilement rouler à moins de 100,000$ par année, exclusion faite du salaire du chercheur ou de la chercheuse.

Quelles sont les conditions pour qu'une recherche soit bien subventionnée?[1] Les chercheurs et chercheuses doivent se trouver dans un endroit accepté, c'est-à-dire, affilié-es à un établissement reconnu.[2] Le sujet doit susciter l'intérêt d'autres chercheurs et chercheuses, c'est-à-dire être inédit, et de préférence impliquant une approche originale.[3] Dans la mesure du possible, les techniques utilisées devraient être des plus modernes.

Il est clair que la recherche de nouvelles technologies de la reproduction, tout comme d'autres recherches en biotechnologie, remplit plus les conditions, et emballent davantage les scientifiques que l'examen détaillé des conditions de travail possiblement nuisibles. Dans mon propre laboratoire, je dispose de plus de 150,000$/année pour des projets en génétique cellulaire et moléculaire. Je dispose, par contre, de $0/année (à part les budgets d'infrastructure) pour la recherche que nous menons sur les questions que les travailleuses nous ont posées sur l'effet des conditions de travail en milieu hospitalier sur la grossesse. Pourtant, il y a de bonnes raisons scientifiques de croire que certaines de ces conditions, soit, les horaires irréguliers, les quarts de travail, la levée des charges, et la cadence élevée posent un risque pour l'issue des grossesses.

La même disproportion semble exister au niveau des politiques de l'État en matière de protection des enfants futurs. L'État subventionne sur une base de routine des mesures individuelles assez coûteuses, inconfortables, et qui posent peut-être des risques physiques ou psychiques pour la femme enceinte, par exemple, l'amniocentèse et l'échographie. Dans un souci louable de prévention, l'État a promulgué une loi qui prévoit le retrait préventif de la femme enceinte exposée à des risques pour sa santé ou pour celle de l'enfant à naître. Malheureusement, il existe très peu de recherches ayant cerné l'étendue des risques pouvant justifier un retrait. Par exemple, à peu près le quart des travailleuses enceintes travaillent sur écran cathodique pendant une bonne proportion de leur journée, mais il n'y a toujours pas eu d'étude planifiée et contrôlée des facteurs de risque possibles associés au travail sur écran.

Face à ce manque de documentation, le gouvernement du Québec n'a pas lancé un programme intensif de recherche sur les risques de tératogenèse; il a

plutôt mis sur pied un comité d'étude, en vue de resserrer les critères d'acceptation d'un retrait préventif. La Commission de santé et de sécurité du travail
menace de faire des coupures au programme de retrait préventif (menace vivement contestée par le Conseil du statut de la femme), mais ne songe apparemment
pas à augmenter ses ressources en inspection pour limiter les éléments agresseurs
auxquels les femmes enceintes sont exposées. Dans un domaine encore plus près
du sujet du forum d'aujourd'hui, l'État subventionne les cliniques d'infertilité
et la recherche sur la fécondation in vitro, mais ne fait pas d'intervention scientifique ou législative au niveau des causes d'infertilité, bien que de telles causes
aient déjà été identifiées dans d'autres pays, aussi bien chez les hommes que
chez les femmes.

Il n'existe aucune structure qui prévoit considérer les questions qui surgissent
des préoccupations des femmes en ce qui a trait à la reproduction. Les « comités
de pairs » qui jugent des propositions de recherche sur la reproduction sont
composés, au mieux, de « pairs » des scientifiques qui proposent les recherches
(bien qu'il n'y siègent pas un grand nombre de féministes!); il n'y a pas, à ma
connaissance, de contribution des « pairs » des **sujets** de recherche, qui ont
pourtant des connaissances privilégiées sur les besoins de recherche. Malgré
l'existence de plusieurs programmes universitaires de recherche au service de la
collectivité québécoise, aucun organisme qui accorde des subventions n'a développé de critères ni réservé de fonds pour ce genre d'activité.

Si le Conseil du statut de la femme demande un moratoire ou une limitation
sur l'utilisation de certaines techniques, il devrait demander que l'argent ainsi
libéré serve à répondre aux préoccupations des couples fertiles et infertiles, dans
une perspective collective, et dans le respect de l'importance de la maternité et
de la préservation des droits des femmes sur notre corps. Il devrait donc exercer
une pression sur le Fonds FCAR, le FRSQ, et les autres organismes de subventions québécois, pour qu'ils créent des programmes ayant pour mandat de cerner
les causes et les remèdes des problèmes de reproduction, en étroite collaboration
avec les femmes qui vivent ces problèmes. Ce n'est qu'ainsi que les femmes
peuvent s'assurer que les recherches sur la reproduction feront plus de bien que
de mal, à nous et à nos enfants.

Politique et éthique dans les institutions médicales: questions posées par le Conseil du statut de la femme
Claire Ambroselli*

Être interpellées par le Conseil du statut de la femme en 1987 pour réfléchir dans un forum international aux transformations apportées à la maternité dans notre culture représente un événement qui nous oblige à poser certaines questions encore difficiles à formuler. On peut d'emblée remercier la présidente, madame Francine McKenzie, d'avoir conçu, mis en oeuvre et réalisé cet événement porteur de réflexions à venir. Nous nous limiterons ici à quelques remarques autour de deux pôles de questions — politiques et éthiques — complémentaires. Un questionnement politique: comment gouverner, gérer, évaluer une conception humaine in vitro et des recherches sur l'embryon humain situé aujourd'hui en dehors du corps de la femme, dans des laboratoires? Questions éthiques: si, comme on peut le comprendre aisément, un tel « gouvernement » pose des questions éthiques multiples, on doit s'interroger sur la place et le sens de l'histoire des nouvelles instances éthiques (commissions nationales ou internationales, Comité consultatif national d'éthique, réunions internationales de bioéthique...), créées à la suite des développements de la fécondation in vitro et de la recherche sur l'embryologie humaine, et la place de ce développement dans l'ensemble des recherches biologiques et médicales. On comprend bien la nécessité pour le Conseil du statut de la femme d'ouvrir le débat au Québec sur

---

* Détentrice d'un baccalauréat en philosophie, d'une propédeutique en lettres classiques de la Sorbonne et d'un diplôme de sous-bibliothécaire de la Bibliothèque Nationale, madame Claire Ambroselli complétait en 1978 un doctorat d'État en médecine.

Médecin documentaliste à l'INSERM de 1978 à 1979 et médecin attachée à la Direction du plan et à la Direction des affaires médicales de l'Assistance publique de 1978 à 1983, madame Ambroselli contribue également pendant ces années, à la Direction scientifique de l'Association pour le développement de la documentation dans les hôpitaux de Paris. Visiting Fellow au Département de l'histoire des sciences de l'Université Harvard de 1979 à 1981, madame Ambroselli a participé, lors d'une mission au Québec, à un bilan d'étude d'une réforme d'un système de santé.

Madame Ambroselli est actuellement à la fois responsable du Centre de documentation et d'information d'éthique des sciences de la vie et de la santé et directrice de programme pour le Collège International de philosophie. Elle anime cette année en France un débat sur le thème: « La fabrique du corps humain et les droits de l'homme. »

de telles questions: la femme est politiquement et éthiquement directement mise en cause autant que tous ceux qui participent à ces nouvelles modalités de maternité mises en oeuvre dans les laboratoires ou à d'autres recherches impliquant la participation de sujets humains.

Première interrogation: comment gouverner, gérer, évaluer une conception humaine en laboratoire? Il ne s'agit pas de critiquer ce qui a déjà été fait dans les différents pays qui ont mis en oeuvre les programmes de recherche biomédicale aboutissant à la fécondation in vitro et au transfert d'embryon (FIVETE). En général, étant donné l'implication de sujets humains dans les protocoles de recherche, suivant les déclarations internationales d'éthique médicale (déclaration d'Helsinki, 1964-1975-1983; Déclaration de Manille, 1981...). L'avis d'un Comité d'éthique médicale indépendant a été demandé pour assurer le respect d'un consentement libre et éclairé des sujets participant à l'expérimentation, pour vérifier la qualité scientifique de la recherche (objectif, méthode, évaluation, suivi), pour publier, ou pour obtenir le financement d'un développement national et international de la recherche avec d'autres équipes, comme c'est le plus souvent le cas. En France, par exemple, en 1982, le protocole de recherche aboutissant à la naissance de la première enfant conçue in vitro a été présenté par l'équipe biologique et médicale de l'hôpital Antoine-Béclère à Clamart (responsable: Émile Papiernik) à deux comités d'éthique, celui de l'INSERM et celui de l'Assistance publique de Paris, tous deux favorables à la recherche.

Pourtant, dès les premières élaborations de ces recherches, en particulier dans les débuts de l'insémination et de la fécondation artificielles dans les années 30 (on peut se reporter par exemple aux travaux et aux réflexions de Jean Rostand), on savait bien que, dans ce domaine, on ne passait pas, comme dans toute recherche médicale, de la recherche sur l'animal à la recherche sur l'homme sans que cela pose quelques problèmes. Avant la deuxième guerre mondiale, ces problèmes concernaient des actes potentiels. Aujourd'hui, ils sont sur le terrain, déterminant de nouvelles potentialités. Des scientifiques, des couples et des gouvernements, publics ou privés, ont coopéré pour aboutir à la réalisation d'une fécondation artificielle. On fait maintenant des actes biologiques et médicaux parmi d'autres actes sans avoir encore pu analyser les répercussions scientifiques et techniques (potentiel de la recherche), économiques et sociales (potentiel des choix), symboliques et politiques (potentiel de la conception humaine déterminée en laboratoire).

On comprend bien l'acharnement des chercheurs, le soutien des institutions de recherche, des gouvernements, des sociétés à traiter une situation humaine considérée par certains comme un mal fondamental: la stérilité. N'y a-t-il pas derrière l'image de la stérilité une certaine conception de la vie et de la mort et donc de l'existence humaine élaborée par des femmes et des hommes à un certain moment de leur histoire et de leur culture? Comment supporter dans les pays christianisés puis industrialisés une existence humaine qui mène à sa propre mort sans transmettre « un peu de sa propre vie » à d'autres qui deviennent les « siens ». Les différentes manières dont on exprime les enjeux de l'insémination artificielle ou de la fécondation in vitro montrent que, même au-delà du traitement de la stérilité, il s'agit du traitement d'un mal plus fondamental que certains ne supportent pas parce qu'il symbolise plus directement la mort de l'individu. Comme si les « paillettes », les ovocytes ou les embryons congelés considérés par certains comme de nouveaux « biens » allaient assurer une certaine immortalité. En fait, les nouvelles techniques de conception qui touchent si directement à la vie humaine mettent en question la manière d'envisager la mort et la survie de l'individu et de l'espèce humaine à la fin du XXe siècle et au XXIe siècle. On comprend bien que les scientifiques, les institutions de recherche, les gouvernements et les sociétés, portés par un tel enjeu, cherchent à rassurer les inquiets, voire à se rassurer eux-mêmes, et à créer des conditions de recherche adaptées aux enjeux soulevés. Leur volonté suffit-elle? Les systèmes politiques sont-ils adaptés? De nombreuses inquiétudes s'élèvent simplement en confrontant ces nouvelles possibilités avec l'existence de régimes d'état totalitaire: comment aujourd'hui, comment demain se prémunir contre de tels régimes qui pourraient disposer de ces nouvelles potentialités?

Face à de telles menaces, il faudrait en fait pouvoir réfléchir à la place des institutions médicales dans les institutions, il faudrait comprendre ce que sont les institutions médicales au sens large du terme, c'est-à-dire des organismes instituant dans les sociétés des domaines politiques et de recherche aussi complexes que la médecine, la biologie et la santé. Il faudrait réfléchir à la manière dont les politiques de recherche des institutions médicales interpellent les gouvernements, les États et les gens, comment le dialogue s'établit entre eux, c'est-à-dire entre les institutions médicales et les autres institutions, dans les différentes cultures interpellées. Il faudrait pouvoir étudier ce gouvernement, la gestion et l'évaluation de cette interpellation et de ce dialogue auquel chacun participe plus ou moins. C'est dans le cadre de cette interpellation et de ce dialogue que le forum international du CSF représente un événement: un événement au Canada et un événement international. Ce qui fait l'événement de ce temps québécois, c'est la forme nouvelle de l'interrogation politique qu'il exprime. Si, dans la plupart des pays, le dialogue commence à s'ouvrir entre les institutions médicales et les sociétés touchées par les transformations qu'elles opèrent, il prend des formes variées. Ces formes convergent toutes en fait vers une « information », une « formation », une formulation des actes en question sous leurs multiples facettes, médicales, biologiques, scientifiques certes mais aussi économiques et sociologiques, culturelles et politiques. Dans cette convergence s'élabore une réflexion éthique dont on soupçonne encore mal toutes les répercussions, parce que le plus souvent on ignore, on occulte et on veut ignorer la crise de l'éthique médicale et de l'éthique occidentale à la racine de ces interrogations et de ce dialogue.

En effet, depuis la première naissance en 1978 en Grande-Bretagne d'une enfant conçue in vitro, des réactions variables s'élaborent généralement sous deux formes dinstinctes: des réactions médicales professionnelles plus ou moins ouvertes aux débats extérieurs, sous forme de prises de position dans les revues scientifiques des sociétés spécialisées (gynécologues, embryologistes, biologistes, comités d'éthique médicale...) ou des réactions politiques dont la difficulté repose surtout précisément sur la manière d'ouvrir ce débat public nécessaire pour évaluer individuellement et collectivement, culturellement et politiquement ces enjeux (Rapport du ministère de la santé, États-Unis d'Amérique, 1979; Commission Warnock, Grande-Bretagne, 1982-1984; Rapport Benda, République Fédérale d'Allemagne, 1985,...). La France en 1983 s'est située dans une position originale: la création par décret du chef de l'État, d'un Comité consultatif national d'éthique pour les sciences de la vie et de la santé, qui ouvre une fois par an les portes au débat public avec *les journées annuelles d'éthique* depuis 1984. Certains pays ont suivi ce type de réaction, notamment la Suède (1985), et le Danemark (1987), en créant un Conseil national d'éthique. D'autres pays comme les États-Unis d'Amérique et le Canada connaissent une double difficulté: la structure fédérale de l'État et la puissance des institutions médicales à l'échelle de la fédération des différents états pour les États-Unis et des provinces pour le Canada. Mis à part certaines positions ponctuelles des gouvernements (USA, 1979) ou de certaines provinces (Ontario, 1985), des travaux en cours sur les questions éthiques soulevées par la « périconceptologie » et les recherches sur les embryons humains in vitro sont dispersés, confidentiels et peu débattus au niveau national: les problèmes politiques sont aussi aigus que les problèmes éthiques.

Le forum du CSF se situe dans ce contexte. Il affronte les difficultés en ouvrant le débat publiquement au moment où le ministère de la Santé et des Services sociaux réfléchit aux questions posées par un comité spécialement mandaté pour cette mission. Encore là, là où une instance « éthique » semble encore problématique tant au Québec que dans l'État canadien, le CSF ouvre les portes à celles et ceux qui veulent bien coopérer. Si on peut regretter que dans cette ouverture à travers laquelle on perçoit un avant-projet de loi sur le problème de l'anonymat et de l'insémination artificielle et le projet du comité du ministère de la Santé, on n'ait pu dans le cadre du forum débattre plus précisément sur les textes ou les propositions spécifiques de ces projets, on est bien sensible à l'importance de la démarche courageuse du CSF.

Courageuse à double titre: ouvrir un débat éthique dans un cadre politique peut être trop rapidement critiqué. N'est-il pas préférable quand un État ou un gouvernement ne peut se décider à se doter d'une instance autonome de réflexion sur des enjeux aussi fondamentaux de l'existence humaine mise en question par les institutions médicales, qu'une instance ou un gouvernement — qui plus est — Conseil du statut de la femme — ouvre publiquement et collectivement cette réflexion malgré les critiques ou les résistances de tous bords. En fin de compte, on l'a vu, il s'agit bien directement des relations de savoirs et de pouvoirs établies notamment entre ces institutions médicales et les institutions politiques, des relations qui sont très vives entre les femmes et les autres personnes de ces institutions.

Mis à part quelques réactions de groupes féministes encore insuffisamment élaborées et communiquées, il n'y a eu que très peu de réflexions politiques et éthiques sur la place des femmes, leur rôle, leurs réactions, leur implication dans ces nouvelles transformations biologiques et médicales qui les concernent directement. Confrontées à une maternité en laboratoire qui transforme toutes les relations fondamentales de l'existence humaine, les femmes — peut-être plus violemment que les hommes — sont politiquement et éthiquement interpellées. Encore faudrait-il qu'elles puissent s'exprimer. Le dilemme de l'aboutissement actuel de ces recherches est aussi le dilemme des relations de pouvoirs établies entre les hommes et les femmes. Un tel aboutissement n'est-il pas aussi à rapprocher du silence imposé aux femmes dans les sociétés modernes?

Mais le CSF témoigne aussi d'un courage plus fondamental encore. Car au-delà d'une éthique médicale plus ou moins démocratiquement élaborée et médiatisée, les enjeux de la recherche sur la maternité au laboratoire, c'est aussi les enjeux de l'élaboration des droits de la femme, face à des droits de l'homme bafoués et face à des droits de la personne encore problématiques. Si la personne humaine reste un concept vide de sens comme le pensait en 1942 Simone Veil, au moment où précisément des personnes humaines étaient exterminées avec leurs droits dans des institutions médicales puis dans des camps de concentration et d'extermination par des États totalitaires. Comment élaborer à travers le monde des droits de l'homme avec des institutions médicales qui aujourd'hui opèrent des actes aussi fondamentaux que la conception humaine sans aménager d'ouverture politique et éthique nécessaire au développement de ces actes? Si la démarche du CSF ouvert au débat — que ni les institutions médicales ni l'État canadien ou québécois n'ont vraiment ouvert — est encourageante, on doit cependant s'interroger face à cette situation sur les résistances des autres institutions à ouvrir un tel débat.

Sans doute les retombées et les suites à donner au forum, notamment les échanges internationaux d'information, de formation et de recherche, qui vont s'établir sur les questions politiques et éthiques soulevées par les institutions médicales, permettront de mieux éclairer ces résistances, ces malentendus ou ces conflits de pouvoirs sous-jacents aux pratiques elles-mêmes. Il importe simplement, là encore, de bien situer les enjeux en question. Les problèmes posés en 1987 par les institutions médicales peuvent et doivent être rapprochés de ceux qui ont été posés quarante ans auparavant en 1947 par un Tribunal militaire américain jugeant des médecins ayant commis des crimes contre l'humanité. Si dans la culture occidentale, il a fallu que des juges élaborent des règles d'éthique médicale dans le cadre d'un tribunal ayant à juger des crimes contre l'humanité mis en oeuvre dans les institutions médicales, on doit se demander pourquoi les références et les exigences qu'elles impliquent sont si peu considérées? Pourquoi les associations professionnelles, au lendemain de la deuxième guerre mondiale, ont-elles dû élaborer elles-mêmes un Code international d'éthique médicale en 1949 (voir texte ci-dessous) qui semble ignorer ce que demande le Code de Nuremberg (voir texte ci-dessous) pour permettre une expérimentation médicale avec sujet humain: notamment la capacité légale du sujet expérimental à consentir à l'expérimentation. Comment parvenir aujourd'hui à mettre en oeuvre dans les institutions la reconnaissance de cette capacité légale du sujet expérimental que chacun peut être ou devenir sans aménager des lieux politiques et éthiques qui permettront à chacun de participer éventuellement à cette mise en oeuvre afin de se prémunir contre de nouveaux crimes contre l'humanité?

Le Code de Nuremberg

1947-1987

1. Le consentement volontaire du sujet humain est absolument essentiel. Cela veut dire que la personne intéressée doit jouir de capacité légale totale pour consentir: qu'elle doit être laissée libre de décider, sans intervention de quelque élément de force, de fraude, de contrainte, de supercherie, de duperie ou d'autres formes de contrainte ou de coercition. Il faut aussi qu'elle soit suffisamment renseignée et connaisse toute la portée de l'expérience pratiquée sur elle, afin d'être capable de mesurer l'effet de sa décision. Avant que le sujet expérimental accepte, il faut donc le renseigner exactement sur la nature, la durée et le but de l'expérience, ainsi que sur les méthodes et moyens employés, les dangers et les risques encourus, et les conséquences pour sa santé ou sa personne, qui peuvent résulter de sa participation à cette expérience.

L'obligation et la responsabilité d'apprécier les conditions dans lesquelles le sujet donne son consentement incombent à la personne qui prend l'initiative et la direction de ces expériences ou qui y travaille. Cette obligation et cette responsabilité s'attachent à cette personne, qui ne peut les transmettre à nulle autre, sans être poursuivie.

2. L'expérience doit avoir des résultats pratiques pour le bien de la société impossibles à obtenir par d'autres moyens. Elle ne doit pas être pratiquée au hasard, et sans nécessité.

3. Les fondements de l'expérience doivent résider dans les résultats d'expériences antérieures faites sur des animaux, et dans la connaissance de la genèse de la maladie ou des questions à l'étude, de façon à justifier par les résultats attendus, l'exécution de l'expérience.

4. L'expérience doit être pratiquée de façon à éviter toute souffrance et tout dommage physique ou mental, non nécessaires.

5. L'expérience ne doit pas être tentée lorsqu'il y a une raison à priori de croire qu'elle entraînera la mort ou l'invalidité du sujet, à l'exception des cas où les médecins qui font les recherches servent eux-mêmes de sujets à l'expérience.

6. Les risques encourus ne devront jamais excéder l'importance humanitaire du problème que doit résoudre l'expérience envisagée.

7. On doit faire en sorte d'écarter du sujet expérimental toute éventualité, si mince soit-elle, susceptible de provoquer des blessures, l'invalidité ou la mort.

8. Les expériences ne doivent être pratiquées que par des personnes qualifiées. La plus grande aptitude et une extrême attention sont exigées tout au long de l'expérience, de tous ceux qui la dirigent ou y participent.

9. Le sujet humain doit être libre, pendant l'expérience, de faire interrompre l'expérience, s'il estime avoir atteint le seuil de résistance, mentale ou physique, au-delà duquel il ne peut aller.

10. Le scientifique chargé de l'expérience doit être prêt à l'interrompre à tout moment, s'il a une raison de croire que sa continuation pourrait entraîner des blessures, l'invalidité ou la mort pour le sujet expérimental.

Extrait du jugement du Tribunal militaire américain,
Nuremberg, 1947. Cas K. Brandt et al.
Traduction française revue in:
F. Bayle, *Croix gammée contre caducée.*
Les expériences humaines en Allemagne pendant
la deuxième guerre mondiale, Neustadt (Palatinat,
Commission scientifique des crimes de guerre, 1950).

Code d'éthique médicale de l'Association médicale mondiale (1949)

A. Devoirs généraux des médecins

Le médecin, dans l'intérêt général de la profession, devra toujours s'efforcer d'acquérir et de maintenir une situation morale exemplaire.
La profession médicale ne doit en aucun cas être assimilée à un commerce.

Sont interdits au médecin:
1. Tous les procédés de réclame et de publicité, à l'exception des indications expressément autorisées par les coutumes et codes d'éthique nationaux.
2. Toute collaboration à une entreprise de soins, où le médecin ne jouirait pas de l'indépendance professionnelle, en matière en particulier de prescriptions.
3. Tout versement ou acceptation d'argent effectué à l'insu du patient, soit par des personnes, soit par des entreprises quelconques, en particulier les fabricants de médicaments ou d'appareils.
Sous aucun prétexte, le médecin ne peut faire quoi que ce soit pour affaiblir la résistance physique ou mentale de l'homme, excepté pour des raisons strictement thérapeutiques et prophylactiques, et dans l'intérêt de son malade.
Il est recommandé au médecin la prudence la plus grande en matière de divulgation de découvertes ou procédés de découvertes ou procédés de traitement, tant que leur valeur n'est pas expressément reconnue.
Le médecin sollicité de délivrer un certificat ou une attestation ne doit certifier que ce qu'il a pu personnellement constater.

B. Devoirs envers les malades

Le médecin doit avoir toujours présent le souci de conserver la vie humaine de la conception à la mort. Il doit à son malade toutes les ressources de sa science et tout son dévouement. Lorsqu'un examen ou un traitement dépasse ses capacités, le médecin doit faire appel à tel autre médecin qualifié en la matière.

Le médecin doit à son malade le secret absolu en tout ce qui lui a été confié, ou qu'il aura pu connaître en raison de la confiance qui lui a été accordée.

Le médecin, quel qu'il soit, doit toujours en cas d'urgence apporter les soins immédiatement nécessaires par devoir d'humanité. Il peut, par contre, pour des raisons dont il reste juge, refuser ses soins lorsque ceux-ci peuvent être assurés par d'autres.

C. Devoirs des médecins entre eux

Le médecin doit traiter ses confrères comme il désirerait être traité par eux, et appliquer les règles de la courtoisie la plus stricte, soit directement, soit lorsqu'il écrit ou parle à leur sujet.

Il doit s'abstenir de tout détournement de clientèle, et d'une façon générale éviter avec soin tout ce qui pourrait nuire matériellement ou moralement à ses confrères.

Il doit appliquer de tout son pouvoir les préceptes inclus dans le serment de Genève approuvé par l'Association médicale mondiale.

Synthèse du débat

Francine Lepage, agente de recherche, Conseil du statut de la femme

Dans cet atelier, il ne fait de doute pour personne que les nouvelles technologies de la reproduction soulèvent des enjeux politiques et sociaux majeurs. Des facteurs expliquant le développement rapide de ces technologies jusqu'aux moyens susceptibles de le freiner, un large éventail de sujets a été abordé durant la période de discussion. On a traité du rôle joué par les médias et des dangers inhérents aux NTR aussi bien que de la nécessité de réorienter la recherche ou de rendre le débat public. Bien qu'il n'y ait pas eu de divergences majeures dans l'assistance, des personnes ont tenu à exprimer leur inconfort face à certaines questions ou à certaines prises de position.

Les facteurs qui expliquent le développement rapide des NTR

Les nouvelles technologies de reproduction se présentent comme des techniques permettant de satisfaire le désir d'avoir un enfant à soi. Pour plusieurs, la valorisation de la maternité, de la maternité à tout prix, fait partie des valeurs les plus profondes qui sont transmises par la société et par l'éducation: la femme ne serait véritablement femme que si elle est mère.

On s'est également demandé si la vogue des NTR ne serait pas liée au phénomène de la dénatalité. Face à l'immigration et sans égard à la surpopulation prévalant ailleurs, les sociétés blanches recourraient aux NTR par crainte de devenir une minorité dans un monde de couleur.

De façon plus pragmatique, on pense que le développement des NTR se fait à l'image de notre société. Elles ont l'attrait du spectaculaire, représentent un domaine lucratif et vont dans le sens d'une médecine plus curative et palliative que préventive.

Le rôle joué par les médias

Les médias ont-ils tendance à présenter les nouvelles technologies de la reproduction en termes trop positifs? En réaction à l'exposé de la journaliste Carole Beaulieu selon qui les médias québécois ont, somme toute, donné un traitement assez équilibré aux NTR, une journaliste d'une province anglophone émet l'opinion que, chez elle, la presse s'est comportée de façon différente, ayant tendance à publier des articles excitants, peu critiques. La majorité des femmes croient donc que la technique de fécondation in vitro donne de très bons résultats.

Ces articles, ajoute-t-elle, contiennent peu de témoignages de femmes. Par conséquent, nous connaissons peu les motivations qui poussent les femmes infertiles soit à faire une deuxième tentative de fécondation in vitro, soit à ne pas recourir à ces techniques. Si l'on ne veut pas stigmatiser les femmes infertiles, comment savoir, dans ces conditions, quel support leur apporter et quelle alternative leur proposer?

Selon Carole Beaulieu, l'information n'est pas un phénomène isolé. La réflexion des journalistes est également en train de se développer et l'on n'a pas vécu au Canada les situations difficiles qu'ont connues des Américaines ou des Australiennes. La ministre de la Santé et des Services sociaux, madame Lavoie-Roux, n'affirme-t-elle pas que le débat, ici, n'est encore porté que par une élite scientifique et par les femmes?

Selon la journaliste du Devoir, donner plus d'éclairage dans les médias aux femmes infertiles constitue un couteau à deux tranchants. On peut facilement faire pleurer les gens en traitant de questions individuelles si l'on ne fait pas contrepoids à ces témoignages par une réflexion collective.

Enfin, Carole Beaulieu se dit disposée à s'adonner davantage au journalisme d'enquête, à traiter des questions plus fondamentales. Le malheur, selon elle, c'est peut-être que les lecteurs et lectrices, qui achètent les journaux et les font vivre, recherchent la nouvelle spectaculaire.

Les dangers inhérents aux NTR

En projetant le modèle de la mère idéale, l'envahissement technologique de la maternité porte d'abord atteinte à sa dimension symbolique. Les femmes sont amenées à douter de leurs capacités naturelles à mettre au monde des enfants sains sans le secours des supports technologiques offerts (échographie, amniocentèse, médication, interventions chirurgicales, etc.). Elles sont dépossédées de la maternité.

Le danger provient également de ce que les NTR représentent une mauvaise réponse au problème d'infertilité, réponse technologique à un problème souvent lui-même engendré par l'utilisation de mauvaises technologies en matière de contraception. L'infertilité ne résulte-t-elle pas dans plusieurs cas d'infections consécutives à l'usage du stérilet ou de la pilule contraceptive? Les nouvelles technologies sont souvent appliquées sans expérimentation préalable et sans que des recherches sérieuses n'aient été menées sur les effets secondaires possibles. Qui connaît, par exemple, les conséquences à long terme de la stimulation hormonale?

De plus, ces interventions ne sont pas sûres (des décès sont survenus), leur taux de succès est bas et les résultats souvent surestimés. Comment, dans ce cas, parler d'un consentement libre et éclairé de la part des femmes qui se soumettent à ces expérimentations?

Médecine de pointe se développant en marge de la médecine étatisée, les NTR ouvrent la voie, selon certaines personnes, à une privatisation plus grande des soins. Et qui dit privatisation dit risque de baisse de qualité. La quête de notoriété, la course aux subventions et la recherche d'une clientèle ne peuvent-elles pas amener les praticiens à rechercher des résultats spectaculaires à court terme sans égard aux risques à long terme pour la santé des femmes?

Mais les médecin ne peuvent-ils pas se donner eux-même des balises? À cette question, on répond que certains faits récents et d'autres qui remontent à la seconde guerre mondiale (pensons aux atrocités nazies) nous enseignent que scientifiques et médecins ne se montrent pas nécessairement critiques à l'égard des demandes qui leur sont formulées. Ils ne s'interrogent pas toujours sur les enjeux sociaux découlant de leur pratique.

Mais d'où viendra donc cette réflexion? Alors qu'au XVIe siècle, le développement des connaissances s'insérait dans un cadre philosophique et religieux, il se fait aujourd'hui sans encadrement équivalent. Ainsi, les spécialistes qui recherchent des méthodes permettant de déterminer à l'avance le sexe de l'enfant le font sans apparemment se préoccuper des conséquences sociales de leurs interventions et du biais favorable aux nouveau-nés de sexe masculin qui a prévalu de tout temps. Plus fondamentalement, les possibilités d'intervention sur l'oeuf humain et de congélation des embryons ouvrent des perspectives qui vont au-delà de ce que l'on peut imaginer. Comment, sans lieux de réflexion établis, sans code et comité d'éthique, sans législation, pouvons-nous envisager les enjeux politiques de ces transformations?

La nécessité de réorienter la recherche

Les nouvelles technologies de reproduction ne tentent pas de chercher un remède à l'infertilité des femmes, elles essaient de développer les moyens artificiels de faire un enfant. Selon plusieurs, la recherche des vraies causes de l'infertilité de même que de moyens contraceptifs plus respectueux du corps féminin servirait mieux les intérêts des femmes.

Cependant, dans la mesure où ces sujets d'étude nécessitent l'observation des réalités vécues, s'intéressent aux témoignages des personnes et ne requièrent pas un équipement très sophistiqué, ils sont souvent jugés peu scientifiques et moins susceptibles de mener à des résultats spectaculaires par les personnes chargées d'attribuer les fonds de recherche. Ces sujets ne recueillent donc pas la part du lion des subventions.

Pourtant, croient plusieurs, il serait urgent de chercher les causes réelles de l'infertilité, qu'elles soient économiques, sociales, environnementales ou psychologiques.

Les conditions actuelles du marché du travail, les horaires, l'absence de service de garde, la précarité économique amènent les femmes à reporter le moment des naissances. Selon Rita Arditti, les dommages à la santé s'accumulent pendant ce laps de temps plus long et peuvent porter atteinte à la capacité des femmes de procréer.

On parle également de l'effet sur la fertilité des pesticides, de l'alimentation, de l'alcool, de la cigarette, du stress et des polluants au travail. Pour certaines, le report des naissances et l'infertilité croissante sont le reflet de l'infertilité constatée dans les autres champs de la société. Au-delà des réponses apportées par l'État et la science, il faudrait chercher ce que les femmes veulent ainsi signifier, souligne une participante.

Pour Karen Messing, l'inconfort provenant des NTR reflète celui qui est ressenti face au désir d'avoir des enfants, à la recherche de moyens de contraception ou au besoin d'interrompre une grossesse. Il n'y a pas de NTR confortables tout comme il n'est pas facile à l'heure actuelle d'avoir un enfant et de mener une vie professionnelle et affective. Il n'existe pas encore, non plus, de méthode de contraception à la fois efficace et sans conséquences. Dans le cas de l'avortement, les approches limitant la difficulté du geste sur les plans mental, affectif et physique sont peu développées. Il y a nécessité que la science et la technologie partent davantage des besoins des femmes et reflètent davantage leurs valeurs. Une réorientation de la recherche en ce sens s'impose.

L'expression de certaines réserves

Des personnes ont tenu à faire part de leurs réserves ou malaises face à certaines questions ou prises de position.

Ainsi, des femmes fertiles ont exprimé leur sentiment d'inaptitude à porter un jugement sur le désir d'enfant des femmes infertiles. Devant le procès fait aux nouvelles technologies de reproduction, elles ont dit craindre que nos discours ostracisent celles qui sont infertiles alors que nombre de femmes se sont, par ailleurs, battues pour obtenir le droit au libre-choix.

Plusieurs ont tenu à souligner que la critique ne visait pas les utilisatrices des NTR mais plutôt les choix offerts à ces femmes, ceux-ci étant empreints d'une certaine idéologie. La critique doit être dirigée vers les personnes qui mettent de l'avant cette idéologie.

On a souligné que souvent les praticiens des NTR exploitent la situation émotionnelle des femmes infertiles sans leur donner une pleine information. Il faut donc présenter de vrais choix aux femmes de même qu'une information complète. Plusieurs ont parlé de la nécessité d'établir des liens avec les femmes infertiles, de les convaincre qu'elles sont pleinement femmes même si elles ne peuvent se reproduire et que la vie vaut d'être vécue.

Des personnes se sont opposées à la version d'un monde mettant d'un côté les hommes scientifiques et, de l'autre, « les pauvres petites femmes », ces dernières n'étant pas unanimes. En ces matières, ce serait davantage une question d'approche que de sexe. On a également parlé du danger d'un cloisonnement du débat entre les hommes et les femmes. Il faudrait remettre en question, non pas la science, mais une certaine culture scientifique. Au lieu d'un moratoire sur la recherche, on aurait besoin de règles encadrant la recherche et de recherches utilisant d'autres variables.

Enfin, certaines personnes ont parlé de leur difficulté à réconcilier le droit à l'avortement avec le désir d'enfant non satisfait des couples infertiles. Il faudrait explorer des solutions plus proches des réalités concrètes. N'y aurait-il pas lieu, a suggéré une intervenante, d'ouvrir la pratique de l'adoption, de mettre, par exemple, la mère naturelle en contact avec la famille adoptive?

Les façons de contrer le développement des NTR

Convaincus que les nouvelles technologies de reproduction soulèvent des enjeux politiques et sociaux majeurs, les participant-e-s s'accordent pour dire que leur développement ne doit pas être laissé à la seule discrétion (et à l'ambition) du monde scientifique et médical et du milieu des affaires. Mais comment amener l'ensemble de la société à prendre conscience de cette question, se demande-t-on?

Plusieurs préconisent que l'État impose sans tarder un moratoire sur la recherche en matière de NTR. Cependant, ce moratoire ne sera pas facile à obtenir, car les autorités ne désirent pas agir avant que l'opinion publique ne se soit manifestée. Or ce qui rend l'action de l'État si impérative, c'est-à-dire la vitesse avec laquelle se font les nouvelles découvertes et les expérimentations, rend également très difficile une mobilisation rapide de l'opinion publique. On croit donc que l'État ne devrait pas attendre l'établissement d'un large consensus sur la question avant de légiférer.

Une meilleure diffusion de l'information sur les NTR, sur leurs limites et leurs dangers est également réclamée. Les médias devraient aller plus en profondeur, démystifier, publier les vraies données.

Pour certaines personnes, le développement des NTR est lié à la médicalisation de la maternité. Les femmes doivent apprendre à faire confiance à leurs propres capacités et remettre en question leur dépendance des cliniques médicales sur tous les aspects de leur fertilité.

Il faut développer face à la santé des femmes une attitude qui tienne compte de leur capacité reproductrice. « On doit exprimer, dans les médias et dans la culture, jusqu'à quel point notre corps est précieux », dit une intervenante. Nous avons besoin d'établir des réseaux d'échange, de créer des centres de santé pour les femmes et de nous orienter vers la prévention.

Dès l'enfance, à l'école et dans les facultés de médecine, on doit promouvoir la médecine holistique, c'est-à-dire une approche de la santé partant de la vision globale de l'être et tenant compte de tous les facteurs (alimentation, cigarette, alcool, stress, travail, dimension affective, etc.)

Le besoin de recherche sur le phénomène de l'infertilité ne faisant pas de doute, on s'interroge sur les façons de réorienter la recherche. Plusieurs chercheuses réclament que chaque organisme qui attribue des subventions de recherche prévoie une catégorie réservée aux études féministes. Les demandes de subvention devraient être évaluées par des paires, c'est-à-dire dans ce cas-ci par des chercheuses féministes et, pourquoi pas, par les personnes sur lesquelles porte la recherche proposée. Quelqu'un suggère l'établissement de programme d'accès à l'égalité lors de l'octroi de subventions.

D'autre part, selon la conférencière Claire Ambroselli, les expériences en matière de NTR seront freinées si tous les pays inscrivent dans leur loi l'obligation de requérir un consentement libre et éclairé de tout sujet soumis à une expérimentation. Certaines personnes craignent qu'il ne s'agisse là d'une solution théorique et individuelle plus que collective, en l'absence d'informations adéquates et de mécanismes visant à assurer l'application de ce principe. Madame Ambroselli parle de la nécessité de créer des lieux de réflexion autres que publics, d'instaurer un code d'éthique large, d'établir un cadre juridique et politique autonome. Sans quoi, il ne peut y avoir application du principe de consentement libre et éclairé.

Pour plusieurs, la tenue d'un forum comme celui-ci représente un moment important, tant pour la réflexion et l'échange que pour la sensibilisation du public. Selon Claire Ambroselli, le Québec est le seul endroit où une instance politique (le Conseil du statut de la femme) a posé des questions de cette nature. L'assistance a tenu à saluer le rôle joué par certains organismes, dont le CSF, qui contribuent à ce que les femmes prennent la parole sur cette cruciale question des nouvelles technologies de reproduction.

Allocution prononcée lors du déjeuner-causerie

Monique Gagnon-Tremblay, ministre déléguée
à la condition féminine

Les enjeux du forum qui nous réunit tous aujourd'hui sont cruciaux et lourds de sens. En effet, non seulement les nouvelles technologies de la reproduction constituent-elles l'amorce d'une transformation radicale de notre façon de nous reproduire, elles vont jusqu'à remettre en question notre nature même.

Les risques qu'elles représentent ont été soulignés avec éloquence dans les divers travaux et études du Conseil du statut de la femme. Permettez-moi d'ailleurs de dire ma gratitude au Conseil et à sa présidente, madame Francine C. McKenzie, pour le leadership et le courage dont ils ont fait preuve. Leur travail de pionnières était essentiel pour que l'important dossier des NTR déborde des officines et des laboratoires pour être projeté dans l'opinion publique.

Ces risques et ces enjeux ont fait l'objet des communications des expert-e-s invité-e-s et ont été au coeur de vos discussions des dernières heures. Ils sont nombreux et complexes mais le plus grand, à mon sens, réside dans le développement accéléré de la recherche et de la technologie sans que celles-ci ne soient encadrées par des règles d'éthique issues d'un consensus social.

Ce manque de balises morales acceptées par l'ensemble de la société est imputable à divers facteurs. Tout d'abord, l'absence ou la fragmentation d'information de la population. Certes, les médias ont parlé des NTR mais surtout pour en retenir les aspects spectaculaires tels que la naissance de quintuplés résultant d'une fécondation in vitro ou la grand-mère porteuse des triplés de sa fille. Ils n'ont exercé que trop rarement leur rôle de véritable informateur ou de critique. Le travail de vulgarisation destiné au grand public reste encore à faire et ce forum y contribuera très certainement.

Un autre facteur est relié au fait qu'à l'exception des méthodes de diagnostic prénatal qui touchent la presque totalité des femmes enceintes, les nouvelles technologies sont pratiquées de façon sélective et n'ont pas, Dieu merci, rejoint une vaste clientèle. On doit d'une part s'en féliciter mais constater en même temps que cette forme d'occultisme retarde l'information du public.

Enfin, il faut souligner que parmi ceux et celles qui sont touchés par cette question, on retrouve divers courants de pensée souvent antagonistes. Il n'est pas besoin de rappeler ici les divergences d'opinion qui existent au sein du mouvement féministe même. Un courant, que l'on peut qualifier de minoritaire, lie la fonction de reproduction à l'aliénation et à l'oppression des femmes et favorise par le fait même tout moyen de les libérer de cette fonction biologique. Pour une autre école de pensée, la maternité est ce qui distingue fondamentalement les femmes des hommes et cette fonction constitue donc le principal enjeu des rapports de pouvoir entre les sexes. En conséquence, cette école juge indispensable de garder le contrôle de cette fonction biologique qui constitue la clé de l'identité des femmes.

Parmi les autres courants de pensée relatifs aux nouvelles technologies de la reproduction, on retrouve un discours attentiste qui préconise de donner les coudées franches aux couples qui veulent avoir des enfants et aux médecins et aux chercheurs qui les aident à pallier à leur infertilité. Pour les tenants de cette théorie, il faut laisser libre cours à toutes les recherches et à toutes les expérimentations. On peut s'interroger sur cette approche de non-intervention et de temporisation. La fin, même légitime et souhaitable, justifie-t-elle tous les moyens?

Les femmes et les groupes qui les représentent se doivent donc d'intervenir dans le processus d'orientation et de prise de décision relatif aux nouvelles technologies de la reproduction. C'est la grande vertu d'un forum comme celui-ci que de permettre aux femmes de se servir des débats avec des expert-e-s et des praticien-ne-s pour approfondir leur réflexion et arriver à préciser leurs positions.

Les femmes se sont battues pour obtenir le contrôle de leur corps. Elles ont exigé l'accès aux méthodes contraceptives, à la démédicalisation des cycles naturels de leur vie. Elles ont mis sur pied des centres de santé alternatifs et exigé des soins plus appropriés. Elles se sont faites les apôtres de l'humanisation des naissances en revalorisant le rôle des sages-femmes, en dénonçant le taux sans cesse croissant des césariennes, en réclamant une approche plus douce de l'accouchement. Il faut qu'elles continuent sur cette lancée pour que la maternité ne leur échappe pas.

Il faut se garder, toutefois, de faire de cet important débat seulement « une affaire de femmes ». Trop souvent, par le passé, les hommes ont choisi d'abandonner aux femmes tout ce qui entourait la fécondité: contraception, grossesse, enfantement, soins aux enfants. Il serait indigne d'eux de se désintéresser des enjeux des nouvelles technologies. C'est l'avenir de l'humanité qui est en jeu.

Quels sont donc les enjeux auxquels notre société est confrontée? Quatre d'entre eux attirent particulièrement mon attention. Il s'agit: 1) de la gestion « rationalisée » de la reproduction; 2) du morcellement de la maternité; 3) de la commercialisation de la maternité; 4) de la perte d'identité de l'enfant.

Si, à l'heure actuelle, le recours aux nouvelles technologies sur le corps de la femme s'applique dans un cadre thérapeutique ou palliatif, on peut aisément prévoir que, à moyen ou à long terme, il tendra, comme toutes les techniques médicales, à rejoindre une proportion croissante des grossesses et pourrait même viser une gestion « rationalisée » de la reproduction humaine. Dans cette optique, la liberté de choix des femmes pourrait être limitée par le pouvoir médical et plus particulièrement par les techniques de reproduction artificielle, de diagnostic prénatal ainsi que par les thérapies foetales et les manipulations génétiques. Ces interventions répétées morcellent le processus de la maternité et portent atteinte à sa nature même.

Le phénomène des mères porteuses illustre bien le contrôle de la technologie sur le corps des femmes et le morcellement de la maternité. En permettant qu'il y ait une mère génétique, une mère utérine ou porteuse et une mère sociale, on aliène cette fonction du corps de la femme en départissant la maternité biologique de son sens social et humain et en la réduisant à une fonction strictement physiologique.

De plus, si on assortit ce morcellement de la maternité de transactions marchandes, on porte atteinte à la dignité et à l'intégrité humaines. On risque ainsi de voir les femmes de milieux défavorisés être recrutées par des couples de classe moyenne ou aisée pour effectuer un « travail de gestation ». À l'échelle internationale, ce sont les femmes des pays moins industrialisés qui pourraient être appelées à jouer ce rôle pour les couples habitant les pays plus riches.

Les effets positifs ou négatifs des diverses manipulations effectuées dans le cadre des nouvelles technologies de la reproduction ne sont pas évalués. On ignore encore, par exemple, les répercussions tant psychologiques que physiologiques de l'insémination par donneur hétérogène. Dans la pratique actuelle, l'enfant issu des méthodes de reproduction artificielles avec donneur ne pourra pas retracer son père génétique, s'il le désire, l'information étant confidentielle et l'anonymat assuré. Or, la quête d'identité correspond à un besoin qui peut être essentiel chez certains. Des pays, dont la Suède, ont reconnu ce problème et mis fin à la règle de l'anonymat.

Sur le plan physiologique, l'anonymat des donneurs de sperme rend inutile, du côté du père, la recherche sur les maladies héréditaires dont les enfants pourraient tout de même avoir hérité. Également, aucune évaluation n'a été faite sur les risques de consanguinité qui pourraient se produire à la suite de l'anonymat et de la non-limitation stricte du nombre de dons de sperme.

À l'heure actuelle, on ne se préoccupe pas d'assurer un suivi systématique, et complet sur tous les plans, des enfants nés à partir des NTR; on ignore donc encore quelles seront les incidences sociales, psychologiques et physiologiques, non seulement sur les enfants mais aussi sur la population en général.

Devant les choix qui nous confrontent à l'heure actuelle, un problème se pose avec acuité. La fécondité des femmes se détériore de façon alarmante en raison de la propagation des maladies transmises sexuellement, de la fréquence des stérilisations précoces, de certaines méthodes de contraception dures, ou encore de l'incidence de facteurs environnementaux tels certains produits chimiques toxiques ou la fumée de cigarette.

Il est urgent d'étudier sérieusement les causes de l'infertilité féminine pour les contrer tout comme il serait également approprié de faire porter la recherche sur les causes de l'infertilité masculine.

En ce qui concerne les stérilisations précoces chez les femmes, certains spécialistes estiment que 20% des femmes qui demandent une fécondation in vitro ont subi préalablement une ligature tubaire.

D'autre part, en matière de contraception, certaines méthodes peuvent entraîner la stérilité. C'est le cas notamment du stérilet qui augmente les risques chez les femmes ayant de multiples partenaires de contracter une infection pelvienne, source de stérilité secondaire.

Les femmes ont d'ailleurs mis en accusation certaines méthodes contraceptives dures justement en raison de leurs effets potentiels négatifs sur la fertilité.

Au cours des dernières décennies, on a pu constater des changements majeurs dans la notion de parentalité. Les couples choisissent souvent de retarder volontairement jusqu'au début ou au milieu de la trentaine la conception d'un enfant. Dans ce contexte, il est évident que le nombre d'années de fertilité de la femme est plus restreint. Ces dernières courent non seulement le risque de voir leur fécondité diminuée à cause de leur âge biologique, mais également à la suite d'une possibilité accrue d'avoir contracté une MTS ou développé une maladie comme l'endométriose dont l'incidence augmente avec l'âge.

Même s'il est évident que la situation des moins de 30 ans n'est guère facile, il n'en demeure pas moins que le désir d'enfant a pris une signification nouvelle. L'enfant est de plus en plus assimilé à un bien de consommation dont l'acquisition peut être retardée et programmée à un moment précis, comme l'achat d'une maison ou d'une voiture. L'enfant, dans cette perspective, devient un symbole de réussite. Bien plus, si enfant il y a, il faut qu'il soit le plus « réussi » possible et qu'il réponde aux attentes des parents. À l'inverse, l'infertilité après une courte période d'essais infructueux est perçue comme un échec. Diagnostiquer une infertilité après un délai de non-contraception d'un an, comme le veut le plus souvent la pratique actuelle, c'est souvent ignorer les rythmes naturels et les déséquilibres momentanés susceptibles de se corriger spontanément.

Enfin, il y aurait lieu que dans le traitement de l'infertilité, le corps médical soit plus sensibilisé aux causes reliées davantage à l'environnement, aux habitudes de vie, à la nutrition, au stress. Le recours aux technologies est souvent envisagé sans même qu'on ait pensé à tenter des approches plus douces et plus globales.

Par-delà ces approches plus douces et plus globales, s'il faut éventuellement en venir aux biotechnologies, l'honnêteté et le respect commandent que les couples soient bien informés et bénéficient d'un véritable support psychologique. Les témoignages recueillis auprès des femmes traitées pour infertilité font état d'un manque important d'information, du caractère impersonnel et discontinu des soins, de l'absence d'aide psychologique appropriée et du manque de contact avec d'autres femmes ayant tenté le même traitement. La technologie et son efficacité ne doivent pas prendre le pas sur des considérations d'humanisation moins immédiatement rentables.

Ainsi que madame Lavoie-Roux l'a annoncé lors de l'ouverture du forum, le gouvernement du Québec a reconnu sa responsabilité dans le domaine des nouvelles technologies de la reproduction en mettant sur pied un comité inter-ministériel sur lequel siègent également des participants externes au gouverne-ment. J'ai pour ma part annoncé, en dévoilant récemment les orientations triennales en matière de condition féminine, que le gouvernement développerait un cadre juridique et administratif régissant les NTR.

Il est aussi de bon augure que plusieurs groupes de recherche aient vu le jour au sein de diverses universités du Québec, dont l'Université de Montréal et l'Université Laval, ainsi qu'au Barreau du Québec.

Le débat public démarre à peine. La rigueur et la profondeur qui ont marqué le présent forum donneront le ton à la réflexion collective.

Dans cette réflexion qui s'amorce, les femmes et les groupes qui les repré-sentent doivent faire valoir leur point de vue. Elles doivent parler haut et fort. On a déjà dit que la guerre était une chose trop sérieuse pour la confier à des généraux. Les enjeux des nouvelles technologies sont trop cruciaux pour qu'on les laisse dans les seules mains des spécialistes.

Pour conclure, je désire féliciter vivement le Conseil du statut de la femme et sa présidente, madame Francine C. McKenzie, pour l'organisation de ce forum qui s'avère d'ores et déjà un succès éclatant, grâce à votre participation.

Conférence-débat de clôture

Le pouvoir collectif des femmes sur la reproduction: une action à mener internationalement

*D**e quelles façons les femmes peuvent-elles exercer un contrôle sur le développement, le financement et l'application des technologies nouvelles en re-production humaine? Comment doit s'établir la collaboration nationale et internationale pour exercer efficacement un contrôle sur le phénomène des nouvelles technologies de la reproduction? Sur quels enjeux faudrait-il agir de façon prioritaire?*

Conférencières: **Marie Lalancette**
Jalna Hanmer
Mary Sue Henifin
Martine Chaponnière
Janice G. Raymond
Françoise Laborie
Louise Vandelac

Choisissons de nous prendre en mains
Marie Lalancette*

Stérilisation forcées, avortements interdits, moyens contraceptifs imposés ne sont que quelques-unes des politiques des gouvernements pour contrôler la fécondité des femmes. Ces mesures autoritaires et souvent pernicieuses règnent sur nos corps et nos vies.

Au Québec, les femmes bénéficient d'une liberté de choix relative en matière de procréation. Les services de planning des naissances ou ceux d'assistance à l'accouchement ne suffisent pas pour répondre aux besoins. La rareté des services gratuits d'avortement sur demande et le climat créé par les médias qui ressassent le discours sur la dénatalité remettent aussi en cause le pouvoir des femmes de décider si oui ou non elles seront mères.

Les seuls choix permis par les lois doivent se faire à l'intérieur du cadre médical. Pensons à la tutelle que les médecins exercent sur les femmes qui choisissent d'éviter une grossesse ou d'en vivre une.

L'intégrité des femmes passe par leur prise de contrôle sur la procréation. Les organisations de femmes, comme la Fédération du Québec pour le planning des naissances (F.Q.P.N.), luttent donc pour la reconnaissance du pouvoir des femmes de décider si elles veulent ou non des enfants.

Respecter le libre choix des femmes ne signifie pas pour nous se placer au-dessus des débats et des réalités. Un choix libre n'est possible que si l'on dispose d'informations complètes. La F.Q.P.N. tient à partager l'information dont elle dispose, à poser des questions, à faire part de ses actions relatives aux nouvelles technologies de procréation, ces nouvelles interventions médicales sur la fécondité et le corps des femmes, afin d'arriver à cerner leur impact sur le pouvoir des femmes en matière de procréation.

---

* En 1980, Marie Lalancette reçoit un diplôme en sciences économiques de l'Université de Sherbrooke où elle a milité au comité-femmes de l'association étudiante.

Enseignante pendant quelques années au Collège de l'Abitibi-Témiscamingue, elle y a travaillé activement au Collectif féministe de Rouyn-Noranda pour la santé des femmes.

Elle est actuellement agente d'information au siège social de la Fédération du Québec pour le planning des naissances où, entre autres tâches, elle effectue des recherches sur les nouvelles technologies de reproduction et leur impact sur la condition des femmes.

Les technologies médicales de procréation répondent-elles aux besoins des femmes?

Au XIXᵉ siècle, la santé des femmes, dernier domaine jusque-là refusé à la nouvelle profession médicale, tombe aux mains des chirurgiens-barbiers par le biais de l'introduction d'une « nouvelle technologie » alibi: les forceps. Alibi, puisqu'en réalité, les gouvernements frappent d'interdit la pratique des sages-femmes à la suite de pressions des nouveaux obstétriciens. Seules les connaissances et techniques de contrôle de la fécondité aux mains des femmes deviennent illégales.

Les interventions multiples sur le corps des femmes ne font que commencer. La médecine pose les femmes comme incompétentes dans la régulation de leur corps et de leur système procréateur. Elle perçoit les femmes comme des malades. Médecins et spécialistes croient en la scientificité de leurs pratiques. Celles-ci reposent en fait sur des représentations culturelles: la **pilule** contraceptive par exemple, ne suggère-t-elle pas la présomption d'une maladie à soigner? Étrange d'imaginer qu'il vaut mieux prendre par la bouche un produit destiné à influencer le système procréateur! Aujourd'hui, l'obstétrique-gynécologie, spécialité **chirurgicale**, se compose à 90% de praticiens de sexe masculin. Leur travail prête flanc à la critique; la participation massive des femmes du Québec aux colloques *Accoucher ou se faire accoucher* en témoigne. La discipline poursuit son développement en dehors du contrôle des premières intéressées, objet de ces études: les femmes. L'absence d'information et l'insécurité entretenues quant au fonctionnement du corps des femmes garantissent que celles-ci continueront de les consulter. L'État se charge de contrer toute velléité d'autonomie des femmes par des lois ou en refusant de financer les alternatives qu'elles développent.

Dans une telle logique, le développement des nouvelles technologies de procréation, nouveaux outils du pouvoir médical, peut-il servir les intérêts des femmes dans le contrôle de leur fécondité, de leur corps?

Les nouvelles technologies de procréation portent en elles des questions telles: l'ovule est-il sain? Y a-t-il des désordres génétiques? Le foetus est-il normal? Elles exagèrent les risques associés à la procréation et, par là, entretiennent la peur. Cette peur véhicule l'incompétence des femmes en matière de contrôle de la fécondité, elle nie le pouvoir objectif des femmes en matière de procréation. Cette peur crée une surenchère pour les nouvelles technologies de procréation et un sentiment d'insécurité chez les femmes. Pourquoi faire confiance à des « incompétentes » alors que « la qualité de la race » est en jeu?

La stérilisation eugénique se pratique de par le monde; elle retire la liberté des femmes de décider d'avoir un enfant. La fécondation in vitro peut très bien s'inscrire dans la même continuité. La FIV livre à l'examen du spécialiste le matériel à potentiel procréateur des femmes. Cette évaluation peut facilement servir à des fins de contrôler qui peut, ou qui a le droit de procréer.

Où est l'autonomie des femmes?

Le diagnostic prénatal, outil de sélection eugénique, se pratique systématiquement au Québec. *Le Carnet de Grossesse*, publié par la Corporation professionnelle des médecins (en 1987) mentionne que le médecin choisit de soumettre sa patiente à l'échographie.[1] C'est de l'abus de pouvoir! Où est le choix des femmes?

Avec l'insémination artificielle, associée au contrat de mère porteuse, germe l'idée de contrôle total du corps et de la vie des femmes durant la grossesse et la perte de tous les droits fondamentaux comme celui de se déplacer sans avertir et celui de garder l'enfant à qui l'on donne naissance.

Les gouvernements verront-ils dans ces nouvelles technologies d'autres alibis pour établir un contrôle encore plus poussé sur notre fécondité et nos corps? Ceux-ci assujettiront-ils les droits des femmes à la surveillance du médecin-policier? Accepterons-nous une telle réglementation de nos vies?

Les nouvelles technologies de procréation élargissent-elles l'éventail des choix offerts aux femmes?

Qu'il s'agisse de n'importe quelle de ces technologies, le médecin, posé en expert, décide. Il diagnostique l'infertilité, impose des tests, décide de l'accessibilité et rentabilise son matériel technologique coûteux. Il tait les conséquences pour les femmes de ces traitements, peu connues, peu étudiées. Il dispose d'une pleine latitude, bref, **il** choisit.

Les femmes choisissent-elles?

Coté contraception, les femmes disposent de peu de choix. Les moyens contraceptifs, développés par l'industrie pharmaceutique à partir d'analyses à courte vue, négligent la réalité des femmes. L'épidémie de maladies pelviennes n'est pas étrangère au type de contraception utilisé. Les maladies transmises sexuellement, combinées à l'utilisation à long terme de la pilule ou du stérilet, débouchent trop souvent sur une dégradation de la fertilité et de la santé des femmes. La stérilisation se présente, de plus en plus, comme une réponse, inadéquate, mais « moins pire parmi les pires ». Notons qu'un tiers des femmes du Québec, en âge de procréer, sont stérilisées.

Coté maternité, les femmes infertiles et stérilisées en aussi grand nombre constituent un marché propice pour les médecins-entrepreneurs en nouvelles technologies de procréation.

Mais la liberté de marché se confond-elle avec la liberté des individues? Ces individus ont perdu leur choix, piégés par les possibilités restreintes de la contraception. Peut-on seulement parler de liberté?

Par ailleurs, tout marché s'appuie sur des interventions de l'État pour en assurer le fonctionnement. Les intérêts économiques de ces entrepreneurs et les intérêts politiques des gouvernements passeront-ils avant les intérêts des femmes ? Par exemple, les intérêts des médecins-banquiers, dépositaires d'embryons sur-numéraires, peuvent être de faire d'autres recherches à je ne sais quelles fins, mais dans un but ultime de rentabilité. Les intérêts de l'État, défenseur de la propriété privée, peuvent être d'établir un statut juridique d'héritier à l'embryon. Où sont les intérêts des femmes si leurs embryons servent, d'une part, à décrocher des brevets d'inventions et, d'autre part, à légiférer pour leur retirer toute possibilité d'avorter.

Côté responsabilité des enfants, les femmes n'ont pas le choix; elles ont **toutes** les responsabilités **après** la naissance. La condition sociale faite à la maternité rime avec corvée, responsabilité, pauvreté. Les médias consacrent vedettes les femmes qui mettent leur matériel à potentiel procréateur au service de la recherche médicale. **Hypocrisie** qui masque que la société n'accorde en réalité aucun prestige aux femmes qui deviennent mères.

Les premières évaluations des nouvelles technologies de procréation nous font craindre qu'elles menacent le pouvoir des femmes sur leur fécondité et même sur elles-mêmes.

Le présent forum témoigne de l'inquiétude que soulève l'impact des nouvelles technologies dans la société.

La Fédération du Québec pour le planning des naissances estime que nous ne pouvons attendre que les tribunaux autorisent, à la pièce, des pratiques qui portent atteinte à l'intégrité des femmes. Le gouvernement québécois, à titre de gestionnaire du système de santé, doit imposer un moratoire sur l'ensemble des expériences des bio-techniques de procréation afin de permettre de faire le point sur l'état des recherches et de diffuser l'information essentielle à une juste évaluation des enjeux. S'ils recherchent le mieux-être de la population, les milieux scientifiques et médicaux accepteront de surseoir aux pratiques qui ont pour effet de placer la société devant des faits accomplis.

Ensuite, le gouvernement québécois doit exiger la diffusion des études d'impact sur la santé des femmes des « traitements » que leur imposent les nouvelles technologies de procréation, telle la surstimulation des ovaires utilisée dans le processus de FIV. Si de telles études n'existent pas, il doit en exiger la tenue et les résultats **avant** la levée du moratoire. L'État doit s'assurer que les pratiques expérimentales de ses professionnel-le-s de la santé ne mettront plus en jeu la santé et la sécurité du public, en l'occurrence, les femmes.

Par ailleurs, le gouvernement québécois ne peut se contenter d'un simple comité d'expertes et d'experts pour le conseiller sur le sujet, d'autant plus que le comité n'a pas consulté les groupes de femmes impliqués dans le dossier. L'État s'est trop souvent chargé d'accroître son contrôle de façon coercitive sur les femmes et leur fécondité. Il doit prévoir, en collaboration avec les groupes représentant les intérêts des femmes, un processus démocratique pour élaborer, pendant la durée du moratoire, l'encadrement des pratiques relatives aux nouvelles technologies de procréation. Ce qui signifie que le gouvernement doit allouer aux groupes de femmes des ressources financières suffisantes leur permettant d'investir énergie et ressources humaines dans ce processus plutôt que dans leur survie quotidienne. Il doit concrétiser sa volonté de tenir compte des intérêts des femmes en créant des lieux où elles seront parties prenantes des décisions.

Par ailleurs, à titre de gestionnaire des services de santé du Québec, le gouvernement doit favoriser en priorité les services dont a besoin la majorité des femmes: contraception, avortement, pratique des sages-femmes, prévention des maladies causant l'infertilité.

Enfin, le gouvernement québécois doit assurer un financement adéquat aux pratiques existantes qui proposent une alternative aux nouvelles technologies de procréation. Les groupes de femmes, oeuvrant en santé, favorisent la prévention de l'infertilité et l'autonomie des femmes, ce qui, à court et à long termes, constitue un bon investissement alternatif pour l'ensemble de la population. Les médecines douces disposent de techniques et de connaissances qui respectent la santé des femmes. Leur efficacité se compare avantageusement au faible rendement des nouvelles technologies de procréation et elles coûtent beaucoup moins. Elles offrent donc une alternative valable.

Outre ces demandes auprès de l'État, la F.Q.P.N. cherche à étendre la prise de conscience des impacts des nouvelles technologies aux autres groupes de femmes. Nous nous proposons de rencontrer les femmes dans chacune des régions du Québec dans le but d'étendre l'accès aux informations cruciales concernant ce dossier. Nous tenons à mettre les femmes au courant de l'aspect expérimental des nouvelles technologies de procréation.

Contrôler sa propre fécondité ne nécessite pas toutes ces technologies. L'attirail technologique ne sert que si nous y prêtons nos corps. Prendre le pouvoir sur la santé des femmes, c'est d'abord entreprendre une démarche visant à se prendre en charge. Ensuite, se donner des moyens et du support entre femmes. La F.Q.P.N. propose son réseau d'information à toutes les femmes et collectivités de femmes désireuses de se donner des choix et d'entreprendre ou de poursuivre une démarche de prise en mains de leur fécondité.

Le pouvoir collectif des femmes sur la procréation commence par chacune d'entre nous. Choisissons de nous prendre en mains!

The Collective Power of Women in Procreation: A Project for International Action
Jalna Hanmer*

Résumé

Les NTR menacent non seulement le rôle biologique des femmes mais leur existence en tant que groupe social. La thèse de Shulamith Firestone a pu laisser croire aux femmes que le contrôle total de leur fonction de reproduction apporterait l'égalité des sexes. C'était mal comprendre les liens entre les aspects biologique, émotif, intellectuel et social de la personnalité. En référence au complexe militaro-industriel dans lequel s'inscrit trop souvent la recherche scientifique, le développement des NTR inquiète. La science, au service de la mort lors de la guerre du Viet-Nam, est maintenant à la recherche de techniques « idéales » de reproduction d'êtres humains parfaits par des moyens artificiels. Si ces techniques apparaissent comme des traitements de l'infertilité, ce n'est que parce que le corps des femmes est indispensable à l'expérimentation. Le faible taux de succès n'incite d'ailleurs pas les médecins à cesser les expériences.

Admettre que les NTR soient des traitements de l'infertilité, c'est accepter l'autorité médicale, accepter l'infertilité comme une maladie des femmes et accepter de soumettre sa destinée à l'autorité masculine (scientistes, législateurs, avocats, etc.). L'adhésion à ce modèle médical produit une division de l'opinion des femmes quant aux objectifs des NTR

* Maître de conférences à l'École d'études sociales appliquées et coordonnatrice des Études féministes à l'Université de Bradford en Angleterre, Jalna Hanmer a à son actif, depuis une dizaine d'années, plusieurs publications sur la signification et les conséquences des nouvelles technologies de la reproduction sur les femmes et sur la condition féminine en général. Coauteure de *Well-Founded Fear: A Community Study of Violence To Women* et coéditrice de *Women, Violence and Social Control*, Jalna Hanmer publiait récemment, en collaboration, *Man-Made Women*. Tentant d'approfondir la réflexion et la compréhension des relations entre la science, la technologie, la société et le pouvoir masculin, Jalna Hanmer met actuellement sur pied un nouveau journal intitulé Reproductive and Genetic Engineering, Feminist International Analysis dont la première parution est prévue pour le mois de mars 1988.

et empêche une remise en question des structures de classes et des relations dominants-dominés à l'échelle nationale et internationale.

Les femmes ont fait de grands progrès vers l'égalité juridique et le contrôle de leur corps. La maternité d'emprunt remet en question ces acquis. Devant le danger d'exploitation des femmes par le biais de la fonction reproductrice, l'auteure fait appel à une intensification de la solidarité des femmes pour le contrôle et le respect de leur corps. Cette lutte peut amener les femmes à s'attaquer à quelque chose d'aussi puissant que le complexe militaro-industriel. C'est un défi à relever.

As our deliberations over the past two days clearly demonstrates, how we conceive the questions determine the answers we seek. My own personal understanding of reproductive technology began sixteen years ago with an insight that may sound paranoic, but in the words of that well known saying, "Just because you're paranoid, doesn't mean they're not out to get you". My insight was that women as a social group are under very great threat; our understanding and experience of ourselves as women is to be further restricted and undermined. Our personhood, our liberty, possibly our very right to exist is to be transformed through a restructuring of women's role in biological reproduction.

I had been considering consciously and subliminally the thesis of Shulamith Firestone in the *Dialectic of Sex* (Jonathan Cape 1971), that if women were to give up their role in human reproduction men would no longer have any reason to hate and fear us. Babies could be made in factories and men and women could live in harmony for ever after. A gut response to this thesis as misguided is not a simplistic understanding of biology as destiny, but rather an understanding of the thinking, feeling, physical experience of ourselves as one whole. The analogy is, for example, binding the feet of Chinese women so that they cannot walk, but must at best hobble, or crawl on their hands and knees in order to physically move from one place to another on their own. The use of our legs and feet in walking and running is an integral part of our species. It is not biologistic to speak of its removal through the action of human agents as mutilation. Nor is it biologistic, or essentialist, to speak of the negative impact of the removal or restriction of physical abilities through the actions of human agents as impacting on our understanding of ourselves and our place in society and the world. Physical, emotional and intellectual processes are intertwined. Just as our minds can affect our physical well-being, so too can our physical selves affect our thoughts and feeling processes.

Out of this gut response that something was afoot that could seriously disturb our understanding of ourselves, I began to try to find out the nature of the blueprint, that is, what is in store for us. What are the dreams that guide the actions of men — the dream products they call science and technology? Having just emerged from that dream world, that nightmare of technologically assisted death, called Vietnam, I wanted to know the role the military, not just so-called pure science which after the atomic, the hydrogen bombs, the defoliants, the cluster bombs, the CS gas, the exposure of the military-industrial complex, etc., was a naïvety of thought destroyed forever.

Let me read you this quotation I found in a report by the U.S. Sub-Committee on Science, Research and Development of the Committee on Science and Astronautics (1972). Originally published in the Journal of the American Medical Association (220, 1356-1357, 5 June 1972) genetic (reproductive) engineering has been defined as:

> "...covering anything to do with the manipulation of the gametes or the fetus, for whatever purpose, from conception other than by sexual union of two persons to treatment of disease *in utero*, to the ultimate manufacture of a human being to exact specifications... Thus the earliest procedure... (is) artificial insemination; next... artificial or *in vitro* fertilization... next artificial implantation into a uterus... in the future ectogenesis, or total extracorporal gestation of a fetus to term... and finally, what is popularly meant by genetic engineering, the production — or better, the biological manufacture — of a human being to desired specifications..."

That these proposed transformations in women's role in human reproduction had a medical face only became apparent or necessary through the success of the experimentation with conception. That is the fertilization of women's eggs outside her body had to be tested through reimplantation and mature eggs had to be obtained from women.

To look upon IVF and its associated procedures as beneficial, and I mean effective treatment for women who desire children, is to perceive the new reproductive technologies within a medical model, that is as the treatment of disease. To do so is to accept a number of dubious premises:
1) it is to accept the authority of medicine;
2) it is to accept infertility as a disability in women;
3) it is to accept male authority over the lives of women as it is largely men who are the scientists, the doctors, the state legislators, the lawyers, the many others who structure motherhood as a biological and social reality for women.

The acceptance of a medical model stops us from seeing how women are divided by the application of the technologies into deserving and undeserving, that is, as defined by a woman's relation to men, the class structure and the dominant race both within national boundaries and between them. This tunnel vision stops us from asking why women in the so-called Third World are to be stopped from having children while women in the imperial countries are to be encouraged to do so. It stops us from seeing and trying to explore and develop our understanding of how patriarchial social relations are being restructured within our First World societies so that men in families have greater control over the reproductive processes of women. For example, it stops us from questioning why healthy women should be subjected to dubious experimental procedures because their husbands have low sperm counts. It stops us from seeing how men as a social group, through science, technology and the state gain greater control over human reproduction and thereby all women. For example, illegitimacy is being redefined legally as surrogacy. With an illegitimate birth the sole or primary parent is the mother, but when this type of birth is redefined as surrogacy, rights shift to the sperm providing father.

The power of the idea that the new reproductive technologies are about helping women to conceive is very great, but this is not the fundamental issue. We are witnessing a transformation in the economic and scientific basis of our societies from a base of non-renewable resources, that is, fossil fuels, to renewable, that is bio-processes or genetic engineering. The control of life processes is the key to this future. IVF and its associated processes is simply a staging post along the way. A very necessary staging post as it is a way of obtaining female sex cells and female bodies for experimentation.

To move out of an understanding of the new reproductive technologies as medical treatment aimed at the cure of disease does not mean that individuals do not see their role in this way. That is, individual doctors may well be guided by the medical model to cure disease. Experimentation is the traditional method by which advances in the control of disease take place. Experimentation is a way of determining cause and effect — the effect cannot be known in advance. The detrimental impact on women of this process of gaining knowledge is therefore not seen as a reason for questioning the ultimate medical ''good'' to be obtained. This is why doctors do not feel compelled to stop IVF and its associated procedures simply because very few women actually achieve live births through these interventions, or that some women have died, or that the effect of the hormones and drug treatments, the surgery, the psychological suffering of women are unquantified or ill understood.

What questions should we be asking? Let me pose one central question. How is women's civil status being affected by the new reproductive technologies? We have seen important improvements in women's civil status as wives from the 19c. onwards. In Britain I would like to begin with the Norton case — freed through *habeas corpus* from the imprisonment in her home by her husband — to the Married Women's Property Acts which gave rights over our own earnings and inheritances, if any, — to rights to divorce, to custody of our children and eventually in the 20c. even legal guardianship of our children. It is important to remember how hard women had to struggle to improve the civil position of women as wives in order to gain some control over our freedom of movement, our labour, our relationships with our own children. We women continue to benefit from these past gains. For example, in England today well over 70% of divorce petitions are brought by women, many of whom, along with their children, are physically and sexually abused in their own homes by the men with whom they live. The legal disabilities women suffer as wives, have lessened considerably over the past 150 years making it possible for women, not all, but many women, to gain control over their lives and to protect their children.

At this point in history we see the legal disability of women increasing as mothers with so-called surrogacy contracts and a more close circumscribing of the social institution of motherhood. The concept of the ''fit mother'' is being expanded to include the "fit reproducer". This social institution is defined as one in which only heterosexual, married or stable cohabiting women can receive certain medical interventions that go under the name of treatment. When has a true medical intervention for disease been limited to certain social categories as a matter of public policy? With the new reproductive technologies we are discussing the social restructuring of the relations of women to men through the medium of women's biological processes in the reproduction of human life.

This understanding leads to a focus on the social position of women generally in society. It looks to continued scholarship in Women's Studies and the disciplines that make up Women's Studies on the processes that facilitate, govern, restrict women's ability to live in society. It leads us to science and technology, the still heart of the storm. This is the power centre of male dominance. Focusing on the processes to be utilized in the transformation of the economic base of society is part of a woman centred agenda as control over bio-processes moves into the body of the woman herself. Our social institutions based on economic, racial and gender inequalities, are these to remain firmly in place while the nature or the processes to be utilized change. This too is a part of a woman centred agenda.

Our Bodies Ourselves. A new consciousness enabled a generation of women to grasp those words as emboding the rallying cry for liberation. We are only now becoming conscious of the fuller meaning of the threat to, and challenge to women that continues to make relevant this central demand of the Women's Liberation Movement that emerged some twenty years ago. We are participating in a transformation in meaning, a deepening of understanding, one that emerges from a growing international feminism encapsulated by the United Nations Decade on Women in the demands for Peace, Development and Equality. Women around the globe are finding common cause in resisting the greater social control of women through a technological fix on women's life processes through human embryology. We are at the beginning of a demand for a better world for women, one that we know cannot be achieved through the oppression of other women wherever they may live.

What have we accomplished so far? Women have expressed concern about the new technologies for over a decade. The first conference was held in the United States in 1979 on "Ethical Issues in Human Reproduction Technology: Analysis by Women". It resulted in the publication of two volumes of which one, *The Custom Made Child* provides issues we continue to explore today. This was followed by *Test Tube Women*, two collections of papers from conferences, *Man-Made Women* and yet to be published *Made to Order*. *The Mother Machine* and the forthcoming *Beyond Conception: The New Politics of Reproduction* and *The Commercialization of Motherhood* are important individual contributions to the growing scholarship. The Feminist International Network of Resistance to Reproductive and Genetic Engineering[1] was established three years ago and has active groups in 25 countries. A new journal to be published early in 1988 by

Pergamon Press, Reproductive and Genetic Engineering: International Feminist Analysis, is underway.

What remains to be done? There is a very great need for an international research and resources centre in order to monitor developments worldwide, to disseminate information, to promote conferences and working groups, to bring a woman's centred point of view to governments and regulatory bodies, to encourage national developments on behalf of women. I would be most grateful to hear from any woman in this room how this might be funded as we have not been able to find a source to date.

There is a need for more involvement by feminist women on ethics committees and policy making bodies to regulate the technologies — or to form our own in order to issue woman-centred reports, to consider legislation to regulate and ban these technologies, to support women who are misused and abused, to strip the ideology of "perfect babies for perfect couples" of its power to blind people generally to its basic inhumanity, that is, its eugenic implications — both to babies and to women.

If women want attention devoted to the causes and cure of involuntary childlessness, we women must demand that is where attention and resources are directed, and not be fobbed off with media and medical hipe. After 10 years of IVF only 5% to 10% of women, not all of whom are infertile to begin with, leave hospital with a baby. This cannot be accepted as medical treatment.

We must stand our ground, demand the truth, and insist on our vision of the world in which Our Bodies Ourselves, our physical, mental and emotional integrity is the foundation. If this means the dismantling of science, technology, the military-industrial complex and all those myriad organizations that support these edifices, and their restructuring along new lines, let us accept this challenge.

New Reproductive Technologies and Women's Health
Mary Sue Henifin*

Résumé

Ce texte examine dans quelle mesure l'État peut intervenir pour réglementer les nouvelles technologies de la reproduction, actuellement pratiquées sur une large échelle aux États-Unis et dans le monde, tout en respectant l'autonomie des femmes.

L'exemple du procès de Baby M. illustre bien les dangers d'une intervention étatique qui ne tient compte que du principe d'une liberté de procréation illimitée alors que toute réglementation devrait être élaborée dans le cadre restreint de la protection de l'intérêt public. Or la santé des femmes est un intérêt public suffisamment puissant pour justifier l'interdiction des pratiques commerciales reliées aux NTR comme la vente et l'achat d'ovocytes, d'embryons ou de la fonction gestatrice.

Cependant l'attention accordée à tout le débat sur les NTR fait oublier d'autres problèmes fondamentaux d'allocation de services médicaux et sociaux que nous évitons ainsi de régler. Ainsi, peu de ressources sont consacrées à prévenir l'infertilité qui atteint des taux alarmants et qui affecte de façon encore plus dure les pauvres et les communautés eth-

* Possédant une expérience de travail en science environnementale, en santé publique, en droit et, plus précisément, en droit féminin, Mary Sue Henifin a fait ses études à l'Université de Harvard et à Columbia University School of Public Health. En 1985, madame Henifin a obtenu un doctorat en jurisprudence de l'École de droit de l'Université Rutgers.

Son éducation et son expérience professionnelle l'ont amenée à se familiariser avec divers problèmes de santé environnementale et de sécurité au travail pouvant affecter les femmes. Madame Henifin a également contribué à certains projets gouvernementaux et universitaires tels que le ''Women's Rights Project'' de l'American Civil Liberties Union et le ''Reproductive Laws for the 1990's Project'' de l'Institute for Research on Women et du Rutgers University Women's Rights Litigation Clinic.

Madame Henifin habite New York où elle travaille à titre d'avocate. Elle est l'auteure de plusieurs articles et publications et termine présentement un mémoire sur les tests de détection des maladies génétiques et le diagnostic prénatal. On peut lui faire parvenir des commentaires sur son texte à l'adresse suivante: 875 Third Avenue, 23rd floor, New York, New York 10022. Téléphone: (212) 909-6465

niques qui n'ont pas les moyens de faire appel aux technologies. De même, l'importance accordée au lien génétique fait oublier les 36 000 enfants noirs en attente d'adoption aux USA. Enfin, la panoplie des techniques de diagnostic prénatal ne s'attaque pas aux causes majeures de la mortalité infantile aux États-Unis où 25 millions d'enfants naissent avec un poids inférieur à la normale dans un contexte de pauvreté et d'absence de soins médicaux et de services sociaux.

En conclusion, diverses recommandations sont formulées pour centrer l'action de l'État sur le traitement et la prévention de l'infertilité, sur l'assouplissement des procédures d'adoption et le développement de modèles d'adoption plus ouverts, sur l'instauration d'un programme de santé universel et gratuit aux USA. Pour ce qui est des NTR, on préconise notamment une réglementation rendant illégales les pratiques commerciales, une extension du moratoire américain sur le financement de la recherche ayant pour objet la FIV et les manipulations génétiques, l'éducation du public et l'information auprès des consommateurs et des consommatrices de nouvelles technologies.

Enfin, l'autonomie individuelle et le droit à la vie privée devraient être respectés, et il faut s'opposer aux lois qui encouragent ou permettent l'intrusion de l'État dans la sphère privée.

Reproductive technologies such as in vitro fertilization (IVF), embryo transfer (ET), surrogacy arrangements, prenatal screening and fetal therapies are not speculative techniques that may become available at some future time. Currently they are practiced on a wide spread scale, in the United States and internationally.

Reproduction has moved from the bedroom to scientists' laboratories to venture capitalists' fertility clinics:

- Currently more than 150 centers in the United States specialize in IVF and ET. Last year in the United States alone, approximately 2 000 births resulted from IVF-ET and it is estimated that there have been more than 4 000 total births in the U.S. from these procedures.
- Since scientists first developed prenatal tests twenty years ago to detect fetal sex and Down's syndrome, more than 4 000 genetic traits have been catalogued, and prenatal tests now exist for over 300 of them. Using amniocentesis or chorionic villus biopsy, the fetus may be tested, and if it has a genetic disability, the pregnant woman may decide to have an abortion or carry the fetus to term.
- Physicians are now treating the fetus as a patient, prescribing prenatal treatment including drug and nutrient therapy and even fetal surgery.

The new reproductive technologies raise a host of ethical, legal, social and psychological concerns. Should we fear an uncertain or gloomy future or do the new technologies allow relief from the psychological pain of infertility and the possibility of new reproductive arrangements that will increase women's power to exercise procreative choice? What role should the state, with its power to protect and promote public health, play in the regulation of new reproductive technologies? Should we fear state usurpation of technology for tyrannical ends or should we look to the state to rescue us from commercial usurpation?

Whether the new reproductive technologies enhance or decrease the autonomy of women will depend on who makes decisions about how they are used. To date, women have not controlled the development of these technologies. We cannot expect, based on past experience, that government or the business sector will shape the technologies to promote women's health. Whether we look at the history of DES, IUD's or occupational and environmental reproductive hazards, it has been illustrated over and over again that transfer of responsibility for public health, and especially women's health, to governments or the marketplace, has had a dismal history of failure.

The Lessons of Baby M: The Dangers of State Intervention

The **Baby M** case in New Jersey demonstrates some of the abuses of state power. Although the appeal of the trial court's decision may repair some of the legal damage done to the rights of birthparents, no appeals court can repair the damage to Mary Beth Whitehead and her family, including Baby M. The saga of Baby M does not create optimism about the role of the state and its courts in the regulation of reproductive alternatives.

The trial judge in the Baby M case held, in severing Whitehead's parental ties to her baby, that a state "could regulate, indeed should and must regulate the circumstances under which parties enter into reproductive contracts..." But he also held that states "could not ban or refuse to enforce such transactions altogether without compelling reason." He concluded that "refusal to enforce these contracts and prohibition of money payments would constitute an unconstitutional interference with procreative liberty since it would prevent childless couples from obtaining the means with which to have families. »

The trial judge's opinion echoed arguments made by some legal experts for recognition of a constitutionally protected right to procreate by any means available. But even where the courts recognize the right to procreate, this is not the end of the analysis. The degree to which state and federal government may regulate new reproductive technologies depends on whether their use involves a fundamental liberty interest to make procreative choices protected by the Constitution. Laws burdening fundamental rights must be struck down by the courts unless they are justified by a compelling state interest and are narrowly drawn to protect such an interest. Any proposed legislation governing new reproductive technologies should be measured against these standards; how important is the state interest that is being protected, and could the regulation be drawn more narrowly to protect that interest?

Surely the health of women is a compelling state interest. The long term public health implications of permitting women to sell their ova, or their capacity to gestate and give birth are similar to the health effects of permitting individuals to sell their organs for transplant. It is now a federal crime to permit payment for organs beyond the costs of retrieval. I would argue that payment for ova, or the capacity to gestate, should be similarly prohibited. It is possible to permit individuals the right to make private reproductive arrangements while avoiding the problems of commercialization, by making the activities of commercial brokers illegal. Laws forbidding the sale of babies for adoption provide a useful model.

Infertility and New Reproductive Technologies

Limiting the commercial aspects of buying and selling gametes, embryos, and gestational capacity may prevent the worst abuses of the new reproductive technologies while keeping state involvement in private reproductive choices at a minimum. Nevertheless, some of the larger social issues lurking behind the growing use of the new reproductive technologies would remain unresolved. As we debate the pros and cons of the new reproductive technologies, we turn our attention away from the basic problems of preventing infertility, providing basic prenatal care, and finding homes for the many children who are warehoused in hospitals, institutions, and group homes. If we truly care about the health of women and children, we need to ask why so much attention is focused on new reproductive technologies, when as a society we have not solved the most basic problems of allocation of medical care and social services.

Couples who attempt to have a child by means of IVF generally do so because they are infertile and other medical interventions have failed to help them conceive. The increasing use of IVF comes at a time when epidemiologists are documenting what appears to be a growing wave of infertility. Suggested causes of this infertility include damage to reproductive organs from sexually-transmitted diseases, prior surgical sterilization, IUD-related pelvic inflammatory disease, DES birth defects, delayed childbearing, and occupational and environmental hazard to male and female reproductive systems.

The growing preoccupation with IVF and other new reproductive technologies draws attention away from primary prevention of infertility. This is particularly harmful to poor and minority communities, which have little access to medical care and experience high rates of infertility. Members of these communities do not have the $30 000 to $50 000 it usually costs for the repeated tries it often takes to have a baby by means of IVF, if you are one of the few couples "lucky" enough to actually have a child through the procedure. Most couples never achieve the birth of a child despite repeated attempts

New reproductive technologies permit parents to have a genetic link with their children. But by doing so they decrease the number of potential adoptive and foster parents. Approximately 36 000 black children in the United States wait for adoption. In New York City, abandoned babies live in hospital cribs and take their first steps while holding a nurse's hand. We emphasize genetic parenthood but we turn away from the plight of children in need of parents, languishing in group homes and institutions. Anthropological evidence, contrary to commonly held assumptions of sociobiologists, suggests that the desire to have children that are genetically related is not biologically determined but rather culturally constructed. The new reproductive technologies fuel the desire for genetically-related children and encourage attempts to achieve genetic parenthood at whatever the costs. Yet these technologies provide no answers for children who are in need of social parenting.

Poverty and Lack of Access to Reproductive Health Care

Most importantly, attention and energy are being diverted away from the most significant reproductive health problems facing women and their children by the growing debate over new reproductive technologies. For example, controversial prenatal screening programs permit diagnosis of genetic defects but they do not address the major causes of infant illness and disability.

Most infant morbidity and mortality in the United States occurs because babies are born prematurely or too small for their gestational age. This is so because the mothers are poor or too young (or both) and get no prenatal care of any kind, hence for social reasons and not because of inherited problems. For example, a recently reported study found a six-fold increase in the risk of low birth weight associated with low income. The disproportionate numbers of blacks living in poverty is correlated with nearly doubled rates of low birth weight and infant mortality.

Each year a quarter of a million babies are born dangerously under weight, and one in ten of these infants dies before the first birthday. New reproductive technologies do not touch these problems; indeed they may make them worse by diverting money and time to procedures and tests of questionable relevance, particularly at a time when government funds for maternal and child health care and nutrition are being cut.

Public Policy Proposals

1) A national health program should be implemented which offers access to health care regardless of income, and mandates social and medical resources for basic prenatal care.

2) Research on causes and treatment of infertility should receive public support over research on IVF and related technologies. Public funding of treatment and prevention of infertility in poor and minority communities should be of first priority.

3) Procedures for adoption should be made more efficient, while protecting the rights of birthparents. Discrimination on the basis of race, religion, sex,

ethnicity or sexual orientation should be prohibited. Interracial adoptive families should be strongly encouraged to join the community chapter of organizations like the Interracial Family Alliance to obtain peer support and counseling.

4) Open adoption models should be developed to help birthparents who truly choose to give up custody to remain in contact with their children if they so desire.

5) State and/or federal laws should prohibit the selling of gametes or gestation. Commercial surrogate brokers should be forbidden.

6) The current federal funding moratorium for research on IVF and human genetic manipulation should be extended.

7) Short courses on the uses and abuses of new reproductive technologies should be offered by educational institutions, cable TV and other media. Public debate on ethical, legal, and social issues should be broadly encouraged.

8) Health care consumers should be educated about the legal and ethical obligations of health care providers to attain informed consent or refusal for reproductive treatments including understandable explanations of risks, benefits, alternatives, and likelihood of specific results.

9) Women who have used new reproductive technologies or who are considering their use should be encouraged to join or start self-help groups in which they can learn about other women's experiences and share information with them.

10) Individual privacy and autonomy should be respected. Laws which encourage or permit state interference in private sexual and reproductive decisions should be opposed.

Pouvoir collectif des femmes et nouvelles technologies de reproduction
Martine Chaponnière*

La toute première fois que je me suis rendue à une réunion de ce qu'on appelait alors — c'était en 1969 — le MLF, j'ai assisté à la scène suivante. Une « nouvelle », comme moi, faisait part aux femmes présentes de son manque d'esprit critique, de sa propension à ne voir que les aspects positifs de tel événement, et se désolait de ce qu'elle était incapable de percevoir les implications négatives d'une question, aveuglement qui l'empêchait, croyait-elle, d'accéder à une conscience féministe. À ces propos, le petit noyau de femmes conscientisées, celles qui essayaient de fonder justement le MLF à Genève, éclatèrent de rire: « Notre problème à nous, c'est au contraire qu'on a trop d'esprit critique », répondirent-elles. « Quand les gens « qui nous veulent du bien » prétendent entreprendre une action visant l'amélioration de la condition féminine, nous on voit tout de suite où le bât va blesser ».

Cette scène se passait il y a près de vingt ans et je ne l'ai jamais oubliée. Tout d'abord parce qu'à cette époque, j'étais exactement à la frontière entre les féministes convaincues et les féministes en devenir. J'étais, pour utiliser une métaphore appropriée au thème qui nous occupe aujourd'hui, en gestation féministe. Ceci pour me présenter à vous et vous permettre de situer grossièrement mon parcours. Par ailleurs, il me semble important de relever cette force de l'esprit critique propre aux militants politiques et idéologiques, dans les rangs desquels il faut compter les féministes. La méfiance de ces dernières face aux nouvelles techniques de reproduction (NTR) s'enracine sans aucun doute dans la conscience historique que les innovations, quel que soit leur but, ne se soldent pas toujours par une amélioration réelle pour les femmes sur le plan collectif. C'est la raison pour laquelle les groupements féministes aujourd'hui se préoccupent grandement de la problématique générale des NTR, dont les implications sont immenses pour l'humanité en général et pour les femmes en particulier.

* Licenciée en sciences politiques et diplômée en sciences de l'éducation, Martine Chaponnière est actuellement présidente du mensuel féministe Femmes suisses et, par ailleurs, chargée d'enseignement à l'Université de Genève en Section des sciences de l'éducation. Elle donne en ce moment un cours sur « Les problèmes posés à l'éducation par la transformation du rôle social des femmes », ainsi qu'un séminaire sur « La formation des femmes ».

Le terme de pouvoir collectif des femmes n'est pas a priori synonyme de celui de mouvement féministe. Je pense cependant qu'il ne peut exister de pouvoir collectif des femmes sans organisation ou, de façon moins institutionnalisée, sans un mouvement de femmes, au sein duquel la question sur laquelle s'exerce ce pouvoir a été réfléchie et débattue, et dont les protagonistes sont identifiables. Toutes les grandes luttes féministes ont été menées à des moments où le mouvement féministe était relativement fort, organisé (même sur des bases « anti-autoritaires » dans les années 70) et visible, qu'il s'agisse de la lutte pour le suffrage féminin au début du siècle ou de la question de l'avortement dans les années 70. Des contre-exemples viennent évidemment immédiatement à l'esprit, comme celui du rôle des ménagères chiliennes dans la chute d'Allende ou, ici même, du phénomène des Yvette. Dans les deux cas, les femmes ont de toute évidence exercé un pouvoir collectif en tant que femmes, mais à cette grande différence avec les mouvements féministes que leur action visait d'abord la politique partisane traditionnelle (gauche/droite au Chili, fédéralisme/autonomie au Québec) et seulement ensuite, et comme par répercussion, le rôle et le statut de la femme, l'aspect conservateur ou progressiste des luttes en question étant ici secondaire. C'est la raison pour laquelle, en parlant de pouvoir collectif des femmes, je ferai essentiellement référence, dans cet exposé, aux potentialités des féministes.

Parler du pouvoir collectif des femmes face aux nouvelles techniques de reproduction rappelle immanquablement la lutte en faveur de la décriminalisation de l'avortement menée par les mouvements féministes en Europe dans les années 70. Les deux phénomènes, d'ailleurs, NTR et contraception, présentent plus d'une analogie qu'il vaut la peine de rappeler ici: 1) contraception et procréation assistée sont les deux faces d'une même problématique: celle du désir — ou du non-désir — d'enfant; 2) la contraception (du moins certaines de ses formes, comme la pilule ou l'avortement), tout comme la procréation assistée, sont absolument liées aux développements de la science et de la recherche dite de pointe, développements et direction sur lesquels nous savons que les femmes ont généralement peu de poids et d'influence, tant sur le plan collectif qu'individuel. Ne pas vouloir de l'enfant qu'on attend, ou vouloir à tout prix l'enfant qu'on n'attend pas oblige à passer par les mains d'une tierce personne, généralement d'un médecin, ce qui implique par définition une perte d'autonomie. Le désir est bien celui de la femme (éventuellement du couple), mais la satisfaction du désir n'est plus son affaire.

Dans le cas de la lutte pour la décriminalisation de l'avortement, l'action politique des féministes s'est doublée d'une vaste réflexion dans le mouvement, tout comme cela se passe aujourd'hui avec les NTR, non seulement sur le plan national ou régional mais également sur le plan international comme le montre l'existence de FINRRAGE (Feminist International Network of Resistance to Reproductive and Genetic Egineering). Pour rester encore un instant dans l'exemple de la lutte pour l'avortement, rappelons que le slogan était bien « Notre ventre est à nous » et non « mon ventre est à moi », qui montre bien l'aspect collectivisé du problème, l'aspect organisé de la lutte, d'une lutte qui, dans la plupart des pays, sauf le mien, la Suisse, a été couronnée de succès.

La question du pouvoir collectif des femmes se pose aujourd'hui un peu différemment en ce qui concerne les NTR. En premier lieu, le mouvement féministe n'a plus aujourd'hui la même visibilité qu'il y a dix ans. Sans doute les idées féministes, et en particulier celles de l'accroissement de l'autonomie des femmes et de leur pouvoir de décision, ont-elles fait leur chemin dans les mentalités; mais l'aspect collectif, organisé, militant du mouvement des femmes est, en Europe en tout cas, certainement moindre qu'auparavant. Aussi est-il plus difficile aujourd'hui d'avoir une activité collective opérante. De toutes façons, à supposer que les femmes puissent s'organiser sur la question, quelle serait leur position? Pour reprendre la question de l'avortement, au moins y avait-il une grande majorité de femmes pour la décriminalisation: il ne s'agissait pas d'interdire à celles qui voulaient des enfants d'en avoir, il ne s'agissait pas non plus de forcer celles qui ne voulaient pas d'enfants à en avoir, il s'agissait seulement — en créant les dispositions légales pour que toutes les femmes puissent avorter — de permettre à celles qui voulaient avorter de le faire. La lutte pour l'avortement était l'une des composantes de la lutte pour l'autonomie. Dans les cas des NTR, les féministes semblent se diriger aujourd'hui vers une position assez restrictive devant les abus qu'elles pourraient entraîner, condamnant en bloc les NTR.

À titre d'exemple, je citerai la récente rencontre féministe en Suisse, tenue à Bâle en avril 1987: un symposium placé sous le signe de « la pensée et de l'action critique des femmes ». Travail, paix, écologie, autant de thèmes qui ont fait l'objet d'ateliers, ainsi que la « gén-éthique ». Dans ce dernier atelier, les participantes ont demandé un moratoire sur la recherche et les applications de la FIVETE (fécondation in vitro par transfert d'embryon) et de l'insémination hétérologue jusqu'à ce qu'un processus démocratique de sensibilisation de l'opinion soit possible, et que l'on puisse tenir compte des effets sur les enfants procréés selon ces méthodes. Les participantes ont affirmé que la maternité doit rester un don et non un droit à l'enfant. La prise de position féministe n'est donc pas un acte de tolérance face aux désirs individuels, mais une position de principe fondée — comme la prise de position antinucléaire — sur le renoncement à une satisfaction immédiate en vue d'un futur meilleur (ou même, d'un futur tout court!). La position féministe qui consiste à refuser d'assimiler la maternité à un droit me paraît dangereuse et ambiguë. Ce sont les mêmes qui parlent, dans le cas de l'avortement, du droit de choisir. Et de choisir quoi? La non-maternité en recourant à l'acte médicalisé qu'est l'interruption de grossesse. Pourquoi l'inverse serait-il inacceptable? Si l'avortement est considéré comme un droit à la non-maternité, pourquoi la maternité ne serait-elle pas considérée comme un droit à l'enfant? Aujourd'hui, les développements scientifiques sont tels que les pressions morales peuvent jouer un plus grand rôle — dans l'accomplissement ou le non-accomplissement de la maternité — que les limites de la biologie, sans cesse reculées. Dans bien des pays, une femme stérile mais mariée aura plus de possibilités d'avoir des enfants dans la mesure où elle aura accès aux NTR qu'une femme célibataire ou lesbienne qui n'est pas stérile mais désire avoir accès à une banque de sperme en vue d'une insémination artificielle, faute d'avoir un compagnon qui serve de donneur. Considérer la maternité comme un don implique que l'on sache de qui vient ce don. De Dieu? Auquel cas, les féministes ne sont pas loin des positions restrictives et dogmatiques en la matière de l'Église catholique. De la Nature? Position fataliste contraire à tout potentiel de changement, position que les féministes ont toujours récusée tant la nature a eu jusqu'à présent bon dos pour justifier les inégalités. Une sorte de consensus semble se dégager en Suisse sur la morale minimale, puisque tant les féministes réunies à Bâle que l'Académie suisse des Sciences ne condamnent pas l'insémination homologue (avec le sperme du mari) mais seulement l'insémination hétérologue (avec le sperme d'un donneur autre que le mari), distinction qui n'a aucune valeur scientifique mais uniquement morale et juridique.

Pour pouvoir parler de pouvoir collectif des femmes, encore faut-il que celles-ci soient reconnues comme une catégorie homogène aux intérêts communs. Or c'est loin d'être le cas. Les femmes ne forment une catégorie homogène que sur le plan biologique de l'appartenance au sexe féminin et sur le plan social de leur insertion dans un rapport de pouvoir — quelle que soit la façon dont le vit chacune — avec la catégorie des hommes. Là s'arrête l'homogénéité du groupe femmes. Toutes sortes de distinctions importantes sont faites entre les femmes. La seule appellation « Madame ou Mademoiselle » qui persiste malgré les efforts des féministes démontre la force de la catégorisation. Mais il y a d'autres distinctions encore: entre celles qui « travaillent » et celles qui « ne travaillent pas », par exemple, entre lesquelles des conflits d'intérêt peuvent surgir. En Suisse, la retraite des femmes au foyer est en partie financée par le salaire des femmes qui exercent une activité lucrative. De même pour la maternité, où, si la nouvelle loi est acceptée, ce sera une partie des salaires des travailleurs qui financeront le congé maternité des femmes, qu'elles travaillent ou non à l'extérieur du foyer.

Les distinctions faites à l'intérieur du groupe des femmes sont beaucoup plus marquées que celles faites à l'intérieur du groupe des hommes. Paradoxalement, ce qui faisait (je ne me prononce pas sur ce qu'il en est aujourd'hui) d'une femme une femme complètement femme, c'était son statut de femme mariée et de mère. On avait là deux catégories assez simples à définir. Les NTR ont passablement bouleversé cette simplicité de distinction, même les mères peuvent ne plus former un groupe homogène puisque nous avons à la limite une division possible en trois catégories: la mère donneuse d'ovocyte, la mère porteuse ou prêteuse d'utérus et la mère « sociale », épouse du père de l'enfant. Et les intérêts entre les trois peuvent être concordants ou absolument divergents, concordants à un moment et divergents après, comme l'a montré le procès de Baby M.

Nous sommes ici sur le plan individuel mais s'il fallait réglementer dans la matière, il faut déjà différencier entre mère porteuse et épouse du père ou future mère adoptive, et ce qui risque bien de résulter de toutes ces distinctions est une plus grande attention au couple qu'à la femme ou qu'aux femmes. Dans le cas du procès de Baby M, le contrat était passé entre les deux protagonistes de l'affaire, les deux parents biologiques, le donneur de spermatozoïdes et la mère porteuse. L'épouse du donneur, celle qui avait commandé l'enfant, était extra-ordinairement absente de toute la procédure, alors que c'est au départ sa stérilité qui a provoqué l'enchaînement des événements.

En Suisse, une initiative populaire a été lancée « contre l'application abusive des techniques de reproduction et de manipulation génétique à l'espèce humaine »[1]. Il s'agit de demander à la Confédération d'édicter des prescriptions sur les manipulations du patrimoine reproducteur et génétique humain. Le peuple suisse devra se prononcer sur la question en allant voter. L'initiative vise à « assurer le respect de la dignité humaine et la protection de la famille » par sept dispositions[2]. D'une manière générale, les féministes soutiennent l'initiative qui pourtant s'attache bien plus à la protection de la famille et de l'embryon qu'à celle des femmes. Le respect de la dignité humaine a, dans sa formulation, de forts relents de la récente campagne « Pour le droit à la vie », campagne qui était en fait contre l'avortement; et la protection de la famille laisse supposer que l'on se réfère à la famille nucléaire traditionnelle alors que le modèle semble en voie de disparition.[3] « Comment pouvons-nous soutenir l'initiative sans pour autant compromettre les succès obtenus jusqu'à présent quant à la libéralisation de l'avortement? » [succès dans la pratique de certains cantons] se demandent les féministes bâloises.[4]

L'attitude des féministes vis-à-vis de la maternité a été l'objet d'un revire-ment fondamental depuis Simone de Beauvoir, « notre mère à toutes ». Pour Simone, à la base de l'oppression des femmes se trouvait leur capacité d'en-gendrer: « Ce n'est pas en donnant la vie, c'est en risquant sa vie que l'homme s'élève au-dessus de l'animal; c'est pourquoi dans l'humanité la supériorité est accordée non au sexe qui engendre mais à celui qui tue (...) [Le malheur de la femme], c'est d'avoir été biologiquement vouée à répéter la Vie, alors qu'à ses yeux mêmes la Vie ne porte pas en soi ses raisons d'être...[5] Quand on voit l'acharnement des femmes demandeuses de NTR à produire cette vie, au mépris de moyens comme l'adoption, on constate l'immensité du chemin parcouru depuis la philosophie existentialiste prônée par Beauvoir. Les féministes elles-mêmes ont redécouvert le corps féminin comme lieu de libération et non plus d'oppression, et la maternité comme lieu de subversion. De source première d'aliénation, le corps est devenu source de libération. À condition que les mé-decins, la science et la technique ne le volent pas aux femmes, à condition que le corps féminin reste une affaire de femmes. Or, les NTR mettent ce principe en danger. J'épouse ici la conception d'Odette Thibault lorsqu'elle s'étonne « de la peur qu'ont les femmes que leur corps soit « manipulé » par les médecins, alors qu'elles ne semblent pas avoir peur de la manipulation idéologique qu'on a fait subir à leur cerveau depuis des millénaires de civilisation patriarcale, pour les faire rentrer de force dans des stéréotypes féminins définis par les hommes qui ne correspondaient pas à leur réalité psychologique ».[6]

La deuxième raison pour laquelle les féministes se méfient des NTR est une raison purement prospective: si on laisse faire les hommes, les femmes courent à leur perte. Le diagnostic prénatal, les manipulations génétiques, autant de pratiques qui, étant donné la supériorité déclarée du sexe masculin sur le sexe féminin, ne peuvent être appliquées qu'au bénéfice des hommes. La science est une chose, son application en est une autre. Et tant que les applications sont incontrôlables, mieux vaut se passer des développements de la science. C'est exactement le même principe qui régit l'opposition au nucléaire.

Pour l'instant, le pouvoir collectif des femmes face aux NTR est faible, à mon sens parce que la catégorie « femmes » est trop hétérogène pour être pertinente. Les intérêts individuels se heurtent aux intérêts collectifs et la satisfaction immédiate des désirs se heurte à la satisfaction des besoins futurs. Les femmes ne sont guère présentes dans les instances de décision, qu'il s'agisse de la recherche de pointe ou des lieux où les NTR sont débattues sur le plan bio-éthique et juridique. Informer le public est une opération délicate étant donné non pas la technicité du sujet mais la difficulté d'aboutir à une opinion propre tant les implications sont nombreuses et variées. Je pense qu'avant de dénoncer, ou, plutôt, en même temps qu'on dénonce la manipulation des corps, il faut dénoncer la manipulation des têtes. Le désir acharné d'enfant se passe d'abord dans la tête, ensuite seulement dans l'utérus. Signer un contrat de location d'utérus se fait d'abord avec la main et le cerveau avant toute utilisation d'une autre partie du corps. Les NTR divisent plus encore la catégorie bio-sociale des femmes et je pense qu'avant toute chose, la seule manière de rendre opératoire un pouvoir collectif des femmes par rapport aux NTR, c'est de mener dans tous les lieux possibles une réflexion philosophique et politique sur ce qui justifie et rend possible une prise de position en tant que femmes.

Making International Connections:
Surrogacy, the Traffic in Women and
De-Mythologizing Motherhood
Janice G. Raymond*

Résumé

L'enracinement de nos actions dans le mouvement des femmes ici et à l'étranger démontre la nécessité de faire des liens entre la situation des femmes de différents pays. Ainsi, le point de vue libéral américain, fondé sur une idéologie isolationniste qu'endossent d'ailleurs plusieurs féministes, consiste à accepter la maternité de substitution et toute la gamme des nouvelles technologies de la reproduction au nom d'une liberté de procréation et du droit des femmes à disposer de leur propre corps. Hors de leur contexte occidental, ces positions entraînent des conséquences désastreuses pour les femmes du tiers monde. Déjà exploitées pour servir les intérêts d'un trafic international de la prostitution, elles pourraient éventuellement, comme cela a déjà commencé à se produire, être recrutées comme reproductrices ou mères porteuses pour des couples occidentaux.

Il ne faut pas non plus isoler les NTR d'un réseau de relations où la maternité de substitution est liée à la prostitution, la prostitution aux idéologies occidentales sur la sexualité et la reproduction, le libéralisme à l'impérialisme, l'impérialisme au matérialisme... De la même façon, on ne peut parler d'obtention de droits pour les femmes sans d'abord préserver leur dignité. Or cette dignité est bafouée par les promoteurs des NTR puisqu'ils considèrent les femmes comme des réceptacles reproductifs et comme du matériel d'expérimentation.

D'autres féministes, tout en reconnaissant l'oppression engendrée par les NTR, ont idéalisé la maternité sans critiquer les fondements d'ordre social et politique sur lesquels elle est construite. Or le devenir mère n'est qu'un des rôles vécus par les femmes, non pas leur fonction prin-

* Janice Raymond est professeur d'études féministes et d'éthique médicale à l'Université du Massachusetts à Amherst. Elle est l'une des fondatrices de FINRRAGE et elle est membre de la U.S. National Coalition Against Surrogacy. Elle est l'auteure de *The Transsexual Empire: The Making of the She-Male* et de *A Passion for Friends: A Philosophy of Female Affection*. Madame Raymond a beaucoup écrit sur les nouvelles technologies de la reproduction. Actuellement, elle rédige un livre sur la maternité d'emprunt.

cipale, et les femmes n'auront pas de pouvoir collectif sur le développement des NTR tant qu'elles n'auront pas acquis de pouvoir sur d'autres aspects de leur vie, incluant le droit de choisir si elles veulent avoir des enfants et quand.

L'action féministe internationale, telle celle du réseau FINRRAGE, des politiques sociales et des législations prenant en compte l'intérêt des femmes sont des moyens qui assureront la reconnaissance des droits de toutes les femmes à l'échelle nationale aussi bien qu'internationale.

There is much talk, especially in the U.S. media, that the women's movement is dead. This stereotype not only ignores a radical feminism that is quite alive and well in the U.S., but it belies what is happening internationally where there are vital and thriving women's movements.

Even United Nations studies have documented the enormous activity of international feminism. One of the things the United Nations "discovered" during its Decade for Women was that the most significant change in the status of women between these years was the increase in women's movements throughout the world.

Any of us who have worked with women and with women's movements in other countries have learned that it's necessary to make connections between what's going on in one's own country and what is happening in the rest of the world. Take the whole issue of surrogacy which has been in the news of late because of the publicity surrounding the "Baby M" case in New Jersey, and because of the triplets who were born to the South African woman who is both their mother and grandmother. American liberals and liberal feminists have built a framework around the surrogacy issue that I can only describe as in the worst tradition of American isolationism. They have tended to view surrogacy as necessary to what is now being called "procreative liberty". They are defending surrogacy as a woman's right to choose what to do with her body, as an economic option for women, and as an altruistic offering from a fertile woman to another who may be infertile. And they are proclaiming that if surrogacy and the whole gamut of new reproductive technologies (NRTs) are not accepted, this will chip away at the hard-won reproductive rights that women have gained over the last fifteen years.

But let's take these arguments out of the American context and make connections with what's happening to women in other parts of the world. Again, let's look at surrogacy, and put this in the geographical region of Asia. There are at least 700 000 women in prostitution in Bangkok today[1], 30 000 of whom are estimated to be under 16[2]. In Korea and the Philippines, there are hundreds of thousands more. Why this many prostitutes? Not just the result of female poverty. These women have been recruited for the American military — today in the Philippines, yesterday in Vietnam and Korea — and for a burgeoning pornography and sex tourism industry that has been imported from the west.

Combine this with a "mail order" bride industry, and it's all a short hop to a "mail order" baby industry where women will be bought and sold as breeders. In the international prostitution network, marriage catalogues display pictures of women for sale. In the United States, many surrogate agencies offer clients pictures of women willing to serve as surrogates, often along with children that they have produced, so the customer can see the kind of "stock" he is buying. The same women who are now being purchased as prostitutes and brides will be bought as breeders.

What American reproductive liberalism ultimately encourages is a new traffic in women worldwide, a new class of women who can be bought and traded as reproductive commodities. What American reproductive liberalism ultimately promotes is a new version of motherhood as work — as paid labor, by promoting a new image of surrogates as happy breeders, and a new definition of non-alienating labor. Thus a liberal defense of surrogacy as an optional job market for women helps spawn a new traffic in women internationally. This has already begun with the case of Alejandra Munoz in the U.S. who was brought across the border from Mexico, deceived about her role in bearing a baby for relatives, offered the paltry sum of $1 500, and literally kept captive indoors during her pregnancy[3].

Increasingly as surrogacy is used with other new reproductive technologies, e.g., surrogate embryo transfer where the so-called surrogate does not have to donate the egg but serves as a mere receptacle for gestation, this traffic in women will expand. John Stehura, president of the Bionetics Foundation, Inc. which is involved with surrogate hiring, has admitted that the already exploitative fee of $10 000 is too high a price that couples have to pay. Once so-called surrogates can be culled from developing countries where poor women will supposedly leap at the chance to earn say $5 000, the surrogate industry can increase internationally[4].

We as women, as feminists, are not going to go forward unless our theory and action is internationally based. We must look at the most global grounding for women's issues and not treat the new reproductive technologies, for example, as a single issue. We must look at the whole network of relations in which the new reproductive technologies occur. Then we see that surrogacy is connected to prostitution, prostitution to western liberal views of sexuality and reproduction, liberalism to imperialism, imperialism to militarization, militarization to the availability of women in Third World countries for the soldiers' relief and pleasure, availability of women to the patterns of women's migration, migration to poverty, poverty to a lack of women's rights and dignity.

The American debate on surrogacy has been narrowly focused on individual "rights." And the constant talk about rights has deceived many American women into thinking that we have them. One thing that has been refreshing about working in an international context is that women from other countries, particularly the developing world, have no illusions about their so-called rights. International feminism is not terribly liberal. Surrogacy could never be defended as a woman's right to control her own body in Bangla Desh. It would be recognized immediately that surrogacy only gives women the "right" to give up control of their bodies.

I think individual rights are important but only when it is recognized that human dignity precedes human rights, as Kathy Barry has pointed out[5]. You cannot have rights without first having and being accorded dignity. It is interesting in a country like the U.S. to examine what rights women get and don't get. Increasingly, we don't get custody of children; we don't earn a dollar for every dollar that men earn; we don't even get the ERA; but the Sorkow decision in New Jersey gives us surrogacy and tells us it's our necessary reproductive right. I think one of the reasons for this is that rights have come to be separated from dignity. Give the female creature abstract rights — rights that don't really benefit women politically as a class — but don't give her dignity.

Surrogacy can only be defended as a "right" in a liberal context which evades the whole issue of the indignity of surrogacy. The commodification of women's bodies in surrogacy and the NRTs is a gross violation of women's dignity. Women are treated as reproductive receptacles and increasingly are being utilized in medical science as fodder, as matter to be experimented on, as bodies without spirits, without bodily integrity — in short, without dignity. That many women themselves don't recognize this is part of the problem, not part of the solution.

Since this panel is entitled "The Collective Power of Women in Procreation," I want to switch gears here and talk a bit about motherhood. The rhetoric and reality of motherhood pervade every discussion of the new reproductive technologies. Motherhood gets framed as an instinct, a biological bond with a child, or as an unquestioned state of being that is the essence of women's being in the world. Motherhood is so widely accepted as the core aspect of a woman's existence that it brooks no criticism. Many feminists have been reluctant to question the supposed **need** of women to mother — a "need" that the new reproductive technologies both construct and on which they are constructed — thus acquiescing in the view that motherhood is like a biological motor driving itself to fulfillment no matter what the obstacles and the cost to women.

Some feminists who have recognized the oppressiveness of the NRTs have called for a theory and reality of feminism in which motherhood is idealized. But unless we question motherhood as an institution, unless we question its compulsory nature and its overriding centrality in women's lives, unless we critique the notion that women's main fulfillment is through mothering and nurturing, unless we realize that for many women motherhood is not a choice, but something that has been imposed within a social and political order of hetero-relations (the worldview that women exist for men and only in relation to them) we end up valorizing motherhood without criticizing the foundations on which it has been built. That is why I would not stress women's collective power in procreation.

The bearing and raising of children is only one thing women do. It is women's primary role only within a system of hetero-relations where men have access to women's bodies and that which issues from them. The way to oppose this system is not to counter-claim that mothering is women's function and to embrace that function as an ideal and a power for women. Mothering is not the apex of women's creativity and power. If we raise mothering to that kind of idealistic power, we end up interpreting female creativity in terms of mothering metaphors. Motherhood becomes an inspirational metaphor or symbol for the caring, the nurturing, and the sensitivity that women bring to a world that is ravaged by conflict. And thus women are left with the ideal that a real woman is a mother or one who acts like a mother. The idea that all women are or should be mothers is not challenged.

As women in different countries begin to confront issues of procreation, such as reproductive abuse and control, they find that the issue goes far beyond the use and abuse of technologies. The issue goes far beyond an ideal of women's collective power in procreation. Women will not have collective power in procreation unless women have collective power in other areas of life. Reproductive or procreative power must be founded on women's achieving basic rights and control in every area of our lives — most basically, the right and ability to choose **if** they want children, **when** and under what conditions. The struggle for reproductive freedom must embrace a woman's right not to mother. Feminists cannot assert the need for reproductive control of our bodies without pursuing the idea that more is at stake than our bodies.

Conferences such as this are a good beginning to focus on the need for international action. Networks such as FINRRAGE offer an international feminist framework for monitoring the technologies in various countries while promoting solutions that are not limited to a liberal western context. I would like to see more feminist activism in the legal and policy arena. We must continue to craft legislation and policy that articulates the way in which the new reproductive technologies affect women. And thus we must work to frame legislation and policy that is gender-specific — that is based on the real abuse that happens to women in surrogacy and the NRTs.

Many will be tempted to proceed in a gender-neutral fashion. Many will argue against the technologies as mainly impacting fetuses and children. And, of course, the truth is that the technologies do violate fetal life and children. But these technologies cannot abuse fetuses and children before they abuse women. Fetal experimentation cannot happen before women's bodies are used for egg excursions and reproductive harvesting. And taking a fetal-centered perspective reduces women to mere uterine environments for the creation of another's life without noting the abuse to the integrity and life of women. Not recognizing this is always an easier course to take because women are invisible. Therefore the abuse of women is not real to many or is passed off as therapeutic.

There will be no collective power of women in procreation until women have power — period. The status of motherhood will be valued when women are valued and to be valued, women's bodies must have the same freedom from intervention, intrusion, and invasion as men's. Women must have the same human and civil rights, the same right to live unendangered, the same right not to be plundered medically. This will not be achieved by any liberal definition of procreative liberty. This will only come about through an international feminist activism in which any real rights for women are founded on women's dignity, where such rights benefit not only individual women but women as a class, and in which our so-called rights are connected to those of women around the world.

Conférence de Françoise Laborie*

Ce texte est fait à partir de l'enregistrement

Je commencerai moi aussi par un récit un peu personnel. En tant que femme venant de Paris, je trouve que respirer l'air de Montréal est fort agréable et fort léger et ce n'est certainement pas le style ni le contenu de ce forum qui me feront revenir sur cette position. Je suis vraiment, vraiment très heureuse d'être ici pour parler avec vous.

Pour continuer à parler un petit peu de Paris et de la lourdeur de l'air concernant les NTR, nous avons créé il y a plus d'un an, un réseau de féministes réfléchissant sur les NTR. Ce réseau est relié à FINRRAGE. À la première réunion, nous étions 100 et un an plus tard, environ dix et de ces dix femmes, une partie était absolument pour les NTR et l'autre partie, contre. Il ne pouvait y avoir de coexistence, le groupe s'est donc scindé en deux lors de la dernière réunion, il y a près d'un mois. Ceci est forcément franco-français et ça fait partie de la lourdeur de l'air.

Il me semble que l'information donnée aux femmes et aux couples sur les NTR est absolument fondamentale. Dans la mesure où précisément cette information est essentiellement issue des praticiens qui, en la matière, sont juges et parties, et des médias, qu'il s'agisse de la presse à sensation ou même d'une

---

* Françoise Laborie est chercheuse au Centre national de la recherche scientifique à Paris. Travaillent actuellement à titre de sociologue engagée dans une réflexion critique et collective sur la science, elle fut, par sa formation d'ingénieure chimiste et de docteure en sciences physiques, d'abord chercheuse en chimie macromoléculaire.

À titre de sociologue, elle s'est d'abord intéressée à une analyse des enjeux sociaux à l'oeuvre dans la recherche scientifique en général et, plus particulièrement, dans la recherche en biologie. Elle a étudié ainsi ce qui, au sein d'organismes tels que l'Institut Pasteur à Paris, « fait courir » des scientifiques de deux laboratoires de biologie moléculaire. Elle se pencha également avec attention sur la nature des quelques enjeux sociaux reliés à la mise en oeuvre et au développement des manipulations génétiques.

Auteure de plusieurs publications et coéditrice, Françoise Laborie étudie présentement les convergences et les contradictions d'intérêts rapprochant ou séparant les différents acteurs sociaux — qu'il s'agisse notamment de scientifiques, de médecins, de femmes — concernés par le développement des nouvelles technologies de la reproduction.

presse qualifiée de sérieuse, mais très généralement fort scientiste et fort peu critique quant au mythe du progrès de la science en soi.

Il y a donc à produire une information critique par rapport aux NTR et une information qui serait plus objective et plus correcte sur ce qui se fait en réalité et pas seulement, sur les délires de ce qui pourrait se faire.

L'information doit porter sur les faits mais aussi sur les enjeux et les intérêts qui sont impliqués pour les différents acteurs sociaux, que ce soit ceux des couples déclarés infertiles mais aussi ceux des scientifiques et des médecins, ceux des industries pharmaceutiques et productrices d'appareils. Il faut enfin essayer de produire des analyses sur les enjeux sociaux plus vastes qui concernent ce que je considère être le projet d'un contrôle technique et médical du social. Je pense que ce forum est très largement une réponse à tous ces points.

Quant à l'information sur ce qui se fait, je voudrais rappeler quelques points qui me paraissent essentiels. Le premier étant que, dans les NTR, les femmes sont les meilleurs objets de recherche possible pour les scientifiques.

À la différence des singes, que Jacques Testart nous dit utiliser désormais, les femmes sont intelligentes. Elles savent parler, repérer leur ovulation et la signaler au médecin; nul besoin de les nourrir, de les garder en cage et de les nettoyer; elles viennent à l'heure à l'hôpital et elles paient pour ça.

Je trouve très important qu'on parle aux femmes des risques qu'elles courent à prendre les médicaments utilisés pour les stimulations hormonales. En France, les praticiens de la fécondation in vitro utilisent une nouvelle molécule appelée Buséréline ou Décapeptyle. Cette molécule peut s'avérer fort dangereuse pour les femmes et on ne connaît absolument pas ses effets. La preuve, Jacques Testart nous l'a dit, c'est qu'on se lance maintenant dans les recherches sur les animaux.

Il s'agit aussi de parler davantage des risques courus par les femmes au moment des prélèvements d'ovocytes. Il y a eu, bien qu'on en parle peu, des femmes qui sont mortes après ces prélèvements des ovocytes sous échographie. Je constate que la presse donne davantage de place aux couples radieux portant enfin un bébé qu'à ces réalités-là.

Il faudrait aussi parler de la faiblesse des taux de succès réels des NTR. Il y a un article écrit par des praticiens et paru dans le journal de l'American Fertility Society dont le titre est fort éloquent: « Les taux de succès de la FIV: soyons honnêtes avec les uns et avec les autres ». On ment sur les taux de succès de la fécondation in vitro, on gonfle les chiffres par toutes sortes de moyens.

Il existe même une concurrence entre la technique de fécondation in vitro et la toute nouvelle GIFT ou in vivo, quant à leur taux de succès.

Il est rare dans le domaine médical qu'il n'y ait pas d'essai de médicaments avec des groupes de contrôle, mais c'est toujours le cas avec la fécondation in vitro.

Concernant les taux de succès, ils sont presque toujours exprimés en taux de grossesse par transfert, ce qui est une des très nombreuses façons pour les scientifiques de gonfler les taux. Il n'est probablement pas suffisamment connu que dans le cas de la fécondation in vitro, seulement 55% du total des grossesses se terminent par la naissance d'enfants vivants, soit à peine plus d'une sur deux. Ces naissances sont souvent des naissances gémélaires, triples ou même, quintuplées. À titre d'exemple, on m'a parlé d'un reportage diffusé à la télévision montrant une femme qui avait donné naissance à des quintuplées et qui les avaient vus mourir les uns après les autres. Ce sont là des choses dont on parle peu.

Et je peux dire que, compte tenu de l'ampleur du développement des NTR en France — le nombre de tentatives a doublé en 1986 par rapport à 1985 — et de l'importance des ovocytes pour les scientifiques toutes les femmes sont des donneuses d'ovocytes gratuits. Et même plus, elles paient pour ça.

Autre point qui n'est pas beaucoup souligné, les critères d'accès aux NTR ne cessent de s'élargir. En d'autres termes, de plus en plus de femmes non stériles sont engagées dans ce processus. Il y aurait beaucoup à dire sur la définition de la stérilité qui est éminemment sociale. Aux USA, on considère qu'une femme qui n'a pas eu d'enfant après un an de rapports sexuels, est stérile. En France, on parle plutôt de deux ans, mais au bout de six mois, on lui conseille déjà de s'occuper de son problème.

Il est clair qu'en France, seulement 60% des cas traités par FIV relèvent de la stérilité tubaire, 16% des autres cas concernent la stérilité masculine. Cela veut dire que des femmes fertiles dont le mari est infertile subissent une FIV avec tout ce que cela comporte de dangers, de risques, de violence sur le corps et sur le psychisme. Si on ajoute à ces 16% les 24% d'autres indications, on obtient un total de 40%, pourcentage dans lequel on retrouve probablement des femmes qui ne sont pas du tout stériles. Jacques Testart va même jusqu'à dire que la proportion est probablement d'une femme sur deux, dans les hôpitaux actuellement, qui n'est pas stérile.

La récente technique GIFT ne s'adresse, par définition même, qu'à des femmes dont les trompes sont en parfait état, des femmes non stériles. Voilà, entre autres choses, une bonne raison pour laquelle les taux de succès sont meilleurs.

En ce qui a trait à la diffusion de l'information, je voudrais rendre hommage au réseau féministe FINRRAGE, qui effectivement fait un travail absolument considérable de ce point de vue. Je me réjouis d'appartenir à ce groupe, surtout dans le contexte français où effectivement, nous ne sommes que quelques rares femmes à essayer de produire des réflexions et des textes là-dessus. C'est vraiment très précieux et il me paraît absolument important de maintenir ce réseau.

Les intérêts des scientifiques, des médecins et des industries pharmaceutiques qui utilisent l'argument du traitement de la stérilité, sont en réalité beaucoup plus vastes. Le champs de recherche en reproduction humaine ne cesse de croître, il s'est même multiplié par deux en France. J'étais au cinquième congrès sur la fécondation in vitro à Norfolk qui regroupait 3 000 scientifiques. La chose qui est la plus impressionnante quand vous passez une semaine dans ce genre de colloque, c'est que l'infertilité est le cadet de leurs soucis. Il est clair qu'il y a beaucoup d'autres choses à faire: des publications, des grandes premières, des articles et des carrières scientifiques et peut-être bien, des Prix Nobel. De ce point de vue, s'intéresser à la prévention des maladies transmises sexuellement, « ce n'est pas chic ».

Pour ce qui est des comités d'éthique, je trouve que bien qu'ils soient consultatifs, il serait vraiment important que des points de vue critiques face à ce qui se fait soient entendus. Les femmes doivent avoir le droit de participer à ces comités.

Une de mes craintes majeures concernant un effet secondaire des NTR, c'est le retour sur la scène d'un personnage qu'on avait perdu de vue, le foetus. Quand j'entends les heures de discussion pour décider quelle est la durée maximale pendant laquelle on va pouvoir faire des manipulations sur le foetus sans que cela lèse ses intérêts, je me demande comment on va pouvoir tenir longtemps ce genre de propositions face à ce qui a été acquis de haute lutte: le droit d'avorter d'embryons de plus de 14 jours. Pour ma part, je suis très inquiète de la remise en cause potentielle de ce droit des femmes.

J'ai assisté à une conférence de la poétesse féministe Nicole Brossard qui faisait une analyse bien intéressante. Elle disait que vraiment, du côté de la science et de la technique, il y avait une très vive accélération. Elle estime même qu'on est complètement sorti de l'accélération et qu'on est en état d'apesanteur. En termes clairs, que les repères sont tous perdus.

Je pense que c'est vraiment une idée intéressante. En effet, entre la congélation des embryons et des gamètes où la notion de temps est complètement perturbée et l'éclatement de la maternité en différentes positions, on ne sait plus très bien où l'on en est. Moi, je m'en tiens à ce que je crois être une certitude: les NTR sont définitivement un moyen moderne et nouveau d'aliénation des femmes.

Une clôture d'ouvertures…
Louise Vandelac*

Paradoxalement, cette intervention clôturant ce débat de clôture en est une d'ouvertures!

Ouverture-transparence pour dépasser le discours de légitimation sur la stérilité présentée comme seule cause et seul objectif de ces technologies qui dérivent, en fait, des intérêts économiques de la sélection animale et de la médicalisation sans fin de la naissance, et qui s'appuient sur une véritable production idéologique, sociale et iatrogène d'infertilité et de stérilité. Il importe aussi de dévoiler le caractère essentiellement idéologique de ces pratiques, l'élargissement constant et incontrôlé des indications, des clientèles et des techniques et de souligner leurs dérives expérimentales dont les revers et les effets pervers sur l'être humain et sur la société s'annoncent plus problématiques que les questions qu'elles prétendent résoudre.

Ouverture-scalpel pour dégager les conceptions androcentristes de la nature, de l'économie et de la « géo-politique démographique » en toile de fond de cette industrialisation de la procréation. **Ouverture-horizon** pour montrer que derrière le prétendu « droit » individuel à procréer se pose la question de l'absorbtion de l'être par la technique alors que derrière la prétendue « libération » des femmes par ces technologies se joue une aliénation et une assimilation sans précédent au modèle masculin et se profile, sinon la fin des femmes et du féminin, du moins d'une partie essentielle de leur intégrité et de leur identité.

* Professeure de sociologie à l'Université du Québec à Montréal, Louise Vandelac a une formation en sciences politiques, en économie politique et en sociologie du travail. Engagée dans l'intervention et la recherche féministe depuis une quinzaine d'années, au Québec et en Europe, elle a publié de nombreux articles sur la critique féministe de l'économie, du travail et de la santé et coordonné deux ouvrages collectifs.

Depuis le début des années '80, madame Vandelac s'est intéressée plus particulièrement à l'évolution des technologies de procréation. En plus des textes publiés sur le sujet, notamment dans l'ouvrage collectif *Maternité en mouvement*, elle termine une thèse de doctorat sur l'analyse critique des technologies de procréation à l'Université Paris VII et elle doit publier sous peu un ouvrage sur la question. Enfin, membre du réseau international FINRRAGE, dont elle assume avec Somer Brodribb de Toronto la coordination canadienne, Louise Vandelac a travaillé activement à la mise sur pied d'un réseau féministe québécois d'analyse et d'intervention sur les technologies de procréation.

Et enfin, **ouverture d'alliances** avec celles et ceux qui, en mal d'enfant, en mal de « scoop » ou en mal de découvertes commencent néanmoins, ici et à l'échelle internationale, à sentir l'importance vitale de penser et d'élaborer collectivement **une éthique et une écologie de l'engendrement**

Si j'aborde ainsi la question de cette table de clôture sur les stratégies de pouvoir collectif des femmes sur la procréation, c'est que l'urgence d'agir nous oblige d'abord à prendre toute la mesure des enjeux de cette technicisation de l'enfantement. L'urgence d'agir implique aussi de remonter aux racines de cet envoûtement techniciste, pour comprendre les enjeux fantasmatiques, économiques, socio-professionnels et autres de cette emprise masculine croissante sur l'engendrement.

Mais le plus complexe et le plus difficile, peut-être, c'est d'analyser l'influence des valeurs, des conceptions, des comportements de cette société androcentriste transformant insidieusement nos représentations et notre imaginaire de la sexualité et de la procréation, qui risquent tant de nous entre-déchirer et de nous faire glisser collectivement à l'extérieur de nous-même... Nous pourrions nous demander, par exemple, pourquoi de pilule en ligature des trompes et d'échographies[1] en fécondation in vitro, nous optons si facilement pour l'artifice technique plutôt que d'affronter les questions politiques qui les sous-tendent, qu'il s'agisse d'une hétérosexualité centrée en tout temps sur l'insémination, de l'indifférence et du mépris de cette société productiviste à l'égard des mères et des enfants, des tendances normatives et même eugénistes qui nous habitent ou de la confusion entre le désir d'enfant et l'enfantement à tout prix d'un désir, comme on l'a dit plus tôt. L'urgence d'agir implique aussi d'analyser, sans réductionnisme ni mystification, nos conditions et nos rapports multiples à l'enfantement et au maternage, pour élaborer, à partir de nos métaphores sexuelles, de notre expérience et de notre conscience de la maternité une culture de l'engendrement ouvrant sur l'enfantement collectif d'un autre rapport au pouvoir de la génération des êtres et de la société.

Commençons par l'ouverture-transparence!

Les technologies de procréation sont habituellement présentées comme des techniques éprouvées, déjà presque aussi efficaces que « la nature » et qui n'auraient d'autres origines, d'autres objectifs et d'autres conséquences que de donner enfin aux couples stériles l'enfant tant désiré. Cette réponse médicale ponctuelle à une demande pressante d'enfant viserait simplement à pallier les difficultés de procréation et conduirait, ultime progrès, à en améliorer les conditions, voire même à « libérer » un jour les femmes de l'enfantement. À moins de s'égarer dans la science-fiction, il n'y aurait donc rien à redire de ce tableau idyllique et parfaitement circulaire où il ne manque plus que l'éclat de rire d'un enfant... Bref, avec un tel emballage d'humanisme, de scientificité et de compassion, légitimant d'emblée l'ensemble de ces pratiques, pas étonnant que plusieurs stigmatisent toute critique et les considèrent comme « anti-couples stériles », voire « anti-science » et même « anti-enfants »!

Rappelons que **l'infertilité-stérilité est davantage une justification à postériori qu'une cause première** des techniques d'insémination, de fécondation et de transfert. Développées d'abord comme outils de sélection, de productivité et de rentabilité de l'élevage dans l'industrie agro-alimentaire, **ces techniques sont porteuses du sens et des enjeux de sélection, d'efficacité et de productivité qui ont présidé à leur développement.** D'ailleurs l'évolution des technologies de procréation va de pair avec celle des recherches biovétérinaires de ces grands pays laitiers où la reproduction humaine, souvent aux mains des mêmes biologistes qui passent des vaches aux femmes, est de plus en plus modelée sur l'industrialisation de la « production animale » (Corea 1985, Dufresne 1986, Vandelac 1985).

Rappelons aussi que l'offre en matière de technologies de procréation précède puis stimule la demande, grâce à une presse servile, en faisant miroiter des succès d'abord inexistants[2] et en gonflant ensuite des taux de succès extrêmement faibles, oscillant entre 5 et 7% pour les meilleures équipes (Marcus-Steiff 1986). Ainsi, en 1985, aux USA, 54 des 108 centres de fécondation in vitro qui répondirent à l'enquête nationale de la revue Medical Tribune admirent qu'ils n'avaient jamais obtenu une seule naissance vivante. Ces centres opéraient depuis 1 mois à 3 ans et ils avaient traité plus de 600 femmes pour un coût moyen de 4 084 $ par essai (Corea et Ince 1987:133)!

Rappelons aussi que la fécondation in vitro, pour ne prendre que cet exemple, implique la mise en place d'une infrastructure, l'expérimentation suivie et régulière sur des cohortes de femmes et le glissement en cascades des techniques visant à pallier l'inefficacité des précédentes, aboutissant à élargir constamment les clientèles, les indications et les techniques... Cet essor phénoménal tient d'abord au fait que ces technologies sont davantage des palliatifs visant à résoudre les difficultés ou les délais de conception d'un couple que des thérapies guérissant des pathologies clairement identifiées. Or, ces palliatifs valsent sur des conceptions fort élastiques de la stérilité (Rochon 1986) et sur des indications souvent prématurées, hasardeuses (Emperaire 1986) ou purement expérimentales[3]. En outre, prétendre répondre au « désir d'enfant » engage la médecine dans une demande qui est, par nature, sans fin et cela tant au nivveau des indications que des techniques, et les glissements sont d'une facilité déconcertante...

Par exemple, s'il est possible de recourir à la fécondation in vitro pour un problème tubaire, pourquoi pas pour une stérilité associée à une endométriose, à certaines stérilités immunologiques ou cervicales[4] ou encore pour une stérilité idiopathique, c'est-à-dire inexpliquée[5] et même l'hypofertilité masculine? Pourquoi, diront certains, serait-il moins légitime de faire une fécondation in vitro pour une stérilité tubaire que pour un délai d'un an ou deux à procréer; plus normal pour un premier enfant que pour un sixième; plus acceptable pour une infertilité inexpliquée que pour une ligature des trompes; plus rationnel pour d'éventuels diagnostics génétiques que pour la mise en place du circuit stérilisation-congélation d'embryon-réimplantation, parfaite programmation de la procréation? Dans les faits, les praticiens ont déjà largement répondu et ils imposent progressivement à la société de nouvelles « indications », de nouvelles techniques et de nouvelles clientèles comme autant d'états de faits.

Ces technologies s'appuient en outre sur une production constante de l'infertilité et de la stérilité. Une production idéologique d'abord, où la non-conception dans un délai d'un an (infertilité) est faussement confondue avec l'incapacité totale de procréer (stérilité) d'où les statistiques erronées de 15% de stérilité, alors que l'infécondité (soit les couples sans enfants au cours de leur vie reproductive) oscille entre 3 et 5% tant en France qu'au Québec (Léridon, Rochon). Une production sociale de l'infertilité, fruit complexe de la fragilité des amours, de l'insécurité économique, des difficultés d'insertion professionnelle, des folles conditions de vie et de travail, bref d'un contexte faisant constamment différer le projet d'enfant jusqu'au moment ou le cocktail MTS/pilule/stérilet/tabac accentue avec l'âge les risques d'infertilité, voire de stérilité. Enfin, s'ajoute à tout cela la production iatrogène de l'infertilité/stérilité, liée aux revers et aux effets pervers de certaines pratiques contraceptives et médicales (stérilet, DES, séquelles d'appendicites, etc.) et liée à la banalisation de la stérilisation.

À ce chapitre soulignons que le pourcentage de couples américains stérilisés pour raison dite contraceptive a doublé de 1976 à 1983, passant de 19% à 28% (Mosher et al, 1985:3). Alors qu'en 1982, seulement 1,6% des femmes âgées de 15 à 44 ans étaient considérées comme étant « stériles pour des raisons non chirurgicales »[6], 6,6% étaient « hypofertiles »[7] alors que 17,4% avaient subi une stérilisation chirurgicale dite contraceptive et 7,8% une stérilisation chirurgicale dite non contraceptive. Autrement dit, **il y avait en 1982, aux États-Unis deux fois plus de femmes volontairement stérilisées que de femmes ayant des problèmes de fertilité et 25,2% de femmes chirurgicalement stérilisées comparativement à 1,6% de femmes stériles pour des raisons non chirurgicales, soit 15 fois plus!** (Mosher et al. 1985: 2). Les conditions sont donc déjà réunies, dans les pays à haut taux de stérilisation comme les États-Unis, le Canada, la Grande-Bretaghe et les Pays-Bas[8], pour que le développement des TDP repose largement sur le regret de la stérilisation chirurgicale volontaire.

Ajoutons à ce tableau que plusieurs technologies de procréation relèvent souvent davantage de l'idéologie que de la médecine. Ainsi, l'insémination par donneur, n'est-elle pas d'abord et avant tout une pratique « cache-sexe » camouflant à la fois l'infertilité masculine, « l'impuissance médicale » à la soigner (Delaisi de Parseval) et le recours à un autre géniteur? N'est-ce pas pour camoufler une blessure narcissique et préserver un ordre hétérosexuel marqué par la monogamie et la fidélité de l'épouse et marqué par l'amalgame masculin pouvoir-fécondant-puissance-sexuelle-virilité-pouvoir-tout-court que la médecine dérive ainsi vers la pure convenance, traitant une femme fertile au nom de l'infertilité de son conjoint? Or, en quoi est-il médical et en quoi est-il éthique de réduire un être humain à son éjaculat, de noyer un géniteur dans l'azote du secret et de l'anonymat blanchissant ainsi pour ses descendants jusqu'à son souvenir, bref, de réifier et d'instrumentaliser ainsi l'être humain et de brouiller la généalogie de ses enfants? En quoi cela est-il plus médical et plus éthique de réduire un concurrent à son sperme et de rétrécir un être humain à du matériel de procréation, que des relations sexuelles potentiellement fécondantes expressives et jouissives d'une femme avec un éventuel géniteur et en assumant les questions qu'une telle relation avec un être humain peut poser...

Ces questions sont d'autant plus urgentes que les interventions sur des femmes fertiles au nom de la paternité biologique sont de plus en plus lourdes[9]. Ainsi pratiquer une fécondation in vitro en cas d'infertilité masculine est non seulement inacceptable dans ses fondements mêmes, mais elle l'est d'autant plus que, comme le souligne P. Jouannet (1986) les objectifs diagnostiques, thérapeutiques et de recherche sont dans la plupart des cas confondus dans la même tentative et que cette pratique expérimentale est presque totalement innefficace... Comme le précise Jouannet, outre les essais thérapeutiques pour tester l'efficacité de la FIV pour certaines infertilités masculines et pour la mise au point de méthodes de fécondation avec des spermes pathologiques (micro-injection sous la zone pellucide ou dans l'ovocyte), « **la FIV est un outil diagnostique très intéressant pour mesurer les capacités fécondantes des spermatozoïdes** ». Y a-t-il plus bel exemple de transformation du corps des femmes en laboratoire vivant et plus évidente manifestation de l'androcentrisme scientifique que de le justifier au nom de la paternité biologique du conjoint?

Cela n'a rien à envier en fait aux contrats d'enfantement qui incarnent les sommets de l'instrumentalisation de l'être humain. Le commerce national et international des femmes, de leurs fonctions et de leurs organes de procréation, instauration de la « vente de la force de procréation » et transposition de la pornographie et de la prostitution dans le champ de la procréation, aboutit en effet à « éventrer » la mère, à lui faire intérioriser que l'être qu'elle enfante n'est pas le sien, mais bien le produit commandé d'un contrat et d'un éjaculat, bref celui du seul géniteur comme voudrait le faire croire le jugement de l'affaire Baby M. aux États-Unis. Cette fois l'insémination est encore un pur « cache-sexe » entre deux personnes fertiles, mais loin d'être anonyme elle se veut preuve de paternité et même seul lien parental biologique puisque l'objet même du contrat est d'éliminer la mère. À cette pratique médicale peu justifiable s'ajoute, dans les contrats d'enfantement, la sélection de la qualité de l'enfant à naître par un strict suivi de grossesse et un diagnostic prénatal doublé d'un éventuel avortement.

Ce commerce de l'enfantement, qui s'est lui aussi imposé par un discours humaniste, s'abreuvant d'ailleurs encore parfois à l'idéalisation de la sororité d'une affligeante candeur, est moins important par son nombre que par son rôle de « brise-glace » idéologique. En effet, le caractère sensationaliste voire scandaleux des contrats d'enfantement a contribué à légitimer la fécondation in vitro alors même que les dérivés de ces deux pratiques, à savoir les dons et ventes d'ovocytes et d'embryons, leur congélation et leur stockage ainsi que la fantasmatique mais non moins éventuelle gestation extra-corporelle, prolongent, à quelques variantes près, le double enjeu d'éclatement, voire de « taylorisation » de la maternité et de « biologisation » de la paternité, au coeur des contrats d'enfantement. Présentée en opposition de la fécondation in vitro, comme s'il s'agissait de la « vierge » et de la « putain » des TDP, le phénomène des « mères porteuses » a non seulement servi à légitimer les autres technologies de procréation dérivant vers les mêmes échanges institutionnels et commerciaux d'ovules, d'embryons et de spermatozoïdes, mais a servi à camoufler les enjeux de l'économie institutionnelle des technologies de procréation produisant pourtant autant, sinon plus, de salaires, de revenus indirects, d'enjeux de carrière et de bénéficies secondaires que la pratique commerciale avec sa quête ouverte de profits...

Ces quelques exemples montrent déjà que ces technologies sont loin d'être des thérapies ponctuelles et limitées pour résoudre la stérilité comme le prétend un certain discours médical dont la bonne foi n'a d'égal que la myopie et la naïveté, mais qu'il s'agit davantage d'une véritable vis sans fin de la technicisation de la procréation...

Ouverture scalpel

Le déploiement technologique sur l'enfantement, symbolisant pour les hommes le dernier « continent noir » des femmes, est d'autant plus difficile à ralentir et à stopper qu'il s'inscrit et prolonge à la fois un long processus de domination et d'exploitation de la nature et des capacités reproductives des femelles. Dans le cas de la reproduction animale, cela a abouti à une production « taylorisée », calibrée et maintenant génétiquement modelée et brevetée alors que chez les êtres humains, cela dérive maintenant, comme l'a éloquemment montré Gena Corea, vers une véritable mise en circuit économique et technique de la procréation selon un imaginaire et des procédés fort semblables...

Cette technicisation de la procréation s'inscrit aussi dans le processus croissant de domination de l'ordre de la production économique sur la reproduction des êtres. C'est d'ailleurs étrangement un travail de critique épistémologique de l'économie qui m'a amenée à l'analyse des technologies de procréation.[13] J'ai d'abord été amenée à constater que la discrimination des femmes en emploi et l'extorsion fabuleuse du travail domestique non payé étaient liés non pas à un pseudo-retard des femmes en éducation ou à un sexisme superficiel, mais résultait de l'industrialisation et du salariat qui se sont constitués en divisant le temps et l'espace selon les sexes et les âges en rejetant dans la sphère domestique et dans les bras des femmes tout ce qui n'était pas immédiatement productif. (Haicault 1981, Vandelac et al. 1985) Autrement dit, après avoir constaté que vendre le temps de travail impliquait d'abord de l'isoler du « temps mort » que sont les temps de reproduction de la vie (enfantement, repos, maladie, enfance, vieillesse) et après avoir analysé comment ces activités de reproduction (éducation des enfants, entretien, nourriture, etc.) sont de plus en plus dominées et dépendantes du marché, je me suis demandé dans quelle mesure le dernier bastion de cette pénétration de l'ordre économique dans la reproduction n'était pas la maternité, voire le processus même de l'enfantement.

Or les technologies de procréation montrent bien la soumission de plus en plus claire de la procréation aux exigences et aux modalités de fonctionnement de la sphère productive, l'enfantement étant de plus en plus un acte de production d'enfants, objets narcissiques programmés et calibrés en fonction de l'emploi et de ses valeurs. Cette tendance est aussi manifeste dans les contrats d'enfantement transformant la gestation en « vente de force de procréation » ou encore, avec le don et la vente d'ovocytes et d'embryons réduisant des mères au rôle d'intérimaire de l'économie de la reproduction...

Cette technicisation du processus reproductif au nord comme au sud s'inscrit aussi dans une « géo-politique démographique » marquée par l'accroissement des écarts économiques nord-sud et par les tentatives de freiner à tout prix la natalité au sud tout en incitant les femmes du nord à enfanter. **Or, il est urgent d'interroger le double statut accordé à la vie humaine, celle qu'on fabrique à grands frais et à tout prix au nord, alors qu'on élimine tous les jours, par la faim et la maladie, plus de 40 000 enfants dans le monde!** Or, 40 000 enfants, c'est aussi 40 000 mères qui les ont portés et leur ont donné naissance, souvent au risque de leur propre vie, et qui les entendent pleurer et hurler pendant des nuits et des jours. Comment ne pas se scandaliser devant les perspectives étroites, l'ethnocentrisme, voire le racisme latent qui nous fait tolérer un tel double standard face à la vie humaine, un tel génocide quotidien d'enfant, bref une telle barbarie?

Ouvertures horizon...

Au chapitre des rapports hommes-femmes, ces technologies constituent une nouvelle expression des incessantes stratégies masculines pour s'assurer, sinon du lien génétique avec leur descendance ou de son simulacre, du moins d'un contrôle politique et juridique des enfants ce qui s'est fait jusqu'alors par le contrôle individuel et collectif des femmes et de leur capacité reproductive.

Le langage a joué un rôle clé à ce chapitre. Ainsi, comme le soulignent les travaux de Yan Thomas (1986), le mot Père, dans le droit romain, est une inversion ou du moins une appropriation de sens puisqu'il vient du terme parturientes désignant la parturiente, celle qui accouche, bref la mère.

Avec les technologies de procréation ce n'est plus ni ce genre d'inversion de sens, ni la parole de la mère, ni même celle du droit qui assure et rassure le père d'être le géniteur mais de plus en plus la technique, au point où — au moment où on morcelle et où on « éventre » littéralement la maternité — on assiste à une étonnante « biologisation » de la paternité (Vandelac 1987c).

Ainsi, bon nombre d'applications des technologies de procréation, visent essentiellement à faire coïncider — dans la biologie ou dans le social — le père et le géniteur. Par exemple, l'insémination artificielle hétérologue ne vise pas à assurer la génitricité du père social, mais simplement à en maintenir le simulacre. Quant à la FIVETE pour infertilité masculine, qui est l'indication de fécondation in vitro qui a connu le plus fort taux d'augmentation au cours des dernières années, ou encore sa forme sophistiquée de micro-injection de spermatozoïdes sous la zone pellucide ou directement dans l'oeuf, ces pratiques sur le corps de femmes fertiles ont pour objet d'assurer ces éventuels pères d'être à tout prix les géniteurs... Dans certains contrats d'enfantement, cette « biologisation » va jusqu'à écarter d'office la mère pour réduire la figure parentale à celle du seul géniteur, avec ou sans conjoint-e adoptant-e.

Contrôler? Un bien grand mot...

Compte tenu de ce qui précède, j'avoue avoir un certain malaise avec la première question de cette table-ronde à savoir le contrôle des femmes sur ces technologies. Le terme contrôle sous-estime, à mon avis, la profondeur des racines historiques et l'ampleur des enjeux de cette technicisation de l'engendrement et ce terme s'inscrit dans une conception de la technique qui serait nécessairement au service des êtres humains. Or, l'objet de la technique c'est la suppression même des limites, et la technique est en cela profondément anéthique... (Ellul 1977, Hottois 1983). Peut-être faut-il alors se demander si cette conception « anthropo-centrée » de la technique n'est pas en train de basculer quand c'est l'être qui devient l'objet et l'outil de la technique. Ce sont en effet les représentations et l'imaginaire même de l'engendrement et de l'enfant qui sont transformés alors que les mères sont réduites au rôle de simples figurantes d'une conception « d'hommes de science », super-pères enfermés dans l'incroyable contradiction dans les termes de prétendre engendrer techniquement l'humanité... Or cette ultime illusion de reproduire l'être humain par la technique n'est-elle pas une contradiction dans les termes et ne risque-t-elle pas de conduire, comme le souligne Hottois (1984), au règne technique, règne aussi radicalement différent du règne humain que ne le furent entre eux les règnes végétal, animal et humain?

En ce sens, parler du contrôle de l'actuelle industrialisation de la reproduction humaine me semble aussi paradoxal que de parler de contrôle des armements nucléaires, où on négocie pour savoir si l'arsenal permettra de faire sauter 25, 50 ou 75 fois la planète, ou encore sur quelles frontières on stockera les armes... Avec les armements nucléaires, nous sommes collectivement piégés par une logique du quitte ou double et bon nombre de scientifiques commencent à saisir l'ampleur de la démesure et du paradoxe d'une société qui, obsédée de s'assurer pour tout, est suspendue à ce risque absolu... Avec les technologies de procréation, nous ne sommes pas soumis à la logique du quitte ou double mais à celle de la vis sans fin, vrillant progressivement la conception même de l'être humain...

Forcées d'intervenir!

Cependant malgré la complexité des enjeux, nous n'avons pas le choix d'intervenir. D'autant plus que c'est notre intégrité psychique et corporelle et notre identité même, comme individu et particulièrement comme femme, qui est mise en question. Après avoir été longtemps marginalisées, voire réduites historiquement au silence, cette technicisation de l'enfantement n'annonce-t-elle pas le rétrécissement voire l'élimination de l'enfantement en tant qu'expérience culturelle, symbolique et politique, ainsi que l'élimination du féminin dans la pensée occidentale? N'est-on pas en train d'éventrer littéralement les femmes et de saper les bases mêmes d'élaboration des métaphores corporelles féminines, modelant, de façon inégalée encore jusque-là leur inconscient... Aliénation ultime où nous serions réduites à nous penser totalement en fonction du référent masculin...

Comment intervenir?

Une chose est claire: les femmes et les hommes sont les matières premières de ces technologies et les femmes en sont les laboratoires vivants! Par conséquent, l'essentiel c'est de comprendre, en écoutant les premières intéressées, pourquoi, comment et à quel prix elles acceptent de jouer ce rôle et comment il est possible de freiner certaines pratiques et d'offrir d'autres alternatives.

Il est aussi fondamental de continuer le travail de recherche et d'information permettant d'interroger comme on l'a fait à ce forum, et comme le font aussi les membres de FINNRAGE, le sens, la généalogie, la logique, les enjeux et la légitimité de cette nouvelle économie de la procréation, et cela partout où des individus, vivant ou non cette réalité quotidienne, s'interrogent sur ces pratiques. Il serait aussi pertinent d'élargir par l'information l'impact international de ce forum où pour la première fois un organisme gouvernemental, émanation même de la vitalité du mouvement des femmes au Québec, interroge le sens et les enjeux de ces technologies pour les femmes et pour la société. Dans la même veine, il serait important que le mouvement des femmes investisse les comités d'experts, les forums, les instances et les tribunes nationales et internationales où s'élaborent, se financent ou se légitiment les politiques en la matière et exige des pouvoirs publics des fonds de recherche permettant de mener ce travail national et international. Parmi ces lieux, mentionnons les Conseils de recherche, les organismes-conseils auprès de certains ministères ou encore des organismes régionaux ou internationaux comme le Parlement Européen, l'UNESCO et l'Organisation mondiale de la santé.

Au Québec, il est souhaitable que les projets de loi soumis par le Conseil du statut de la femme et le rapport du comité d'étude du ministère de la Santé et des Services sociaux fassent l'objet non pas de réglementations ou de législations discutées en vase clos mais bien d'un véritable travail d'information, de consultation et de débat public. Il serait souhaitable qu'un tel débat ne se limite pas aux questions de gestion et de contrôle minimal des pratiques, telles qu'élaborées par un comité d'expert, mais donne lieu à une réflexion large et démocratique où la conscience reproductrice (O'Brien) et l'expérience ainsi que l'énergie vitale de la maternité comme le disait hier Maria de Koninck, ne soient pas évacuées par les seules préoccupations administratives ou politiciennes. Ces questions méritent d'être abordées par le plus grand nombre et de s'enraciner dans des pratiques concrètes de critiques et d'alternatives, comme on l'a vu déjà au Québec avec les colloques « Accoucher et se faire accoucher » qui ont réuni plus de 10 000 personnes, puis avec l'imposant travail des sages-femmes, de Naissance-renaissance et des Centres de santé des femmes.

Pour démocratiser le débat, il importe aussi que les pouvoirs publics imposent la transparence des pratiques et freinent l'emballement de la machine. La première condition en est la publication de données exactes, complètes, unifiées et contrôlées (autrement que par les équipes médicales à la fois juges et parties), sur l'état actuel des clientèles, des indications, des techniques, des recherches, du déroulement des gestations et des accouchements, ainsi que sur l'état de santé des enfants nés et les coûts de ces opérations assumés par les services de santé.

Compte tenu du rôle majeur des médias dans la promotion de ces technologies et les problèmes d'éthique professionnelle que cela soulève, il importe d'entretenir un dialogue soutenu avec les journalistes et d'interroger les conditions mêmes de leur pratique qui en font souvent involontairement, voire même inconsciemment, les principaux promoteurs de ce développement technologique. Leur rôle est en effet déterminant dans la stimulation voire la création de l'offre et de la demande et dans la légitimation sociale de ces techniques. En fait, ces technologies sont l'objet d'une inflation médiatique flirtant souvent avec la publicité et mettant en évidence la pauvreté du journalisme d'enquête et de réflexion et la difficulté d'une vulgarisation scientifique et technique qui ne tombe pas dans la promotion et le fait divers. Il est essentiel que la Fédération professionnelle des journalistes, le Conseil de presse et l'Association des femmes journalistes s'interrogent sur la vulgarisation scientifique et technique dans le champ bio-médical (Vandelac 1987 b) et y consacrent conférences et congrès.

Enfin, il est indispensable d'intervenir directement sur la recherche et cela à plusieurs niveaux. Compte tenu que ce milieu est un milieu socio-professionnel avec des enjeux, des intérêts, des luttes de pouvoir comme les autres, avec en outre des instruments en main dont les conséquences sociales risquent d'être particulièrement lourdes, il n'y a pas lieu de traiter les chercheurs comme des démiurges et de leur donner l'absolue carte blanche.

Il importe d'abord d'exiger l'arrêt des financements publics et d'exiger l'interdiction de certaines recherches sur l'animal, notamment les recherches conduisant à la massification de la reproduction chez les mammifères, comme les recherches sur le clonage, la parthénogénèse et la génogénèse, de même que les grossesses inter-espèces. Jusqu'à présent, il y a eu un passage si direct et si rapide des recherches en reproduction animale à leurs applications chez l'humain, qu'il faut étudier la possibilité de stopper certaines expérimentations en amont si on ne veut pas en subir les effets d'ici quelques années. De la même façon, il faudrait examiner attentivement les travaux actuels sur les animaux transgéniques, des animaux transmettant à leurs descendants des gènes isolés chez d'autres espèces animales ou chez l'être humain. On sait que des souris vivent par exemple avec du plasma humain. En fait, comme le souligne J.P. Renard, chercheur à l'institut Pasteur et membre du Comité national d'éthique, les recherches actuelles sur des animaux utilisés comme éléments de transpositions (singe), d'analogies (l'embryon de souris est l'antichambre des recherches en reproduction humaine) voire d'exploitation (chez la vache) nous renvoient à certains de nos mécanismes et à ses composantes (un génome humain peut représenter plus de 90% d'homologie avec certains singes supérieurs) et brouillent de plus en plus les frontières entre l'animal et l'humain... Par conséquent, n'y a-t-il pas lieu d'exiger, à l'échelle internationale, des recommandations éthiques doublées de mécanismes concrets d'application sur la recherche animale, sur ses finalités et sur ses conséquences sur la personne humaine?

Concernant l'être humain, il serait minimal qu'aucune recherche en reproduction humaine ne soit entreprise avant d'avoir fait l'objet d'études approfondies, contrôlées et à long terme sur des animaux avec des protocoles de recherche dignes de ce nom et impliquant, notamment un groupe contrôle (ce qui est rarement le cas en FIVETE) et l'étude des effets sur les capacités reproductrices des seconde et troisième générations.

Si on avait appliqué ces normes à la lettre, la FIVETE n'aurait jamais vu le jour et si on les appliquait maintenant, on devrait imposer un moratoire complet sur cette technique aléatoire et expérimentale dont on ne connaît pas les effets à long terme. Pourtant, suite aux effets catastrophiques du DES, on devrait se méfier grandement des produits employés pour la stimulation ovarienne dont on soupçonne qu'elles précipitent la ménopause et dont on ignore les effets sur les seconde et troisième générations. On devrait aussi exiger dès maintenant des études approfondies sur les effets des échographies répétées sur les ovaires (jusqu'à 20 ou 40 s'il y a plusieurs cycles de FIVETE) et pouvant éventuellement avoir un impact sur ces enfants.

Si on appliquait ces critères dès maintenant, on cesserait aussi l'emploi de la Buzéréline, dans le traitement d'hyperstimulation ovarienne pour la FIVETE. Rappelons que ce produit a été approuvé en France pour le traitement du cancer de la prostate et a été appliqué chez la femme après avoir été testé sur 60 souris seulement! On cesserait aussi sans doute certaines expérimentations palliatives faites sur des femmes fertiles au nom, comme c'est le cas pour la fécondation in vitro pour indication masculine, de la science et du diagnostic de l'infertilité de leur conjoint... On cesserait aussi la congélation d'embryon qui, d'après les résultats de 1986, de 55 équipes de FIV en France, double le taux de trisomie par rapport à la population soit 0,31 versus 0,14, sans compter les effets psychiques qui résulteront de cette suspension dans le temps, des brouillages de générations et de l'épineux problème de stockage d'embryons, dont le nombre représente, comme le souligne Laurence Gavarini, une ville potentielle de plusieurs milliers d'habitants, qui sont hors du temps, hors la loi et hors des règles de citoyenneté...

Bref, les technologies déjà appliquées l'ont été dans un tel emballement et avec si peu de précaution que d'étudier simplement les effets pervers de la FIVETE et de ses dérivés et de développer de véritables moyens de prévention et de thérapeutique pour l'infertilité et la stérilité permettrait de recycler et d'occuper la plupart des chercheurs de ce champ pendant les 20 prochaines années...

Jacques Testart soulignait, il y a quelques années dans une entrevue accordée à Parole d'homme que l'intérêt de la recherche en fécondation in vitro avait été de mettre les défis, de mettre — comme il le disait — la barre de la recherche bien haut... Peut-être l'anecdote racontée hier par M. Jacques Dufresne, dans laquelle son neveu s'étonnait qu'on donne des hormones de croissance aux jeunes joueurs de ballon panier, alors qu'il serait plus simple de baisser le panier, pourrait-elle inspirer certains chercheurs et médecins et les inciter à baisser un peu la barre...

Synthèse du débat

Éric Laplante, agent de recherche, Conseil du statut de la femme

La diversité des sujets traités par les conférencières a soulevé dans l'assistance des questions de nature également variée. Les réponses offertes à plusieurs de ces questions ont toutefois de multiples points communs.

La nécessité d'une réflexion plus approfondie sur l'infertilité des couples représente justement un de ces points communs. Comme le précise Janice Raymond en réponse à un commentaire critique des jugements culpabilisants portés sur les couples infertiles qui font appel aux NTR, l'analyse des problèmes d'infertilité qui affectent les femmes doit se situer à l'intérieur d'une perspective beaucoup plus large que celle liée à leur simple traitement ponctuel. Le problème, selon Janice Raymond, est précisément la manière dont on conçoit l'infertilité: celle-ci est en fait définie de façon à permettre une approche technologique. Nous devons donc réfléchir sur ce qu'est l'infertilité, sur ce qui la cause et demander que des fonds suffisants soient alloués à ce genre de réflexion afin d'éviter que des gadgets technologiques ne prennent la forme de solutions.

Janice Raymond affirme cependant ne pas vouloir porter jugement sur les couples infertiles, mais bien plutôt sur les professionnels responsables du développement de ces technologies. Les personnes qui jettent un regard critique sur ces technologies ont souvent été accusées d'insensibilité à l'égard des couples infertiles; leur objectif était pourtant de faire preuve de sympathie et de sensibilité, mais de le faire de façon sélective.

Mary Sue Henifin partage cette douleur des couples infertiles et déplore leur manque de participation à un forum de ce genre. Elle souligne la valeur de l'adoption comme solution de remplacement aux NTR en mentionnant toutefois les problèmes énormes qui en gênent la pratique actuelle aux États-Unis. Elle fait également part de sa participation à un mouvement américain, the Interracial Family Alliance, qui cherche à venir en aide aux couples et familles interraciales par adoption.

Interrogée par une membre de l'Association québécoise pour la fertilité sur sa manière de concevoir l'avenir de la fécondation in vivo et in vitro dans les hôpitaux québécois, Louise Vandelac pense qu'aborder la question d'abord sous l'angle de la légalité ou de l'illégalité n'est peut-être pas la meilleure avenue. Réfléchir sur la signification et les conséquences de cas pratiques constitue une meilleure approche vers une résolution des problèmes que posent les NTR.

Comme elle l'affirme, « ...il y a une façon de légitimer actuellement les nouvelles technologies de procréation qui m'apparaît vraiment très douteuse et qui fait en sorte que toute critique passe à la limite pour être anti-enfant, anti-science et anti-femmes, en fait, infertiles ». Le manque d'information sur les effets à long terme de ces pratiques et leur caractère expérimental les rendent scientifiquement très discutables. Louise Vandelac s'avoue ainsi inquiète, entre autres choses, des effets de l'hyperstimulation ovarienne et de la multiplication des échographies sur les ovaires. Elle ne pense pas qu'il soit actuellement possible d'interdire la pratique de la fécondation in vitro et in vivo, mais elle pense qu'il est au moins en notre pouvoir de fournir aux femmes de l'information sur ces techniques, sur leurs risques et leurs taux de succès.

Soucieuse de faire profiter l'auditoire de ses réflexions, une participante déplore l'absence des hommes dans ce débat sur les NTR. Consciente qu'il faut encore sensibiliser les hommes à la condition féminine, elle insiste sur le fait qu'hommes et femmes doivent faire front commun pour réagir aux problèmes soulevés par les NTR et le système de santé québécois. Il faut, selon elle, trouver ensemble les moyens de freiner l'augmentation de l'incidence de l'infertilité, travailler à lutter contre les MTS et revoir la contraception; « c'est ensemble, dit-elle, qu'il faut définir les limites à imposer à la recherche en reproduction humaine et en génétique médicale ».

En réponse à la question de Renate Klein sur la nature et les effets d'un nouveau produit, la Buzéréline, employé dans le processus de fécondation in vitro, Françoise Laborie précise que la mise en marché de ce produit en France concerne une indication complètement différente de celle de la fécondation in vitro puisque celui-ci n'est vendu que pour le traitement de certaines tumeurs testiculaires et de la puberté précoce. Ce produit ne semble pas avoir d'effets secondaires, mais son action met le corps des femmes à rude épreuve. Comme le mentionne Françoise Laborie, la Buzéréline est « une molécule qui tente de bloquer, d'installer une désensibilisation de l'hypophyse, laquelle règle précisément la production interne des hormones ». Une fois cette production d'hormones interrompue, on hyperstimule les mêmes femmes de façon à substituer le rythme médical au rythme normal. Les médecins appellent cela, de l'avis de Françoise Laborie, « une ovarectomie provisoire, une castration réversible, une ménopause réversible ».

Interrogées par Anne-Marie de Vilaine sur la manière dont elles entrevoient la maternité et l'avenir pour les femmes et les enfants dans le contexte social que créent les NTR, Janice Raymond et Mary Sue Henifin soulignent les dangers d'une conception biologique de la maternité. La maternité doit être conçue comme une relation à l'intérieur d'un contexte; elle ne saurait être réduite à l'état de conséquence biologique. Cet appel à l'instinct maternel pour expliquer le désir d'enfant des femmes limite leur liberté en les confinant à des rôles sociaux déterminés d'avance; il limite la réflexion possible sur un tel sujet.

Cette nécessité d'une réflexion plus globale sur la maternité et l'infertilité s'impose pour plusieurs raisons. Une question sur la relation entre idéologie et désir souligne en effet l'urgence d'une réflexion sur les causes sociales qui déterminent la demande des femmes d'avoir accès à ces techniques de reproduction assistée. Le désir d'enfant, s'il représente une expression individuelle en soi respectable, n'en demeure pas moins l'objet de multiples pressions et orientations sociales. Dans de telles circonstances, faut-il remettre en question le désir d'enfant? Les conférencières sont d'avis qu'il faut plutôt respecter, avec certaines réserves, le désir d'enfant et jeter un regard plus critique sur la fabrication d'enfants et la médicalisation croissante de certains phénomènes humains. Sans critiquer directement le désir d'enfant, peut-être convient-il de s'attaquer à l'idéologie sociale qui conçoit la maternité comme la réalisation nécessaire de la féminité, ainsi qu'aux pratiques médicales qui tendent à incarner cette idéologie.

Cette interaction entre désir et idéologie se manifeste également au sein de la relation entre le médecin et sa patiente. Cette dernière relation va bien au-delà d'une relation de pourvoyeur de soins à consommatrice de soins. La participation des professionnels de la santé à l'élaboration de cette idéologie sociale de l'enfant à tout prix est certainement importante. Comme le précise Janice Raymond, ces professionnels doivent assumer les jugements qu'on porte sur ces technologies. Le désir d'enfant demeure un désir légitime, mais il importe que les femmes infertiles l'entrevoient de façon critique. La légitimité des NTR qui incarnent cette idéologie de l'enfant à tout prix sous la forme de pratiques médicales est cependant beaucoup plus discutable.

On a également demandé aux conférencières quels types de solutions elles préconisent pour les femmes aux prises avec des problèmes d'infertilité et qui n'ont guère que les NTR comme recours. Les solutions proposées sont de deux ordres. La première concerne la nécessité d'alléger les processus d'adoption de manière à ce que cette démarche représente vraiment une solution de rechange aux NTR. Le Conseil du statut de la femme par la voix de sa présidente, Madame Francine C. McKenzie, a d'ailleurs accepté d'analyser de plus près les procédures d'adoption afin de favoriser leur amélioration. L'autre solution mise de l'avant a trait à la conception de la famille dans notre contexte social. Reconnaître la légitimé d'autres formes familiales que la famille nucléaire pourra en effet contribuer à offrir aux couples infertiles des choix d'actions plus variés que le seul recours aux NTR.

S'il convient de se méfier du travail des idées dans la façon d'analyser certains rôles sociaux, il apparaît également nécessaire de tenir compte de l'action symbolique qu'exercent les concepts sur la pensée. Une participante rappelle ainsi que des concepts tels que « mère porteuse » sont lourds de conséquence en ce qui concerne la façon de comprendre le phénomène de la maternité et le rôle que les femmes y jouent.

Une participante a voulu clarifier la distinction entre le désir d'enfant et la médicalisation dont il est l'objet. Comme elle le mentionne, ce forum n'avait pas pour objectif de critiquer le désir d'enfant. Bien au contraire, il avait en partie pour but d'informer les personnes sur les dangers de la production technique d'enfants et de l'idéologie de l'enfant parfait.

Commentant les propos de cette autre participante qui, en tant que femme infertile, se sentait exclue d'un mode de pensée dit « féministe », Martine Chaponnière rappelle que l'avènement des NTR a eu justement pour effet de diviser encore plus cette entité bio-sociale que sont les femmes. Comme elle l'affirme, « plus la réalité est complexe, plus les réponses sont diversifiées ».

Les conférencières rencconnaissent également l'importance d'une réflexion sociale sur les questions que soulèvent les NTR. Une stratégie nationale apparaît nécessaire pour faire face à ces situations nouvelles. La création d'une commission royale ayant pour objectif de réfléchir à ces questions a été proposée. Une telle commission serait dirigée par des femmes familières avec ce genre de questions sociales et aurait une majorité de femmes pour membres.

Cette période de débat ne fut donc pas qu'un moment permettant aux conférencières et au public de célébrer leur accord sur les questions relatives aux NTR. Des participant-e-s ont eu l'occasion d'exprimer leur désaccord sur certains propos des conférencières et sur le peu de place qui a été réservé, au sein d'un tel forum, à l'opinion des couples infertiles. Ces derniers propos ont semblé être partagés par certaines conférencières qui affirment comprendre la douleur de ces personnes et respecter la diversité des perspectives défendues par les femmes.

Appendice

L'éprouvette porteuse
Louky Bersianik*

Dans l'analyse de toute oppression, la question du langage est fondamentale. Lors du récent Forum international sur les nouvelles technologies de la reproduction (NTR), un intervenant s'est plaint de ce que l'expression « donneur de sperme » est réductrice et discriminatoire. Bien que peu élégante, cette expression est pourtant le reflet exact d'une réalité biologique prénatale.

On ne peut en dire autant de l'expression « mère porteuse », qui met surtout en évidence la croyance, fort répandue dans notre civilisation patriarcale, que c'est le père qui fait l'enfant: n'est-ce pas lui qui le signe? La femme n'a qu'à « porter » le germe qui lui est transmis sexuellement jusqu'à ce que ce germe arrive à terme par lui-même grâce à l'opération du Saint-Esprit... On connaît la naïve expression populaire: « J'ai fait un enfant à ma femme ». Et qui n'a pas entendu dans certains films, presque toujours scénarisés par des hommes, la supplication de la femme amoureuse: « Chéri, fais-moi un enfant! »

Dans le contexte des NTR, le terme « porteuse », accolé au mot « mère », est une tautologie, car toutes les femmes enceintes sont, entre autre chose, « porteuses » d'enfant. Cette redondance verbale donne à penser que, via les NTR, ce que la femme « porte » avant tout, c'est le sperme d'un homme qui n'est pas son mari. C'est ainsi, à l'évidence, qu'a été considérée la mère de *Baby M*, i.e. comme une vulgaire *éprouvette porteuse*.

Dans la perspective générale de la maternité, l'expression séculaire « porter un enfant » est extrêmement réductrice, puisqu'elle ne décrit que l'un des aspects de la grossesse, l'essentiel de celle-ci étant de produire un être humain à partir de *deux* cartes génétiques, mais aussi et surtout à partir du cytoplasme contenu

---

* Louky Bersianik est écrivaine et elle a assisté au Forum international sur les nouvelles technologies de la reproduction à titre de participante. Elle a fait, au cours de la conférence-débat de clôture, une intervention qui nous a semblé de nature à compléter les propos contenus dans ces pages.

dans l'ovule, et de la matière première qu'est le corps maternel. Jean Rostand écrivait déjà il y a 20 ans: « Pour ce qui est de ce cytoplasme — nous touchons ici à la différence fondamentale entre le père et la mère — il présente une structure, une organisation (qui) intervient sûrement dans les prémices du développement embryonnaire, et c'est elle précisément qui confère à la cellule maternelle l'étonnant privilège, le merveilleux pouvoir de produire un nouvel être » (*Maternité et biologie*). Pour la femme, il ne s'agit donc pas d'une reproduction d'elle-même, mais d'une production par elle d'un être unique.

À l'issue d'un procès ignominieux qui lui retirait tous ses droits sur sa petite fille, Mary Beth Whitehead s'est écriée en larmes: *Elle est ma chair et mon sang!* On peut questionner le fait qu'une phrase analogue: *Ceci est mon corps ceci est mon sang* est répétée sur toutes les latitudes à toute heure du jour, par des vieux garçons qui refusent aux femmes le droit de faire la même chose en public, tout en s'appropriant leur « pouvoir de produire un nouvel être ».

A ce que je sache, il n'y a aucun vocable dans la langue française qui rende compte de ce travail que la femme enceinte accomplit avec son sang, sa chair, ses hormones, en y engageant le poids de sa conscience puisqu'elle est tenue responsable du résultat de ce travail. Aucun mot pour dire la création par elle du seul lien infrangible qui donne à l'être humain le sens de son origine et le sentiment de son appartenance à l'humanité; et pour dire l'émotion profonde qui est la sienne quand elle établit et entretient cette relation primordiale.

Le mot *grossesse* vient du mot « grosseur » et indique tout au plus que la femme enceinte est grosse; le mot *enceinte* vient d'un mot latin qui veut dire « ceinturer » et indique seulement un état de « grossesse »; le mot *gestation* vient du latin « gestatio » qui signifie: « action de porter »; le mot *enfanter* veut dire « mettre au monde un enfant » et ne s'emploie qu'au moment de l'accouchement.

On dit « porter » un enfant comme on dit « porter » une robe, des boucles d'oreille ou une cravate, avec la différence qu'on n'a jamais vu une cravate ou une robe se mettre à grandir sur le corps du « porteur » ou de la « porteuse ». Pourquoi ne pas appeler l'enfant *une portée*? Ce serait plus logique!

Ce vide langagier, conséquence des stratégies patriarcales, a toujours eu pour effet de déposséder symboliquement les femmes de leur puissance et de permettre aux hommes de détourner ce pouvoir féminin à leur profit au point de s'en emparer. Ce vide explique pourquoi le débat juridique sur les NTR escamote le fait fondamental que l'enfant revient *de droit* à la mère, non parce qu'elle en est la « porteuse », mais parce que cet enfant est le produit de sa chair et parce que: « dans cette collaboration biologique d'où résulte un nouvel être, c'est indéniablement la mère qui compte pour le premier auteur » (J. Rostand).

Ce fait fondamental ne peut plus être nié eu égard à toutes les autres implications physiques et psychologiques qui peuvent perturber ou au contraire favoriser le déroulement d'une grossesse. On ne peut donc pas traiter sur un pied d'égalité les droits du « donneur de sperme » ou même de la « donneuse d'ovule », avec les droits de la femme qui fait l'enfant dans son ventre, à longueur de journée et qui le projette dans l'espace au bout de 10 lunes.

L'histoire de *Baby M* nous renvoie au vieux procès d'Oreste présidé par Athéna, la déesse qui se vante de ne pas avoir eu de mère. Accusé de matricide, Oreste est acquitté. Selon le plaidoyer d'Apollon, rapporté par Eschyle, Oreste n'a tué qu'une *étrangère* puisque, et je cite, « l'homme peut être père sans l'aide d'une mère. » On en est encore là.

Du désordre dans la filiation
Évelyne Serdjenian*

Le prix de la filiation

Au slogan « l'utérus aux femmes » des années 70 répond, une décennie plus tard, la maternité programmée. Après avoir permis aux femmes — et aux couples — la maîtrise de leur fertilité, la science réinvestit la scène intime de la procréation. Avec le stockage des produits de base, spermes, ovules et embryons, le recrutement de « donneurs » et d'ouvrières « porteuses », la reproduction entre dans un processus économique et commercial sous prétexte de secourir les minorités infertiles.

Qu'est-ce qui pousse les parents des sociétés riches en mal d'enfant à les concevoir coûte que coûte avec un patrimoine génétique emprunté à des donneurs et à des donneuses anonymes et sélectionnés? Pourquoi des femmes choisissent-elles de concevoir les pieds dans les étriers d'une table gynécologique? S'en remettre à un acte triste et à un tiers médecin pour enfanter ne va pas sans beaucoup de peine pour l'homme et la femme qui sont aux prises avec leur besoin d'enfant. Se priver de l'amour physique de la conception pour elle, et s'en remettre à un médecin et à la semence d'un inconnu, pour lui, demandent bien du courage, et encore davantage pour adopter l'enfant qu'une autre fait à son image avec la semence de son mari. Mais le prix à payer pour vaincre l'échec face à l'impératif social de la perpétuation de soi-même s'arrête-t-il là?

Quel regard ce couple pose-t-il sur l'enfant? Quels souvenirs amoureux lui évoque-t-il? Quel sentiment éprouvent-ils devant un visage dont les traits évoquent quelqu'un d'autre... en attendant que l'enfant lui-même demande de qui il est issu. Faut-il que le statut de mère — et de père — génétique soit socialement important et la reproduction de soi-même narcissiquement jouissive pour provoquer de telles mascarades de maternité et de paternité!

* Évelyne Serdjenian est docteure en sociologie. Elle est actuellement directrice du Management Development Program chez IBM en Belgique. Ce texte constitue une contribution au forum international sur les nouvelles technologies de la reproduction auquel madame Serdjenian n'a pu assister bien qu'elle y ait été invitée.

Inégalité génétique et inégalité sociale

Il est parmi ces subterfuges un non-dit qui trahit en matière de reproduction le statut encore inégalitaire des femmes. Si des femmes sont qualifiées de « porteuses » alors qu'elles sont aussi les mères génétiques de l'enfant qu'elles conçoivent sur commande, cela signifie que le rôle génétique des femmes peut encore être gommé, de même qu'il l'est au plan de la filiation puisque la loi n'autorise aux couples mariés que la filiation patrilinéaire. Faut-il que le statut social de la femme soit encore bas pour permettre un tel abus du sens de sa maternité!

Pourtant, depuis une vingtaine d'années, l'égalité sociale des hommes et des femmes a été sans cesse renforcée par la loi et par l'activité professionnelle des femmes. Deux modèles de femmes coexistent cependant. Tout en prônant l'égalité, notre société maintient un système de redistribution des revenus qui pousse certaines femmes à demeurer dans la subordination et dans la protection. Ces avantages entretiennent l'existence de groupes sociaux traditionnels; ce sont les avantages fiscaux liés au quotient conjugal qui représentent un véritable salaire de la femme au foyer, complété par le bénéfice de la sécurité sociale à titre gratuit. Avec la protection de celles qui ne travaillent pas, l'établissement de la filiation au seul profit de la lignée paternelle fait office de monnaie d'échange: la reproduction sociale du père contre la protection économique de la mère.

Devant l'éclatement du concept de mère, que deviennent les femmes lorsqu'elles ne sont plus des mères au sens global traditionnel? Qu'une femme ait ou non d'autres raisons d'être que son rôle de reproductrice, enfanter est une de ses grandes expériences de vie, mais il est non moins certain que la maternité fonde la légitimité de l'inactivité économique des femmes qui ne travaillent pas. En conséquence, il y a des chances pour que les femmes admettent mieux leur stérilité — ou celle de leur conjoint — lorsqu'elles ont d'autres moyens d'affirmation sociale et aussi lorsque le couple peut recourir aisément à l'adoption.

L'adoption est aussi une non-procréation

Face au problème de survie des enfants du tiers et du quart monde, les techniques de la fécondation semblent ridicules, d'autant plus que la filiation génétique et le fait de porter un enfant n'entraînent plus systématiquement la paternité et la maternité sociales. Par ailleurs, le coût de ces prouesses techniques choque lorsque, dans le même temps, des enfants meurent en Afrique et en Asie. En regard de la dissociation médicale entre la procréation et la filiation, l'adoption qui représente, elle aussi, un moyen de filiation par un enfant non procréé, fait l'objet d'une désaffection médiatique et se heurte soit à la loi, soit à l'inexistence de filières officielles d'adoption sur les pays « producteurs » d'orphelins.

Si le commerce d'enfants est profondément choquant et socialement inadmissible, la fabrication d'embryons et d'enfants « sur commande » est tolérée et des réseaux tant médicaux que commerciaux en vivent; dans les sociétés riches, la naissance devient une activité rémunératrice au même titre que d'autres secteurs de la santé. L'adoption implique, par contre, l'établissement de relations délicates et non commerciales avec des pays du tiers monde pour sauver des enfants qui ont, eux, pour caractéristique d'avoir échappé à la médicalisation...

Devant la complexité politique, mais aussi sociologique de notre monde, que devient donc cette expérience d'amour intense qu'est l'enfantement et l'exercice du rôle de parent? La rupture du lien entre sexualité, procréation et filiation, devrait permettre de déboucher sur une solidarité familiale inter-culturelle plutôt que sur le perfectionnement de notre société de consommation qui organise la mise en commun, au sein de mêmes groupes raciaux, de spermes et d'ovules pour mieux satisfaire notre narcissisme.

Notes et bibliographies

La plupart des conférences comportent des notes et une bibliographie. Ces conférences sont ici identifiées selon le nom de leur auteur-e, sont accompagnées de leur matériel complémentaire et sont présentées dans le même ordre que dans les pages précédentes.

Allocution de Francine C. McKenzie

Notes

1. Jean-Claude Paquet. « Étude conjointe sur la fiabilité d'un indicateur électronique de fertilité », Le Soleil, Québec, 7 octobre 1987, p. A-5.
2. Mary Ann Warren. *Gendercide. The Implications of Sex Selection.* Totowa, Rowman and Allanheld, 1985, 209 p.
3. Madhu Kīshwar. *Amniocentesis in India.* Communication faite au congrès des Women's Worlds, Dublin, juillet 1987.
4. "The Sex of a Child", The Globe and Mail, Toronto, 2 octobre 1987.
5. Marie Gratton-Boucher. « De l'apprenti-sorcier à l'apprenti-sage », Prêtre et Pasteur, juillet-août 1984, pp. 393-401.

Conférence de Gena Corea

Notes

1. In 1977, a plan for a regionalized system of obstetrics care providing high-technology for all pregnant women was proposed for the United States. The plan involved shutting down maternity services in small community hospitals and transporting mothers to large, technologically oriented hospitals.

    Dr. Muriel Sugarman, psychiatrist and a member of the Ad Hoc Committee on Regionalization of Maternity Services in Massachusetts, has predicted that by the year 2000, regionalized obstetric care will force mothers to go far from their communities and their loved ones to bear their babies "in large, cold, impersonal birth 'factories'" (Corea, 1979).

2. In the late 1970s, Dr. Andrew Fleck, director of the Division of Maternal and Child Health in New York State's Department of Health, found evidence of this.

   One would expect first-time Caesareans, which are supposed to be emergency operations, to occur randomly around the clock. But when an associate in Fleck's office looked at the statistics of five New York hospitals in 1978, he found that 62 percent of the first-time caesareans took place during working hours — between 7 a.m. and 6 p.m. Only 38% occurred between 6 p.m. and 7 a.m. (Corea, 1980).

3. The University of Edinburgh's IVF team has devised a test that uses a commercially available gene probe to identify the male Y chromosomes in embryos four to eight days old.

   Robert Winston and his IVF team at London's Hammersmith Hospital are also using gene probes to detect hereditary diseases in embryos (Nature, 1987, June 18).

4. Because in humans, few embryos result from a single ovulatory cycle, those planning preimplantation diagnosis may "superovulate" women suspected of carrying genetic "defects". That is, they may give women powerful hormones to force their ovaries to produce more than one egg per cycle. In this way, the technodocs will get enough embryos for diagnosis. The long-term effects of superovulation on women are unknown.

   Medical Tribune reporter Susan Ince asked Dr. Buster how he felt about superovulating women with no fertility problem. Buster replied that because blastocysts (early embryos) develop in fewer than half of conceptions, he thinks **all** women have a fertility problem (Ince, 1987).

5. Preconception counselling is emerging as an important adjunct to obstetric care, according to Dr. Robert Resnick, chair of the Department of reproductive medicine at the University of California, San Diego, School of Medicine (OGN, 1987, August 15).

   One advocate of preconception counselling, Dr. Edward T. Bowe, Columbia University of Physicians and Surgeons, New York, has said that the following matters are all relevant to the planning of pregnancy: the father's medical history and occupational exposures and the mother's age, race, socioeconomic status, nutritional status, and history of medical disorders, exposures to drugs as therapy or drug abuse and in-utero exposure to DES (diethylstilbestrol).

   The mother's immunization status and the genetic backgrounds of both parents, including family records of inherited disorders, should also be determined before conception, when possible, he said (OGN, 1987, April 15).

   Preparing women for pregnancy before they conceive should be routine, Dr. Thomas A. Leonard, president of the Perinatal Foundation, has said. Preconceptional care can produce healthier children, he added. Women over 35 should be advised of the additional risk their age imparts in pregnancy. Alcoholism, drug addiction, and smoking are behaviors to look for during preconceptual assessment. Genetic counselling is needed if any known abnormalities run in either parent's family (OGN, 1987, May 1).

6. Social worker Cynthia J. Bell writes: "...genetic social workers could assist 'new reproductions' parents in preparing for the different family roles and expectations of adoptive pregnancy. Work with newly forming families would help these parents to individualize their children... A new form of extended family may be voluntarily chosen by some couples... Children of adoptive pregnancy will have a genetic donor mother and a gestional birth mother may foreseeably form relationships with both. (Increasingly, couples are meeting and selecting surrogate mothers.) In some cases, there may be a genetic father and birth father who both relate to a child. Such extended families would be congruent with today's move toward open or cooperative adoption... The genetic social worker may help families to create these relationships." (Bell, 1986)

Bibliographie

The Australian. 1987, June 4. "Woman to give birth to her grandchildren."

Bell, Cynthia J. 1986, September-October. "Adoptive pregnancy: legal and social work issues." Child Welfare, LXV(5):421-436.

Burton, Barbara A. 1985, March. *Contentious issues of infertility therapy: a consumer view*. Paper presented before the Australian Family Planning Conference.

Conseil du statut de la femme. 1987. Dilemmas: When Technology Transforms Motherhood. (Francine Gagnon). Les Publications du Québec, Québec.

Corea, Gena. 1979, April. "Childbirth 2000." Omni.

Corea, Gena. 1980, July. "The caesarean epidemic." Mother Jones.

Corea, Gena. 1985. *The Mother Machine*. Harper and Row, New York.

DeCherney, Alan. 1983. "Doctored babies." Fertility and Sterility, 40(6):724-726.

Edwards, Robert G. and Patrick Steptoe. 1980. *A Matter of Life*. William Morrow and Co., Inc. New York.

Ince, Susan. 1987, Novembre 4. "Prenatal testing in embryo dawns." Medical Tribune.

Karp, Laurence E. and Roger P. Donahue. 1976. "Preimplantation ectogenesis." The Western Journal of Medicine, 124(4).

Kramer, Michael. 1985, August 12. "Last chance babies: the wonders of in vitro fertilization." New York: 34-42.

McIntosh, Philip. 1987, July 4. "Experts warn of complications for surrogate grandmother." The Age (Melbourne, Australia).

Nature. 1987, June 18. "Sex of new embryos known." p. 547.

New Scientist. 1987, July 9, "New insights into early embryos." pp. 22-23.

Ob. Gyn News. 1986, October 15. "Mary try parenthood despite risk of passing on genetic disease." 21(20):5.

Ob. Gyn News. October 15. "Assessment of health before conception advised." 21(20):4.

Ob. Gyn News. 1987, April 15. "Preconception counseling is as important as prenatal care". 22(8):10.

Ob. Gyn News. 1987, May 1. "Wants preconceptional care to be routine practice." 22(9):46.

Ob. Gyn News. 1987, August 15. "Preconception counseling emerging as adjunct to obstetric care." 22(13):5.

Progress Minutes (draft) of the First Annual General Meeting. 1986, June 16. House of Commons, London.

Schultz, Gladys Denny. 1958, December. "Cruelty in maternity wards." Ladies' Home Journal.

Schultz, Gladys Denny. 1959, May. "Journal mothers report on cruelty in maternity wards." Ladies' Home Journal.

Sharpe, Rochelle, 1986. "Surrogate sues lawyer over death of newborn." Gannett News Service.

Vine, Gail, 1987, August 13. "Better ways of breeding." New Scientists.

VLA. 1987, April. VLA Approved Centres. Table II. *The Second Report of the Voluntary Licensing Authority for in Vitro Fertilisation and Embryology*. p. 19.

Winkler, Ute. Interview in April 1987 with a woman in a Frankfurt IVF program. Forthcoming in Klein, Renate. *The Exploitation of Pain*. Women's Press, London.

Conférence de Jacques Dufresne

Notes

1. Allan Bloom. *L'âme désarmée*. Paris, Julliard, 1987.
2. Alain Finkielkraut. *La défaite de la pensée*. Paris, Gallimard, 1987.

Conférence de Francine Descarries

Notes

1. Cette partie de mon exposé reprend, sous une forme quelque peu différente et beaucoup plus concise, une analyse exposée dans deux textes récents: « La maternité: un défi pour les féministes », écrit en collaboration avec Christine Corbeil et publié dans la livraison d'automne 1987 de la Revue internationale d'intervention communautaire et « Le mouvement contemporain des femmes et ses courants d'idées: essai de typologie » écrit en collaboration avec Shirley Roy, à paraître prochainement dans la série Document de l'Institut canadien de la recherche pour l'avancement de la femme.
2. Doit-on souhaiter que les rapports à la mère et au père deviennent à ce point uniformisés et standardisés? Peut-on penser que les femmes aient un rapport au corps, à l'affectivité, à la souffrance totalement assimilable à celui des hommes?
3. amour, enfantement, soins, créativité…

Bibliographie

N.B.:   Dans le cas des ouvrages de langue anglaise traduits en français, les données bibliographiques présentées ci-après sont celles de l'édition française. Toutefois, pour mieux rendre compte de l'évolution du discours des femmes, nous avons utilisé dans le texte l'année de parution de l'édition anglaise originale qui apparaît ici entre parenthèses à la fin de chacune des références, s'il y a lieu.

Arcana, Judith. *Our Mother's Daughters*. Berkeley, Shameless Hussy Press, 1979.

Arditti, Rita, Renate Duelli Klein et Shelley Minden. *Test-Tube Women: What Future for Motherhood?*. London, Pandora Press, 1984.

Atkinson, Ti-Grâce. "The institution of sexual intercourse". Notes from the Second Year, 1970, pp. 42-47.

Atkinson, Ti-Grâce. *Odyssée d'une Amazone*. Paris, Éditions des femmes, 1975 (1974).

Beauvoir, Simone de. *Le deuxième sexe*. Paris, Gallimard, 1949 (Collection Idées).

Benston, Margaret. « Pour une économie politique de la libération des femmes ». Partisans, vol. 54-55, juillet-octobre 1970, pp. 23-31 (1969).

Bernard, Jessie. *The Future of Motherhood*. Harmondsworth, Penguin Books. 1975.

Bunch, Charlotte and Nancy Myron. *Class and Feminism: a Collection of Essays from the Furies*. Baltimore, Diana Press, 1974.

Chodorow, Nancy. *The Reproduction of Mothering: Psychoanalysis and the Sociology of Gender*. Los Angeles, University of California Press, 1978.

Cixous, Hélène, Madeleine Gagnon et Annie Leclerc. *La venue à l'écriture*. Paris, UGE, 1977 (Collection 10/18).

Corea, Gena et al. *Man-Made Women: How New Reproductive Technologies Affect Women*. London, Hutchinson, 1986.

Delaisi de Parseval, Geneviève et Alain Janaud. *La part du père*. Paris, Éditions du Seuil, 1981.

Delphy, Christine. « L'ennemi principal ». Partisans, vol. 54-55, 1970, pp. 157-172.

Delphy, Christine. « Pour un féminisme matérialisme ». L'Arc, no 61, 1975.

De Vilaine, Anne-Marie. *La Mère intérieure*. Paris, Mercure de France, 1982.

De Vilaine, Anne-Marie, Laurence Gavarini et Michèle Le Coadic. *Maternité en mouvement: les femmes, la re/production et les hommes de science*. Montréal, Éditions Saint-Martin, Grenoble, Presses Universitaires, 1986.

Descarries-Bélanger, Francine et Christine Corbeil. « La maternité: un défi pour les féministes ». Revue internationale d'action communautaire, automne 1987.

Descarries-Bélanger, Francine et Shirley Roy. *Le mouvement contemporain des femmes et ses courants d'idées: essai de typologie*. Ottawa, Canadian Research Institute for the Advancement of Women / Institut canadien de recherche pour l'avancement de la femme, 1987 (Série Document).

Dinnerstein, Dorothy. *The Mermaid and the Minotaur: Sexual Arrangements and Human Malaise*. New York, Harper and Row, 1977.

Eisenstein, Hester. *Comtemporary Feminist Thought*. Boston, G.K. Hall, 1983.

Firestone, Shulamith. *La dialectique du sexe*. Paris, Stock, 1972 (1970).

Friedan, Betty. *La femme mystifiée*. Paris, Gonthier, 1964 (1963).

Friedan, Betty. *Femmes: le second souffle*. Montréal, Stanké, 1983 (1976).

Gavarini, Laurence. « De l'utérus sous influence à la mère-machine... », dans *Maternité en mouvement: les femmes, la re/production et les hommes de science*, Op. cit., pp. 191-206.

Guillaumin, Colette. « Pratique du pouvoir et idée de nature: 1. L'appropriation des femmes ». Questions féministes, no 2, 1978, pp. 5-30.

Held, Virginia. "The obligations of mothers and fathers", in *Mothering: Essays in Feminist Theory*. Totowa, N.J., Rowman and Allan, 1983, pp. 7-20.

Hurtig, Marie-Claude et Marie-France Pitchevin. « La psychologie et les femmes ». Nouvelles Questions féministes, no 4, 1982, pp. 3-34.

Irigaray, Luce. *L'une ne bouge pas sans l'autre*. Paris, Éditions de Minuit, 1979.

Kristeva, Julia. *Histoires d'amour*. Paris, Denoël/Gonthier, 1983.

O'Brien, Mary. *La dialectique de la reproduction*. Montréal, Éditions du remue-ménage, 1987 (1981).

Plaza, Monique. « La Même Mère ». Questions féministes, no 7, février 1980, pp. 71-95.

Ribes, Bruno. *La filiation: ruptures et continuité*. CTNERVH. Paris, Actes du Colloque de Vaucresson, 26-28 juin 1985.

Rich, Adrienne. *Naître d'une femme*. Paris, Denoël/Gonthier, 1980 (1976).

Rowland, Robyn. "A child at any price". Women's Studies International Forum, vol. 8, no 6, pp. 539-545.

Trebilcot, Joyce. *Mothering: Essays in Feminist Theory*. Totowa, New Jersey, Rowman and Allanheld, 1983.

Vandelac, Louise. « Mères porteuses ou mères déportées ». Documentation sur la recherche féministe, vol. 15, no 4, décembre 1986-janvier 1987, pp. 41-47.

Conférence d'Anne-Marie de Vilaine

Notes

1. Selon le terme employé par le juge Sorkow à propos des mères porteuses au procès de Baby M (« alternative reproduction vehicle »).
2. Marie-Ange d'Adler et Marcel Teulade. *Les sorciers de la vie.* Paris, Gallimard, 1986.
3. Bulletin d'Information des Études Féminines, no 18, juin 1986.
4. *Sexes et Parentés.* Paris, Éd. de Minuit, 1987.
5. *La dialectique de la reproduction.* Montréal. Éditions du Remue-ménage, 1987.
6. Selon l'enquête nationale sur la FIVETE, dans Fertilité, Contraception, Sexualité, juillet-août 1987. Bilan effectué depuis le début des activités de 55 groupes FIVETE français jusqu'au 30 juin 1986: 1 340 accouchements, 1 592 enfants dont 1 542 nés vivants et normaux; vingt-sept enfants morts à la naissance et vingt-trois anomalies. La fréquence générale des anomalies de 1,4% est la même que pour la moyenne de la population, mais parmi elles, la fréquence de trisomie 21 est deux fois plus élevée que dans la moyenne générale. Le taux global de la FIVETE est de 8 à 10% pour les meilleurs groupes.
7. « L'éthique corps et âme », Autrement, no 93, octobre 1987.
8. Dominique Grange. *L'enfant derrière la vitre.* Paris, Encre, 1985.
9. Comme celle commise récemment par le Dr Geller, fondateur de la première agence de mères porteuses française, qui a servi d'intermédiaire dans la vente, à la naissance, de l'enfant d'une jeune mère célibataire à un couple stérile. Cet incident a provoqué l'interdiction des agences de mères porteuses par le ministre de la Santé, Michèle Barzac.
10. Jean Laplanche et J.B. Pontalis. *Vocabulaire de la psychanalyse.* Paris, Presses Universitaires de France, 1967.
11. Monique Bydlowski. « Quand les mères s'emmêlent », Hormones, mars-avril 1987.
12. « L'Enfant d'abord », no 112, novembre 1986.
13. Communication de Monique Bydlowski, médecin psychanalyste, attachée à la consultation de gynécologie/stérilité de l'hôpital Antoine-Béclère, aux 1ères Journées de Clamart, le 8 février 1987, résumée d'après mes notes.
14. Ibid.
15. À l'exception de l'hôpital Tenon où les ovocytes recueillis sont destinés uniquement à une parente ou une amie. Cf. Lansac, J. et M.O. Alnot. « Le don d'ovocytes: état de la pratique », Fertilité, Contraception, Stérilité, juillet-août 1987.
16. Ibid.
17. *L'image inconsciente du corps.* Paris, Seuil, 1984.
18. *Les femmes s'entêtent.* Paris, Gallimard, 1975. (Collection Idées).

Conférence de Robyn Rowland

Notes

1. Adrienne Rich. *Of Woman Born: Motherhood as Experiences and Institution*. London, Virago, 1977, p. 11.
2. Martha E. Gimenez. "Feminism pro-natalism and motherhood", in *Mothering. Essays in Feminist Theory*. New Jersey, Rowman and Allanheld, 1984, p. 287.
3. P.H. Jamison, L.R. Franzini and R.M. Caplin. "Some assumed characteristics of voluntarily childfree women and men". Psychology of Women Quarterly, vol. 4, 1979, pp. 266-273; Calhoun, L.G. and J.W. Selby. "Voluntary childlessness, involuntary childlessness, and having children: a study of social perception". Family Relations, vol. 29, pp. 181-183.
4. Adrienne Rich, Op. cit., p. 176.
5. Sara Ruddick. "Maternal Thinking", in *Mothering. Essays in Feminist Theory*. New Jersey, Rowman and Allanheld, 1984, p. 222.
6. See for example Jo. Sutton and Sarah Friedman. "Fatherhood: bringing it all back home", in *On The Problem of Men*. London, The Women's Press, 1982.
7. Ob/Gyn News, vol. 21, no 9, May 1-14, 1986, p. 14.
8. For all these statistics and more details, see the report *In Vitro Fertilization Pregnancies Australia and New Zealand 1979-1985*. National Perinatal Statistics Unit, Fertility Society of Australia, University of Sydney, Sydney, 1987.
9. See for example Adrienne Rich, Op. cit.; Jeffner Allen. "Motherhood: The annihilation of women", in *Mothering Essays in Feminist Theory*. New Jersey, Rowman and Allanheld, 1984.
10. Azizah Al'Hibri. "Reproduction, mothering, and the origins of patriarchy", in *Mothering. Essays in Feminist Theory*. New Jersey, Rowman and Allanheld, 1984.
11. Catherine Martin. "A new and fertile field for investment", in The Bulletin, June 24, 1986, p. 60.
12. Mary O'Brien. *The Politics of Reproduction*. London, Routledge and Kegan Paul, 1981.
13. Two commercial reproductive technology companies have been formed in Australia to date — IVF Australia and Pivet. See for example Catherine Martin, "A new and fertile field for investment", The Bulletin, June 24, 1986, pp. 60-61. Medicine and commerce are so strongly linked in this area that **prevention** of infertility is being overlooked. Doctors need a ready market of infertile people to continue commercial success.
14. Doctors reporting to the Australian Senate Hearing on the Embryo Experimentation Bill indicated that for thalassemia for example, large populations of Mediterranean people would need to have their embryos screened. Evidence to the Senate Hearings on the Human Embryo Experimentation Bill 1986. Gena Corea has indicated that as early as 1978, one of the leading research scientists in the United States was already listing "genetic asthma" among the "severe genetic defects" which could be improved by genetic manipulation. See Gena Corea. *The Mother-Machine: From Artificial Insemination to Artificial wombs*. New York, Harper and Row, 1985.
15. Lawrence Sucsy. Quoted in an article by Fernschumer Chapman, in Fortune, 17 September, 1984, pp. 41-47.
16. Ann Oakley in her book *The Captured Womb. A History of the Medical Care of Pregnant Women* (Oxford, Basil Blackwell, 1984, p. 254) writes that the medical control of women with its various specialties represents the segmentation of women's bodies; obstetrics, gyneacology, paediatrics, neo-natal paediatrics, fetal medicine,

reproductive medicine. She points out that "womanhood and motherhood have become a battlefield for not only patriarchal but professional supremacy". And I would add that women's bodies are also a battlefield for commercial profitmaking enterprises which are part of the medical control which operates in this area.

17. Carl Wood and Alan Trounson, eds. *Clinical In Vitro Fertilization*. New York, Springer-Verlag, 1984, p. 54, my stress.

18. Michaek R. Harrison. "Unborn: historical perspective of the fetus as a patient". The Pharos, nos 19-24, Winter 1982, pp. 29 and 23.

19. Lucy Twomey. "Surrogate motherhood: a blessing or exploitation?", The Australian, May 2, 1983.

20. A sister discussing the use of her sister as a surrogate, in Nicolas Timmins, "Why I am having a baby for my sister". The Times (England), November 23, 1984, p. 10.

21. See, for example. Robyn Rowland. "A child at any price? An overview of issues in the use of the new reproductive technologies and the threat to women". Women's Studies International Forum, 1985, vol. 8, no 6, pp. 539-546.

22. Robyn Rowland. *Surrogate Motherhood, Who Pays The Price?* (unpublished manuscript).

23. Lucy Twomey, Op. cit., my stress.

24. John Robertson. "Surrogate mothers: not so novel after all", Hastings Centre Report, 1983, vol. 13, no 5, p. 452.

25. Barbara Burton. *Contentious Issues of Infertility Therapy: a Consumer's View*. Paper delivered at the Australian Family Planning Association Annual Conference, Lorne, March 1985, p. 5.

26. Renate Klein. *When Choice Amounts to Coercion: Experiences of Women on IVF Programs*. Paper presented to the Third International Interdisciplinary Congress on Women, Women's Worlds. Dublin, July 1987. *N.B.* "Chook" is an Australian term for chicken.

27. Barbara Burton, Op. cit.

28. Ibid.

29. Cited in Françoise Laborie. *New Reproductive Technologies: News From France and Elsewhere...* Paper delivered at the Third International Interdisciplinary Congress on Women, Women's Worlds, Dublin, July 1987, p. 15.

30. Carl Wood. *In Vitro Fertilization — the Procedure and Future Development*. Proceedings on the 1984 Conference on Bioethics. St-Vincent's Bioethics Centre, Melbourne, Australia, May 1984. At a recent meeting at Monash University on July 21, 1986, Dame Mary Warnock indicated that she knew of incidents when a woman had been super-ovulated to produce fifteen eggs per cycle.

31. See for example Kovacs, Gabor et al. "Induction of ovulation with human pituitary gonadotrophins". The Medical Journal of Australia, May 12, 1984, pp. 575-599; P.N. Bamford and S.J. Steele, "Uterine and ovarian carcinoma in patients receiving gonadotrophin therapy. Case report". British Journal of Obstetrics and Gyneacology, November 1982, vol. 89, pp. 962-964.

32. A Birkenfield, et al. "Effect on Clomophene on the uterine and oviductal mucosa". Journal of in Vitro Fertilization and Embryo Transfer, 1984, vol. 1, no 2, p. 99.

33. B. Henriet, et al. "The letal effect of super-ovulation on the embryo". Journal of in Vitro Fertilization and Embryo Transfer, 1984, vol. 1, no 2.

34. Personal communication from a woman in Geelong.

35. Personal correspondence from a Dutch woman.

36. Barbara Burton, Op. cit., p. 9.

37. Cited in Anita Direcks and Helen Bequaert-Holmes. "Miracle drug, miracle baby". New Scientist, November 6, 1986.

38. Barbara Seaman and Gidian Seaman. *Women and The Crisis in Sex Hormones*. New York, Rawson Associates Publishers, 1977.

39. Suheil Muasher, Jairo Garcia and Howard Jones. "Experience with diethylstilbestrol-exposed infertile women in a program of in vitro fertilization". Fertility and Sterility, vol. 41, no 1, July 20-24, 1984, p. 22.

40. Suheil Muasher et al., Op. cit.

41. Anita Direcks and Helen Bequaert-Holmes, Op. cit.

42. Marian Carter and David Joyce. "Ovarian carcinoma in a patient hypersimulated by gonadotropin therapy for in vitro fertilization: a case study". Journal of in Vitro Fertilization and Embryo Transfer, 1987, vol. 4, no 2, pp. 126-128.

43. See for example M. Atlas and J. Merczer. "Massive hyperstimulation and borderline carcinoma of the ovary. A possible association". Ackta Obstet. Gynaecol. Scand., 1982, vol. 61, pp. 261-263. Also Bamford and Steele, Op. cit.

44. Anne Cabau, cited in Laborie, Op. cit.

45. Concern for the infertile couple: *IVF Questionnaire Results. A Survey of Infertile Couples Attitudes Towards IVF in Western Australia*. December 1984, p. 9. Also Helen Bequaert-Holmes and Tjeerd Tymstra. "In vitro fertilization in the Netherlands: experiences and opinions of Dutch women". Journal of in Vitro Fertilization and Embryo Transfer. (forthcoming)

46. This is already taking place in England and in Edinburgh. See R. Rowland. "Making women visible in the embryo experimentation debate". Bioethics, vol. 1, no 2, 1987, pp. 179-188.

47. For a little more discussion of this see Robyn Rowland. "Women as Living Laboratories, The New Reproductive Technologies", in *The Trapped Women: Catch-22 in Deviance and Control*. New York, Sage Books, 1987.

48. See for example Joan Furman-Seaborg. *The Fetus as Patient, the Woman as Incubator*. Paper delivered to Women's Worlds. The Third International Interdisciplinary Congress on Women. Dublin, July 1987.

49. John Fletcher. "Healing before birth: an ethical dilemma". Technology Review, January 1984, pp. 27-36; Callahan, Daniel. "How technology is re-opening the abortion debate". Hastings Centre Report, vol. 16, no 1, February 1986, pp. 33-42.

50. Ibid, and Cynthia Washburn. "The fetus: a newly discovered patient". Maternal Health News, vol. 12, no 1, March 1987, p. 4.

51. See Sally Coch. "Treatment of Gravida against her wishes debated". Ob/Gyn News, vol. 20, no 9, January 1985, pp. 26-27; "Some guidance emerging on rights of fetus, neo-nate". Ob/Gyn News, May 10, 1985, p. 17.

52. Frank Chervenak and Laurence McCullough. "Perinatal ethics: a practical method of analysis of obligations to mother and fetus". Obstetrics and Gynaecology, vol. 66, no 3, September 1985, p. 446.

53. A recent case in the United States of America was reported in a number of places, see for example Maternal Health News, vol. 12, no 1, March 1987, p. 4.

54. See John Fletcher, Op. cit.

55. Anne Oakley, Op. cit., p. 281.

56. Thomas Murray. "Who do fetal-protection policies really protect?" Technology Review, October 1985, pp. 12-20.

57. Quoted in Petchesky. Rosalind Pollack. *Abortion and Woman's Choice. The State, Sexuality and Reproductive Freedom*. New York, Longman, 1984, p. 351, Her Emphasis.

58. Dick Teresi and Kathleen McAuliffe. "Male pregnancy". Omni, December 1985, pp. 51-118.

59. Ibid.

60. Ibid. Also "Transsexuals see IVF program as their chance to become mothers".
    Sydney Morning Herald, July 5th, 1984.
61. Teresi and McAuliffe, Op. cit.
62. I have used this term previously to explain a process by which the public comes to
    accept what previously would have been seen as horrifying technological "ad-
    vances", by a psychological softening-up process through which the technology is
    gradually and slowly presented to the public in a kind of desensitisation process.
63. "Transsexuals see IVF programs as their chance to become mothers". Sydney Morn-
    ing Herald, May 7, 1984.
64. "The man who became a woman". New Idea, March 22, 1986.
65. Ibid.
66. Janice Raymond. The Transsexual Empire. The Making of the She-Male. Boston,
    Beacon Press, 1979.
67. Rosalind Herlands. "Biological manipulations for producing and nurturing mam-
    malian embryos", in The Custom-Made Child? Woman-Centered Perspectives. New
    Jersey, The Humana Press, 1981.
68. John Buuck. "Ethics of reproductive engineering". Perspectives, vol. 3, no 9, 1977,
    pp. 545-47.
69. Edward Grossman. "The obsolescent mother: a scenario". Atlantic, vol. 227, 1971,
    pp. 39-50.

Conférence de Renate Duelli Klein

Notes

1. Many feminist writers critique the use of the word "patient" for women who are or
   are trying to get pregnant; see for example Ehrenreich and English, 1978; Corea,
   1985 a and b. But defining pregnancy or the problem of not getting pregnant as an
   illness remains with us and women on IVF programmes internationally are referred
   to as "patients". Moreover, as I argue in this paper, I believe that in many instances
   it is only whilst on the IVF programme that women get physically or mentally stick.
2. I conducted this survey as a Georgina Sweet Fellow (a grant awarded by the Australian
   Federation of University Women) at Deakin University, Victoria, between January
   and April 1987. My data consist of 40 questionnaires (35 pages long) which I followed
   up with 25 interviews with women who responded to advertisements to participate
   in a study on the impact of IVF on women which I placed in some leading newspapers
   in Melbourne in December 1986. For more information see Klein, 1987 a and b.
3. See Timothy J. McNulty. "Birthrights", in Chicago Tribune, July 28, 1987, p. 8.
4. See Chris Erasmus. "Mother Gives Birth to Daughter's Babies", in The Age, October
   2, 1987.
5. "Clinic to Provide Pool of Human Eggs". Boston Globe, 1987, July 15, and "Clinic
   Plans Variation on Fertility Techniques", New York Times, July 19, 1987, p. 26.
6. "New Test Tube Technique Produces 'First' Pregnancy". The Guardian, August 3,
   1987.
7. "Special Birthday". Boston Globe, August 4, 1987.
8. "Intra Vaginal Culture, Embryo Transfer Could Reduce Cost of IVF". Ob. Gyn
   News, vol. 22, no 12, August 1-14, 1987.

9. Comment made by Dr. Harrison at the Third International Interdisciplinary Congress on Women, Dublin, Ireland, July 9th, 1987.
10. From Oasis Newsletter, Adelaide, South Australia, 1986.
11. Pers. Comm. Infertility Counsellor, Melbourne, April, 1987.
12. From the 1940's to the 1970's DES (Diethylstilbestrol) was given to 2-3 million pregnant women worldwide to prevent miscarriages (which was never proven to be true). Today, there are 2-4 million so-called DES-daughters and sons who are infertile and, in the case of the women, suffer from increased rates of cancer of the cervix and the womb. The mothers themselves have increased rates of breast cancer. See Corea, 1985b, p. 275, Direks and Holmes, 1986, pp. 53-55 and Ob. Gyn News, "Offspring Don't Seem to Be at Risk From Ovulation-Inducing Drugs", vol. 22, no 7, April 1-14, 1987. In my view it is tragic that infertile DES daughters are now advised to try their luck with IVF: after having been harmed through one "technological fix" they are now to entrust their bodies unto another similarly unsafe and experimental procedure.
13. The article is forthcoming in *The Exploitation of Infertility; Women and Reproductive Technology*, Klein and Corea, eds. 1988.
14. For further details see Laborie, forthcoming 1988.
15. In many cases women already have children from a previous relationship. In my study there were 8 such women ($\frac{1}{5}$ of N $= 40$) and 4 men. There is also the possibility that pregnancy occurs naturally once the woman left the IVF programme. In my survey this happened to 4 women ($\frac{1}{10}$ of N $= 40$) but Holzle, 1987, reports that 38.8% of the women she surveyed in a West German IVF programme were pregnant 5 months after leaving IVF. It must also become known in public that more and more **fertile** women undergo the trauma of IVF because of their husband's low sperm count; in other words, the already low success rates (5-10%) may even be lower once women with previous children or subfertile husbands are deducted.
16. See Janine Perret's review of Ben Wattenberg's book, The Weekend Australian, September 5-6, 1987, pp. 2-3.
17. Only one man in my study said that he felt "guilty" (he had a low sperm count).
18. I am grateful to Christine Ewing for this term.
19. An amendment passed in October, 1987, to the Victorian Infertility (Medical Procedures) Act of 1984, specifies that embryo research up to 22 hours may only be conducted on embryos from couples on the IVF programme. Whilst this may protect other women from being superovulated to donate or sell their eggs (as happens in Vienna, Austria with medical students, Dohnal pers. comm. 1987), it opens all doors to more experimentation on those who are already most vulnerable. Since they are now — officially at least — the only legal gamete donors there will be even more pressure on them to comply with the IVF practitioners' research demands. The price they have to pay gets higher and higher and reinforces the belief that these women are neurotic and ask for it. Within a feminist theory of solidarity with the ultimate goal to free **all** women from the tyranny of the new technologies, such a division of women is highly questionable and must be resisted.
20. Some do, however; as a participant in my study describes her experience:
    "After attending hospital for 2 ½ hours one day, and being prodded and poked all that time: blood tests, ultrasound, needles, I eventually got off the table and said 'tell the doctor he can stick this up this jumper.' I knew weeks of that would be untenable, especially after having to get up at 5.00 am to travel two hours each way to hospital, **and probably no baby at the end. What a joke.** I feel so sorry for the women who have to use IVF."
21. Having to be "a good girl" and being afraid of saying "no" is deeply internalized by many women. Having said this it is not my intention to blame women: as Sally Cline and Dale Spender (1987) among many others have shown, in patriarchy,

disobedient women pay a high price, specifically with regard to violence and economic hardship (most difficult for women with children). The problem is though that submissive behaviour to the powers that be into which girls continue to be socialized, makes women both victims of and colluders with patriarchy and it is this vicious circle which needs to be broken in order to achieve true freedom and liberation.

22. I actually do not believe that there is a great deal of difference between women on IVF programmes and other women — us — who submit — albeit in various degrees — to all kinds of invasive medical procedures whether related to pregnancy or other mind/body concerns because we are threatened or intimidated by patriarchy's doctors and scientists. This is also why I believe that we have to demonstrate our solidarity. It truly amazes me how quickly some of my informed feminist friends resort to antibiotics if a sore throat appears only on the horizon... but then I take painkillers too and sometimes over a long time when my arthritis becomes unbearable. What I mean in calling for solidarity with women on IVF programmes is that in my view succumbing to the "technological fix" happens in a variety of degrees and forms but I see them **all** on continuum of lack of knowledge and trust in one's own body and the pervasive belief in patriarchal authority: the expert will known best.

23. The mention of storage fees made us both burst into laughter. Mrs. X couldn't remember to ongoing storage fee but said that initially it had cost $160 to have the embryos frozen. She also remembered when she got the following receipt in the mail: "It has been received from X 6 frozen embryos, 3 of which were destroyed", and commented: "It was just a receipt for paying a bill, it was just so totally weird".

24. There could be objections to using the term "sadist" on the grounds that this might mean that women are therefore masochists. Kathleen Barry has an excellent answer in her discussion of pornography (*Female Sexual Slavery*, 1979, p. 209) which I think is applicable to the question of sadism in IVF:

    "...sadism is portrayed as the other half of the sadomasochistic duality in human nature. Pornography assumes that both parties of the supposed duality enter the act with free will and that the one beaten holds equal power with the one doing the beating".

25. Despite the publicly voiced sympathy with involuntary childless people, women who decide to try IVF are depicted as oddities or even deviants or in the words of a German psychiatrist (Peter Petersen), 1985, an opponent of IVF, as displaying "emotional passivity, a dearth of feelings" (p. 8), "pathological" (p. 7) and with a psyche that is structured in a way which would make them becoming mothers and rearing a child of their own problematic (p. 9). Bachmann, 1987, goes one step further and predicts that IVF children will have problems because of their emotionally insecure mothers who needed a child for their "narcissist equilibrium" (p. 22). Such male interpretations do not acknowledge the societal pressures on women to become mothers. They conveniently blame women for "wanting it". They thus create a paradoxical mixture of contempt and pity for women and also bestow upon themselves the right to use "these women" as experimental fodder on IVF programmes. My survey indicates that IVF women are "ordinary" women whose determination in life to have a (or another) child does not make them more "neurotic" than others who could try everything to win a medal in a sport event.

    It is no more **their** "problem" (or even "fault") when they let themselves be pushed into the IVF procedure than any other women's decision to stay in a job despite sexual harassment or with a husband despite marital rape. **All** cases represent coercion because, in general, patriarchy allows women the "choice" to be different only at great risk. What is needed is not more unsuccessful technology but the possibility for women to come to terms with their desire for a biological child when it seems impossible to be fulfilled.

26. For an excellent in depth discussion of the problem of choice see also Rowland, 1987a and b.
27. "Biotech Firms Compete in Genetic Diagnosis", in Science, December 1986, pp. 1318-1320.
28. A British medical team has developed a DNA probe which enables them to determine the sex of a 4 to 8 cell embryo (or "pre-embryo" as they call it); see West, et al., 1987 and Johnston, 1987. This "success" opens yet another door to the abortion of female fetuses practised widely not only in India but also in Western countries, e.g. England. See also the report in the Boston Globe, July 22nd, 1987, on Robert Winston's research of Hammersmith Hospital, London, to determine the sex of a child with the technique of pre-implantation diagnosis.
29. "Routine" pregnancies, too, get increasingly medicalised. In Austria, for example, there is a governmental recommendation pending to make two ultrasounds (sonograms) compulsory for all pregnant women (Dohnal, 1987, pers. comm.). In many other countries, e.g. England, West Germany, Switzerland, pregnant women are required to have ultrasounds (and sometimes even pay for them) despite the unproven harmlessness of this medical intervention. Increasingly, when having an ultrasound, the parents are told the sex of the child. Given the world-wide preference for sons (Williamson, 1976), ultrasound might thus contribute to "femicide" (Holmes and Hoskins, 1985).
30. Wendy Farrant provides an excellent overview of the development and application of amniocentesis in Britain (Farrant, 1985, pp. 96-122):

> "Amniocentesis was first used for prenatal diagnosis of chromosome disorders in 1967, and extended to the prenatal detection of neural tube defects in 1973. Since then there has been a rapid increase in the number of women undergoing diagnostic amniocentesis in early pregnancy... Initially, prenatal diagnosis was confined mainly to a select group of high risk women who had themselves often initiated the referral because of concern about their increased chance of producing a baby with a severe abnormality. As the service has expanded, there has been an increasing trend for referrals for amniocentesis to be doctor — rather than patient — initiated. A particularly important development has been the introduction of **routine** maternal serum AFP screening for neural tube defects."

As to the constantly increasing use of ultrasound monitoring in normal pregnancies, Fletcher and Shulman write (1985, p. 8):

> "In one of the ultrasound studies, the technique is being evaluated as a predictive test for respiratory distress syndrome (RDS) following delivery. In the second, it is used to study foetal heart, lung, and other functions as responses to hypoxia and the effects of smoking in pregnancy. In 1984 and NIH consensus development panel on diagnostic ultrasound imaging concluding that because some biological effects had been observed after ultrasound exposure in various experimental systems, the question of risks deserved more study and that "Data on clinical efficiency and safety do not allow a recommendation for routine screening at this time." ...Thus, some issues of minimal risks from questionably routine tests can only be settled by long-term studies of children who did and did not have such examinations.

31. "The Promise and Peril of Genetic Testing: Perfect People", in The Weekend Australian, August 1-2, 1987, Magazine 4.
32. "Improving Therapy for Male Factor Infertility" Ob. Gyn. News, vol. 22, no 12, August 1-14, 1987, a report on microscopic techniques for the manipulation of sperm and mature human ova from the U.S.A. and Australia. The Second Report of the British Voluntary Licensing Authority, 1987, also lists a project on male infertility conducted at the Rosie Maternity Hospital, Cambridge (p. 20).

33. The West Australian, 1987, August 5th, p. 7.
34. *Second Report of the Voluntary Licensing Authority.* p. 19.
35. A research team from the University of Louvain in Belgium reports their research as "Artificial Uterus: Culture of Oocytes and Embryos" on bovine immature oocytes and bovine and rat embryos cultivated in an artificial uterus similar to a heart-lung-kidney system up to 3-4 days. Abstract No. 89, p. 32, in In Vitro Fertilization and Embryonic Growth.
36. In fact IVF should not be called in vitro fertilization as the time "in vitro" is not very long and there is no pain similar to the one the woman will have to undergo involved. Deborah Steinberg and I propose to call IVF Inviolation of Females (London, May 1987; see also Klein, 1987b).
37. Since 1984 FINRRAGE (Feminist International Network of Resistance to Reproductive and Genetic Engineering) exists with chapters in 25 countries. FINRRAGE aims at monitoring the technological developments as well as legal and ethical decision making internationally. It also gets women who oppose the technologies in touch with one another. For further information, contact FINRRAGE International, P.O. Box 583, London, NW3 1RQ, England.

Bibliographie

Bachmann, Christian. "Vom Sinn der Unfruchtbarkeit und vom Stress der uebermaechtig ersehnten Kinder", in Tages Anzeiger Magazin Zurich, Nr. 9, February 28th, 1987, pp. 16-23.

Barry, Kathleen. *Female Sexual Slavery.* New York, London, University Press, 1979. (reprinted 1984, New York).

Bustillo, Maria et al. "Non surgical ovum transfer as a treatment in infertile women", in Journal of the American Medical Association, vol. 251, no 9, 1984, pp. 1171-1173.

Cabau, Anne. « Les dangers des inducteurs de l'ovulation », in La Lettre du Gynécologue, no 45, Mai 1986, pp. 2-4.

Carter, Marian E. "Ovarian carcinoma in a patient hyperstimulated by gonadotropin therapy for in vitro fertilization: a case report", in Journal of in Vitro Fertilization and Embryo Transfer, vol. 4, no 2, 1987, pp. 126-128.

Cline, Sally, and Dale Spender. *Reflecting Men at Twice Their Natural Size.* London, Andre Deutsch, 1987.

Corea, Gena. 1985a. *The Mother Machine.* New York, Harper and Row.

Corea, Gena. 1985b. *The Hidden Malpractice.* New York, Harper and Row.

Deutsche Forschungsgemeinschaft: Stellungnahme zu dem Diskussionsentwurf eines Embryonenschutzgesetzes, Bonn, March 9th, 1987.

Direks, Anita and Helen Bequaert Holmes. "Miracle drug, miracle baby", in New Scientist, November 1986, pp. 53-55.

Ehrenreich, Barbara and Deirdre English. *For Her Own Good: 150 Years of the Experts Advice to Women.* New York, Anchor Press/Doubleday.

Holmes, Helen B. and Betty Hoskins. "Prenatal and preconception sex choice technologies: a path to femicide?", in *Man-Made Women: How New Reproductive Technologies Affect Women.* London, Hutchinson, 1985, pp. 15-29.

Holzle, Christine, 1987. "Unter Schmerzen sollst Du Dein Kind empfangen", in Beitrage zur feministischen Theorie und Praxis, vol. 10, no 20, pp. 103-112.

Ince, Susan. "High-Tech pregnancy", in Savy, June 1987, pp. 79-81.

Johnston, Kathy. "Sex of new embryos known", in Nature, vol. 327, 1987, p. 547.

Duelli Klein, Renate. "What's 'New' about the 'New' reproductive technologies?", in *Man-Made Women: How New Reproductive Technologies Affect Women*. London, Hutchinson, 1985, pp. 64-73.

Klein, Renate, 1987a. *Pain, Infertility and Women's Experiences with IVF*. Paper presented at the Meeting of the Australian Federation of University Women, Lyceum Club Melbourne, April 1987.

Klein, Renate. 1987b. *Where Choice Amounts to Coercion: The Experiences of Women on IVF programms*. Paper presented at Third Interdisciplinary Congress on Women, Dublin, Ireland, July 1987.

Laborie, Françoise. "New reproductive technologies: news from France and elsewhere". Forthcoming in Reproductive and Genetic Engineering: Journal of International Feminist Viewpoints (1988).

Murphy, Julie. "Egg farming and women's future", in *Test-Tube Women: What Future for Motherhood?*. London, Pandora Press, 1984, pp. 68-75.

Petersen, Peter. "Expression of dissent concerning the final report of the working group on IVF, genome analysis and genetic therapy", in Benda Report, Bonn W-Germany, 1985.

Pollack, Andrew. "Gene Splicing Payoff is near", in The New York Times, June 10th, 1987.

Rowland, Robyn. "Reproductive technologies: the final solution to the woman question?", in *Test-Tube Women: What Future for Motherhood?*. London, Pandora Press, 1984, pp. 356-369.

Rowland, Robyn. 1987a. "Technology and motherhood: reproductive choice reconsidered", in Signs, vol. 12, no 3, pp. 512-528.

Rowland, Robyn. 1987b. *Choice, Control and Issues of Informed Consent: The New Reproductive Technologies and Pre-Birth Technologies*. Paper delivered at Third Interdisiplinary Congress on Women, Dublin, Ireland, July 1987.

Rowland, Robyn. 1987c. "Making women visible in the embryo experimentation debate", in Bioethics, vol. 1, no 2, pp. 179-188.

Tappeser, Beatrix. "Tschernobyl und die Reproduktionsmedizin", in Feministische Studien, vol. 5, Nr. 2, 1986, pp. 132-133.

Verlinsky, Y, et al. "Preimplantation genetic diagnosis". Abstract 227 presented at 4th World Congress of IVF, in Journal of in Vitro Fertilization and Embryo Transfers, vol. 3, no 3, 1986, p. 186.

Vines, Gail. "Better ways of breeding", in New Scientist, August 13th, 1987, pp. 51-54.

The Voluntary Licensing Authority for Human in Vitro Fertilization and Embryology. Second Report, London, April 1987.

Wattenberg, Ben. *The Birth Dearth*. New York, Pharos Books, 1987.

West, John, el al. "Sexing the human pre-embryo by DNA-DNA in Situ hybridization", in The Lancet, June 13, 1987, pp. 1345-1347.

Williamson, Nancy. "Sex preferences, sex control, and the status of women", in Signs, vol. 1, 1976, pp. 847-862.

Conférence de Laurence Gavarini

Notes

1. M. Tort, « Le traitement psychologique de la demande d'enfant dans la procréation artificielle ». Psychanalyse à l'Université, vol. 12, no 46, avril 1987.
2. Ainsi, une Société française de gynécologie et d'obstétrique psychosomatique s'est récemment créée. Elle regroupe notamment les techniciens et médecins de la reproduction humaine du plus haut niveau, comme son président Émile Papiernick, Chef du service maternité de l'hôpital Béclère (Clamart), haut lieu de la FIV.
3. R. Badinter « Les droits de l'homme face aux progrès de la médecine, de la biologie et de la biochimie », dans Le Débat, no 36, septembre 1985.
4. L'expression est de G. Delaisi de Parseval et A. Janaud, dans L'enfant à tout prix, Paris, Seuil, 1983.
5. Je ne fais ici que reprendre plus que succinctement la partie III de ma thèse Les procréations artificielles au regard de l'institution scientifique et de la Cité: la bioéthique en débat, vol. 2. Université de Paris VIII, 1987.
6. R. Frydman, intervention aux « Journées sur la fertilité et l'orthogénie » Paris, 11-12-13 novembre 1986.
7. J. Testart, dans Hormones, reproduction-métabolisme, vol. 4, no 2, mars-avril 1987.

Conférence de Geneviève Delaisi de Parseval

Notes

1. P. Galletti. « Remplacer au lieu de réparer? La médecine des prothèses », dans Projet, no 190, décembre 1984.
2. Nous citerons ici plus particulièrement les quelques techniques de procréation assistée qui viendront illustrer notre propos:
   IAD: insémination artificielle avec donneur
   FIV: fécondation in vitro
   FIVETE: fécondation in vitro et transplantation d'embryon.
3. H.J. Stiker. Corps infirmes et sociétés. Paris, Aubier, 1982.
4. Tel est le cas, banal, du couple A.: M. et Mme A. vivent ensemble depuis six ans, n'ayant pas souhaité d'enfant au début de leur vie commune (Mme A. prenait la pilule). Ils veulent un enfant au bout de quelque temps; pas de succès; ils consultent un gynécologue qui, après une longue série d'examens concernant Mme A., découvre une oligasthénospermie sévère chez M. A. En même temps que le « mauvais » verdict, le couple est informé de la solution IAD. Après mûre réflexion, ils « adoptent » cette solution, sans enthousiasme, mais rationnellement — ce sont des intellectuels. Ils sont cependant très blessés par ce qu'ils vivent comme une anomalie, injuste et absurde, inexplicable médicalement. Les échecs de conception, dans les premiers cycles d'IAD, s'expliquent assez simplement du point de vue médical: Mme A. qui avait toujours eu une ovulation très régulière, se met à avoir des cycles de plus en plus courts. On la traite pour cela. Mais c'est sa glaire qui devient alors déficiente. Au bout d'une dizaine de cycles, le gynécologue propose une coelioscopie.

Le couple hésite puis décide d'interrompre pour quelque temps. Mme A. est en effet assez déprimée et M. A. prend alors une position « thérapeutique » dans le couple en insistant pour que l'on arrête les frais. Nous avons revu ce couple un an plus tard: M. et Mme A. semblaient très sereins et avaient une vie remplie et intéressante. Il n'y a été question, dans l'entretien, que de la **stérilité inexpliquée de** Mme A., comme si la **stérilité de son mari avait été effacée.**
C.Q.F.D., aurait-on envie de penser!
Il faut savoir en outre que, en dépit de la réunion de conditions physiologiques optimales pour une conception (bon sperme, « bons jours » pour les inséminations, femmes parfaitement « suivies », etc.), le système IAD n'est pas très efficace: 10% en moyenne de conceptions par cycle, contre 23% « dans la nature »; cet écart étant, au demeurant, plus important que la différence entre les deux chiffres, les conditions optimales indiquées plus haut n'étant que rarement réunies « dans la nature ».

5. L'étymologie de ce terme fait éclater son ambivalence: en grec, c'est la dose de poison...

6. À l'heure actuelle en France, la paillette de sperme coûte 250 francs au couple qui vient l'acheter dans un « banque » de sperme, somme qui lui est entièrement remboursée par la Sécurité sociale, la stérilité étant « prise en charge » à 100%! Si une femme a deux inséminations par cycle (cas classique), et si ces inséminations se prolongent pendant plusieurs mois, voire plusieurs années (cas relativement banal, lui aussi), la société continue à rembourser les paillettes de sperme et les dépenses médicales afférentes, indéfiniment, jusqu'à ce que la patience du couple s'épuise ou bien que survienne une grossesse...

7. P. Marchal. « Du corps en manque au corps en échange », dans Scalène 3, La Prothèse, 1985.

8. Ibid.

9. Nous y reviendrons. Voir note 13.

10. Fécondation in vitro et transplantation de l'embryon, faite pour pallier une partielle stérilité féminine.

11. Odette Thibaut. Des enfants... comment? Lyon, Chronique Sociale, 1984, p. 56.

12. L'enfant à tout prix: essai sur la médicalisation du lien de filiation. Paris, Seuil, 1983, p. 224.

13. Toutes sauf le cas de la « FIVETE simple » (ovule de la mère fécondée par le spermatozoïde du père).

Conférence de Rona Achilles

Notes

1. In some instances, a number of other medical procedures are utilized in order to enhance the efficiency of the practice. For example, a prospective donor insemination mother may take fertility drugs in order to increase the number of her eggs and the chances of achieving a pregnancy.

2. This imbalance in biological links to the child could result in family tensions if the crisis of infertility is not resolved by the infertile partner.

3. Not all of which could be termed voluntary such as when a biological parent is no longer capable of caring for a child.

4. "Treatment" is in quotation marks because donor insemination neither cures nor treats male infertility — rather, it bypasses it by using the sperm of another man.
5. The absence of research makes it impossible to know to what extent.
6. But not, obviously for the child if they are not told.
7. These comments relate to the issue of secrecy and not anonymity. Several donors were willing to put information about themselves on file that their biological offspring could have access to at age 18.

Bibliographie

Achilles, R.G. 1986. *The Social Meanings of Biological Ties: A Study of Participants in Artificial Insemination by Donor.* Ph.D. dissertation, University of Toronto.
American Fertility Society. 1980. *Report of the Ad Hoc Committee on Artificial Insemination.*
American Fertility Society. 1986. *Ethical Considerations of the New Reproductive Technologies. Fertility and Sterility.* Supplement 1, Septembre 1986, vol. 46, no 3.
British Columbia. 1975. *Ninth Report of the Royal Commission on Family and Children's Law.*
Garber, R. 1985. *Disclosure of Adoption Information.* Ministry of Community and Social Services, Government of Ontario, Toronto.
Health and Welfare Canada. 1981. *Report of the Advisory Committee on the Storage and Utilization of Human Sperm.*
Ontario Law Reform Commission. 1985. *Report on Human Artificial Reproduction and Related Matters.*
Warnock, M. 1984. *Report of the Committee on Inquiry Into Human Fertilization an Embryology.* Department of Health and Social Security, United Kingdom.

Conférence d'Édith Deleury

Note

1. John Stroud, « Témoignage », cité par P. Verdier et Michel Soule dans *Le secret sur les origines, problèmes psychologiques, légaux, administratifs*, Paris, Édition ESF, collection la vie de l'enfant, 1986, p. 137.

Bibliographie

Association des centres de services sociaux du Québec, *Mémoire présenté au Comité interministériel des recherches sur les antécédents biologiques*, mars 1986.
Achilles, R.G. *The Social Meanings of Biological Ties: a Study of Participants in Artificial Insemination by Donor.* Ph. D. dissertation, University of Toronto, 1986.
American Fertility Society, Ethics Committee. *Ethical considerations of the New Reproductive Technologies, Fertility and Sterility*, October 1986 (supplement).
Arndt, M. "Severed roots: the sealed adoption records controversy", Northern Illinois University Law Review, vol. 6, 1986, pp. 103-127.

Barreau du Québec. *Mémoire sur la confidentialité des dossiers d'adoption et la recherche des antécédents*, mars 1986.

De Billy, H. « L'adoption, faut-il briser le silence? ». Gazette des femmes, vol. 4, no 4, octobre 1982, p. 18.

Byck G. et S. Galpin-Jacquot *État comparatif des règles éthiques et juridiques relatives à la procréation artificielle*. Paris, Ministère de la justice, Ministère de la santé et de la famille, 1986.

Cadieux, G. « L'adoption, d'hier à aujourd'hui, 1965-1983 ». Intervention, no 69, juillet 1984, p. 130.

Commission d'accès à l'information du Québec *L'État, une affaire publique, la vie privée: un secret d'état. Rapport sur les dispositions inconciliables des lois québécoises sur l'accès aux documents des organismes publics et sur la protection des renseignements personnels*. 1986.

Commission des droits de la personne du Québec. « La confidentialité des dossiers d'adoption dans le Rapport de l'Office de révision du Code civil », dans *Mémoire sur la réforme du Code civil*, Montréal, 23 avril 1979.

Centre des services sociaux du Montréal métropolitain. *« Quand la solution est devenue la question » De l'adoption à la recherche des origines*. Service de l'adoption, juin 1985, 74 p.

D'Adler, M.-A. et M. Teulade. *Les sorciers de la vie*. Paris, Gallimard, 1986, 296 p.

David, D. *L'insémination artificielle humaine, un nouveau mode de filiation*. Paris, Les Éditions E.S.F., 1984, 151 p. (Collection La Vie de l'enfant)

Delaisi de Parseval, G. et A. Fagot-Largeault. « Le statut de l'enfant procréé artificiellement; disparités internationales ». Médecine Sciences, vol. 2, no 9, octobre 1986, p. 482.

Dinverno, D.N. ''The Michigan adoption code's response to the sealed record controversy'', U. Det. L. Rev., vol. 62, 1985, pp. 295-317.

Ernst, C. « Psychological aspects of artificial procreation » in *Procréation artificielle, génétique et droit. Colloque de Lausanne, 29 et 30 novembre 1985*. Publication de l'Institut Suisse de droit comparé en collaboration avec l'Académie Suisse de Sciences médicales; Schulthess Polygraphischer Verlag, Zurig, 1986.

Ewerlof, G. « L'insémination artificielle, législation et débat », Actualités suédoises, no 329, février 1985

I.D.E.F. *La filiation; rupture et continuité. Actes du Colloque de Vaucresson, 26, 27, 28 juin 1985*. Publications du C.T.N.E.R.H.I. Paris, Presses Universitaires de France, 1986.

Fécondation in vitro, analyse du génome et thérapie génétique: rapport du Groupe de travail commun. Bonn, Ministère fédéral de la recherche et de la technologie et Ministère de la justice (Rapport Benola), 1985.

Haimes, E. *Adoption, identity and social policy: the search for distant relatives*. England, Aldershot, Hants; U.S.A., Brookfield, VF, 1985, 103 p.

Knoppers, B. et E. Sloss. ''Legislative reforms and reproductive technology'', Ottawa Law Review, vol. 18, 1986, p. 663.

Labrusse C. et G. Cornu. *Droit de la filiation et progrès scientifique*. Paris, Economica, 1981. (Collection perspectives économiques et juridiques)

Lacroix, L. et J. Masson. *Les retrouvailles parents biologiques: enfants adoptés, parents adoptifs*. Centre des Services sociaux de Québec, Service de l'adoption, Service de la recherche, août 1985, 280 p.

Law Reform Commission of Saskatchewan. *Proposals for a Human Artificial Insemination Act*. Saskatoon, 1987.

Legendre, P. *L'inestimable objet de la transmission, Leçon IV*. Paris, Fayard, 1985.

Mallory, T.E. et K.E. Rich. ''Human reproductive technologies; an appeal for Brave new legislation in a Brave new world'', Wasburn L.J., vol. 25, 1986, p. 458.

Mémoire du Conseil du statut de la femme au Comité interministériel sur la recherche des antécédents biologiques en vue des audiences (6 mars 1986) sur la confidentialité des dossiers d'adoption et sur la question de la recherche des antécédents. Québec, Conseil du statut de la femme, Comité sur les nouvelles technologies de la reproduction, mars 1986.

Messier, S. *Le Mouvement Retrouvailles: historique, intervenants, problématique.* Québec, Conseil du statut de la femme, Service de la recherche, avril 1983, 21 p.

Ontario Law Reform Commission. *Report on human artificial reproduction and related matters.* Toronto, 1985, 390 p. (2 vol.)

Ouellette, M. *Droit et science.* Montréal, Éditions Thémis, 1986.

Pilon, S. « Les retrouvailles en matière d'adoption » (art. 632 C.C.Q.) Revue du Barreau, vol. 45, 1985, pp. 806-810.

Rapport de la Commission d'enquête (présidée par Dame Mary Warnock) concernant la fécondation et l'embryologie humaines, Londres, 1984; Paris, La Documentation Française, 1985.

Rioux, J. et al. *L'insémination artificielle thérapeutique.* Québec, Presses de l'Université Laval, 1983.

Santé et Bien-être social Canada. *Rapport du comité consultatif sur le stockage et l'utilisation du sperme humain,* présenté au Ministre de la Santé nationale et du Bien-être social, Ottawa, 1981, 82 p.

Silva-Ruiz, P.F. "Artificial reproduction techniques, fertility regulation: the challenge of contemporary family law", Am. J. of Comp. L., vol. 34, 1986, p. 125.

Sinding, C. « L'hérédité et le secret », dans *La filiation, rupture ou continuité,* Op. cit., p. 212 à 220.

Smith, L.F. "Adoption — the case for more options", Utah Law Review, 1986, pp. 495-557.

Snowden, R. et G.D. Mitchell. *La famille artificielle, réflexions sur l'insémination artificielle par donneur.* Paris, Éditions Anthropos, 1984, 167 p.

Sorosky, A.D., R. Pannor et al. *The adoption triangle sealed or opened records, how they effect adoptees, birth parents, and adoptive parents.* Anchor Books Edition, 1984, 237 p.

Spegar, L.J. (Legislation notes) "H.84: Adopted persons identity or natural parents anonymity, Ohio's compromise to the adoption records controversy", Univ. of Dayton Law Review, vol. 11, 1986, p. 759.

Stepan, J. "Legislation relating to human artificial procreation", in *Procréation artificielle, génétique et droit, Colloque de Lausanne, 29 et 30 novembre 1985,* Op. cit.

Stoxen J.M. "The best of both "Open" and "Closed" adoption worlds: a call for the reforms of State statutes", Journal of Legislation, 1986, p. 292.

St-Onge, J. « Les parents adoptifs d'enfants mineurs face aux retrouvailles au Québec ». Le travailleur social, vol. 54, no 2, été 86, p. 55.

Swedisk Insemination Committee. *Report on children conceived by artificial insemination.* Stockolm, 1983 (Worshop document)

Verdier, P. et M. Soule. *Le secret sur les origines; problèmes psychologiques, légaux, administratifs.* Paris, Les Éditions E.S.F., 1986, 168 p. (Collection La Vie de l'enfant).

Conférence de Margrit Eichler

Notes

1. In the matter of Baby "M", a pseudonym for an actual person. Superior Court of New Jersey Chancery Division/Family Part, Bergen County, March 31, 1987. In the unpublished version, p, 31.
2. Baby M, Op. cit., p. 32.
3. Baby "M", Op. cit., p. 34.
4. Ibid. pp. 18-22.
5. See Noel P. Keane and Dennis L. Breo. *The Surrogate Mother*. New York, Everest House, 1981, for several examples.
6. See Keane, Op. cit., chapter 3, for an example of this type of contractual arrangement.
7. See Eric Levin, "Motherly Love Works A Miracle", People, October 19, 1987, pp. 38-43.
8. See Jane Meredith Adams, "Group Targets Surrogate Motherhood", Boston Globe, September 1, 1987.
9. This story reads partially as follows: "Now Sarai, Abram's wife, bore him no children. She had an Egyptian maid whose name was Hagar; and Sarai said to Abram, 'Behold now, the Lord has prevented me from bearing children; go in to my maid; it may be that I shall obtain children by her.' And Abram hearkened to the voice of Sarai." (Genesis 16) Hagar bore Abram a son. A while later, Sarah (as she had been renamed) bore a son for Abraham (as he had been renamed) herself. The story continues as follows: "But Sarah saw the son of Hagar the Egyptian, whom she had borne to Abraham, playing with her son Isaac. So she said to Abrahm, 'Cast out this slave woman with her son; for the son of this slave woman shall not be heir with my son Issac.'" (Genesis 21) After a bit of soul searching, Abraham carried out Sarah's wishes and sent Hagar and her son into the wilderness.
10. See Margrit Eichler. *Canadian Families Today. Recent Changes and their Policy Consequences*. Toronto, Gage, (2nd rev. and enl. ed., forthcoming).
11. The *Report on Human Artificial Reproduction and Related Matters* by the Ontario Law Reform Commission. Toronto, Ministry of the Attorney General, 1985, (henceforth referred to as the OLRC report) explicitly includes its recommendations arrangements which would involve the use of donor gametes — both eggs and semen.
12. In his judgement, Judge Sorkow addresses six critiques which have been made of surrogate arrangements in principle: "1) that the child will not be protected; 2) is the potential for exploitation of the surrogate mother; 3) the alleged denigration of human dignity be recognizing any agreement in which a child is produced for money; 4) surrogacy is invalid because it is contrary to adoption statutes and other child benefit laws such as statutes establishing standards for termination of parental rights; 5) it will undermine traditional notions of family; and 6) surrogacy allows an elite economic group to use a poorer group of people to achieve their purposes." (p. 69) Judge Sorkow eventually rejects all these arguments. The questions formulated above will address most of the same grounds, and some of Judge Sorkow's argumentation will be considered in this context.
13. Baby M, Op. cit., pp. 70-71. The OLRC did not make a recommendation for or against payment for the pregnancy or the child, due to internal disagreement on this issue. They simply recommended that "…no payment may be made in relation to a surrogate motherhood arrangement without prior approval of the court."
14. Baby M, Op. cit., p. 75.
15. Op. cit., p. 251.

16. Ibid.
17. Ibid. p. 252.
18. Ibid.
19. Margrit Eichler. *Canadian Families Today. Recent Changes and their Policy Consequences*. Toronto, Gage, (2nd, enl. and rev. ed., forthcoming, chapter 8).
20. Nor are the children born within such arrangements the only children involved. Contractual mothers often already have other children, and the social parents, as well, may already have other children. A study should look, minimally, at the short- and long-term effects of such arrangements on all children who are directly or indirectly affected by such arrangements. Of course, the effects on the directly and indirectly involved adults should be studied as well. One might speculate that any possible negative effects on children would be greatest for other children of the contractual mother. They would have to cope with the fact that a half-sibling of theirs was given away, usually for money.
21. Report, p. 282, rec. 38.
22. Ontario Law Reform Commission Report, Op. cit., p. 237.
23. This would not be the case when an embryo transfer is involved.
24. See Margrit Eichler. *Non-Sexist Research Methods. A Practical Guide*. Boston, Mass., Allen and Unwin, 1987, for a discussion of gender insensitivity as a form of sexism.
25. This case, however, is being appealed. The final outcome is, consequently, still pending.
26. In the Matter of the Family and Child Service Act… and in the Matter of Baby Boy Roininen, Provincial Court of British Columbia, Vancouver, Sept. 3rd, 1987, unpublished, pp. 1-2.
27. Ibid. pp. 6-7.
28. The other case involved an Ontario woman who was committed to a hospital because her unborn fetus was judged to be a child in need of protection. She gave birth to it in the hospital. For a discussion of the case, see Eichler, Families, op. cit.

Conférence de Françoise Laborie

Notes

1. Geneviève Delaisi de Parseval reprend à son compte l'expression « parenté additionnelle » (utilisée par certains ethnologues) pour l'opposer aux notions d'abandon ou de substitution qui règlent dans les sociétés occidentales l'adoption par rupture totale avec le foyer d'origine. dans Geneviève Delaisi de Parseval et Alain Janaud. *L'enfant à tout prix*, Paris, Seuil, 1983.
2. Je me réjouis que la loi française empêche que ce type de problème se produise car toute femme ayant, à la naissance, déclaré vouloir abandonner son enfant, a six mois pour confirmer ou infirmer sa décision si elle le souhaite.
3. Dr Roland Havas. « Des mots pour le dire ». Autrement, no 93, octobre 1987.
4. L'étrangeté du foetus à sa mère est un thème qui se développe depuis peu de temps. Dans le cadre des recherches sur le placenta, on essaie de comprendre comment il se fait que l'utérus ne rejette pas le foetus comme il le ferait d'un tissu greffé. (Voir à ce sujet l'article d'Hélène Rouch: « Le placenta comme tiers », dans Langages le

sexe linguistique, 1985). On s'interroge pour savoir si l'utérus ne serait pas... un lieu d'oppression du foetus. D'autre part, on sait qu'aux USA notamment, on considère les intérêts du foetus et ceux de sa mère comme antagonistes: il arrive qu'on oblige des femmes à accepter des opérations sur le foetus in utéro.

5. Simone Novaes. *Donors and donor policy in reproductive medicine*. À paraître.

6. C'est précisément le cas qui a donné lieu à l'utilisation récente d'une grand-mère comme « véritable » mère porteuse de ses futurs petits enfants: on avait transféré en son utérus quatre embryons issus des gamètes de sa fille et son gendre.

7. Voir à ce sujet l'article de Joachim Marcus-Steiff: « Pourquoi faire simple quand on peut faire compliqué? » dans Les Temps Modernes, no 482, septembre 1986 et celui de Gena Corea et Susan Ince: « IVF a game for losers at half of US clinics », Medical tribune, vol. 26, no 19, 3 juillet 1985.

8. Jean Baudrillard: *Pour une critique de l'économie politique du signe*. Paris, Gallimard, 1972.

9. Ainsi à l'hôpital A.-Béclère à Clamart, un couple dont la femme vient demander une FIV avec don d'ovocyte est prié de se présenter avec une donneuse. Mais ce ne sera pas elle qui donnera son ovocyte à la femme stérile qui l'accompagne. Dans d'autres hôpitaux en France, les protocoles sont différents: les donneuses d'ovocytes sont des patientes FIV qui, avant chaque cycle de tentative s'engagent, par écrit, dans le cas où elles auraient plus de six ovocytes, à en donner un ou deux à une autre femme stérile, patiente FIV. Il s'agit d'un don de femme stérile à femme stérile. Pour plus de détail sur ces dons, voir à ce sujet l'article de Françoise Laborie, « Des fantasmes à la mise en acte: offres et refus de la science », dans Cahiers du GRIF, octobre 1987.

10. Je ne ferai ici qu'évoquer, car il ne me semble pas que ça se pratique en France, un autre mode de don d'ovocyte fort apprécié de certains médecins et sur lequel misent des financiers qui espèrent en tirer des profits. Organisé en sociétés privés avec actions, il s'agit du lavage d'utérus — dénommé « embryo flushing » aux USA — qui, du point de vue technique consiste à récupérer le ou les embryons de quelques jours qui ont commencé à se développer dans l'utérus d'une femme fertile dont on a préalablement stimulé l'ovulation et qui a été inséminée par le sperme du futur père social. Il est cependant déjà arrivé que certains embryons n'aient pas été récupérés et que la femme donneuse d'ovocyte ait alors dû subir un avortement.

Dans ce cas, il y a encore réduction de la femme fertile à l'une de ses fonctions: ici, elle n'est pas réduite à sa capacité gestatrice, n'est plus simple « incubateur » humain; elle est alors réduite à son aptitude (meilleure, donc plus économique et plus rentable que celle des biologistes) à assurer la fécondation de ses ovocytes: c'est une fécondatrice.

11. Voir à ce sujet l'article de Rosi Braidotti, « Des organes sans corps ». Les cahiers du GRIF, octobre 1987.

12. Il faut noter que dans certains pays, l'Autriche par exemple, des praticiens de la FIV dispose d'un pool de donneuses d'ovocytes payées sur lesquelles ils font des stimulations hormonales et des prélèvements ovocytaires quatre fois par an.

13. J'ajoute, car celà me semble important, que ce n'est pas ce couple qui fut choisi par la mère porteuse (elle n'avait dans ce cas réussi à parler qu'avec le mari), mais un autre qui, bien que ne la payant que 50.000F, donna à la différence du premier, son nom, des détails sur sa vie de telle façon que le couple en question lui parut infiniment plus sympathique. Contre l'avis de Geller, elle les rencontra pendant sa grossesse, les invitant à passer quelques jours de vacances avec sa famille. Depuis la naissance du bébé, les deux couples se téléphonent régulièrement, c'est la mère porteuse qui refuse d'aller voir l'enfant comme les parents qui l'élèvent l'y invitent.

14. Un témoignage de ceci est donné par Dominique Grange dans une interview parue dans L'âne en septembre 1987. Cette femme stérile, après avoir effectué sans succès

des tentatives de FIV, qu'elle raconte dans un livre intitulé *L'enfant derrière la vitre* (Paris, Encre, 1985), a décidé avec son mari d'adopter des enfants colombiens: ils ont en ce moment deux enfants. Ce furent deux adoptions tout à fait différentes car dans le cas de la seconde, la mère génitrice de l'enfant voulut rencontrer plusieurs fois les parents adoptifs, ce qu'ils firent, et bien que satisfaite de savoir que ce serait eux qui élèveraient son enfant, elle dit sa tristesse de devoir abandonner encore cet enfant là (elle en a déjà abandonné cinq) et son désir d'avoir de ses nouvelles. Dominique Grange constate que l'adoption de cet enfant a été pour elle et, je crois, pour son mari beaucoup plus difficile que la première (où semble-t-il, ils n'avaient eu aucun contact avec les géniteurs) car ils ne se sentaient pas être de vrais parents.

Conférence de Louis Dallaire

Notes

1. M. Bédard, D. Lazure et C.A. Roberts. *Rapport de la Commission d'étude des hôpitaux psychiatriques au Ministre de la santé de la province de Québec.* 1962
2. M. Blanchet et M. Levasseur. « Périnatalité: bilan et prospective », dans Carrefour des Affaires sociales, vol. 2, 1981, pp. 10-28.
3. L. Dallaire. *Enquête sur l'accueil à l'enfant handicapé.* Québec, ministère des Affaires sociales, 1984. Étude et évaluation des services médicaux disponibles aux jeunes enfants de 0-5 ans souffrant de déficiences et rapport sur l'utilisation et accessibilité de ces services.
4. L. Dallaire. « Intégration du diagnostic prénatal des maladies génétiques à la pratique médicale ». Canadian Medical Association Journal, vol. 115, 1976, pp. 713-714.
5. L. Dallaire et al. « Le diagnostic prénatal des maladies génétiques au second trimestre de la grossesse. Partie I: Les indications ». Union Médicale du Canada, vol. 111, 1982, pp. 189-205.
6. L. Dallaire. « Pour le traitement in utéro, contre l'eugénisme ». Le Clinicien, vol. 2, 1987, p. 11.

Conférence d'Abby Lippman

Note

1. This is "defensive" medicine on the individual level. It is probably not stretching the term too far to suggest that defensive medicine on the societal level is reflected in the growing reliance on cost-benefit arguments to support medical interventions. Here one is defending the public purse against future medical costs to care for the disabled by early screening.

Conférence d'Yvette Grenier

Notes

1. Roger Henrion. « Le diagnostic prénatal », dans Actes du colloque Génétique, Procréation et Droit, Paris, Actes Sud, 1985, pp. 417-435.
2. Maurice A.M. de Wachter. « Le diagnostic prénatal, la famille, la procréation », dans Dialogue Bioéthique et désir d'enfant, no 87, 1985, pp. 59-63.
3. Marie-Noëlle Mathis. « ...et propos intempestifs », dans Dialogue Bioéthique et désir d'enfant, no 87, 1985, pp. 8-12.
4. Bruno Latour. « La définition du lien social », dans Actes du colloque Génétique, Procréation et Droit, Paris, Actes Sud, 1985, pp. 335-361.
5. Françoise Fougeroux. « La déontologie médicale face à l'avortement pour malformations », dans Éthique et Génétique, dossiers du Centre Thomas More, 1981, pp. 1-8.
6. Yvette Grenier. *Les trisomiques 21 et le diagnostic prénatal: une approche socioéthique*, mémoire de DEA, Créteil, Université de Paris XII, 1985. (polycopié)
7. Yvette Grenier. *Les femmes et le diagnostic prénatal: étude de 72 cas.* Créteil, Université de Paris XII, 1986. (polycopié)
8. François A. Isambert. « Questions éthiques posées par le diagnostic prénatal », dans Dialogue Bioéthique et désir d'enfant. no 87, 1985, pp. 65-71.
9. Barbara Katz-Rothman. « The meaning of choise in reproductive technology », dans *Test-Tube Women. What Future for Motherhood*, London, Pandora Press, 1984, pp. 23-33.
10. David Roy et Maurice A.M. de Wachter. « Médecine éthique, anthropologie », dans *Traité d'anthropologie médicale*, chap. 59, 1985, p. 1206.

Conférence d'Édward W. Keyserlingk

Notes

1. E. Deleury. "Naissance et mort de la personne humaine, ou les confrontations de la médecine et du droit." (1976) 17 C. de D. 265 at p. 275.
2. K. Weiler and K. Catton. "The Unborn Child in Canadian Law", Osgoode Hall Law Journal, vol. 14, 1976.
3. Montreal Tramways v. Leveillé, (1933) S.C.R. 456 at p. 462.
4. Re Sloan Estate, (1937) 3 W.W.R. 455 (B.C.S.C.) at pp. 463-465.
5. Duval v. Seguin, (1972), 26 D.L.R. (3d) 418 (Ont.H.C.) at p. 433.
6. People v. Yates, 298 p. 961 (Cal. App. Dep't Super. Ct. 1931).
7. Chapman v. C.N.R., (1943) O.W.N. 47 aff'd at 297.
8. Re Simms and H, (1979) 106 D.L.R. (3d) 435 (N.S. Family Ct.).
9. Re Children's Aid Society for the District of Kenora and J.L., (1981), 134 D.L.R. (3d) 249 (Ont. P.C. Fam. div.).
10. Re Superintendent of Family and Child Service and McDonald, (1982) 135 D.L.R. (3d) 330 (B.C.S.C.).
11. Hoener v. Bertinato, 171 A. 2d 140, (N.J.J.D.R.C. 1961).

12. Raleigh Fitkin-Paul Morgan Memorial Hospital v. Anderson, 201 A 2d 437 (N.J. Sup.Ct. 1964).
13. Jefferson v. Griffin Spalding Co. Hospital Authority, 274 S.E. 2d 457 (Ga. 1981).
14. See G. Annas, "Forced Cesareans: The Most Unkindest Cut of All", Hastings Center Report, vol. 12, no 3, 1982, p. 16.
15. Re Children's Aid Society of City of Belleville, Hastings County et al. (1987) 59 O.R. (2d) (Ont. Provincial Ct, Family Division, County of Hastings).
16. In the Matter of the Family and Child Service Act and Baby Boy Roininen, (unreported), Provincial Ct. of B.C., September 3, 1987 (No. 876215 Vancouver Registry).
17. G. Annas, Op. cit., supra note 14 at 17.
18. M. Harrison, et al. "Management of the Fetus with a Correctable Congenital Defect". JAMA, vol. 246, 1981, pp. 774-777.
19. See for example, H. Amirikia, et al., "Cesarean Section: a 15 Year Review of Changing Incidence, Indications and Risks", American Journal of Obstetrics and Gynecology vol. 140, 1981, pp. 81-86.
20. J.T. Queenan, "Intrauterine Transfusion, a Cooperative Study", American Journal of Obstetrics and Gynecology, vol. 104, 1969, p. 397.

Conférence de Diane Girard

Notes

1. Code criminel, article 206 (1).
2. Code criminel, article 206 (2), 221, 226.
3. Code civil, article 18.
4. Bartha Maria Knoppers. *Conception artificielle et responsabilité médicale: une étude de droit comparé.* Montréal, Les Éditions Yvon Blais inc., 1986, p. 158.
5. Code civil, article 608.
6. Code civil, article 471.
7. Code civil, article 838.
8. Montréal Tramways Co. c. Léveillé (1933) R.C.S. 456.
9. Loi de 1982 sur le Canada, 1982, (R.V.) c. 11.
10. Borrowski c. H. G. Canada, (1984) 4 D.L.R. (4th) 121, 131, (Sask. C.A.).
11. Borrowski c. H. G. Canada, Court of Appel for Saskatchewan; April 30th 1987; # 2633, Judge J.A. Gerwing.
12. Charte des droits et libertés de la personne, L.R.Q., c. C-12.
13. Bartha Maria Knoppers. « Reproduction Technology and International Mechanisms of Protection of the Human Person », (1987) 32 R.D. McGill, 336; p. 345, traitant de:
   — Ethical Considerations of the New Reproductive Technologies, supp. 1 (1986) 46 Fertility and Sterility, American Fertility Society.
   — Warnock Report. *Report of the Committee of Inquiry into Human Fertilization and Embryology,* Cmnd 9314, July 1984, UK, Department of Health and Social Security, O.L.R.C. Report. Ontario Law Reform Commission. *Report on Human Artificial Reproduction and Related Matters.* Toronto, Ministry of the Attorney General, 1985.

14. J.L. Beaudoin. « L'expérimentation sur les humains: un conflit de valeurs ». McGill Law Journal, vol. 26, 1981, p. 809.
15. Fernande Rousseau. *Nouvelles technologies de la reproduction: questions soulevées dans la littérature générale*. Québec, Conseil du statut de la femme, 1985.
16. La Presse, 23 août 1987.
17. La Presse, 28 septembre.
18. Toronto Star, August 17, 1987.
19. Children's Bill (Bill 8), Yukon Legislation Assembly, art. 133.
20. In the Matter of the Family and Child Service Act and Baby Boy Roininen, (unreported), Provincial CT. of B.C., September 3, 1987 (No. 876215 Vancouver Registry).
21. Re Children's aid Society of City of Belleville, Hastings County et al. (1987) 59 O.R. (2d) (Ont. Provincial CT, Family Division, County of Hastings).
22. J. Gallagher. "The foetus and the law: whose life is it anyway?". M.S. Magazine, September 1984.
23. Supra, note no 15, pp. 64-65.
24. Paul A. Crépeau, (1973) 52 C.B.R. 251 (note 10).
25. Supra, notes nos 10 et 11.
26. R. c. Morgantaler, (1986) 22 D.L.R. (4th) 641 (Ontario, C.A.).
27. La Presse, 3 juin 1987; The Globe and Mail, June 3, 1987.
28. Roe c. Wade, 410 O.S. 113 (1973).
29. Paton c. United Kingdom, (1981) 3 E.H.R. 408.
30. *La réforme en matière d'avortement: les solutions possibles*. Document de consultation. Groupe de travail sur le statut juridique du foetus. Ottawa, Commission de réforme du droit du Canada, Section de recherche sur la protection de la vie, 1986.

Conférence de Carole Beaulieu

Notes

1. Jacques Testart, *L'oeuf transparent*, Paris, Flammarion, 1986, p. 112.
2. Jacques Testart, Op. cit., p. 75.
3. Jacques Testart, Op. cit., p. 82.
4. Jacques Testart, Op. cit., p. 82.
5. Jacques Testart, Op. cit., p. 81.

Conférence de Rita Arditti

Bibliographie

George Annas. 1986. "The Baby Broker Boom". Hastings Center Report, June.
Sevgi C. Aral and Willard States. 1983. "The Increasing Concern with Infertility. Why now." JAMA, vol. 250, no 17.

Arditti, Rita. 1974. "Women as objects — Science and Sexual politics". Science for the People, September.

Arditti, Rita. 1980. "Feminism and Science", in Arditti Rita et al. *Science and Liberation*, South end Press, Boston.

Blakeslee, Sandra. 1987. "Trying to make money making 'test-tube' babies. The New York Times, May 17.

Brodribb, Somer. 1984. *Reproductive Technologies, Masculine Dominance and the Canadian State*. Occasional Papers in Social Policy Analysis. Department of Sociology in Education. Ontario Institute for Studies in Education. Canada.

Bush, Corlan Gee. 1983. "Women and the Assessment of Technology: To think, to Be, to Unthink, to Free.", in *Machina Ex Dea, Feminist Perspectives on Technology*, Pergamon Press, New York.

Corea, Gena. 1977. *The Hidden Malpractice*. Harcourt Brace Jovanovitch, New York.

Corea, Gena. 1985. *The Mother Machine*. Harper and Row, New York.

Corea, Gena. 1986. "Unnatural Selection", in The Progressive, January.

Dickson, David. 1974. "Technology and the Construction of Social Reality", in Radical Science Journal, no. 1.

Dreifus, Claudia. 1977. *Seizing Our Bodies*. Vintage Books, New York.

Eck Menning, Barbara. 1977. *Infertility — A guide for the Childless Couple*. Prentice Hall, New Jersey.

Fee, Elizabeth. 1982. "A feminist critique of scientific objectivity." Science for the People, July/August.

Goodman, Paul. 1971. "Can Technology Be Humane"?, in *The Social Responsibility of the Scientist*. The Free press, New York.

Hartmann, Betsy. 1987. *Reproductive Rights and Wrongs*. Harper and Row, New York.

Henshaw, Stanley K. and Margaret Terry Orr. 1987. "The need and unmet need for Infertility Services in the United States." Family Planning Perspectives, July/August.

Jefferson, Laurie. 1987. *Reproductive Laws and Low-Income and Minority Women*. Background paper for the "Reproductive Laws for the 1990s" Project, Rutgers University.

Keane, Noel P. and Dennis L. Breo. 1981. *The Surrogate Mother*. Everest House, New York.

Keller, Evelyn Fox. 1985. *Reflections on Gender and Science*. Yale University Press. New Haven and London.

Lappe, Marc. 1985. "Setting priorities in biotechnology". Science for the People, May/June.

McDonnell, Kathleen. ed. 1986. *Women and the Pharmaceutical Industry*. Women's Educational Press, Ontario, Canada.

Merchant, Carolyn. 1980. *The Death of Nature*. Harper and Row, New York.

Minden, Shelley. 1985. "Genetic Engineering and Human Embryoes". Science for the People, May/June.

Mintz, Morton. 1985. *At Any Cost: Corporate Greed, Women and the Dalkon Shield*. Pantheon Books, New York.

Nelkin, Dorothy. 1987. "Selling Science." Science for the People. May/June.

Pfeffer, Naomi and Anne Woollett. 1983. *The Experience of Infertility*. Virago Press, London, England.

Rose, Hilary. 1983. "Hand, Brain and Heart: A Feminist Epistemology for the Natural Sciences." Signs, vol. 9, no. 11.

Winner, Langdon. 1977. *Autonomous Technology — Technics — Out of Control as a theme in Political thought*. MIT Press. Cambridge, Mass.; London, England.

Conférence de Marie Lalancette

Note

1. Corporation professionnelle des médecins du Québec, *Carnet de grossesse, Neuf mois pour la vie*, Montréal, 1987, p. 10.

Bibliographie

Arditti, Rita. Renate Duelli Klein and Sheey Mindin. *Test-Tube Women: What Future for Motherhood?*. London, Pandora Press, 1984.

Corea, Gena. *The Mother-Machine: Reproductive Technologies from Artificial Insemination to Artificial Wombs*. New York, Harper and Row, 1985.

Coquatrix, Nicole. « Les femmes et la reproduction: éléments d'interprétation de nos prétendues faiblesses », dans *Les femmes et la santé*. Chicoutimi, Gaétan Morin Éditeur, 1985, pp. 53-82.

Ehrenreich, Barbara et Deirdre English. *Sorcières, sages-femmes et infirmières*. Montréal, Éditions du Remue-ménage, 1985.

Fédération du Québec pour le planning des naissances. Cahier Femmes et Sexualité, no 5, mai 1987, pp. 35-81.

Fédération du Québec pour le planning des naissances. *Mémoire présenté à la Commission d'enquête sur les services de santé et les services sociaux*. Montréal, avril 1986.

Fédération du Québec pour le planning des naissances. *Du contrôle de la fécondité au contrôle des femmes*. Mars 1986.

Greer, Germaine. *Sexe et destinée*. Paris, Grasset, 1986.

O'Leary, Véronique. *Conception féministe de la santé*. Mémoire d'un forum de femmes. Montréal, Centrale de l'enseignement du Québec, 1986.

Régie de l'Assurance-maladie du Québec. *Statistiques annuelles*. 1985.

Vandelac, Louise. *Formation aux groupes de femmes*. Montréal. 1987.

Conférence de Jalna Hanmer

Note

1. International Coordinator, FINRRAGE, P.O. Box 583, London NW3 1RQ

Bibliographie

Arditti, Rita, Renate Duelli Klein and Shelley Minden. *Test-Tube Women: What Future for Motherhood?*. London, Pandora Press, 1984.

Corea, Gena et al. *Man-Made Women: How New Reproductive Technologies Affect Women*. London, Hutchinson, 1985.

Corea, Gena. *The Mother-Machine: Reproductive Technologies from Artificial Insemination to Artificial Wombs*. New York, Harper & Row, 1985.

Firestone, S. *The Dialectic of Sex*. Jonathan Cape, 1971.

Hoskins, B., H. Holmes and M. Gross. *The Custom-Made Child?: Women-Centred Perspectives*. Clifton, New Jersey, Humana Press, 1981.

Journal of the American Medical Association, Genetic Engineering: Reprise, vol. 220, June 5 1972, pp. 1356-1357. Quoted in Genetic Engineering: Evolution of a Technological Issue, U.S. House of Representatives, 92nd Congress, Second Session, 1972.

Scutt, J. *The Commercialisation of Motherhood*. Melbourne, McCulloch & Macmillan. (in Press)

Spallone, P. *Beyond Conception: The New Politics of Reproduction*. London, Macmillan. (in Press)

Conférence de Martine Chaponnière

Notes

1. La démocratie directe suisse permet à 100 000 citoyens de signer un texte demandant un changement dans la Constitution. Si les 100 000 signatures sont récoltées, le peuple entier devra se prononcer en votation populaire.

2. La teneur exacte du texte de l'initiative est la suivante:

   INITIATIVE POPULAIRE FÉDÉRALE CONTRE L'APPLICATION ABUSIVE DES TECHNIQUES DE REPRODUCTION ET DE MANIPULATION GÉNÉTIQUE À L'ESPÈCE HUMAINE.

   Article 24[octies] (nouveau)

   1. La Confédération édicte des prescriptions sur les manipulations du patrimoine reproducteur et génétique humain.

   2. Elle veille par là à assurer le respect de la dignité humaine et la protection de la famille.

   3. Il est notamment interdit de

      a) cacher aux intéressés l'identité des géniteurs, sauf si la loi le prévoit expressément;

      b) constituer par métier des réserves d'embryons et les remettre à des tiers;

      c) proposer par métier des personnes susceptibles de concevoir ou d'engendrer des enfants pour des tiers;

      d) procéder au développement de foetus hors du corps de la mère;

      e) procéder au développement soit de plusieurs embryons humains de même génotype, soit d'embryons qu'on a obtenus en utilisant du matériel germinal ou génétique humain artificiellement modifié ou animal;

      f) manipuler des embryons ou des foetus humains dont le développement a été interrompu ou commercialiser le produit de telles manipulations.

3. Voir, Silvia Lempen. « L'initiative du Beobachter; Légiférer, mais comment? », Femmes suisses, Janvier 1987, pp. 11-12.

4. Ursula Nakamura-Stoecklin. *Fortpflanzungs-und Gentechnologie, Stellungnahme der Sektion Basel-Stadt des Schweiz, Verbands fur Frauenrechte* (prise de position de la

section de Bâle-Ville de l'Association suisse des Droits de la Femme), 15 novembre 1986. (non publié, en allemand).
5. Simone De Beauvoir. *Le deuxième sexe*. Paris, Gallimard, 1971, pp. 84-85
6. Odette Thibault. « Réflexions d'une femme biologiste et féministe », dans *Actes du colloque Génétique, procréation et droit*, Paris, Actes Sud, 1985, p. 541.

Conférence de Janice G. Raymond

Notes

1. Kathleen Barry, Charlotte Bunch and Shirley Castley, *International Feminism: Networking Against Female Sexual Slavery, Report of the Global Feminist Workshop to Organize Against Traffic in Women*. Rotterdam, the Netherlands, April 6-15, 1983, New York, The international Women's Tribune Centre, Inc., 1984, p. 39.
2. Joni Seager and Ann Olson. *Women in the world: An International Atlas*. New York, Simon and Schuster, Inc., 1986.
3. Information presented by Alejandra Munoz at the press conference announcing the formation of a National Coalition Against Surrogacy, Washington, D.C., August 31, 1987. For a press excerpt of this presentation, see Elizabeth Mehren, "Surrogate Mothers: 'Let's Stop This'", Los Angeles Times, September 1, 1987.
4. Quoted in Gena Corea, *The Mother Machine: Reproductive Technologies from Artificial Insemination to Artificial Wombs* New York, Harper & Row, 1985, p. 214.
5. Co-author of a report from UNESCO. *On Prostitution and Strategies Against Promiscuity and Sexual Exploitation of Women* (Madrid, Spain, March 12-21, 1986), excerpted in Echo, AWord Newsletter, vol. I, nos 2-3, 1986, pp. 16-17.

Conférence de Louise Vandelac

Notes

1. Comme me l'a fait remarqué avec justesse Hélène Valentini, les technologies de pointe comme la fécondation in vitro ne doivent pas nous faire oublier que l'impact majeur des technologies de procréation et leur banalisation passe d'abord par des techniques comme l'échographie concernant désormais toutes les femmes enceintes.
2. Convoquer une conférence de presse à 24 heures d'avis, par le biais de l'une des plus grosses agences de publicité de Montréal, pour annoncer un début de grossesse, à la suite d'une fécondation in vivo, et proclamer alors, devant les 65 journalistes qui en feront la manchette, que cette technique a un « taux de succès de 30% », taux de succès, ce concept dont la géométrie est fort variable, et cela alors que ce centre n'a encore aucune réussite à son actif, n'est-ce pas littéralement créer la demande? Comme le Dr Miron l'a avoué lors d'une conférence à l'hôpital Maisonneuve-Rosemont, il craignait que des concurrents n'annoncent cette technique avant son équipe. On peut

comprendre tout l'intérêt d'une telle publicité en termes de réputation de l'hôpital et d'éventuels fonds de recherche, mais en termes de santé publique, promouvoir de façon aussi hâtive en s'attribuant à l'avance de prétendus taux de succès d'autres équipes et cela pour une technique employée surtout pour infertilité de cause inconnue, relève de la désinformation et interroge sérieusement l'éthique journalistique et médicale... Quant à titrer en première page « Nouvelle technique », comme l'a fait La Presse, le 18 août 1987, pour qualifier une fécondation in vitro où l'incubation s'est faite dans le vagin plutôt qu'en incubateur, on peut se demander si cela ne relève pas davantage d'une nouvelle technique publicitaire que médicale...

3. Les « indications » hâtives et hasardeuses expliquent en partie que 20% à 30% des femmes en traitement de fécondation in vitro ont une grossesse spontanée, (Frydman, 1986) plusieurs étant davantage impatientes que stériles, ce qui dessoufle d'autant les prétendus taux de succès de la FIVETE qui n'impliquent pas de groupes contrôles! Le terme « indication » est l'expression même de la légitimation médicale même si en fait il camoufle soit l'impossibilité de diagnostiquer l'infertilité (on ne peut en effet que diagnostiquer une pathologie précise ou constater l'absence d'enfant comme le souligne Lise Dunnigan) ou soit de nouveaux champs d'expérimentation sur sujet humain qui sont fort discutables, tels la fécondation in vitro en cas d'infertilité masculine.

4. Voir « Indications non-tubaires de la fécondation in vitro » A.J.M. Audebert, J.C. Emperaire, Y. Papras, in Contraception fertilité sexualité, Vol. 14, no 5, 1986, pp. 453-460.

5. La première FIVETE pratiquée à l'hôpital St-Luc à Montréal est un cas éloquent. Un couple travaillant dans un centre d'insémination artificielle de bovins, commence une batterie de tests de fertilité après un an d'essais de conception infructueux et cela alors que la femme avait pris la pilule depuis des années et que les délais moyens de conception sont alors de deux ans (voir Rochon 1986)! L'infertilité est inexplicable... et pour cause, car il y a de fortes chances qu'il n'y ait pas infertilité mais essentiellement impatience à procréer! Comment savoir alors si la conception est dûe vraiment à la fécondation in vitro pratiquée en avril 1986 et non à une relation sexuelle?

6. Nous conservons cette expression anglaise définie dans l'enquête du NCHS de la façon suivante. « Women were classified as non surgically sterile if they reported that it was impossible for them to have a baby for any reason other than sterilization operation » (Mosher et al, 1985, p. 7). Comme on le constate, cette définition ne signifie pas nécessairement que les femmes interrogées étaient biologiquement infertiles.

7. « Women were classified as subfecond if it was difficult or dangerous to have a baby » (Mosher et al., 1985, p. 7).

8. Le taux global de stérilisation masculine et féminine pour 100 femmes mariées de moins de 45 ans était évalué à 38.9% aux États-Unis en 1982, à 41.5% au Canada en 1984, à 28% en Grande-Bretagne en 1983, à 25-30% au Pays-Bas et à 8% seulement en France.

9. Il est maintenant courant dans certaines équipes françaises de pratiquer des stimulations ovariennes ou encore de passer à l'insémination intra-utérine pour accroître l'efficacité d'une technique dont le faible succès oscille autour de 10% par cycle comparativement à 25% en insémination naturelle...

Bibliographie

Corea, Gena. *The Mother-Machine: Reproductive Technologies from Artificial Insemination to Artificial Wombs.* New York, Harper and Row, 1985, 374 p.

Dufresne, Jacques. *La reproduction humaine industrialisée*. Québec, Institut Québécois de recherche sur la culture, 1986, 125 p.

Ellul, Jacques. *Le système technicien*. Paris, Calman-Lévis, 1977.

Emperaire, J.C. « Indications de la fécondation in vitro et éthique médicale: entre le hasard et les nécessités », dans Contraception-Fertilité-Sexualité, vol. 14, no 2, 1986, pp. 1153-1155.

Hottois, Gilbert. *Le signe et la technique*, Paris, Aubier, 1983.

Jouannet, Pierre. « Questions éthiques liées aux fécondation in vitro réalisées sur indication masculine », dans Contraception-Fertilité-Sexualité, vol. 14, no 2, 1986, pp. 1158-1159.

Marcus-Steiff, Joachim. « Pourquoi faire simple quand on peut faire compliqué? », dans Les temps modernes, no 482, septembre 1986.

Mosher, William D. and William F. Pratt. ''Fecundity and infertility in the United States, 1965-82'' in NCHS Advancedata, From Vital and Health Statistics of the National Center of Health Statistics, number 104, February 11, 1985 (U.S. Department of Health and Human Services)

O'Brien, Mary. *The Politics of Reproduction*. London, Routledge and Kegan Paul, 1981.

Rochon, Madeleine. *Stérilité et infertilité: deux concepts, deux réalités*. Québec, ministère de la Santé et des Services sociaux, Service des études socio-sanitaires, novembre 1986, 36 p. (Études de santé no 3).

Vandelac, Louise. « Sexes et technologies de procréation: mères porteuses déportées par la langue... » Sociologie et sociétés, mai 1987a.

Vandelac, Louise. (1987b). « Vulgarisation scientifique et technique: entre scientisme et sensationalisme ou Quand la presse tombe enceinte des « mères porteuses » et des hommes enceints! », dans *Vulgarisation scientifique et technique*, D. Jacobi et B. Schiele, (éds), Paris, Ed. Champ Vallon. (À paraître)

Vandelac, Louise. (1987c). *Technologies de procréation et « biologisation » de la paternité...* Communication, Colloque de l'APRE, CNRS, Paris, novembre 1987. (Actes du Colloque à paraître).

Achevé d'imprimer
en janvier 1988 sur les presses
des Ateliers Graphiques Marc Veilleux Inc.
Cap-Saint-Ignace, Qué.